거장의 나무

문학산 지음

작가

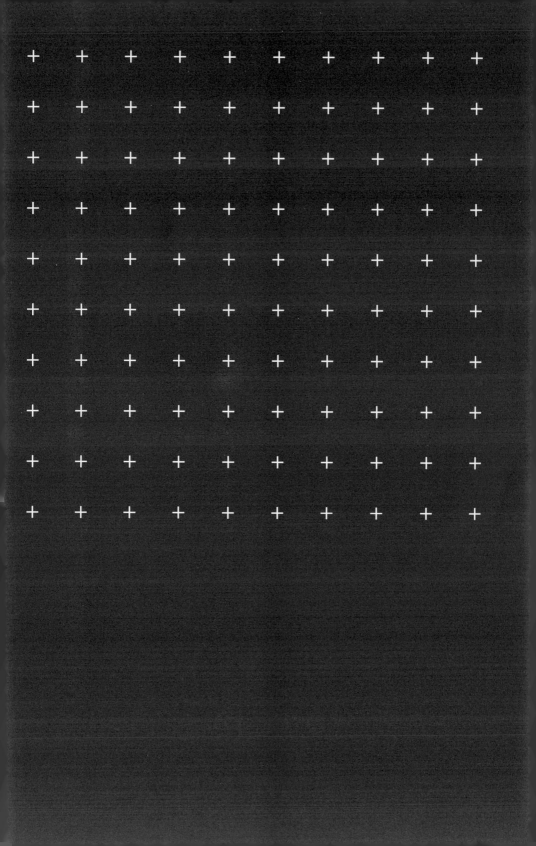

작가의 나무에 대한 기억들

부자는 재산을 감추고 가난한 자는 없는 살림을 드러냅니다. 창고가 가득하면 덜 꺼내도 수북합니다. 창고가 허전하면 있는 것 몽땅 털어내도 한없이 적막할 뿐입니다. 가난한 시간의 창고에서 굵직한 기억을 꺼내와 두서없이 진열했지만 가을 추수 끝난 들판의 허수아비처럼 고즈넉할 뿐입니다.

20년 전 일요일 동국대 전철역 부근의 식당은 비교적 한산했습니다. 남산을 찾은 관광객과 과제에 밀려 휴일을 반납한 대학생들이 식당의 자리를 일부 차지하고 있었다. 딱 반반이었습니다. 식당의 한구석에 어느 쪽에도 속하지 않은 만학도가 혼자 천천히 김치찌개를 먹고 있었습니다. 이 풍경은 대학원 시절 휴일의 스냅 사진입니다. 평일에는 시사회장에서 감독과 배우의 무대 인사를 듣고 개봉 예정 영화를 감상하고 나서 보도자료 봉투를 들고 집으로 돌아오고, 주말에는 활자로 된 영화 관련 서적을 뒤적거렸습니다. 시간이 청계산의 계곡 물처럼 천천히 흘러갔습니다.

세상의 모든 영화는 존재 가치가 있다고 여겨집니다. 하지만 모든 감독을 연구 대상으로 삼는 일은 불가능하고 버거운 일입니다. 이와 같은 사정은 불가피하게 선택된 소수 감독에 대한 지지라는 방향으로 나갈 수밖에 없었습니다.

종로의 코아 아트홀에서 만난 안드레이 타르코프스키 〈희생〉(1986)에 대한 기억과 퀴퀴한 좌석 냄새가 밴 광주의 변두리 재개봉관에서 감상한 임권택의 〈만다라〉(1981)는 영화에 대한 관심에서 생업으로 삶을 기울게 하였습니다. 수많은 꽃이 피고 지는 사이, 함박눈과 봄의 꽃잎이 눈처럼 흩날리던 사이에 꽃잎 같은 작품을 감상하면서 시간대의 지층을 쌓아갔습니다. 어느덧 작가들이 창조한 영화라는 세계에 입문하였고 그 세계에서 감성과 이성의 이름으로 작품과 어눌한 대화를 나누기 시작하였습니다. 여기에 모인 글은 거장의 작품이라는 나무와 필자가 말없이 나눈 마음의 대화 흔적입니다. 이 책은 거장의 목소리를 서툰 모국어로 채집한 대화록에 가깝습니다.

작가의 작품에 대한 친견은 오랜 세월동안 지속되어 15년 이상의 세월이 흘렀습니다. 오랜 시간이 소요된 이유는 필자의 아둔한 능력이 가장 큰 원인이며 또 다른 사유는 작가의 작품이라는 거봉에 오르기 위한 절대 준비 시간이 필요했습니다. 세상을 보는 넉넉한 눈과 아름다움 그리고 숭고함과 성스러움을 감성적으로 받아들이기 위한 필자의 공부가 부족하였습니다. 단지 오래 작품을 바라보고 반복해서 감상하는 몸짓으로 연구를 대신하기도 했습니다. 수년의 세월 동안 매년 한 작가를 선정하여 작품을 찾아보는 작업에서 시작하여 작품과 작가론에 대한 선행 연구자 분들의 연구 자료를 살펴보았습니다. 그리고 깊어가는 겨울날 저녁이나 더위로 나무들이 지쳐가는 여름 저녁에 가난한 문장을 몇 줄 써내려갔습니다. 이렇게 엮은 글들이 한 권의 책으로 묶였습니다.

세계 영화감독 연구는 국내외에서 이미 여러 권이 집필되었습니다. 대체적으로 공저의 형식으로 여러 학자들의 논문과 평론으로 구성되었습니다. 또한 작가연구는 유럽과 미국 중심으로 집필되어 서구에서 인정한 거장의 이름을 향한 상찬과 평가 작업으로 진행되었습니다. 필자는 한국에서 공부한 학인으로서 한국의 감독과 동아시아 감독에서 출발하여 미국과 유럽 그리고 소련의 작가로 연구를 확장해 갔습니다. 텍스트를 바라보는 시선도 가능하면 서양의 개념과 이론의 도구를 빌지 않고 한국 학인의 눈으로 바라본 거장이라는 나무에 대해 읊조리고 싶었습니다. 이 부분은 기존의 세계 영화감독 연구와 거리를 둔 지점이며 성취 측면에서 부족하지만 한국인의 눈으로 세계 영화감독을 연구하려는 주체적인 시선과 노력의 흔적은 희미하게 남길 수 있다는 기대를 해봅니다. 한국인의 눈으로 바라보는 거장의 풍경입니다.

아시아 감독은 임권택이라는 상징에서 출발하였습니다. 임권택은 〈만다라〉의 마지막 장면에서 법운이 만행을 떠나는 뒷모습과 〈서편제〉(1993)에서 송화가 눈 오는 둑길을 걸어가는 뒷모습에서 자신의 모습을 담아냈다고 여겨집니다. 뒷모습이 주는 숨길 수 없는 진정성과 진실의 무게에 뭉클했습니다. 이 책의 제목으로 처음에는 〈거장의 뒷모습〉을 떠올렸습니다. 거장은 우회하거나 감추면서 오히려 더 많은 의미와 맛을 우려냅니다. 임권택 론은 박사논문을 쓰기 위해 모아둔 자료와 생각들을 누에가 실을 뽑아내듯이 한줄 한줄 끄집어낸 글입니다. 박사 논문을 위해 2000년대 초에 서초동에 있었던 영상자료원에서 임권택의 비디오테이프를 돌려보면서 공책에 메모를 하고 장면을 분석했습니다. 먼지 낀 생각을 원초적 장면과 한국주의라는 이름으로 꺼내어 문장으로 나열하였습니다. 홍상수와 김기덕은 초기 작품부터 개봉 극장에서 접할 수 있는 행운을 얻었습니다. 두 감독의 자료는 영화 잡지와 일간지에 실린 감독의 인터뷰부터 짧은 평까지 읽고 머릿속에 담아두고 지냈습니다. 그리고 세월이 흘러 그들은 한 계단 한 계단 오르면서 작가의 반열에 다가가고 있었으며 많은 국내 연구자들은 그들에게 격려와 지지를 보냈습니다. 기존의 연구와 차별화하고 한국에서 공부하는 한국인의 시각에서 그들의 작품을 모국어로 설명하고 해석하고 싶다는 생각을 품었지만 결과는 한없이 부족하고 아쉽습니다. 보편이라는 이름으로 서양의 개념과 용어가 이미 그들의 작품을 규정하고 정설로 고착되어 갔습니다. 홍상수론은 정성일의 평론에서 각주로 처리한 초현실주의에 대한 언급에서 촉발되었으며, 이 부분은 정성일 평론가의 탁견이었으며 보다 유심히 헤아리면서 홍상수와 초현실주의 그리고 꿈에 대한 논의를 펼쳐갔습니다. 김기덕 론에서는 독특한 욕망을 어떻게 규정할 것인가라는 화두에 오래 매달렸습니다. 기존의 김기덕 론과 다른 시각에서 그의 독창적인 작품에 대해 한 줄이라도 써내려가고 싶었습니다. 불현 듯 읽어가던 장자의 글을 통해 만물제동주의와 김기덕의 텍스트를 함께 사유할 수 있었습니다. 김기덕과 홍상수는 초현실주의와 꿈 그리고 만물제동주의의 개념을 징검다리로 삼아 그들의 작품이 성취한 심연과 높이를 헤아려 볼 수 있었습니다.

일본의 오즈 야스지로는 대학원 학생들과 하스미 시게히코의 『감독 오즈 야스지로』(윤용순 역, 2008)를 텍스트로 두 학기 동안 장면을 세세하게 분석하고 오즈의 대표작을 반복해서 감상했습니다. 몇 해가 지나 기존의 일본 미의식과 미학적 개념이 아닌 다른 시각에서 오즈를 조망할 수 있는 단서를 발견하였습니다. 오즈는 편집에서 독창적이며 이미지와 이미지의 연결은 연속성을 확장해 갔습니다. 오즈의 편집과 만물제동주의는 그의 〈만춘〉(1949)을 해석할 열쇠를 제공했습니다. 오즈 야스지로에 관한 짧은 글은 장자의 만물제동주의와 오즈의 독보적인 편집으로 그의 텍스트의 심연을 조금 들여다보는 감회입니다.

지아장커는 중국학생들과 한국학생들이 함께 영화공부를 할 수 있는 최적의 텍스트였습니다. 몇 학기를 지아장커 작품 분석에 매달렸습니다. 개별 작품 분석은 지아장커의 고향인 펀양의 장소성과 중국 근대사의 흐름이라는 배경을 통해 새로운 해석의 지평으로 나아갔습니다. 수북하게 쌓인 자료와 장면들은 초현실주의 데페이즈망과 문화횡단의 구획 속으로 배치되었습니다. 문화횡단은 부산대 영문과 김용규 교수님의 역저 『혼종문화론』의 도움을 받았습니다. 이 저서의 탐독은 탈식민지 시각에서 동아시아 문화와 영화를 어떤 방식으로 주체적으로 사유하고 실천할 것인가에 대한 성찰과 실천의 가능성을 열어주었습니다. 지아장커의 영화는 문화횡단의 개념과 배치할 때 돋보이는 텍스트였습니다.

미국 영화는 존 포드에서부터 타란티노와 짐 자무시에 이르기까지 수많은 감독들이 숲을 이루고 있습니다. 우디 앨런은 유럽영화와 소련 영화 그리고 다양한 문학 텍스트가 촘촘한 모자이크를 이루고 있습니다. 여기에 우디 앨런 스스로 출연하여 코미디 연기와 문법적 코미디 전략으로 작가 고유한 스타일의 웃음을 주조하였습니다. 코미디와 다양한 영화 텍스트의 존재는 우디 앨런에 대한 관심을 갖게 하였으며 힘들지 않게 파고들어 갈 수 있는 텍스트였습니다.

집필 내내 즐거운 영화 감상과 다양한 텍스트가 발산하는 빛나는 기쁨으로 충만했습니다.

　알프레드 히치콕은 대중성에 대한 천부적 후각을 타고 났습니다. 그는 인간의 무의식을 강박적이면서 성공적으로 카메라에 담아냈습니다. 히치콕은 영화계의 지그문트 프로이트이자 영화계의 무라카미 하루키였습니다. 히치콕에 대해서는 두 해 정도 전 작품 리스트를 작성하였으며, 한 해의 겨울방학을 모두 히치콕의 연구를 위해 모든 시간과 마음을 쏟았습니다. 오전에 서초동 국립도서관 열람실에서 히치콕의 연구서를 읽고, 오후에는 지하 디지털 열람실에서 히치콕의 작품을 감상하고, 귀가한 다음에는 패트릭 맥길리건이 집필한 히치콕의 자서전을 꼼꼼하게 읽어갔습니다. 자서전에 기술된 작가의 삶의 이력에서 낮에 감상한 작품의 제작 과정을 확인하고 그 작품 제작 당시의 시대 분위기를 흡수하였습니다. 히치콕의 연구는 이미 국내외에서 히치콕 작품 수보다 많이 수행되었습니다. 결국 정공법으로 히치콕의 핵심 개념인 서스펜스의 전략을 분석하면서 히치콕의 정수에 다가가려고 했지만, 저 멀리 우뚝 서 있는 히치콕이라는 산을 바라보는 지점에서 멈추고 말았습니다.

　장 뤽 고다르는 여러 해 동안 대학원생들과 공부를 진행하면서 개별 작품을 분석하고 토론과정을 거쳤습니다. 대학원생들의 발표와 시각은 관습적 고다르 연구의 틀에 균열을 내주었습니다. 그리고 방학이 되면 국립도서관의 지하에서 한편으로는 고다르의 작품을 DVD로 감상하고 다른 한편으로는 고다르에 대한 연구 논문을 찾아서 읽어갔습니다. 고다르 연구의 시간은 다른 감독에 비해 두세 배를 더 가미해야했습니다. 그럼에도 불구하고 불어에 낯설고 프랑스의 문화에 문외한인 한계를 극복하기에는 역부족이었습니다. 세계 영화감독 연구에서 넘어야할 산은 늘 언어였습니다. 알모도바르는 스페인 문학 전공자들이 연구자 그룹을 형성하고 있으며 고다르와 트뤼포는 프랑스 문학 전공자들의 벽을 넘어서기 어려웠습니다. 또 오즈 야스지로는 일본 문학 전공자들의 전유물에 가까웠습니다. 언어의 한계를 극복하는 최소한의 방편은 영화에 대한 근본적인 질문을 던지고 중요 장면을 반복해서 살펴보는 것이 유일했습니다. 결국 프랑스 문학 전공자분들이 집필한 『장 뤽 고다르의 영화 세계』 (어순아 이용주 공저)와 리처드 라우드가 집필한 『장 뤽 고다르』(한상준 역, 1991)를 반복해서 읽으면서 고다르의 작품 해석에 한발 한발 다가갔습니다. 고다르 텍스트의 감상은 너무 오랫동안 지속되었으며 고다르의 연구서에 대한 독서가 쌓여가면서 새로운 문제가 발생했습니다. 그것은 바로 영향의 불안이었습니다. 너무 많은 글의 반복 읽기와 작품의 중복 감상 과정에서 필자의 주장과 선행 연구자의 주장이 서로 유사하다가 급기야는 일치하는 지점까지 생겼습니다. 어느 장면의 어떤 분석에서 어느 입장이 필자의 고유한 주장이고 어느 장면에 대한 분석이 라우드의 주장인지 구분하기가 어려워졌습니다. 결국 이 문제를 해결하기 위해 고다르는 한 작품 한 작품을 감상한 다음 필자의 감상과 감성적 판단의 눈으로 일필휘지하듯이 에세이로 써내려가면서 필자의 고유성을 확보하려고 시도했습니다. 그리고 혹시라도 유사한 해석이 겹쳐지는 것으로 인한 표절 의혹을 방지하기 위해 첫 장의 각 주를 통해 그동안 읽고 공부한 고다르 연구 관련 참고문헌 전부를 밝혀두었습니다. 행여 유사한 주장이 발견되면 아마도 오랜 독서로 인한 영향의 폐해에서 비롯된 일이니 독자 여러분의 너그러운 양해를 당부드립니다.

　　루이스 부뉴엘은 초현실주의와 정신분석학의 영향을 직접적으로 받았습니다. 한국인의 눈으로 부뉴엘의 방으로 입장하여 그의 영화가 지향하는 지점을 번역하고 옮기는 작업은 많은 한계를 확인하는 과정이었습니다. 필자는 '부뉴엘은 부뉴엘의 형식으로'라는 방법론을 채택하였습니다. 동양의 공부법에도 경서는 경서를 통해 해석하는 방법론이 있습니다. 부뉴엘론은 초현실주의의 자동기술법이라는 기법을 참조하여 글쓰기 방법론과 형식으로 실천했습니다. 부뉴엘론은 자동기술법으로 쓴 작가론이며 부뉴엘의 방식으로 부뉴엘의 세계를 탐구하는 글쓰기의 시도는 새로운 글쓰기의 희열을 느끼게 하였습니다. 졸문은 병을 뒤집어 물을 쏟아내듯이 시원하게 써내려갔습니다. 새로운 글쓰기 경험은 내용의 질을 담보하기 어려웠지만 형식적 실험은 아쉬운 대로 만족스러웠습니다. 그리고 몇몇 작가의 글꼬리에 '금정산 아래서 사는 바보의 시선'을 단상으로 기입

해두었습니다. 작가론으로 담아낼 수 없는 단상과 작가의 내면 풍경과 정신은 결국 정해진 형식의 울타리 밖에서 운문적으로 풀어둘 수밖에 없었습니다.

 책의 제목은 〈거장의 뒷모습〉과 〈거장의 나무〉를 두고 오래 망설였습니다. 그리고 결국 '거장의 나무'로 정하게 되었습니다. 거장의 나무는 '작가의 작품은 나무이다'라는 명제에서 출발합니다. 작가의 작품은 작품이 처한 시대와 작가정신 그리고 고유한 영화적인 것을 자양분으로 성장한 나무입니다. 작가는 시대정신과 작가정신 그리고 영화정신의 세 가지를 구비한 거목입니다. 거목은 시대정신, 동시대의 분위기라는 토양에서 식목되며 작가정신이라는 뿌리를 통해 영화라는 가지와 줄기를 영화정신으로 뻗어가게 합니다. 이 세 가지 요인이 적합하게 조화를 이룬 감독이 있으며 더러는 이중 하나만 과잉되게 발달한 작가도 있습니다. 여기서 작가의 고유성과 영화적 세계의 팽창이 만들어진 것 같습니다. 임권택의 경우 한국의 것을 강조하는 시대정신은 한국주의로, 역사의 소용돌이에서 살아남은 인간을 중시하는 인본주의는 작가정신의 중심을 이루며 롱 테이크와 회상 화면을 통한 완결된 내러티브에는 영화의 완성도를 높이려는 충무로 영화인의 정신이 스며들어있습니다.

 서울과 부산이라는 서로 다른 장소에서 생활하는 가족들에게 빈자리의 공백은 늘 미안함과 감사함을 낳습니다. 영화를 공부하면서 만났던 선생님과 학생분들 모두 영화 공부의 귀한 스승님입니다. 그분들의 직·간접적 가르침에 감사의 뜻을 전합니다. 끝으로 어려운 출판 상황에서 졸고를 출판해주신 작가 출판사의 손정순 대표님께도 감사드립니다. 거장의 나무는 이미 자라고 있었습니다. 〈거장의 나무〉는 이 나무를 책 속으로 옮긴 것에 불과합니다. 부디 한국 영화학의 숲 속에서 거장의 나무가 무럭 무럭 성장하길 기원합니다. 〈희생〉에서 마른 나무에 물을 주는 아이를 바라보는 마리아의 심정으로, 세상의 모든 영화를 우러러봅니다.

 2020년 감염의 시대에도 겨울산의 계곡물이 고요히 흐르는 금정산 아래에서
문학산

차례

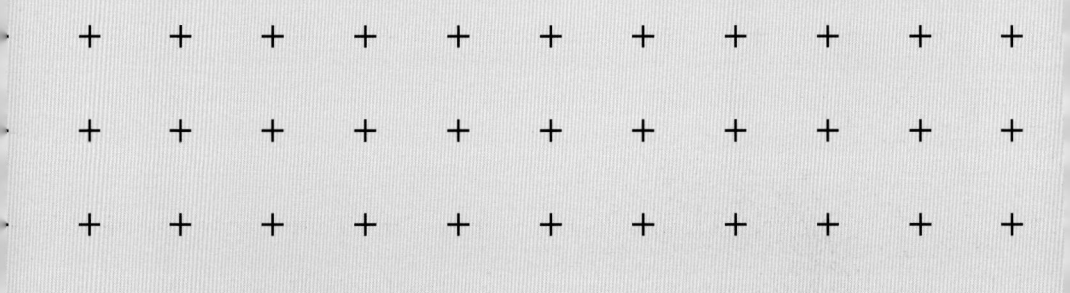

우리는 현재를 살아가면서 과거를 반추하고 미래를 응시한다. 현재는 과거의 지배와 미래의 기대라는 지평 속에 뿌리를 내리고 있는 것이다. 영화는 과거에서 미래에 축적된 시간대를 가로지르며 인간의 내면풍경을 플래시백과 플래시 포워드로 담아낸다. 특히 인물은 과거의 상처나 과거의 결정적인 사건으로 현재의 실존적 내면을 설명한다. 영화의 서사는 구성과 인물이라는 두 가지 뼈대를 통해 만들어지고 발전해나간다. 인물은 인물 간의 관계와 지향하는 가치관과 영화적 주제와 카메라에 잡힌 가시적 행위로 스스로 자화상과 자기서사를 써내려간다. 인물간의 관계와 행위와 주제라는 항목을 통해 인물을 해석해낼 수 있지만 보다 정치한 인물의 내면세계를 엿보기 위해서는 기표적 사실과 다른 보여주지 않은 세계에 대한 탐색을 통해 풍부한 이해의 강에 도달 할 수 있을 것이다. 이 때 가장 많이 기대고 있는 영역이 서사를 이끌고 가는 인물과 연출자인 감독에 대한 정신분석학적 접근방식일 것이다.

시간이 거목의 나이테를 만든다면 작품은 거장의 필모그래피를 작성한다. 거장의 반열은 여러 기준에 따라 오르내린다. 임권택은 작품 편수와 작품 활동 기간 그리고 작품의 완성도라는 세 가지 측면에서 거장의 조건을 갖추었다고 볼 수 있다. 또한 한국 영화가 동아시아 영화담론의 장에서 논의될 때 중심에 임권택이라는 텍스트가 자리했다. 한국 영화의 대표성으로 임권택을 주목했다면 임권택은 외부의 시선보다는 한국이라는 존재내로 천착해 들어갔으며 이를 영화의 장으로 견인하는데 주력하였다. 한국 영화 담론의 중심에 임권택 텍스트가 놓여있었다면 임권택의 영화 중심에는 한국이라는 존재가 중핵을 이룬다. 그동안 임권택 연구는 작가주의 방법론에 입각한 연구에서 인본주의를 다루는 이데올로기적 연구를 경유하여 개별 텍스트의 분석에 이르는 방대한 성과를 축적해 왔다. 임권택 연구는 한국영화연구의 가늠자가 된다고 해도 과언이 아닐 만큼 활발하게 진행되어왔으며 이를 통해 임권택은 한국의 대표적인 감독에서 출발하여 국민감독으로 승격된 다음 거장의 반열에 올랐다.

1부

한국 영화

김기덕의 영화는 논쟁적이며 유니크하다. 논쟁은 윤리적 허용치를 넘어선 지점과 미학적 가능성의 대척점에서 발생한다. 윤리적 불편함은 대부분 여성 연구자들의 비평적 작업에서 두드러지며 '남성 중심주의 시각에서 여성을 대상화하거나 장녀라는 신체적 열등함을 통해 남성의 성적 우월감을 과시하는 비윤리적 태도에 기인한다. 미학적 평가는 반추상으로 이름 붙여진 김기덕의 텍스트를 예술 영화의 장으로 호명한다. 김기덕의 텍스트는 한때 뜨거운 논쟁의 대상이었지만 〈피에타〉의 베니스영화새 최우수 작품상 수상으로 비판적 분위기는 잦아들었으며 대신 작품에 대한 평가로 방향이 선회하였다.

임권택, 동양화론과 몽타주가 빚어낸 미학적 풍경

1. 작가의 심해로 들어가는 문

시간이 거목의 나이테를 만든다면 작품은 거장의 필모그래피를 작성한다. 거장의 반열은 여러 기준에 따라 오르내린다. 임권택은 작품 편수와 작품 활동 기간 그리고 작품의 완성도라는 세 가지 측면에서 거장의 조건을 갖추었다고 볼 수 있다. 또한 한국 영화가 동아시아 영화담론의 장에서 논의될 때 그 중심에 임권택이라는 텍스트가 자리했다. 한국 영화의 대표성으로 임권택을 주목했다면 임권택은 외부의 시선보다는 한국이라는 존재 내로 천착해 들어갔으며 이를 영화의 장으로 견인하는데 주력하였다. 한국 영화 담론의 중심에 임권택 텍스트가 놓여있다면 임권택 영화의 중심에는 한국이라는 존재가 중핵을 이룬다. 그동안 임권택 연구는 작가주의 방법론에 입각한 연구에서 인본주의를 다루는 이데올로기적 연구를 경유하여 개별 텍스트의 분석에 이르는 방대한 성과를 축적해 왔다. 임권택 연구는 한국 영화연구의 가늠자가 된다고 해도 과언이 아닐 만큼 활발하게 진행되어왔으며 이를 통해 임권택은 한국의 대표적인 감독에서 출발하여 국민감독으로 승격된 다음 거장의 반열에 올랐다.

하지만 정작 임권택 영화의 중심에 자리한 한국이라는 존재는 임권택의 텍스트에 어떻게 개시되고 있으며 영화적 모자이크를 구성하였는지에 대한 본격적인 질문은 아직 미흡하다. 임권택 감독이 왜 한국에 천착했으며, 한국의 문화는 임권택의 텍스트를 통해 어떻게 탈은폐되고 영화적 이미지로 개시되어 영화적 완결성에 기여하는지에 대해 조심스럽게 질문을 던져본다. 임권택의 텍스트는 한국 불교를 다루는 〈만다라〉(1981)와 소리하는 한국 예술인의 자기완성의 여정을 담은 〈서편제〉(1993) 그리고 한국 화인의 삶을 통해 한국화와 한국의 자연을 프레임으로 견인해온 〈취화선〉(2002)을 중심으로 논의하도록 할 계획이다. 방법론은 하이데거의 예술론을 토대로 하여 한국이라는 존재가 영화를 통해 탈은폐되고 개시되는 양상에 대한 고찰과 동양화론인 이형사신론(以形寫神論)을 통해 전신적 사실주의와 심원법(深遠法)의 구도를 통한 진경산수화가 임권택 영화와 어떻게 접맥되고 있는가에 대한 질문을 제시한다.[1] 아울러 에이젠슈테인의 몽타주론과 화론이 접맥되어 임권택의 영화미학으로 수렴되는 장면에 대해서 천착하여 영화언어와 화론의 예술적 접맥 가능성에 대해 탐구한다. 임권택의 텍스트에 사용된 몽타주는 잠재된 의미와 감정을 배치하여 어트랙션된 연상의 몽타주에 근접하며 이는 은근하게 드러내는 한국미를 표현하는 방식에 부합할 수 있다는 명제를 입증하려고 한다.

2. 임권택의 한국에 대한 자각과 한국문화의 영화적 탈은폐

임권택 영화의 예술적 자궁은 한국이다. 한국의 역사와 문화는 임권택 영화의 샘물이며 미학적 거점이다. 임권택의 한국 문화와 역사에 대한 관심은 개인적 자각과 한국 영화사에서 제기되어 온 한국적 영화 제작 담론에 대한

---

1 * 이 글은 2012년 7월 21일 「한국영화의 세계성과 영화비평의 비전」이라는 국제비평가연맹한국본부 세미나에서 발표된 글을 보완하였음을 밝혀둔다. 이형사신론은 객관 형체의 묘사를 토대로 하여 정신을 드러내는 조선 후기 한국의 대표적인 화론이며, 심원법은 유동적인 하이앵글에 가까운 구도법이다.

호응이라는 두 갈래에 맞닿아 있다.

한국에 대한 관심은 1974년 대만영화제 방문 여행에서 촉발되었다고 한다. 임권택 감독은 "나는 그때 이 땅에 살고 있는 사람들에게 애정을 갖지 않는다면 다른 아무도 관심을 갖지 않을 것이라는 생각"[2]을 했다고 술회했다. 그리고 "내가 살아온 서러운 삶의 체험과 함께 처절한 삶을 살아온 우리 이웃들의 삶을 보듬어 보자고 생각했다. 그것이 '내 영화다'"[3]는 영화론을 피력하였다. 임권택의 영화론은 한국이라는 토양에서 살고있는 인물의 삶을 영화적으로 재현하는 것으로 요약된다. 이는 일본에서 연설을 통해 '제 영화에 어머니와 아버지의 그림자가 드리워져있는 것'으로 재천명되었다. 또한 다른 인터뷰에서도 한국과 한국인에 대한 관심을 반복해서 피력하여 '한국이 자신의 영화의 원형질'임을 거듭 확인시켜준다. 임권택 감독은 "내 영화들에서 나는 우리가 잃어버린 것, 우리가 비극에서 발견한 것, 이 비극의 원인, 우리 삶의 장애물들, 왜 우리가 이런 장애들을 지니고 있는지 등등 한국인의 삶을 형상화하려고 시도"했으며 동시에 "우리는 미국 영화들처럼 재미있는 영화들을 만들 수 없으므로 우리 영화가 살아남기 위해서는 우리는 다른 이들은 말할 수 없는 우리 이야기에 기초한 영화들을 만들어야합니다."[4]라고 역설하였다. 한국인 삶의 형상화와 한국문화에 기반한 영화 만들기는 우리 영화가 존중받기 위한 것과 산업적 경쟁력을 토대로 자국 영화의 자생력 갖기로 귀결된다.

서인숙은 이와 같은 임권택의 연출 의지는 우리 영화를 '과거와 역사에 집착하는 영화'로 이끌었으며 "'우리'가 잘 할 수 있지만 '그들(서구)'이 얘기할 수 없는 '차이'를 기반으로 한, 민족 내러티브로 선택된 유교적 전통은 임 감독 전 작품들을 관통하며 한국 고유의 미덕"으로 호평하였다. 임권택 감독의

2 이효인 편저, 『한국의 영화 감독 13인』, 열린책들, 1994. 50쪽.

3 이효인 편저, 위의 책, 50쪽.

4 서인숙, 「한국 영화 미학 탐구 1 : 임권택 영화 – 식민주의 문화이론을 중심으로」, 『영화연구』 제23호, 한국영화학회, 2004. 242쪽.

텍스트는 한국의 자연과 한국의 인물이 원형질로 자리하며 이데올로기 관습에는 유교적 전통이 내재해 있다.

임권택의 한국문화와 풍경 재현에 대해서는 비판적인 시선이 존재한다. 대표적인 경우는 임권택 영화를 서구에 소개했던 데이비드 제임슨의 시각이다. 민족예술영화에 임권택의 작품을 범주화하여 두 가지 준거틀에 배치하였다. 첫 번째 준거는 사회주의 리얼리즘이며 두 번째는 식민지 경험 이전의 토속적 문화 습속 중에서 영화 언어를 찾는 것이다. 임권택은 후자에 속하며 "한국의 근대성과 식민지 이전의 민족문화 사이의 타협점을 찾는 것"[5]을 그가 선택한 방법으로 단정하였다. 또한 자국의 풍경은 이국적 볼거리라는 스펙터클의 요소로 견인한다고 축소해석하였다. 데이비드 제임스는 '한국 풍경의 이상화는 산업화와 도시화라는 중층결정된 경험을 가진 국내의 관객들을 위한 것이며 농촌사회를 휴양과 정신적 회생의 장소'로 재배치하였으며 "영화라는 문화관광주의가 전지구적 관광산업의 정치학과 힘을 합쳐 외국관객들을 유혹하는데, 이는 자연풍광의 매춘화에 다름 아니며 한국은 국제적 시선을 끌기 위해 애쓸 때마다 노골적으로 이를 활용해왔다[6]"고 폄하하였다. 임권택의 한국풍경을 외국관객을 유혹하려는 관광 홍보물로 전락시키는 평가는 재고할 부분이 존재한다. 임권택의 한국주의는 문화관광 상품주의의 소산도 아니며 외국 영화제에서 평가 받으려는 엑조티즘(exotism)의 산물과는 거리를 두고 있다. 서구의 시각에서 한국을 타자로 낙인찍으려는 태도에서 벗어나 자국의 영화를 주체의 눈으로 바라보는 시각의 전환이 절실하다. 이를 입증하기 위해서는 텍스트에 대한 수평적 입장에서 미학적 해명이 선행

---

5 김경현·데이비드 E 제임스 외 엮음, 김희진 역, 임권택, 민족영화 만들기, 한울, 59쪽. 주유신은 다른 맥락에서 임권택의 민족주의를 비판하였다. 주된 기조는 '민족의 고통과 비극을 육체적으로 훼손되고 정신적으로 모욕당한 여성에게 투사하여 알레고리화하는 동시에 그들을 구원하고 보상해주는 주체를 남성의 몫으로 돌린다.'는 것이다.(주유신, 「임권택 영화의 민족주의 이데올로기와 민족미학 비판」, 『대중서사연구』 제13집, 2005.6.30) 여성의 수난 서사에 대해 임권택은 "전쟁같은 외부적 수난을 겪을 때도 여성은 남성보다 이중 삼중으로 더 많은 고통을 겪게 되지 않습니까……(중략)…… 남성보다도 더 불행한 입장에 있는 인물을 내세움으로써 어려운 상황을 더 극명하고 설득력 있게 묘사할 수 있다"는 연출 의도를 피력하였다.(임권택·유지나, 『영화 나를 찾아가는 여정』, 민음사, 2007. 169~170쪽.)

6 김경현 외, 위의 책, 67쪽.

20

되어야하며 동시에 감독의 개인사와 한국 영화사의 담론을 통해 임권택 텍스트의 위상 정립이 요청된다. 그리고 임권택의 프레임에 배치된 자연풍경은 한국의 진경산수와 접맥된다는 사실을 통해 홍보물과 엑조티즘의 오해를 불식시키고 한국이라는 존재의 발현과 탈은폐라는 예술의 존재 방식으로 해명할 필요성이 제기된다.

예술작품이 작품이라는 열린 지평으로 나아가는 것은 자신의 존재 속에 개시됨으로 가능하다. 하이데거는 예술의 본질은 "존재자의 진리의 -작품-속으로의 -자기-정립"[7]이라고 간명하게 규정하였다. 예술은 소리는 울림 속으로 되돌아가고, 돌은 돌의 묵직함으로 되돌아감으로써 스스로를 자기정립하면서 드러낸다. 한국의 영화도 한국인의 심성, 한국의 풍경을 통해 한국의 역사와 이야기를 드러낼 때 한국 영화의 본질과 한국의 정체성이라는 것이 진리처럼 밝게 드러나게 된다. 아름다운 자연과 한국의 풍경을 카메라가 사실에 가깝게 포착해내는 것은 서구의 눈높이에 맞추어 이국적인 낯선 곳의 광고를 지향하기보다는 한국의 심성과 서사를 배치하여 한국의 예술로써 영화의 자기정립에 가깝다. 임권택 감독이 포착해낸 느린 인물의 움직임 그리고 직선과 구불구불한 길은 한국의 풍경이라는 존재자를 탈은폐시킨다. 카메라로 끄집어내진 한국의 풍경은 바로 한국 영화에 부합한 한국적 이미지로 자리매김되는 것이며, 모호한 한국 존재가 명료하게 드러난 것이다. 예술의 본질이 진리를 작품 속으로 정립하는 것이라고 한다면 한국의 자연과 문화가 한국 영화속에 자연스럽게 미장센으로 안착되는 것은 예술의 기본이자 본령에 속한 것이다. 임권택 영화의 특징은 한국 풍경의 이상화라기보다는 은폐된 한국풍경을 적극적으로 탈은폐하는 작가적 노력과 그 흔적에서 찾아야 할 것이다. 임권택 영화의 프레임은 은폐된 한국문화를 견인하여 거대한 모자이크로 완결시킨다. 모자이크화는 이국적 볼거리로 전시되거나 문화적 호객 행위가 아닌 자국문화에 대한 깊은 이해와 무한한 자긍심의 산물에 가깝다.

임권택 감독의 한국문화와 한국인의 삶에 대한 관심은 한국 영화사적 맥

---

7 하이데거, 오병남·민형원 공역, 『예술작품의 근원』, 예전사, 1996. 41쪽.

락에서 볼 때 1930년대 로컬 담론에서도 제기되었으며 1970년대에도 다시 소환된 담론이었다. 일제강점기 대표적인 영화감독인 나운규는 "세계 각국 사람이 다 느낄 수 있는 공통(共通)된 감성(感性)을 잘 붙잡아서 조선의 산하(山河)와 조선의 정조(情調)를 기조(基調)로 하고 만들어낸다면 나는 반드시 세계시장(世界市場) 진출(進出)이 어렵지 않을 줄 알아요"[8]라고 주장하였다. 이 시기의 로컬 칼라 영화의 필요성은 대부분 조선에 대한 강조로 귀결되며 이는 자국의 시장에서 세계 시장으로 확장을 통한 조선 영화의 산업적 활로를 찾으려는 자구책에 뿌리를 두고 있다. 강성률은 "제작자와 감독은 무성영화에서 유성영화로 바뀐 상황에서 과다한 제작비를 상쇄시킬 수 있는 방법으로 로컬 칼라의 영화를 주장하면서 실제 그런 영화를 제작"[9]했다고 결론지었다. 1930년대 로컬 칼라의 주창은 자국영화의 산업적 자생력과 경쟁력 갖추기라는 산업적 맥락에서 도출되었다. 하지만 1930년대 카프의 해산과 한국 영화 산업의 위축과 친일 영화가 제작되는 역사적 맥락에서 볼 때 또 다른 해석의 여지를 남겨둔다. 이는 검열의 부담과 현실 비판적 영화 제작의 실패로 인한 반대급부로 부상한 조선적인 정조와 조선의 풍경이라는 스펙터클의 영화적 수용으로 귀결된다. 로컬 칼라로 이름 붙여진 조선의 풍경과 정조는 조선의 현실을 일부 거세하고 조선의 스펙터클만 부분적으로 수용하는 일제강점기 영화인들의 기우뚱한 영화적 타협이거나 산업적 재건을 명분으로 한 우리 것의 호명으로 볼 수 있다. 이는 1970년대 유신체제기에서 다시 담론으로 귀환하면서 산업적 요구와 정부 정책에 대한 소극적 수용이라는 물밑에서 타협적 균형 찾기로 재론된다.

임권택 감독은 대만 여행에서 우리 것에 대한 자각을 하였다고 술회하였다. 하지만 1970년대 유신체제기에 영화진흥공사에서 지원한 반공영화 〈증언〉(1974)과 새마을 국책영화 〈아내들의 행진〉(1974)을 제작한 이력은 영화

8　좌담, 「명배우, 명감독이 모여 [조선 영화]를 말함」, 《삼천리》, 1936년 1월호, 98쪽. 강성률, 「1930년대 로컬 칼라 담론 연구」, 「영화연구」 제33호, 한국영화학회, 2007. 243쪽 재인용.

9　강성률, 위의 논문, 247쪽.

제작을 위한 순응적 자세를 보여준다. 우리 것에 대한 자각은 예술가로서 창작의 모태가 자신이 뿌리박고 있는 모국의 문화적 토양이라는 사실에 대한 근원적 성찰에서 시작하였을 것이다. 여기에 국책영화에 대해 유연한 태도를 지닌 점을 염두에 둘 때 국내 시장과 해외에서 평가를 동시에 성취할 수 있는 작품에 대한 창작자로서 고뇌에 찬 결단도 가미되었을 것이다. 한국존재라는 창작의 토대를 예술가의 감수성으로 체득했다면 우리 문화를 잘 알릴 수 있는 작품에 대한 정책적 권장에 대한 고려 그리고 해외 영화제와 시장에서 한국 영화의 경쟁력을 가질 수 있는 우리 문화에 대한 소환이 삼각형을 이루어 임권택의 한국적 소재의 영화 제작으로 귀결된 것이다.

'한국적인 것이 세계적이다'는 담론이 세계화를 주장한 김영삼 정부에서 거듭 주창되었다. 1994년 시드니에서 국정핵심목표로 세계화가 등장하였다. 세계화는 민족의 생존 전략이며 발전 계획임을 천명하면서 "한국사회에서 모든 부문의 국제적 경쟁력 강화를 최우선으로 하면서 이를 위한 전 국민의 동원"[10]을 의도하였다. 세계화가 김영삼 개혁 정책에 대한 보수언론과 대기업의 방어 이데올로기였다 하더라도 국가 경쟁력 강화라는 국가주도의 민족주의로 호명되면서 문화영역도 일정한 영향을 미치게 된다. 문화의 부문에서 영화의 경쟁력 강화 일환으로 우리 것으로 지칭되는 민족주의적 담론이 주창된다. 우리 것이 세계적인 것이라는 민족성과 세계성을 연결시키려는 국가적 시도는 국민감독 임권택의 영화를 주목받게 하였을 것이다. 임권택은 자국 문화에 대한 영화적 관심을 오랫동안 기울여왔으며 〈만다라〉를 통해 한국 불교를 천착하였으며 〈씨받이〉(1986)를 통해 남성중심의 가부장제의 폐해인 남아선호사상을 비판적으로 조명하는 작업을 이어왔다. 1993년 〈서편제〉의 제작과 산업적 성공은 세계화를 표방하는 당시의 국정핵심 과제에 부합하였으며, 동시에 한국 판소리라는 우리 소리(민족)를 세계화 시대에 동원하는 가능성의 상징으로 부각되어 임권택은 '세계화 시대에 호명되는 민족 문화에 대한 활성화'를 실천하는 예술가로 자리매김된다. 임권택 감독은 개인적인 성찰을 통해 1980

---

10 이인화, 「세계화시대 민족국가 및 민족주의 담론에 관한 연구」, 서강대 대학원 석사학위논문, 2011, 64쪽.

년대부터 한국문화에 대한 천착을 시작하여 국내에서 국민감독으로 부상했으며 해외에서는 한국을 대표하는 거장으로 자리를 잡아갔던 것이다. 그의 브랜드는 한국 문화의 영화화였으며 이는 임권택의 한국주의로 명명되기도 했다. 임권택의 한국에 대한 관심은 개인적인 성찰에서 촉발되어 작업을 진행하였으며 문민정부시대에는 세계화라는 국가 핵심 과제에 부응하여 새삼스럽게 주목받게 되었다. 이는 국내에서 국민감독의 지위를 획득하게 했으며 작가 임권택의 산업적 성공에도 일정한 기여를 하였다. 국외에서는 한국문화의 영화적 재현을 통해 해외 영화제 수상을 통한 작가적 지위를 부여받게 되어 예술영화의 배급망을 통한 산업적 활로도 개척할 수 있게 된 것이다.

임권택이 영화로 소환한 한국문화는 〈만다라〉를 통한 한국 불교, 〈씨받이〉를 통한 한국의 남아선호와 유교적 가부장제도, 〈아다다〉(1987)를 통한 과거 신분사회의 폐해, 〈서편제〉를 통한 한국의 소리, 〈태백산맥〉을 통한 한국 전쟁, 그리고 〈취화선〉을 통한 한국화로 이어진다. 임권택 감독은 한국의 역사와 문화를 프레임에 담은 국민감독이며, 그의 영화는 한국이라는 창조적 자궁에서 잉태된 것이다.

한국이라는 상상의 이미지는 한국인이라는 인물이 움직이는 공간으로서 한국의 풍경을 프레임에 배치하여 탈은폐한다. 임권택의 프레임에 배치된 한국의 풍경은 이미지를 통해 정신을 표현한다는 동양화의 전신사조의 태도를 견지한다. 이는 특히 자연 이미지와 인물의 정서와 관련성을 통해 더욱 두드러지게 드러난다. 전신사조는 조선 후기 진경 시대를 이끌었던 진경산수의 화법과 일정한 예술적 관련성을 갖고 있다. 임권택은 한국을 영화적으로 어떻게 표현할 것인가라는 필생의 화두를 풀어내면서 전신론적 사실주의와 진경산수화가 보여준 심원법(深遠法)을 통한 한국풍경의 드러내기를 실천한다. 이와 같은 맥락에서 한국적 소재와 풍경은 한국의 진경산수미학과 접맥되면서 한국 풍경의 프레임을 통한 해외에서의 평가와 작가로서 독창성을 견인해낸다. 임권택의 영화의 내용이 한국이라면 형식은 화론의 영화적 수용에서 실마리를 찾을 수 있을 것이다.

3. 동양화론의 영화적 적용 : 이형사신론을 통한 전신적 사실주의와 심원법을 통한 진경산수화와 접맥

한국의 미는 여러 개념으로 정의되지만 여백의 미, 청초의 미, 자연미 등을 들 수 있다. 한국 예술의 특징은 "한국민이 살아온 주변 환경 즉 평온함과 안정감을 주는 한국적 지형과 자연을 떠나서는 한국적 미의식의 뿌리를 찾아보기 힘들 것"이며 이는 한국 미의식의 토양은 한국의 풍경이라는 사실을 입증한다. 임권택의 영화는 한국의 풍경을 프레임에 포착하여 한국의 미학적 아름다움을 제시한다. 여기서 한국의 풍경을 프레임에 포획하는 미학적 선택이라는 문제가 제기된다.

임권택의 작품도 한국의 풍경과 자연을 프레임에 포획하기 때문에 한국의 풍경을 어떻게 미학적으로 표현해내는가라는 질문을 피해가기 어려울 것이다. 임권택 영화의 특징은 이효인의 주장대로 "여백을 활용한 수직 분할, 롱테이크, 롱쇼트, 그리고 고정 카메라의 활용"[11]을 들 수 있다. 여백은 익스트림 롱쇼트와 롱쇼트라는 일정한 크기를 지닌 프레임에서 자연스럽게 배치된다. 특히 임권택의 영화에서 롱쇼트로 잡힌 자연은 여백의 미가 잘 살아나 있다.

물론 서인숙은 '한 프레임의 미장센을 이루고 있는 구도의 측면에서 여백의 미를 찾아보기 힘들다'라고 주장하였지만, 일부 장면은 꽉 찬 프레임을 구축하였지만 익스트림 롱숏과 클로즈업으로 리듬을 만드는 미장센에서 익스트림 롱샷의 경우 여백을 잘 살려내고 있다. 이와 같은 주장은 사이즈나 여백 같은 외적인 형상에 대한 기술과 평가에 집중하여 논의의 여지를 남겨두었다.

이육호는 '풍경을 우리식으로 구별하고, 보는 방법을 찾아내는 것'이 임권택 영화의 질문이자 딜레마라고 했다. 〈취화선〉은 이와 같은 질문에 직접적으로 맞닿아 있으며 그것은 서구 풍경이미지로부터 탈풍경으로 표출되며 장승업이 꿈꾸는 진경이며 이상적인 진경과는 거리라 있다고 평가했다.[12] 한국

---

11 이효인, 앞의 책, 46쪽.

12 이육호, 「영화에서 자연풍경 재현에 관한 연구: 〈어머니 아들〉, 〈취화선〉을 통한 풍경과 탈풍경의 문제를

의 풍경을 자연이 아닌 예술가의 눈으로 거리를 두고 어떻게 재현할 것인가라는 질문을 임권택 감독이 던지고 서구의 풍경에서 벗어나 한국적 자의식을 드러냈다는 시선은 주목할 만하다. 〈취화선〉의 풍경 재현이 탈서구적 풍경화에 논의가 맞추어져 있어서 동양화론이나 한국의 진경산수화의 구도와 관련성에 대한 논의까지 확산되지 않았다.

임권택 영화의 풍경은 있는 그대로 자연이기 보다는 구도를 통한 작가적 개입이 가미되어 눈에 보이는 형상보다는 그 형상을 통해 표현하는 정신과 주제에 방점이 찍혀있다. 동양화론 입장에서 볼 때 전신론에 가깝다. 전신론은 고개지의 전신사조(伝神寫照)에서 기인하며 "대상의 정신을 옮겨 겉으로 드러난 대상의 구체적인 특징을 객관적으로 그려내는 일"[13]을 생명으로 한다. 전신론에 의거하면 "인물을 그리면 (인물이) 돌아보고 이야기하듯 해야하고, 꽃과 과일 나무(를 그리는)경우에는 바람을 맞고 이슬을 머금은 듯해야한다."[14] 전신론은 대상의 생생한 형상화를 통해 살아 꿈틀거리는 기운생동이 일어나게 한다. 고개지의 전신론은 천상묘득(遷,想妙得)과 이형사신(以形寫神)론으로 구체화된다. 천상묘득론은 "작가가 대상이 되는 인물의 사상과 감정에 대한 기초로 '전신'의 예술형상을 만들어내며, 이형사신은 전신은 반드시 객관 형체의 묘사를 기초로 이루어져야 한다[15]"는 입장이다. 전신론이 이미지의 형상보다 정신세계의 표현에 방점이 찍혔다면 임권택 영화의 화면구도와 화면 이미지도 주인공의 내면과 삶을 표상하는 전신론 입장에 근접했다. 보다 구체적으로 말하자면 형상에 기대어 정신을 표현하는 이형사신론에 가깝다.

〈만다라〉는 길에서 시작하여 길에서 끝맺는다. 〈만다라〉는 법운(안성기 분)과 지산(전무송 분)이 서로 다른 방법으로 구도의 길을 추구하는 로드무

중심으로』, 동국대 대학원 석사학위논문, 2004. 64–65쪽.

13 동기창 저, 변영선 외 옮김, 『화안』, 시공사, 2003. 11쪽.

14 동기창, 위의 책, 103쪽.

15 진조복, 김상철 역, 『동양화의 이해』, 시각과 언어, 1996. 59쪽.

비다. 영화가 시작하면 동한거 장면이 몽타주로 처리된다. 그 다음 장면은 넓게 펼쳐진 길을 따라 시외버스가 도착한다. 첫 장면에서 시외버스가 도착하는 길은 이 영화의 주인공들이 가야 할 수행의 길을 암시한다. 좌측에 폭넓은 여백이 펼쳐져 있으며 앞으로 채워야할 구도의 행적을 남겨둔다. 두 번째 이미지는 법운과 지산이 검문소에서 만나서 길을 가는 장면이다. 길이 잘 닦인 탄탄대로가 아닌 신작로 길이다. 길은 길의 풍경이면서 동시에 주인공들이 가야 할 구도의 길이다. 이미지는 주제를 암시한다. 세 번째 이미지는 법운이 어머니와 헤어진 다음 홀로 구도의 길을 떠나는 장면이며 처음의 길보다는 훨씬 시원하게 펼쳐져 있다. 법운은 지산의 유품을 전해주고 자신의 어머니와도 화해하고 나서 구도를 향한 용맹정진을 향해 발걸음을 내딛는다. 그의 구도행에 대한 희망적 미래는 시원하게 뻗어있는 신작로를 통해 암시된다. 세 이미지는 길이라는 한국의 자연을 프레임에 담아냈지만 이야기의 시작과 구도에 대한 이야기임을 암시하고 앞으로 가야할 구도행의 힘겨움과 미래의 희망과 수행의 결의를 시각화한다. 이 쇼트는 형상을 통해 정신과 주제를 드러내는 전신사조의 철학이 영화에 배어있음을 입증해준다.

　구도의 과정을 보여주는 〈만다라〉에 거듭 등장하는 만행하는 길의 이미지는 그들의 구도의 어려움과 불확실성을 이미지로 표현하며 〈취화선〉에서 장승업의 만행 또한 그의 화인으로서 길을 암시한다. 이미지와 인물이 서로 상응하여 이형사신의 전신론적 표현으로 귀결된다. 인물의 내면과 이미지가 서로 조응하여 드러내는 것을 전신적 이미지로 명명하고자 한다. 이형사신은 형상을 통해 정신을 드러내는 조선 후기의 대표적인 절충적 화론이다. 이형사신론에 입각한 전신적 이미지는 다양한 층위로 드러난다. 이는 임권택 감독이 동양화의 전신론을 서양의 기계인 카메라에 담아내는 자기화의 과정이라는 미학적 공정을 거쳤다는 사실을 입증한다.

　전신적 이미지는 시각적 자연과 주인공의 내면적 연관성으로 서로 조응한다.

〈취화선〉

임권택 감독은 한국의 자연과 주인공의 감정이 닮았다는 사실을 반복해서 강조한 바 있다. 수관과 법운이 대화를 나누면서 그들의 수행길이 첩첩산중처럼 가야할 먼 길임을 굽이굽이 펼쳐진 산을 통해 암시한다. 지산과 법운이 깨달음에 대한 대화를 나누는 장면도 익스트림 롱쇼트로 굽이굽이 펼쳐진 산을 보여준다. 임권택 감독은 "인물을 작게 확보함으로써 아직도 그들의 길이 멀었음을, 즉 쉽게 도달할 수 없음"[16]을 표현하고 싶었다고 연출의도에 대해 설명하였다. 〈취화선〉에서 장승업이 걸어가는 앞에 병풍처럼 우뚝 서 있는 험한 산들은 넘어서야할 초극의 대상으로 버티고 있다.

두 번째 한국의 풍경을 프레임에 담는 전신적 방식은 심원법이다. 이는 신선의 눈으로 바라보는 심원법을 통해 내려다보거나 곡선의 이미지를 통해 한국의 풍경을 재현하기도 한다. 한국의 풍경을 담아내는 방식으로서의 곡선과 심원법은 한국의 풍경을 담아내려는 예술가적 모색을 통해 도출된 것이라는 점에서 주목할만하다. 임권택의 구도는 기술적인 문제나 크기의 문제보다는 한국의 풍경을 프레임에 담아서 등장인물과 어떻게 호응시키느냐에 대한 답을 찾는 예술적 성찰 과정에서 도출된 자기 해답에 가깝다. 한국인은 한국의 자연과 닮았으며 자연은 인간의 모습과 감정을 대신 드러낸다는 미학적 태도는 임권택과 한국의 미학자 그리고 예술가들에게 공통적으로 발

---

16 임권택·유지나, 앞의 책, 180쪽.

견된다. 배병우는 "각 나라 소나무는 그 나라 사람과 닮는다. 닮는 순서는 소나무가 먼저고 사람이 나중"[17]이지만 자연과 인간이 닮는다는 점에 대한 확신을 피력했다. 한국 미학자 최순우 선생은 한국 예술과 한국의 상호 닮음에 대해 거듭해서 넌지시 강조하였다.

> 한국의 미술, 이것은 이러한 한국 강산의 마음씨에서 그리고 이 강산의 몸짓 속에서 몸을 벗어 날 수 없다. 쌓이고 쌓인 조상들이 긴 옛이야기와도 같은 것, 그리고 우리의 한숨과 웃음이 뒤섞인 한반도의 표정 같은 것, 마치 묵은 솔밭에서 송이버섯들이 예사로 돋아나듯이 이땅 위에 예사로 돋아난 조촐한 버섯들, 한국 미술은 이처럼 한국의 마음씨와 몸짓을 너무나 잘 닮고 있다.[18]

한국의 미술이 한국인의 마음씨와 닮았다는 것은 한국의 예술이 한국과 닮았다는 사실과 부합된다. 우리의 길은 우리의 삶과 닮았다. 한국의 길은 서양의 직선보다는 곡선을 선호한다. 곡선과 구불구불한 길은 인위적인 길이기보다는 자연이 빚어낸 길이다. 직선은 인공의 폭력이 가미된 선이며 산에 사람들이 지나다니는 길은 대부분 불규칙하고 완만한 곡선이다. 인공은 직선을 선호하고 자연은 곡선에 가깝다. 〈만다라〉와 〈취화선〉에서 지산과 오원이 걸어가는 길은 대부분 곡선이며 가끔은 굳센 각오를 할 때 직선의 신작로가 펼쳐지기도 한다. 굴곡이 있고 굽이굽이 돌아가는 곡선은 주인공의 행적과 닮았으며 이는 한국의 곡선미와도 부합한다. 이 곡선은 "남산에서 바라본 한옥 지붕의 곡선의 물결, 석굴암 제상과 성덕대왕신종의 부조가 보여주는 유선(流線)의 아름다움, 고구려 고분 벽화의 유선과 첨성대의 곡선, 고려 청자의 곡선, 그리고 이러한 곡선들은 버선이나 신발에 이르기까지 같은 곡선의 혈연이 맺어져 있음"[19]으로 인해 한국의 곡선미를 영화적으로 수용하고 완결시킨다.

---

17 최재천 엮음, 『감히 아름다움』, 이음, 2011.

18 최순우, 『최순우 전집 5』, 학고재, 1994, 56쪽.

19 최순우, 위의 책, 43쪽.

〈취화선〉에서 장승업이 길을 따라 걷기를 거부하고 벗어난 뒤쪽으로 뱀처럼 곡선이 흐른다. 〈만다라〉에서 지산과 수관은 만행을 하고 있다. 그들이 걸어온 길이 산에서 흘러내려온 곡선이다. 배경의 산도 완만한 곡선으로 산능선과 산능성이 이어져 있다. 심지어 무리를 지어 허공을 날고 있는 새떼들도 무질서한 비행을 하면서 곡선의 형상을 그려낸다. 여기서 임권택의 프레임은 한국 곡선미의 영화적 재현으로 강조되며 이는 형상을 통해 인간의 삶의 태도와 정신을 드러내는 이형사신의 전신론이라는 동양화론의 영화적 접맥과 닿아있다. 전신론이 형상과 이미지를 통해 정신을 드러내는 정신이 강조된다면 임권택의 한국 풍경의 영화적 재현과는 다소 차이가 있다. 임권택의 이미지가 주인공의 정신을 자연을 통해 드러낸다는 전신론을 1차 수용하지만 한국의 자연이라는 스펙터클의 제시는 사상의 강조보다는 인물과 자연의 어울림에 관심을 쏟는다. 즉 전신론의 직접적인 영화적 인용보다 한국의 예술가가 한국의 풍경에서 한국인의 정서와 아름다움을 찾아내려는 풍경과 인물의 어울림에 더 연출의 강조점이 찍혀있다. 이는 자국의 국민이 자국의 자연과 풍경과 상호 소통하는 한국적 전신사조론의 영화적 실천에 가깝다.

한국의 풍경을 카메라에 담아내려는 임권택의 영화적 태도는 진경시대의 겸재 정선과 단원 김홍도의 태도와 흡사하다. 겸재는 '북경화단의 추종에만 급급하던 당시 이조 화단의 폐풍 속에서 범속에 물들지 않고 각고한 수련을 쌓아 드디어 독자적인 산수 준법을 대성하여 이조 산수화풍에 청신하고 자주적인 생기'를 일깨워주었다. 그가 지향하는 것은 한국의 자연을 그리는 것이며 여기에 걸맞는 필법과 화법을 찾아가는 것이었다. 이를 위해 그는 "소시부터 한국의 산야를 열애했으며 일반 화가들이 보통 주제로 그리는 중국산수화풍의 소재나 인물보다는 한국의 자연과 풍정을 즐겨서 사생했고 그 자연 속에 점철되는 인물들은 한복을 입은 진짜 한국사람들"[20]이었다. 겸재가 지향한 것은 한국의 자연을 재현하는 한국산수이며 한국인물이었다. 겸재는 한국의 자연을 담아내기 위해 한국의 자주적 화풍을 확립하고 실천하는 과정에서 진경산수화를 창출한 것이다. 단원 김홍도도 "그 어느 것이나 한국의 산하와 현실에서 유리하지 않다는 것은 항상 그가 정애(情愛)로써 우리 자연을 바라보고 또 그 속에서 즐겨한 그 인간과 예술의 진면목"[21]을 보여준 화가이다. 겸재의 대표적인 산수화인 〈금강산도〉, 〈장안사 비홍교〉, 〈삼일포〉 등은 한국의 자연을 대상으로 위에서 내려다보는 심원법을 통해 진경산수의 진면목을 보여주었다. 단원의 〈금강산〉은 한국의 명산인 금강산을 내려다보며 사실적으로 표현하였으며 〈송석원시사야연도(松石園詩社夜宴圖)〉는 조선의 아홉 선비가 벌인 시회도를 심원법으로 그려냈다. 진경산수 시대 화가들은 한국의 자연과 한국인을 대상으로 하여 한국적 아름다움을 추구했다고 볼 수 있다. 임권택 감독이 한국의 풍경을 배경으로 하여 한국인의 삶과 정서와 정신을 담아내는 것, 그 작가적 태도는 진경산수 시대의 화가들과 한국을 사유하는 태도와 표현하는 방식에서 볼 때 예술사적 맥락에서 맞닿아있다는 사실은 주목할 만하다.

세 번째는 심원법의 시점을 통한 진경산수와 임권택 영화 이미지와 접맥된다. 임권택의 장면이 보여주는 하이앵글(심원법)은 한국의 자연과 풍경을 표현하는 방식이다. 산수화 구도에서 산점투시와 경영위치가 주로 사용되지만 삼원법도 중요한 시점이다. 삼원법은 고원과 평원 그리고 심원으로 나누

20 최순우, 위의 책, 192쪽.
21 최순우, 위의 책, 195쪽.

어진다.[22] 삼원법은 곽희의 〈임천고치〉에서 논한 구도법이다. 겸재는 곽희의 화론을 탐독했다는 기록이 있다. 심원은 산 앞에서 산 뒤를 넘겨보며 이는 영화의 하이앵글에 가깝지만 산과 산 사이를 거니는 공간이 확보되어 신선들이 노니는 시점이므로 시점이 이동하는 산점투시와도 결합된다. 심원법의 구도는 자국의 자연을 사생하고 그려내는 진경산수화에서 빈번하게 등장한다. 진경산수는 우리 강산에 있는 그대로 실재하는 경치를 표상하는 것을 지향한다. 조선후기 진경시대에 개화한 진경산수는 "우선 우리나라에 실재하는 산천을 묘사의 대상으로 삼고 있는 점과 또한 그것을 표현하는 독특한 화풍까지를 포함하는 두 가지 의미를 내포[23]"한다. 진경 시대는 숙종에서 정조에 걸치는 125년 간을 지칭하며 이 시대는 "조선왕조 후기 문화가 조선의 고유색을 한껏 드러내면서 난만한 발전을 이룩하였던 문화 절정기"[24]였다. 진경 시대에 꽃피운 진경산수의 특징은 우리 산천의 사실적 표상과 독창적 표현법의 창출로 요약된다.

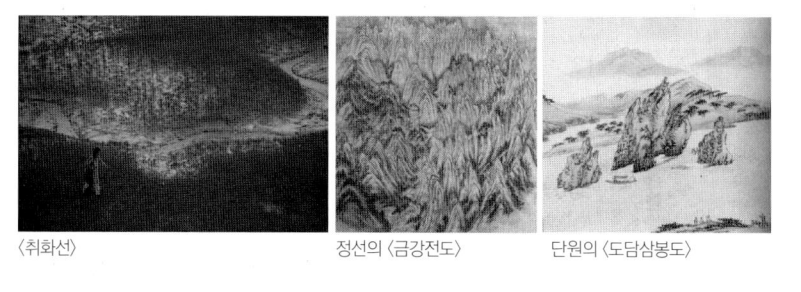

〈취화선〉   정선의 〈금강전도〉   단원의 〈도담삼봉도〉

〈취화선〉은 부감으로 위에서 내려다보는 앵글로 프레임에 담았다. 승업은 소운이 소천하자 이별의 아픔을 가슴에 묻고 유랑길에 오른다. 임권택 감독은 〈취화선〉의 장면에 대해 '전체적인 영상은 한국화'를 염두에 두었으며 구체적으로는 조선화를 염두에 두었다고 정성일과 대담에서 밝힌 바 있다. 임

22 왕백민, 강관식 역, 『동양화 구도론』, 미진사, 1997. 高遠, 산 아래에서 산꼭대기를 올려다 보는 것이며平遠, 가까운 산에서 먼 산 바라보는 것, 深遠, 산 앞에서 산 뒤를 넘겨다 보는 것이다.

23 안휘준, 『한국회화사』, 일지사, 1980. 250쪽.

24 최완수 외, 『진경시대』, 돌베개, 2002. 13쪽.

권택이 말한 조선화는 구체적으로 진경시대의 진경산수에 가까우며 구도로는 심원법 구도를 주로 사용한다. 물론 화조영모화나 기명절지화는 차이가 있다. 〈취화선〉의 유랑길의 구도와 정선의 〈금강전도〉와 김홍도의 〈도담삼봉도〉는 모두 심원법의 구도로 잡힌 진경산수의 백미다. 유홍준은 〈금강전도〉에 대해 "겸재의 진경산수는 실경의 사생화가 아니라 실경을 회화적으로 재구성한 이형사신의 미학"[25]으로 평가하였으며 단원의 〈도담삼봉도〉는 "마치 헬기를 타고 가며 사진을 찍은 듯 먼 부감법"으로 삼봉의 기운생동함을 표현했다고 했다. 겸재는 이형사신을 통한 사실성을 강조하는 측면에서 임권택의 영화적 태도와 부합하며 단원은 영화적으로 볼 때 하이앵글로 항공촬영을 연상케 하며 구도론으로 보면 심원법으로 그려낸 것이다. 이를 통해 진경산수 시대의 이형사신적 전신론과 위에서 내려다보는 사실적인 심원법은 임권택 영화의 하이앵글 촬영을 통한 익스트림 롱쇼트와 접맥되고 있다는 사실을 확인할 수 있다. 전신론과 부감법은 회화와 영화를 통해 한국의 풍경과 정신을 사실적으로 재현한다는 지향점에서 합류한다.

하지만 김홍도의 『단원 절세 보첩』에 포함된 진경산수인 〈옥순봉도〉, 〈사인암도〉, 〈도담삼봉도〉가 실경을 묘사했지만 일부에 작가의 인위적 첨삭이 시도되었다. 일부의 첨삭에 대해 최완수는 "조형상의 제조정은 오로지 주제의 부각"[26]을 위한 작가적 개입이라고 했다. 진경산수가 중국의 고답적인 관념 산수에서 벗어나 한국의 자연을 대상으로 삼았다는 점에서는 독자적이나 조형적 완성도를 위한 인위성의 가미라는 작가적 개입이 사실성에 일정한 한계를 드러낸다. 하지만 이러한 점에서 오히려 진경산수와 영화가 더 근접해간다. 임권택의 영화에서도 리얼리즘은 생생한 현실보다 정신적인 면을 강조하고 있다는 점에서 흡사한 태도를 보여준다. 진경산수와 임권택의 프레임은 한국의 자연을 정면에 내세웠다는 점과 한민족의 정서를 중심으로 삼았다는 태도에서 서로 다르지 않은 입장을 보여준다. 이와 같은 한국풍경에 대

---

25 유홍준, 『화인열전 1』, 역사비평사, 2001, 259쪽.

26 최완수 외 지음, 『진경시대 2』, 돌베개, 1998, 195쪽.

한 공통된 입장은 진경산수에서는 조형적 완결성을 위한 작가적 개입이라는 최소한의 예술적 변형을 통한 이형사신적 사실주의로 표출되었으며, 임권택의 영화에서는 한국의 자연이 이에 호응하는 인물의 정서와 영화적 서사를 견인해 내는 이형사신적 몽타주로 표출되고 있다는 점에서 전통 산수화 미학의 예술적 개시 혹은 영화적 접맥으로 귀결된다.

김홍도와 정선이 금강산과 단양팔경을 대상으로 사경(寫景)한 작품은 다양한 산점투시의 시점을 보여준다. 시점의 다양화는 동양화의 시점이며 영화는 앵글과 움직임을 통해 산점투시의 시점에 부합하는 이미지를 포착해낸다. 진경산수화 작가들이 한국의 풍경을 보여주기 위해서 채택한 시점은 삼원법으로 볼 때 심원법이 두드러지며 이는 신선의 시점이다. 동양화의 심원법은 신선이 거닐면서 자연을 드러낸다면 임권택의 이미지는 위에서 내려다보면서 피사체인 인물들이 거닐고 있다. 동양화가 상상의 인물에 의한 변화무쌍한 시점을 보여준다면 영화는 카메라의 시점을 통해 인물들이 움직이면서 스스로 탈목점이 되고 있다. 영화에서 인물이 움직이는 것은 살아있는 풍경을 강조한다. 심원법의 깊은 시점은 영화의 부감에서 표현되면서 인물의 움직임을 통해 더욱 사실적인 생생함이 가미된다. 자연 이미지는 인물의 삶과 정서를 드러내는데 일조한다는 점에서 이형사신적 사실주의로 귀결된다. 영화는 움직임의 예술이라는 것을 임권택은 이미지 안에서 움직임으로 입증한다.

임권택은 한국의 풍경과 문화를 어떻게 영화적으로 표현할 것인가라는 동일한 화두에 매달렸으며 여기에 대한 개인적인 응답으로 〈만다라〉에서 느린 걸음과 〈취화선〉에서 동양화같은 화면을 지향하게 된 것이다. 한국인과 한국의 풍경을 영화적으로 재현하는 문제를 풀어가는 과정에서 임권택이라는 작가를 매개로 하여 진경산수의 한국화 구도가 개시되고 탈은폐된 것이다. 한국의 자연을 보다 사실적으로 어떻게 재현할 것이냐의 화두를 앞에 두고 붓을 든 진경산수 시대의 화인과 카메라를 든 임권택이 서로 다른 도구와 장르에서 출발하였지만 정상에서 서로 마주하고 있는 형국이다. 임권택의 영화 장면과 진경산수화는 한국예술사의 흐름에서 합류하고 있다는 사실을 주목할 만하다. 이는 한국예술사의 뿌리 깊은 체관과 물관을 통해 서로 다른 장르가 한국을 어떻게 재현할 것인가라는 화두를 통해 만나는 진풍경이다. 바로 이 지점에서 우리는 한국 예술이라는 거목이 성장하고 있는 기운생동의 맥박을 감지할 수 있다.

4. 몽타주론과 동양화 화론의 접맥 가능성

임권택 영화의 대표적인 한국 이미지는 길이다. 길은 인간이 다니는 길이면서 주인공의 삶의 궤적을 시각적으로 표현한다. 주인공의 삶과 길의 형상이 닮은 것은 이미지와 의미의 상호연관성 때문이다. 〈만다라〉에서 길은 법운과 지산의 수행을 시각적 이미지로 예시해주며 〈취화선〉에서 부감으로 잡힌 곡선의 길과 여기서 벗어난 장승업의 행보는 제도적 질서에서 벗어난 예술가의 자유분방하고 일탈된 행적과 닮아있다.

〈취화선〉　　　　　〈취화선〉

그림에서 장승업은 자신의 마음을 다스리고 한국의 자연을 관찰하고 사생하기 위해 유랑길에 오른다. 장승업의 뒤로 길이 구불거리면서 S자로 펼쳐져 있다. 장승업은 이미 나있는 길 위를 걷지 않고 자신이 길을 개척하면서 힘들게 걸어간다. 이는 장승업이 길로 표상된 기존의 질서를 거부하고 자신의 독자적인 길을 가는 자유분방함을 암시한다. 또한 그가 걷는 길은 마르고 건조한 길이 아닌 질척거리는 길이다. 화인으로서 장승업이 가야할 길의 힘겨움을 토양으로 보여주며 길에서 이탈은 담을 넘어서 빈집에 들어가는 장승업의 일탈과 조응되면서 탈속적인 자유분방함의 캐릭터로 일관성을 지닌다. 이처럼 이미지를 통해 주인공의 삶의 철학과 방식을 표상해내는 것은 '형상을 통해 정신을 표현하는 이형사신적 사실주의화의 프레임'이며 동시에 세르게이 에이젠슈테인의 어트랙션 몽타주가 지향하는 연상적 비교를 통한 주제의 도출이라는 미학적 원리와도 부합한다.

　에이젠슈테인은 러시아 혁명정신을 다수의 인민들에게 강렬하게 전할 수 있는 영화적 언어를 모색하였다. 그는 메이어홀드 연극에서 영향과 한자의 원리를 통해 영화 몽타주를 완성시켜나갔다. 에이젠슈테인은 1923년에 메이어 홀드의 연극에서 착안한 어트랙션 몽타주를 발표하였다. 어트랙션 몽타주는 '단편적 조각들 사이의 비교 혹은 연상적 비교(associational comparison)'를 통해 의도된 주제를 전달한다. 어트랙션 몽타주가 진화하여 충돌의 몽타주로 확장되고 수직의 몽타주에 이르기까지 몽타주론은 에이젠슈테인이 자신의 영화를 통해 실험하고 정초하고 싶은 영화언어이자 미학의 처음이자 끝이었다. 어트랙션 몽타주가 "독립적인 효력들의 결합→이미지 연상→의미창조"를 지향한다면 이후 충돌의 몽타주는 "독립적인 효력들의 결합→이미지 연상→새로운 의미로의 비약"[27]을 강조한다. 충돌의 몽타주가 이미지나 영화적 구성 요소들이 상호 충돌하거나 대비되어 정서적 충격을 가한다면 어트랙션 몽타주는 "개별적인 숏이 '어트랙션'으로 작용하여 관객에게 '정서적 충격'"을 주며 이는 대립과 유사한 것의 비교까지 포함한 넓고 모호한 개념이다.[28] 전자가 충돌과 대립에 방점이 찍혔다면 후자인 어트랙션은 유사한 연상 작용이 대립과 비슷한 비중을 두는 합집합의 개념에 가깝다. 어트랙션 몽타주에서 충돌이 보다 강조되는 것이 충돌의 몽타주이며 연상 비교가 부각된 부분은 연상의 몽타주이다. 연상 몽타주(association

---

27　김용수, 『영화에서의 몽타주 이론』, 열화당, 1999, 234쪽.

28　김용수, 위의 책, 123쪽. 어트랙션은 넓은 의미에서는 에피소드 장면과 같은 공연의 구성단위이며 좁은 의미에서는 독백, 노래, 춤과 같은 작은 공연의 단위이다. 영화에서는 장면과 장면에서 시작하여 컷과 컷으로 발전하여 이미지 내에서 피사체와 피사체로 축소해서 적용해 볼 수 있을 것이다.

montage)는 "화면의 눈에 보이는 요소들 뿐만 아니라, 주로 심리적 연상의 사슬과의 정서적 결합"[29]을 한다. 연상의 몽타주는 충돌의 원리를 수용하되 정서적 연상들 혹은 심리적 연상을 강조한 몽타주이다. 임권택의 영화는 충돌의 몽타주보다는 어트랙션을 통한 연상의 몽타주에 가깝다. 에이젠슈테인은 어트랙션 안에 충돌의 몽타주와 연상의 몽타주를 포함하여 동일한 몽타주의 원리로 설명기도 했다. 필자는 어트랙션에서 연상 비교를 강조한 부분을 어트랙션된 연상 몽타주로 충돌과 대비를 통한 정서적 강조를 지향하는 것은 충돌의 몽타주로 재정립하여 논의한다. 임권택의 텍스트에 사용된 몽타주는 관객에게 충격을 통해 의미를 전달하려는 충돌의 몽타주보다는 은근하게 의미와 감정을 감추어두는 어트랙션된 연상의 몽타주에 가깝다. 한국미가 은근하게 드러내는 방식에 적합한 표현법에 근접하며 또한 각 장르에 두루 통용되는 원리로서 몽타주의 재확인이라는 측면에서 한국적 특수성에 영화 이론의 일반론의 접맥을 목도할 수 있다.

임권택의 텍스트에서 한국의 풍경과 길이 주인공의 심성과 인생역정과 닮은 것으로 시각화되는 것은 이미지를 통한 어트랙션된 연상의 몽타주 기법에 가깝다. 에이젠슈테인이 선명한 비교적 연상을 통한 정서적 효과를 지향했다면 임권택의 영화는 모호한 닮은꼴을 통해 은근한 주제적 표현에 가깝다. 이는 몽타주와 동양화의 전신론과 접맥가능성을 열어준다.

이는 "시인이 시를 쓰는 방법, 배우가 형상을 구현하기 위해 자기 내부를 추동하는 방법, 그 배우가 화면에서 행위를 완성시키는 방법, 몽타주적 서술과 영화의 모든 구성 수단을 통해 연출가의 수중으로 들어가게 되는 방법-이들 사이에는 모순이 없다는 것"[30]을 대변한다. 이는 모든 예술적 원리로 몽타주적 적용 가능성이라는 에이젠슈테인의 가설을 입증해주기도 한다.

전신론에 입각한 이형사신적 사실주의에 입각한 영화 이미지가 어트랙션적 연상의 몽타주로 사용된 결합 사례는 몇 갈래로 나누어진다. 첫 번째로 가

---

29 에이젠슈테인, 이정하 역, 『에이젠슈테인의 〈몽타주 이론〉』, 영화언어, 1996, 193쪽.

30 에이젠슈테인, 위의 책, 465쪽.

장 두드러진 사례는 이미지 내에서 서로 조응하는 것이다. 조응은 동양화 구도의 원리에서 그림 속의 형상이 전후, 상호 연관성을 지닌 호응의 원리에 기인한다. 호응은 "인물의 표현적인 호응도 있고 사상과 감정의 내면적인 호응"[31]도 존재한다. 호응과 함께 구도론에서 허와 실, 큰 여백과 작은 여백의 호응하여 자리한다. 임권택의 쇼트는 자연과 인간이 호응하거나 피사체와 인공물이 상호 조응한다. 자연과 인간은 〈만다라〉 길 이미지가 대표적이며, 인공물과 인공물이 조응하는 것은 〈취화선〉의 매향과 장승업이 재회하여 그림과 백자의 아름다움을 언급한 다음 담백한 그림을 그려주고 떠나는 장면이다.

길 이미지는 〈서편제〉에서 소리꾼의 삶과 동물 창자같은 구불구불한 길이 서로 호응한다. 이는 소리꾼의 굴곡 많은 신산한 삶이 구불거리는 곡선과 오르내리는 경사와 호응한다. 〈만다라〉에서 이미 언급한 바대로 구도를 향한 수도승의 행적과 길이 내면적으로 닮았다.

〈서편제〉 동호의 가출

〈서편제〉 진도아리랑 부르는 세 인물

동호의 가출은 길을 떠나는 것을 시각화한 것이다. 길은 오르막길이며 이는 동호의 앞으로 전개될 가파른 삶을 예시적으로 보여준다. 하지만 직선의 길로 동호가 오르는 것은 기존의 한국의 길과 차이가 있는 인위적인 분위가가 남아있다. 이 길은 동호의 가출 신(Scene)을 만들기 위해 스태프들이 줄을 지어 오르내리면서 급조한 길이라고 한다. 급조한 길은 시간의 흔적을 남기지 못했으며 자연스러운 곡선이기보다는 직선에 가까워 인위성을 배가한다. 이 장면은 길을 통해 동호의 미래를 보여주려는 연출의도가 너무 생경하

---

31 왕백민, 강관식 역, 『동양화구도론』, 미진사, 1997. 29쪽.

게 드러나 부자연스럽게 된 사례에 속한다. 길의 이미지와 인물들의 삶을 자연스럽게 연상적으로 비교하여 주제를 녹이는 장면은 〈서편제〉의 진도아리랑 부르는 장면이다. 이 장면에서 임권택의 롱테이크와 한국의 자연을 담아내는 익스트림 롱쇼트가 이상적으로 결합한다. 의기소침했던 유봉의 가족들이 소리를 통해서 다시 흥을 불러일으키면서 삶의 다음 국면으로 넘어가는 변곡점을 보여주는 장면이다. 임권택 감독은 "거기가 돌밭길이오. 얼핏 보기에는 삭막하면서도, 가만히 들여다보고 있으면 조금은 또 따스한 느낌이 있는 그런 길이지요. 만일 우리가 삶이라는 역경의 여정을 늘 걸어가고 있는 것이라면 바로 그런 길"[32]일 것이라고 언급하였다. 한국의 전통음악을 지키려는 소리꾼의 신산한 삶은 구불구불한 한국의 길이라는 시각적 이미지로 수렴된다.

〈취화선〉   〈취화선〉

또 다른 사례로 프레임 내의 피사체와 소도구 사이의 호응도 있다. 오랜 방랑의 끝에 승업은 기생 매향과 재회한다. 매향은 자신의 방에서 승업의 발을 씻어주고 정갈한 옷을 승업에게 입혀준다. 그 방에는 이조백자가 놓여 있다. 이 백자는 '심심하고 무덤덤한 항아리'이며 승업은 매향에게 백자 항아리처럼 꾸밈없는 담백한 그림을 남기고 사라진다. 전경의 장승업이 그린 그림과 후경의 백자는 꾸밈없는 세계를 보여준다는 점에서 서로 호응하여 장승업의 달라진 작품세계를 암시한다. 매향이 장승업의 발을 씻어주고 새 옷으로 갈아입히는 것은 표면적으로는 매향의 마음의 표현이지만 이면적으로는

---

32   정성일 대담, 『임권택이 임권택을 말하다 2』, 현문서가, 2003, 292쪽.

과거의 장승업에서 예술가로 깊어지고 한결 초극한 장승업으로 다시 태어남을 암시한다. 질박하고 담백한 백자는 도자기에 그린 그림이 표상하는 꾸밈없는 선경을 예시하기도 한다. 백자와 담백한 승업의 그림이 상호 호응하여 군더더기 없는 작품의 세계에 도달할 마지막 장면에서 보여줄 장승업의 도자예술의 경지를 은근하게 알려준다. 이는 미장센으로 배치된 백자와 그림이라는 두 피사체가 서로 호응하여 장승업의 깊어지고 간결해진 예술세계의 가시화로 수렴된 보이지 않는 어트랙션된 연상의 몽타주이다.

두 번째는 이미지와 이미지가 서로 다른 쇼트로 조응하는 것이다. 〈만다라〉에서 현재의 법운이 과거를 회상하는 장면이다. 법운은 창녀촌에서 나와 만행을 하다가 고향의 공간으로 돌아온다. 그는 길을 보면서 과거의 회상에 잠긴다. 법운의 시점샷으로 길게 펼쳐진 길로 소년이 달려온다. 그 길은 유년시절 어머니가 서울로 가출한 소식을 듣고 이모에게 확인하기 위해 달려가는 길이다. 그 길은 현재의 구도의 길을 걷는 법운이 떠나왔던 길이지만 과거로 기억을 거슬러 가게 하여 현재 자신의 구도행에 일정한 영향을 주는 길이기도 하다. 동일한 길을 통해 과거와 현재라는 시간이 서로 마주치면서 속세의 인연과 세속적 번뇌를 끊어야할 과제를 제시한다.

임권택 감독이 연출한 영화는 대부분 길 영화이며 로드무비가 많다. 이는 임권택 감독의 가출 체험과 계속 귀향을 꿈꾸지만 아직 귀향하지 못한 자신의 정서적 상태와 연관되어있다. 하지만 이 길은 우리 한국민의 보편적인 역사 체험과 접맥되면서 개인적 이미지에서 보편적 이미지로 확장된다. 길은 주인공의 삶을 요약해서 보여주면서 동시에 동양화의 구도를 갖고 있다. 임권택의 영화는 형상을 통해 정신을 드러내는 동양화의 이형사신론을 프레임에 채워넣는다. 길은 "그것은 소리꾼들한테만 국한된 것은 아니고, 우리 민족 전체도 떠돌고 산다는 생각을 했고 나 개인적으로도 늘 떠돌면서 살고 있었기"에 보편적인 이미지로 정착할 수 있는 것이다. 〈서편제〉와 〈취화선〉 그리고 〈만다라〉에서 모두 길 이미지가 변주되며 이는 예술가들의 자기 완성을

향한 길과 구도자의 구도행이 길을 통해 서로 호응한다.[33]

영화에 나타난 장면은 이미지 내에서 서로 비교연상을 통해 견인되어 몽타주와 화론이 호응된다. 가시적으로 보이는 부분은 더욱 정치하게 들어가면, 가로로 줄지어 늘어선 직선의 길을 걸어가는 세로로 직립한 인물은 도형적 방향이 서로 충돌하는 충돌의 몽타주와 탈목점으로 배치된 인물로 해석해 낼 수 있다. 영화의 몽타주는 보다 많은 기의적 선택지를 확장한다. 예를 들어 프레임에 배치된 이미지 사이의 연상과 충돌에서 확장되어 이미지와 사운드가 서로 화합하거나 갈등할 수 있으며 롱테이크와 롱쇼트가 결합하여 동양화처럼 배치되었지만 카메라와 인물이 운동을 하면서 탈목점을 만들어 낸다. 회화의 탈목점이 한 곳에 배치된다면 영화의 탈목점은 움직이는 운동성을 지닌다. 산점투시도 회화에서 시간과 공간과 시점을 다양하게 펼쳐보여주지만 영화에서는 카메라의 움직임과 편집 그리고 인물의 움직임이 산점투시를 만들어낸다. 한국의 풍경과 서양의 풍경은 다르게 배치하며 한국의 이야기에 맞게 장면을 구축한다. 그럼에도 불구하고 동양화론과 서양의 몽타주론이 교묘하게 접합되고 있는 점은 미학적 주목을 요한다. 하나는 한국의 풍경에 맞는 프레임을 구축하면서 한국 영화 언어를 모색한다는 점이며, 다른 하나는 동양화론의 구도와 역동적인 몽타주가 내적 연관성을 갖고 있으며 이를 통한 한국 영화 미학의 확장 가능성에 대한 기대감이다.

4. 맺음말

영화는 자국의 문화적 토양에서 성장하는 예술의 꽃이다. 임권택의 영화는 한국문화에 대한 성찰에서 촉발되었다. 한국적인 것의 천착은 1930년대 로칼 칼라 담론에서 시작되어 세계화를 표방하는 '한국적인 것이 세계적'이다는 세계화 담론에 이르기까지 거듭 소환되었던 문화적 의제였다. 임권택

---

33 문관규 외, 『시네 클래스』, 커뮤니케이션북스, 2012. 66–67쪽.

은 한국의 문화를 토대로 하여 자신의 영화세계를 구축하였으며, 이를 통해 자국에서는 국민감독으로 자리매김 되었으며 해외에서는 한국의 대표성을 지닌 작가로 승인받게 되었다. 임권택의 영화는 한국인을 주인공으로 하여 한국을 배경으로 한 한국문화가 줄기며 미학적 뿌리였다. 그의 영화적 실천은 한국인의 삶을 프레임에 담아내는 것과 한국의 풍경을 사실적인 미장센으로 배치하는 것이었다.

이와 같은 과제는 형상을 통해 정신을 표현하는 이형사신적 태도로 표출되었다. 이는 전신적 사실주의에 가까우며 특히 길 이미지를 통한 주인공의 내면을 표상하는 것으로 반복되어 등장하였다. 구도자가 주인공인 〈만다라〉, 예술가의 초극적인 삶을 다룬 〈서편제〉와 〈취화선〉에서 길의 이미지는 돋보였다. 예를 들어 〈서편제〉의 진도아리랑 부르는 장면은 롱테이크이며 구불구불한 길의 형상의 한국적 곡선의 미학을 잘 드러내며 동시에 소리꾼의 굴곡있는 삶을 시각적으로 암시한다. 이 장면은 예술가의 신산한 삶과 한국인의 고난의 여정을 길 이미지로 통합해낸다. 이를 통해 동양화론의 이형사신적 사실주의와 에이젠슈테인의 어트랙션적 연상의 몽타주가 미학적으로 접맥하게 된다. 몽타주와 이형사신적 사실주의로 귀결되는 전신론의 영화적 수용은 임권택이라는 매개를 통해 진경산수의 정신이 개시된 한국예술사적 광경을 목도하게 한다. 진경산수시대를 열어갔던 화가들이 붓을 통해, 화론을 통해 한국의 자연을 사실적으로 담아내려고 했다면 임권택은 세계화 시대에 카메라를 통해 한국의 풍경을 보다 사실적으로 포착하려고 시도하였다. 장르와 시대는 달랐지만 한국의 자연에 대한 사실적 재현이라는 공동의 예술적 목표를 지향하였다는 점과 전신론의 지지라는 길에서 합류한다. 진경산수의 전통의 맥은 임권택의 장면을 통해 영화적으로 개시되고 탈은폐되었다. 예술사는 단절보다는 불연속적 계승을 통해 불멸의 예술적 흐름을 이어간다. 최완수 선생이 역설한 바대로 "오래된 호수가 자생의 원천을 가지고 있으면서 외래의 객수를 필요한 만큼 받아들여 자기 수준을 높이고 한계 수준에 이르면 다시 방출"[34]하

---

34 최완수, 앞의 책, 5쪽.

면서 문화의 강이 흘러간다. 자생의 줄기와 외래의 자극이 연동되어 한 시대의 문화를 이끌고 간다면 임권택의 영화는 동양화의 전신론과 러시아의 몽타주론의 미학적 통합을 통해 한국 영화의 미학적 봉우리를 제시했다. 국민감독 임권택의 명성은 바로 이 지점에서 유래한다.

금정산 아래에서 영화를 바라보면서 살아온 바보는 이렇게 기록하였다.

임권택은 충무로에 심어진 나무다.

이 나무는 한국의 도제 시스템이라는 험한 담금질로 굴절되어 성장했다.

임권택은 충무로와 한국이 밑거름이 되어 나이테가 굵어지고 가지가 뻗어나고 잎들이 싱싱하게 피어난 거목으로 자라났다.

보통 바다 건너온 것들이 한국을 지배하고 절대적 영향력을 행사해왔다면 임권택은 반대로 한국적 방식으로 바다 건너온 것들과 악수하고 그들과 어깨를 나란히 하거나 더러는 앞서 나가기도 했다.

이와 같은 모습에서 임권택의 영화는 한국적이다는 명제를 도출한다.

한국의 소나무는 한국을 닮고 한국의 야산에 핀 진달래도 한국인을 닮고 심지어 한국의 붕어도 한국인을 닮아갈 때 한국의 영화도 덩달아서 한국을 닮아간다.

한국을 닮은 영화의 맨 앞 자리에 임권택의 영화가 놓여있다.

임권택의 카메라는 길을 걸어가는 인물의 뒷모습을 담아낸다. 〈만다라〉의 지산이 걸어가는 뒷모습과 〈서편제〉의 송화가 눈오는 둑을 걸어가는 뒷모습은 감독의 뒷모습과 겹쳐진다.

거장은 앞모습을 통해 주장하지 않고 뒷모습을 통해 설득한다.

임권택이 걸어가는 길은 성실한 자기 성찰의 발자국이 새겨졌으며

자신의 영화적 성장과 한국영화사의 진화는 늘 함께 움직이는 두 바퀴였다. 이 바퀴는 한국영화사의 길을 만들었다. 그 길은 동호 떠난 오르막 길도, 법운이 향한 직선길도 취화선은 구불거리는 길과 모두 한 길도 통한다. 한국의 문화는 그의 프레임 안에서 별자리로 새겨졌다.

임권택의 영화는 한국의 풍경으로 지구의 모습을 보여준다.

여기서 영화는 한국과 지구가 모두 한 식구라는 단순한 사실로 모여든다.

임권택 영화에 나타난 원초적 장면primal scene과 은폐기억screen-memory에 대하어
– 〈서편제〉(1993), 〈길소뜸〉(1985)을 중심으로

1. 원초적 장면과 은폐기억의 프레임으로 정박

우리는 현재를 살아가면서 과거를 반추하고 미래를 응시한다. 현재는 과거의 지배와 미래의 기대라는 지평 속에 뿌리를 내리고 있는 것이다. 영화는 과거에서 미래에 축적된 시간대를 가로지르며 인간의 내면풍경을 플래시백과 플래시 포워드로 담아낸다. 특히 인물은 과거의 상처나 과거의 결정적인 사건으로 현재의 실존적 내면을 설명한다. 영화의 서사는 구성과 인물이라는 두 가지 뼈대를 통해 만들어지고 발전해나간다. 인물은 인물간의 관계와 지향하는 가치관과 영화적 주제와 카메라에 잡힌 가시적 행위로 스스로 자화상과 자기서사를 써내려간다. 인물간의 관계와 행위와 주제라는 항목을 통해 인물을 해석해낼 수 있지만 보다 정치한 인물의 내면세계를 엿보기 위해서는 기표적 사실과 다른 보여주지 않은 세계에 대한 탐색을 통해 풍부한 이해의 강에 도달할 수 있을 것이다. 이때 가장 많이 기대고 있는 영역이 서사를 이끌고 가는 인물과 연출자인 감독에 대한 정신분석학적 접근방식일 것이다.

정신분석학은 무의식이라는 어둠에 빛을 던져주었으며, 무의식의 발굴은 인간 개개인에게 유아기나 유년의 영향력을 회복시켜주었으며, 한 걸음 더 나아가 인류의 선사시대의 유전적 기억까지 되돌려주는 학문적 성과를 이루어냈다. 무의식은 쾌락 추구와 불쾌 회피라는 본능에 충실하며 시간은 무시간적이다. 무의식의 무시간성은 정신분석학의 금과옥조 중의 하나인 기억의 파괴는 있을 수 없으며, '모든 기억은 어떻게든 보존되고, 적절한 상황에서는 그 기억을 다시 한 번 한번 끌어낼 수 있다'[1]는 입장을 견고하게 지지해준다. 무의식에 보관된 기억은 예술가에게 귀중한 예술적 자양분을 제공한다.

예술은 좌절한 욕망에 대한 대리물로써 예술가와 독자를 동시에 위로한다. 정신분석학적 입장에서 볼 때 예술가를 위로하는 것은 좌절체험의 예술적 승화를 통해 가능하다.

유년의 소망 좌절 기억은 무의식 속에 잔류한다. 무의식에 잔류한 기억은 현재의 체험에 의해 환기되어 승화라는 절차를 통해 예술작품을 생산한다. 하지만 무의식의 창고에서 의식으로 방출될 경우 검열과 억압의 방어벽을 돌파해야하기 하기 때문에 전치(displacement), 압축(condense), 사물표상(thing-presentation) 등으로 변형과정을 거쳐서 드러나기 때문에 별도의 해독의 작업이 요구된다. 또한 의식의 세계에서 지각된 것들이 무의식으로 가는 방향은 개방되었지만 무의식에서 의식으로 향하는 출구는 제한적이라는 협소성으로 인해 난해함이 가중된다.

또 다른 난제는 좌절된 본능의 달래는 작업이 예술적 승화라는 한 가지 선택만을 강요하지 않는다는 점이다. 개인이 인생을 살아가면서 겪는 고통과 좌절된 본능의 해소 방법은 관심을 돌리는 관심회피와 대리만족과 마취와 사회에 대한 자발적 고립 등 다양한 방식이 산재해 있다는 점이다. 예술적 승화는 단지 고통을 이기고 본능을 대리만족시켜주는 유일한 방법이 아닌 수많은 조항 중의 하나에 불과하다는 사실에 유의해야한다.

위의 사실 중에서 어린 시절의 좌절 기억이라는 중요한 요인은 불변의 상

---

1 프로이트, 김석희 역, 『문명 속의 불만』, 열린책들, 1997. 248쪽.

황이다. 무의식의 요소 중에서 예술적인 자양분을 형성하는 좌절된 욕구의 대표성을 띠고 있는 핵심적인 것이 바로 원초적 장면과 은폐기억이다.

은폐기억(screen-memory)은 유년시절의 '사소하고 별로 중요하지 않은 것들은 보존[2]'되는 기억의 일종이다. 이 사소한 은폐기억의 영향력은 환자의 감추어진 비밀을 풀어내는 열쇠를 제공하는 점과 전설과 신화 속에 보존된 기억들과 유사성으로 인해 정신분석학에서 그 의미가 배가된다.

원초적 장면(primal scene)은 '환상(a phantasy) 이거나 실제경험(a real experience)'을 재료로 하여 변형되고 재구성된다. 원초적 장면의 구성 요소는 인류의 보편적인 유산과 개인의 실제경험의 합작품이다. 개인적인 체험과 별개로 존재하는 것이 계통발생적 유산의 기억이다. 인류의 보편적인 유산인 계통발생적 유산(phylogenetic heritage)은 '부모의 성관계를 지켜보는 것과 유년기의 유혹, 거세위협 장면[3]'등으로 구성된다. 〈서편제〉에서 유년의 동호가 자신의 어머니와 다른 남자 유봉이 남녀관계를 맺는 것을 지켜보는 장면이 존재한다. 이는 동호의 원초적 장면이 생성해낸 은폐기억을 형성하며 이를 통해 유봉에 대한 적대감이 무의식에 존재하게 된다. 동호의 가출에 대한 원인과 송화에 대한 애정의 좌절은 유봉의 존재를 통해 설명할 수 있다. 유봉의 존재는 성적 라이벌이며 동시에 아버지라는 보다 가시화된 장애로 동호를 가로막았던 것이다. 이와 같은 감정과 태도의 근원은 원초적 장면의 목격이라는 실제 체험에 기인한다고 볼 수 있다.

원초적 장면과 은폐기억은 재생의 과정에서 왜곡과 변형이라는 필터를 통과해야한다. 왜냐하면 '지각에서 무의식 조직으로 이어지는 모든 통로들이 열려있으나 무의식 조직에서 다른 조직으로 향하는 통로들은 억압[4]'되어있기 때문이다. 원초적 장면은 무의식이라는 필름보관소의 창고에서 시간 속

2 지그문트 프로이트, 이한우 역, 『일상생활의 정신병리학』, 1997, 열린책들, 70쪽.

3 Sigmund Freud, Translated James Strachey, The standard edition of complete psychological works of Sigmund Freud, XVII, An Infantile Neurosis and Other Works, The Hogarth Press, 1957. 97쪽.

4 지그문트 프로이트, 윤희기 역, 『무의식에 관하여』, 1997, 열린책들, 203쪽.

에서 부식되지 않은 상태로 방영의 날들을 기다리는 것이다.

원초적 장면에 함유된 계통발생적 유산이라는 개념은 개인의 체험을 사적인 영역에서 공적인 영역으로 지평을 확장시킬 수 있는 거점을 제공한다. 대중예술로서 영화가 동시대의 관객과 공적인 체험을 공유하고 인식의 공감대를 형성한다고 전제할 때 계통발생적 유산이라는 인류 공통의 공유지점은 임권택의 영화에 대한 한국관객의 호응과 지지의 원인을 해명하는 단서를 제공받을 수 있을 것이다.

원초적 장면은 영화 내적 내러티브를 구축하는데 기여하는 영화적 원초적 장면과 작가 개인의 사적인 체험(개인체험과 계통발생적 유산의 종합)에서 발원한 작가적 원초적 장면으로 대별하여 살펴볼 때 임권택의 텍스트는 보다 확장된 해석의 장으로 편입될 수 있을 것이다.

은폐기억은 유아기 실제 체험의 재생에 머물지 않고 재구성된다는 점에서 그 해독의 폭을 넓혀준다. 이미 언급한 바대로 은폐기억은 전치와 압축과 사물표상으로 재가공된다. 이와 같은 재구성은 텍스트의 해석을 위해서 텍스트와 텍스트 사이의 연관성과 감독의 사적인 체험을 참고하고 동원해야하는 번거로움을 요구한다. 영화 내에서 은폐기억은 플래시백을 통해 환기되면서 과거에서 현재로 거슬러오는 연대기적 구성에 필요한 중요한 장면을 재현해낸다.

원초적 장면과 은폐기억의 차이는 전자가 개인의 경험과 계통발생적 유산의 혼합물이라면, 은폐기억은 개인의 유년 기억들의 종합에 있다. 하지만 은폐기억이 '유년의 기억이 은폐기억의 의미를 갖지만 한 민족의 전설과 신화 속에 보존하고 있는 초창기 기억들과 상당한 유사성[5]'을 보인다는 점에서 원초적 장면과 친연성을 보여준다.

---

5 지그문트 프로이트, 이한우 역, 위의 책, 75쪽. 원초적 장면과 은폐기억은 선사적이든 사적인 실제 체험이든 일정하고 구체적인 장면과 기억에 의존한다. 여기서 프로이트가 꿈의 해석에서 주장하여 융이 발전시킨 융의 회고적 환상(retrospective phantasy)과 차이를 분명히 할 필요가 있다. 융의 회고적 환상은 구체적 장면과 기억과 무관하게 환상 주체가 성년이 된 다음 유년을 생각하며 임의로 구성해낸 환상이라는 점에서 차이를 둔다는 점을 유의할 필요가 있다.

은폐기억은 유년 이후에 지속적으로 주인공의 생에 영향을 주는 각인된 사건(상처와 황홀한 체험)으로 귀환하여 영화세계를 구성하는 핵심 요인이다. 원초적 장면과 은폐기억은 작가의 체험과 좌절된 욕망의 승화로서의 영화 텍스트 생산에 구심점이 된다. 특히 원초적 장면은 텍스트 분석 작업을 수행 할 때 수많은 기의가 파생되는 불변의 시니피앙이라는 근원적 장면의 자리를 점유하는 핵심적 개념이며, 이는 영화적 구심점과 작가의 세계관을 결정하는 방향타 역할을 수행하고 있다.

2. 서사의 근원으로서 원초적 장면

임권택의 영화세계에 반복해서 등장하는 모티프에 대해 연구자마다 서로 다른 해명을 하고 있다. 하지만 변별점에 대해 인내를 갖고 다시 준별작업을 시도해보면 공유하는 주장의 교집합 지점을 만날 수 있게 된다.

정재형은 '임 감독 영화 속의 만남은 주도적인 인물들의 첫 만남과 그 후 오랜 인생의 역정을 거친 후 다시 만나는 재회의 시간 구조'를 갖으며, '재회의 시간은 잃어버린 시간을 다시 회복하는 시간'[6]으로 규정하였다. 여기서 주도적인 인물들이 다시 재회하는 서사라는 지적은 주목을 요한다. 앞으로 필자가 마지막 장에서 논의할 주인공의 가족/고향 찾기 서사라는 임권택 영화의 핵심적인 서사 구조에 맞닿아있는 주장이다.

정신분석학 입장에서 살펴볼 때 과거의 기억에 얽매여 있다는 점과 이전의 시간을 다시 회복하려한다는 점은 주목할 부분이다. 왜냐하면 시간이 지나도 소멸되지 않는 본능의 목적은 만족스러운 첫 경험의 반복이거나 승화를 통한 대리만족의 체험을 통한 이전의 상태 회복에 있으며 특히 '모든 본능이 이전의 상태를 회복하려는 경향'[7]이 있기 때문이다. 이런 맥락에서 볼 때 이전 시간의 회복은 이전 상태의 복원 필요성 문제와 직결되며 기억의 근원

---

6 정재형, 「임권택감독 영화의 시간의식」, 『한국 영화의 이해』, 예니, 1992, 415쪽.

7 지그문트 프로이트, 박찬부 역, 『쾌락원칙을 넘어서』, 열린책들, 1998, 52쪽.

인 은폐기억과 원초적 장면의 영화적 영향과 관련해서 주목할 필요가 있다.

유현미는 「임권택의 '인본주의 신화' 분석_8에서 임권택의 영화는 주제와 플롯과 스타일에서 반복되며 〈창〉(1997)과 동일한 플롯인 '깊은 사연을 가진 어떤 남자가 여자를 찾아온다. 그때부터 영화는 긴 회상구조를 통해 이야기를 풀어간다'로 구성되었다고 주장하였다.

여기서 유의할 대목은 '긴 회상 구조로 풀어가는 이야기구조'이며 회상은 언제나 현재에서 과거로 가거나 대과거에서 과거로 향하거나 시간의 퇴행이라는 특징을 지닌다. 시간의 퇴행은 본능의 기원인 이전상태를 복원하려는 경향과 등가를 이루며 정신분석학입장에서 볼 때 보수성과 과거의 어느 상태로 회귀의 역설이라는 흥미로운 지점을 겨냥하고 있다.

이상의 논의 공통점은 유년의 중요성 부각, 회상을 통한 과거의 복원의 역설이며 달리 말하자면 원초적 장면과 은폐기억이라는 발원지인 과거의 중요성에 대한 반복된 강조로 볼 수 있다.

〈서편제〉와 〈길소뜸〉은 회상화면을 통해 과거의 시간으로 거슬러 올라간다는 점에서 은폐기억과 원초적 장면의 근원과 그 영화적 함의를 밝혀보는 데 중요한 텍스트로 여겨진다.

임권택 영화의 플롯은 일정한 전형을 이루고 있다. 이미 유현미의 논문에 한 줄로 언급된 바 있지만 기존의 작품을 통해 재정리하면 크게 일곱 가지 구성으로 나누어볼 수 있다.

1) 낯선 자의 방문, 낯선 자는 주인공이거나 주인공의 연인과 가족
2) 낯선 자와 동행한 과거(대부분 회상화면으로 연대기 순으로 정보 전달)
3) 낯선 자와 그의 상대인물과의 만남의 이야기(두 인물은 적대적이거나 연인이거나 가족으로 과거의 상처를 공유함)
4) 낯선 자와 그의 상대인물과 과거 속의 이야기와 결별(두 인물은 결별 사유나 결별체험으로 인한 과거의 상처를 공유함)

8　유현미, 「임권택의 '인본주의 신화' 분석」, 『영화연구』 14집, 한국영화학회, 1998.

5) 낯선 자와 상대인물의 현재 이야기(2와 3이 회상화면으로 공존)

6) 낯선 자와 찾는 자(과거 속의 상대인물)의 만남

7) 낯선 자와 찾는 자의 길 떠남

위의 도식에 맞추어 〈서편제〉와 〈길소뜸〉의 이야기구조에 따라 배열해 볼 때 놀라울 정도로 구성상 유사성을 목격할 수 있다. 위의 구성에서 2)낯선 자와 동행한 과거, 3)낯선 자와 그의 상대인물의 이야기, 4)낯선 자와 그의 상대인물과 과거 속의 이야기와 결별, 5)낯선 자와 상대인물의 현재 이야기는 회상장면을 통해 구성된다.

결론적으로 정리하자면 원초적 장면은 두 영화 모두 2)번 구성에 등장한다. 그 원초적 장면으로 인해 7)의 결말부분에 해답을 얻을 수 있게 된다. 은폐기억은 회상장면을 구성하는 주요한 요인이며 이 기억의 힘에 의해 현재에서 과거를 재구성하면서 영화의 내러티브를 구축한다.

〈길소뜸〉에서 화영은 두 번째 구성에서 라디오 방송의 소리라는 기억의 환기물을 통해 플래시백으로 이전의 기억을 소환한다. 어린 화영은 어린 동진과 만나게 되며, 두 사람의 만남은 클로즈업과 필터의 사용과 정지화면 그리고 음악의 변화를 통해 그 의미를 부각시킨다. 이들의 장면은 한번 더 반복되면서 빈도의 증가로 인해 그 의미가 새삼 강조된다.

한편 엄격한 동진의 부친이라는 아버지 앞에서 의남매가 된 남녀의 만남이라는 점은 거세위협 앞에서 놓이게 된다. 동진과 화영은 부친 잎에서 서로의 시선을 주고받으며 사랑에 빠지게 된다. 첫 만남의 장면은 동진을 평생 화영을 찾게 만드는 것이다. 이 장면으로 인해 화영과 동진의 고난은 근친상간의 금제를 위반한 자들이 받은 처벌이라는 기의를 생산함과 동시에 황홀했던 순간으로 회귀하고 싶은 화영의 노력(과거의 회상)에 정신분석학적 개연성을 부여받게 된다.

임권택 감독도 '동진은 평생 그 여자만 생각하며 살았다'고 설명한 바 있다. 동진은 화영과 시선을 통한 눈 맞음이라는 만남의 순간과 그녀와 아름다운 추억이 존재하는 길소뜸의 공간이라는 원초적 장면과 이상향으로 회귀하고 싶은 것이다. 화영은 여기서 자신에게 삶이 행복하다는 의미를 깨닫게 해준 특정한 대상이면서 동시에 전쟁으로 훼손되지 않은 시간과 공간이며 잃어버린 과거이거나 고향으로 자리하여 그 기의가 무한하게 열려있으며 심연을 지니게 된다.

〈서편제〉에서는 두 번째 구성에서 세월네의 소리를 매개로 과거로 넘어간다. 이 장면은 〈길소뜸〉에서 라디오의 소리를 매개로 과거의 시간으로 장면이 전환되는 것과 유사한 '사운드 오버랩을 이용한 시간과 공간전환의 편집기법'을 사용하였다. 소리꾼 유봉은 소리에 반한 여자와 살림을 차린다. 그 여자의 아들이 바로 동호이다. 유봉과 여자(동호의 어머니)는 남녀관계를 갖고그 모습을 어린 동호가 바라본다. 이 장면이 앞에서 언급한 바로 〈서편제〉에서 원초적 장면이다. 정신분석학에서 원초적 장면의 핵심은 부모의 성관계의 목격체험이며 이 장면은 유아기에 목격하거나 탄생 전에 목격했다고 추정하는 것이다. 이 장면은 동호에게 상처를 남긴다. 아들인 동호는 어머니를 사이에 두고 유봉과 성적 라이벌 관계를 형성한다. 유봉에 대한 적대감은 소리를 열심히 배우는 송화와 상반되게 흥미 없이 장단을 치는 동호의 모습으로 표현되거나 유봉에 대한 반항으로 드러난다. 가장 직접적인 항의는 가출직전의 유봉을 뿌리치는 행위이며, 이는 유봉을 없애버리고 싶다는 동호의시각적 무의식을 드러내는 장면이다. 동시에 현실원칙(reality principle)의 길을 선택한 동호의 가출 동기를 부여하기도 한다.

정신분석학에서 가출은 '압박에서 도피하고 싶다는 소망의 표현'이다. 집을 나간 이들에게 성공의 징표이자 본질은 '자신의 아버지보다 더 출세하는것이었고 아버지를 앞지른다는 것'[9] 이다. 동호의 가출은 어머니의 남자였던아버지 유봉에 대한 반항이며, 어머니의 대체물인 누나를 지배하는 아버지에 대한 적대감의 표명이며 소리의 길이라는 쾌락원칙의 거절을 의미한다. 또한 동호의 가출한 길은 오르막길이다. 이는 그의 험난한 삶을 예시해주는

9　지그문트 프로이트, 박찬부 역, 『쾌락원칙을 넘어서』, 열린책들, 1998, 220쪽.

시각적 이미지를 통한 발언으로 보인다. 임권택 감독이 구사하는 정신에 대한 시각적 재현은 동양화에서 형상/이미지를 통해 뜻을 드러내는 이형사신(以形寫神)의 정신과 접맥된다.

동호의 가출은 원초적 장면을 통해 환기된 아버지에 대한 적대감의 표현이다. 또한 가족(누이)과 연인같은 송화를 두고 떠남은 동호가 송화를 찾기 위해 세월네 주막을 찾고 낙산 거사를 찾고 결국 송화와 만나는 〈서편제〉의 여정을 끌고가는 서사의 근원이 된 것이다.

3. 원초적 장면과 은폐기억의 재현방식으로서 플래시백

은폐기억과 원초적 장면은 편집의 한 방식인 플래시백을 통해 효과적으로 재현된다. 플래시백은 '등장인물을 결정적인 과거의 사건으로부터 내러티브를 자유롭게 움직이게 한다'[10]. 플래시백의 목적은 '통용되지 않은 정보의 제공이나 과거 사건의 극화, 과거와 현재를 연결'[11]하기위해 활용된다. 플래시백은 과거의 시간으로 회귀하지만 영화는 모든 장면은 현재라는 시제를 갖는다. 스크린의 시간은 무의식처럼 늘 현재 진행형을 지니거나 무시간에 거의 가깝다. 무의식의 무시간성과 영화의 시간적 표현은 유사성을 보인다.

영화의 시간은 시공간의 전환 자유로움과 현재시제로 인해 늘 물리적 시간의식으로부터 자유롭다. 특히 회상화면은 무의식에서 의식으로 분출되는 기억의 소환을 용이하게 한다. 임권택 감독도 자신의 영화세계에 대해 유년의 어머니 아버지에 대한 기억의 변형이미지라는 의미의 발언을 한 바 있다.

제게 있어서 영화는 언제나 어머니 아버지의 그림자가 드리워져 있는 것인 지도 모릅니다. 영화 속의 인물이 만들어질 때마다, 저는 어머니와 아버지가 있는 기억의 저편으로 끌려 들어가기 때문입니다. …(중략)… 영화란 이미 만

---

10 Maureen Turim, Flashback In Film: memory and history, Routledge, 1989. 51쪽
11 버나드 F 딕, 김시무 역, 『영화의 해부』, 시각과언어, 1994. 132쪽.

들어져 있는 이미지 속으로 들어가서 그 이미지를 새롭게 재구성해내는 일입니다. 어떤 경우에는 이미지를 배제 또는 부가하면서 거기에다 속도를 가미해가는 예술이라 한다면, 아버지와 어머니는 제 영화 속에서 갖가지 이미지를 형성해내는 하나의 숨겨진 질서였던 것입니다.[12]

위의 인용은 두 가지의 사실을 분명하게 명시해준다. 하나는 영화 속의 인물들이 과거의 시간대에 존재했던 양친(兩親)의 이미지와 연관되었다는 것이며 다른 하나는 영화 속에 형성된 이미지는 기존의 이미지를 변형시킨다는 점이다. 이를 풀어서 일반화시켜보면 작가는 과거의 기억을 환기하여(양친의 이미지) 이를 창조적 변형과 승화 과정을 거쳐(영화 속 이미지로 변형) 창조적 형상화를 이루어낸다고 볼 수 있다. 예술가에게 무의식 속에 내장된 은폐기억은 수많은 자양분을 제공하는 급수원의 역할을 하고 있음을 다시한 번 검증해주는 발언으로 여겨진다. 임권택 감독의 영화 역시 영화 자체의 고유한 인물과 서사가 존재하지만 다른 한편으로 이들의 이면에는 감독 개인이 대면했던 인물과 과거와 서사가 보이지 않는 손으로 작동하여 일정한 영향력을 발휘하고 있는 것이다.

〈서편제〉와 〈길소뜸〉은 이런 회상화면을 통해 의식과 무의식의 지층에 남아있는 기억의 잔재들을 스크린 속으로 불러들인다. 〈길소뜸〉과 〈서편제〉에서 사용된 플래시백은 다음과 같다.

〈길소뜸〉(1985)

첫 번째 플래시백 : 화영의 가족은 해방이 되어 부친의 친구 집에 의탁하게 된다. 염병으로 가족을 잃은 화영은 길소뜸에서 부친 친구의 아들 동진을 사랑하게 된다.

두 번째 플래시백 : 임신한 화영은 동진의 춘천 이모집으로 가게되고 동진

12 사토 다다오, 고재운 역, 『한국 영화와 임권택』, 한국학술정보, 2000. 52쪽.

과 길이 엇갈려 헤어지게 된다. 그후 6·25 전쟁에서 무고하게 감옥에 가게 되고 장기 복역을 하게되어 두 사람은 완전히 결별하게 된다.

세 번째 플래시백 : 동진은 화영을 찾아 춘천으로 향하고, 6·25 전쟁의 소용돌이에 휘말리게된다. 화영의 행방을 찾아 전국을 떠돌던 중 자신의 목숨을 건져준 장씨의 딸과 원하지 않은 결혼을 하게 된다.

네 번째 플래시백 : 화영은 다방을 운영하다가 현재의 남편과 만나 결혼 한다.

〈서편제〉(1993)

첫 번째 플래시백 : 소리꾼 유봉은 송화와 함께 떠돌다가 동호의 모친을 만나 함께 살아간다. 동호 모친의 죽음으로 유봉은 두 아이를 데리고 떠돌이 소리꾼으로 생계를 연명해간다.

두 번째 플래시백 : 유봉은 송화와 동호에게 소리와 북치는 법을 전수한다. 시골 장터와 기생집에서 소리를 팔아 생계를 유지하나 삶은 힘겨워진다. 동호는 가출을 감행한다.

세 번째 플래시백 : 송화는 동호가 떠난 이후 소리에 관심을 잃고 유봉은 송화에게 한을 심어주기 위해 눈을 멀게한다. 송화는 다시 소리를 시작하고 유봉은 임종 시에 자신을 용서하라는 말과 한을 넘어서야 득음의 경지에 도달한다는 유언을 남긴다[13].

은폐기억은 플래시백으로 재현된다. 임권택 영화에서 플래시백은 음향적 유사성(대사 연결, 동일한 음악), 조형적 유사성, 행위적 유사성, 내레이터의 개입을 통해 과거의 기억을 환기시킨다. 그 중에서 음향적 유사성을 통해 과

---

13 정성일 대담, 『임권택이 임권택을 말하다 2』, 현문서가, 2003. 559~573쪽. 정리된 줄거리를 참조하여 플래시백 부분을 재정리하였음을 밝혀둔다. 여기서는 중요한 시퀀스를 이루는 플래시백을 중심으로 정리되어 한 장면으로 과거로 넘어갔다 다시 되돌아오는 장면 등에 대한 언급이 없다. 따라서 이어서 논의를 진행해가면서 누락되었지만 중요한 플래시백된 장면들에 대한 예를 들면서 설명해 가도록 할 것이다.

거로 넘어가는 편집 방식을 두드러지게 활용하였다.

　대표적인 장면의 예는 〈서편제〉에서 첫 번째 플래시백 장면이며 이는 세월네의 소리가 매개되어 동호의 유년으로 넘어가는 장면이다. 동호는 주막에서 송화에게 소리를 배운 주모의 소리를 들으면서 유년의 뜨거운 태양 아래서 들었던 소리의 기억으로 넘어간다. 그리고 자신의 생모를 소리로 사로잡은 소리꾼 유봉과 송화 가족의 기억으로 이야기가 펼쳐진다. 동호의 유년은 현실의 생활세계에 함몰된 삶속에서 이미 존재했지만 존재하지 않은 것처럼 은폐기억에 유폐되어있었던 것이다. 하지만 주모의 소리를 매개로 하여 과거의 서사와 기억이 환기된다. 이는 보편적인 인간에게 유년의 은폐기억이 환기하는 매개물을 통해 다시 되살려지는 체험과 유사한 방식을 영화의 플래시백을 통해 재현하고 있다는 점에서 주목할 만하다.

　다른 예는 〈길소뜸〉에서 화영이 서울로 가는 길에서 자동차 안에서 이산가족 상봉하는 소리를 통해 과거로 넘어가는 것이다. 이 장면에서 사운드가 해방 후라는 시간적 배경을 지시해주면 이를 매개로 하여 해방 후 화영의 가족사가 플래시백으로 전개된다. 일종의 사운드 선행의 효과를 내는 편집 방식으로 플래시백으로 넘어간다. 〈길소뜸〉의 화영 역시 동호와 마찬가지로 지금의 안정된 생활세계 속에 살아가면서 잊어버렸거나 잊기 위해 노력했던 과거의 기억이 사운드를 통해 현재의 시간 속으로 소환되어온 것이다. 이 장면 역시 현재의 삶 속에서 은폐된 기억의 편린이 이산가족 찾기라는 전국적인 열풍과 이산가족으로 살아가는 화영의 사적 체험에 편승하여 회상장면으로 스크린에 정박한 것이다.

　조형적 유사성을 통한 플래시백은 〈길소뜸〉에서 달을 매개로 하여 서울의 보름달을 보며 길소뜸에도 달이 참 밝았다는 대사를 통해 두 사람(화영과 동진)의 시점 샷으로 과거로 전환되는 장면에서 보여준다. 현재의 시간에 서있는 두 사람의 시점 샷으로 달을 보면 다음 컷에서 과거의 시간과 공간인 청년기의 길소뜸으로 전환된다. 이 장면을 통해 두 사람이 청년기에 연인으로 발전하여 친밀한 애정 행각을 벌였던 기억을 환기시켜준다. 그리고 이제는 세월이 흘러 서로 다른 가정을 이룬 두 남녀가 마주 서 있는 현재로 다시 돌아온다.

보이스오버 내레이션을 통한 화자의 개입은 〈길소뜸〉의 경우 두 번째에서 네 번째까지의 플래시백은 화영과 동진의 과거사를 총정리한 장면이다. 이는 각각 화영과 동진이 내레이터가 되어 지나온 신산한 삶의 서사를 정리해준다. 두 작품은 플래시백으로 채우는 과거의 서사가 현재의 서사보다 더 많은 비중을 차지하고 있다.

이와 같은 플래시백의 과잉된 사용은 등장인물의 은폐기억에 대한 환기와 원초적 장면에 대한 강인한 견인력으로 인해 과거로 돌아가서 과거의 서사를 채우고 현재적 의미를 반추하는 역할을 수행하는 데 기여하고 있다.

4. 소설, 영화, 작가라는 세 가지 층위

〈서편제〉는 이청준의 단편소설인 「소리의 빛」과 「서편제」를 원작으로 하여 영화화되었다. 임권택 감독의 사적인 기억은 영화 속에서 변형되어 재현될 것이다. 작가적 원초적 장면은 원작과 영화의 차이를 통해 보다 확연해질 것이다. 소설은 「서편제」에서는 사내와 소리하는 장님 여인의 만남의 이야기로 구성되어있으며, 「소리의 빛」은 사내와 소리하는 여인과의 만남으로 이루어졌다. 영화의 전반부는 소설 「서편제」가 차지하고 후반부는 「소리의 빛」의 내용으로 채워졌다.

영화와 소설의 차이에서 두드러지는 것은 세 가지 사항을 들 수 있다. 첫 번째, 영화에서 동호와 유봉은 아버지와 아들의 적대감정이 표면으로 부각되기보다 이면에 잠재되어있다. 이에 반해 소설에서는 아들 동호와 의붓아버지 유봉의 관계는 적대적이며 살부의 감정을 표면으로 드러낸다.

두 번째는 동호의 가출 동기에서 차이가 난다. 영화에서 가출의 표면적인 계기는 부친과의 싸움이었지만 근본적인 동기는 '경제적 궁핍함과 미래에 대한 희망 부재와 부친과의 불화'라는 복합적인 요인의 작용과 현실원칙에 부응한 가출의 선택으로 여겨진다. 이에 반해 소설은 동호 가출동기가 아버지와의 갈등에 놓여있다. 소설「서편제」에서는 잠든 유봉을 살해하려는 동호가 망설이다 실패한 후 유봉에게 발각되자 가출을 결심한다.

동호의 가출은 감독의 체험과 겹친다는 점에서 보다 심도있는 논의가 요구되는 지점이다. 임권택 감독은 청년기에 실제 가출체험을 한 바 있으며 이와 동기적 유사성을 보인다는 점에서 정신분석학에서 주목을 요한다.

세 번째는 동호와 송화의 만남의 방식에서 차이를 보여준다. 영화에서는 소리를 주고받고 떠남으로 제시되어있지만 소설에서는 두 남매의 근친상간을 그려냈다. 소설의 층위에서는 살부충동의 전면화와 근친상간을 기술하면서 예술의 힘으로 도덕적 금기(살부와 근친상간 금지)를 무력화시켰다.

임권택 감독의 영화 〈서편제〉에서는 살부충동은 억압되고 근친상간은 외면받고 있다. 정신분석학에서 가장 강렬한 두 가지 욕망의 배제는 내면의 억압에 기인하며 그 뿌리는 거세의 위협에서 찾을 수 있다. 임권택 감독의 영화에 지대한 영향을 미치는 거세의 위협은 개인사를 통해 발생 기원을 추적해볼 수 있다. 임권택은 좌우익 이데올로기의 대립과 일본 형사의 추적, 좌익활동을 한 삼촌의 죽음과 6·25로 인한 가정의 붕괴 체험을 유년기에 경험하였다. 여기서 아버지의 대체물에 의한 삼촌의 죽음과 모친의 피해와 가정의 몰락이라는 거세 체험을 맛보게 된다. 이와 같은 유년의 체험은 거세위협(threat of castration)이라는 공포를 내면화시켰을 것이다.

근친상간과 살부충동이라는 2대 항목은 임권택에게 예술적 수용과 승화의 길보다는 도덕 준수라는 타협의 악수를 요구하였다. 임권택 영화의 보수성의 근원은 여기에 있으며 작가의 길에 접어든 임권택에게 언제나 주제적 깊이의 확보라는 과제를 반복해서 추궁하게 하는 주범이기도 하다. 이 같은 타협은 도덕의 요구에 예술이 승복하는 것과 등가며 이로 인해 예술의 힘으로 도덕의 제약을 돌파하고 새로운 지평을 여는 동력을 상실하도록 한다. 두 남녀의 동침 문제 역시 억압이 노정된다. 작가 이청준은 도덕의 금제를 무력화시키는 예술적 위반(근친애의 문학적 형상화를 통해)을 감행하여 한국소설의 지평을 넓히는 성취를 이룩하였다. 반면 임권택 감독은 거세위협의 공포감으로 인해 근친상간이라는 예술적 위반을 감행하지 못했다는 차이를 보여준다.

이상의 세 가지 사실에 대해 영화와 소설의 차이를 통해서 임권택 감독의 무의식 일단을 추정해 볼 수 있다. 두 욕망의 억압은 송화와 동호의 헤어짐과 화영의 석철 포기라는 선택의 의문을 푸는 열쇠를 제공한다.

하지만 여기서 한 가지 더 짚고 넘어가야할 대목이 존재한다. 임권택 감독은 예술 세계의 확장보다는 인물들이 처해있는 생활세계의 진정성, 영화적 리얼리즘을 획득하고 드러내는데 주력하고 있다는 입장을 영화평론가 정성일과 대담에서 언급한 바 있다.

예를 들어 〈서편제〉에서 유봉이 송화의 눈을 멀게 하여 소리세계의 이상인 득음의 경지에 들게 한다. 이 사건은 소리를 쫓는 떠돌이 소리꾼을 주인공으로 한 〈서편제〉에서 가장 중요한 사건이다. 이 사건의 주도 인물인 유봉의 행위에 대해 '득음의 세계로 이끌기 위한 유봉의 결단'으로 평가 내릴 수도 있다. 하지만 임권택 감독은 생활세계와 예술세계의 경계에 걸려있는 유봉의 태도를 구체적으로 인지하고 있었으며 이를 구현했다는 실증적 발언을 하고 있다.

애를 눈멀게 만들었다는 것은 물론 한을 심어서 득음의 세계를 얻게끔 하는 데도 목적이 있겠지만 이 이기적 인간은 그것 말고도 송화가 자기로부터 떠난다는 것은 모든 것을 잃어버리는 거요. 이성으로조차 어슴프레 이렇게 가있는 사랑 같은 것조차 자기로부터 떠나버리면 이제 죽어야지[14]

이는 예술을 위한 유봉의 결단이라는 단순명료한 정리에서 한 걸음 더 나아가게 한다. 유봉의 선택은 한 사람의 남성으로서 인간의 감정적인 측면을 고려한 선택으로 볼 수도 있다는 연출의도를 표명하여 보다 인물에 대한 현실적인 실감을 더해준다. 등장인물의 예술세계에 대한 평면적인 고려보다는

14 정성일 대담, 『임권택이 임권택을 말하다』, 현문서가, 2003. 291쪽.

생활세계에 발 딛고 서 있는 한 사람의 구체적인 실체와 내밀한 내면을 현실감있게 재현하는 쪽을 선호하는 감독의 태도와 시선의 깊이를 감지할 수 있게 한다.

〈길소뜸〉에서도 화영의 떠남은 시나리오를 통해서 설득을 해내지만, 상봉한 이산가족의 후일담을 추적해보는 현실적 자료를 토대로 내린 결말이었다고 한다.

> 이 만남이 진짜 행복인가 하는 데에 자꾸 의문이 가기 시작하는 거요. 서로 전혀 판이한 환경에서 살았을 것 아니오. 그동안에 못 만났다는 것은 살기가 피차 어려운 어떤 조건을 살아낸 사람들이라는 건데. 도무지 그 둘이 만났을 때 그 자체가 행복이냐 하는 생각이 들더라고. 그래서 그 뒤로 어떻게 됐는가를 취재해 보니까 거의가 아닌거요.[15]

화영이라는 인물은 한국적 모성상 혹은 모성애와 거리가 있는 인물이라는 평가를 받아왔다. 화영의 태도는 아들찾기라는 모성적 요구보다는 현재 자신의 행복과 생활의 안정감에 대한 고려를 더 하고 있다. 이와 같은 화영이라는 인물은 〈길소뜸〉의 색채를 건조한 현실을 직시하게 하거나 심연을 알 수 없는 울림을 더해준다. 화영은 창작 시나리오를 토대로 하여 만들어진 가공의 인물이지만 상봉한 이산가족의 후일담을 취재하여 사실과 크게 다르지 않은 전형성을 지닌 인물이미지를 재현하였다. 여기서 〈길소뜸〉은 서사와 인물의 건조함과 낯선 여성성의 출현을 견딜 수 있는 리얼리즘의 지지를 받아 하나의 전형적 인물의 창조를 가능케하였던 것이다. 여기서 임권택 감독의 다음과 같은 연출론이 설득력있게 다가온다.

영화에 담겨져있는 것은 언제나 영화 감독이 뿌리내리고 살고있는 대지의

---

15 정성일 대담, 위의 책, 33쪽.

변화라고 생각합니다. 그런 의미에서 영화는 동물적이라기보다는 식물적이라고 생각합니다. 왜냐하면 동물처럼 자유롭게 이동하는 것이 아니라 식물과 같이 그 토양에 뿌리를 내리고 성장하면서 공기의 변화에 민감하게 대응해갑니다.[16]

임권택의 영화는 한국적 리얼리즘의 계보를 잇고 있으며 동시에 한국적 토양에서 한국적 서사를 성장시키는 영화라는 이름의 나무라고 규정할 수 있다.

5. 두 가지 길 : 쾌락원칙과 현실원칙의 길

송화와 동호의 삶의 행적은 예술의 길과 생활의 길을 대변한다. 정신분석학적 맥락에서 이들은 쾌락원칙과 현실원칙을 구현하고 있는 것이다. 처음에 이들은 소리꾼 집단이라는 예술을 매개로 한 가족구성원으로 존재하였다. 하지만 두 자매는 서로 다른 길을 선택하여 마지막 시퀀스에서 상봉한 다음 다시 각자의 길로 향했다. 동일한 길을 거절하고 두 갈래로 갈라진 것은 영화 서사적인 맥락에서는 쾌락원칙과 현실원칙의 길로 귀결된다.

동호의 가출은 정신분석학적 입장에서 볼 때 무서운 가족 혹은 아버지로부터 달아나기와 근친애 좌절 체험이 내재되어있다. 그의 가출은 유봉의 살해 대신 유봉으로부터 탈출이라는 선택을 하게 된다. 동호의 선택은 거세위협으로 인한 욕망의 억압을 선택한다는 점에서 현실원칙에 가깝게 서 있다. 하지만 송화는 소리의 길이라는 예술의 길을 선택하게 된다.

작가의 사적 체험과 연관하여 볼 때 두 가지 길은 임권택의 무의식을 반영한다. 임권택은 대담에서 영화의 출발은 생존의 문제 해결이라는 현실원칙에 입각해 있다는 점을 분명하게 하였다. 이와 동시에 예술적인 자각을 통해 영화가 사회에 일정한 기능을 했으면 좋겠다는 쾌락원칙에 근접한 발언을 한다. 감독의 영화에 대한 두 가지 태도는 송화와 동호가 가는 두 가지 길이

---

16 사토 다다오, 앞의 책, 273쪽.

라는 무의식의 영화적 재현으로 볼 수 있다.

〈길소뜸〉의 마지막 장면인 화영의 석철 포기는 원초적 장면에서 열쇠를 찾을 수 있다. 동진은 화영에 대한 애정이 근친상간을 경계하는 아버지의 반대로 거세위협에 부딪친다. 강한 욕망은 금기를 위반하였으며, 위반의 대가로 헤어짐이라는 징벌을 감수해야 했다.

화영과 자신의 사이에 태어난 아이인 석철은 '과거의 자신이며, 한때 자신의 일부였던 사람'으로 간주하는 나르시시즘적 애착을 보인다. 동진은 인간이 사랑하는 두 대상인 자기 자신과 여자라는 성적대상에서 여자를 상실한 상태다. 여성인 화영에 대한 대상애는 방향을 잃고 자기애로 방향이 돌려졌을 것이며 이 자기애는 자식을 통해 '나르시시즘의 리비도 집중'을 유발한다.

화영의 경우 원초적 장면이 환기하는 쾌락추구라는 본능의 강렬한 욕구에 이끌린다. 아버지의 죽음은 아버지의 대리물로 동진을 설정하면서 강도 높은 대상애의 리비도 집중을 보여 금기위반을 범한다. 금기위반에 대한 처벌은 여성을 희생양으로 삼은 한국 영화의 관행대로 고난과 희생을 감당한다. 남편과 결혼 전까지 화영은 나쁜 아버지의 대리물인 선생과 군인들에게 고통을 받고 억압하고 싶은 기억들로 과거를 채우게 되었다. 화영에게 동진과 헤어짐 이후의 과거는 기억하고 싶지 않은 세월이며 아버지의 대리물인 남성에 대한 공포감이 형성되었다.

화영에게는 잃어버린 아들을 찾고 싶은 모성애보다는 '금지를 어기면 견딜 수 없는 재앙이 따른다는 내적 확실성[17]'이 강하게 작용한 것이다. 그녀는 과거의 여행을 마치고 다시 현재의 집으로 향하는 것이다. 이에 대해 임권택 감독은 보다 현실적인 이유로 생활세계에서 행복이 감정의 영역에 대한 막연하고 모호한 기대를 접게 만들었다는 연출 의도를 밝힌 바 있다.

나는 그런 사회, 힘든 사회를 살 수 밖에 없는 여자를 찍고 싶은 거요. 왜 모성애가 없었겠냐고. 그런데 그것보다도 더 중요한 것은 자신의 삶이오. (정성

---

17 지그문트 프로이트, 김종엽 역, 『토템과 타부』, 문예마당, 1995. 57쪽.

일 대담, 같은 책, 37쪽)

화영이라는 여자는 지금 새로운 행복한 가정이 있어요. 경제적으로도 여유롭게 사는 탄탄한 가정이 있고, 고로 옛 남자에 대한 기억을 붙들고 살 만한 이유가 없는거요. 동진은 오로지 평생을 그 여자 생각을 하고 살았단 말이오. (정성일 대담, 같은 책, 45쪽)

화영은 모성애나 옛 연인에 대한 사적인 감정보다는 어렵게 지켜낸 자신의 현실적 행복을 보장해주는 선택을 하게 된다. 영화가 보여주는 예술세계의 환상적인 기대감 보다는 현실의 토양에 뿌리를 대고 있는 생활세계의 균형감으로 냉정한 선택을 하게 한다. 그 선택은 과거의 가족으로 귀환보다는 현재의 가족들이 기다리는 곳으로 향하게 된다. 이는 예술세계의 거절과 생활세계의 선택으로 귀결된다.

6. 가족 찾기 서사의 근원으로서 가출체험

이상에서 살펴본 바와 같이 임권택에게 나타난 과거 회귀와 고향 찾기와 가족 구성원 찾기는 서사적 중핵을 이루고 있으며 등장인물의 행위에 동기를 부여하고 있다. 이와 같은 태도는 작가주의적 관점에서 원초적 장면을 통해 심인(心因)을 찾아볼 때 흥미로운 결론으로 귀결된다. 그것은 바로 가출과 귀가의 변증법이다. 고향 찾기와 가족 찾기는 가출체험의 영화적 변용으로 볼 수 있다. 임권택 감독의 핵심적인 기억 중의 하나는 가출체험이다. 가출은 가족으로부터 벗어남을 의미하며 이는 가족 구성원 중 가장 영향력있는 어머니와 결별을 의미한다. 임권택 감독은 가출을 통해 어머니/고향으로부터 버려짐을 당한 것이 아니라 스스로 버리게 되었다는 점에서 상처 대신 무의식적 죄의식을 잉태하게 된 것이다. '나는 고향/어머니를 버렸다'는 심층적 죄의식은 그의 영화에 지대한 파장을 불러일으킨다. 이 죄의식은 억압되어 부정의 형식으로 표출된다. 정신분석학에서 부정은 밑바닥에서 '이것은 내가 억압하고 싶은 것이야'라고 말하는 것[18]이다.

〈길소뜸〉에서 생모인 화영(어머니)은 석철(아들)을 포기한다. 이는 어머니는 아들을 포기한다는 문장과 동일하다. 정신분석학에서 앞의 문장은 아들은 어머니를 버렸다라는 의미를 부정을 통해 강조하는 표현과 동일한 의미로 사용된다. 실제 임권택의 가출체험은 아들(임권택)은 집(어머니)을 버렸다로 기술해도 의미 손실은 크지 않을 것이다. 이는 아들은 어머니를 버렸다는 문장과 등가다. 여기서 영화와 감독의 사적인 체험은 '버렸다'라는 공통의 서술어를 소유한다. 다른 점은 영화에서는 어머니가 아들을 버렸으며, 감독의 체험은 아들이 어머니를 버렸다는 차이다. 이는 주어와 목적어가 서로 뒤바뀐 것이다. 즉 임권택은 자신(아들)이 집(어머니)을 버렸다는 사실을 억압하고 대신 어머니(화영)가 아들(석철)을 버렸거나 버리고 싶어했을 것이라는 부정의 방식으로 영화 속에 재현한 것이다.

정신분석학에서 억압하고 싶은 것은 이렇게 부정을 통해 더 강렬하게 표출된다. 따라서 〈길소뜸〉에서 화영의 석철 포기는 어머니를 버린 아들이었던 감독의 가출 체험에 기인한다고 볼 수 있다. 아들의 죄의식은 억압되어 부정의 형식으로 영화 속에 재현되어 〈길소뜸〉의 결말을 결정했다고 볼 수 있다. 물론 임권택 감독은 실제 이산가족들 중에 상봉 이후의 후유증과 다시 만나고 싶지 않는 사례 같은 실증적인 자료를 참조하여 시나리오를 완성했다고 발언한 바 있다. 이 영화가 실제 일어난 일을 토대로 작성되어 영화화 되었지만 다큐멘터리가 아닌 이상 감독의 이데올로기와 개인적 무의식이 연출에 일정한 영향을 미쳤을 것으로 판단되어 가출체험의 서사적 영향력을 주장한 것이다. 어머니의 죄의식은 화영이 집으로 향하는 길에서 차선 탈선 후 급정거한 장면에서 보다 명료하게 시각화된다. 이 장면은 벤야민이 명명한 시각적 무의식을 표현한 모범 사례에 속한다.

〈서편제〉에서도 동호는 송화라는 어머니를 찾아서 먼 길을 돌아서 온 것

---

18 지그문트 프로이트, 박찬부 역, 『쾌락원칙을 넘어서』, 열린책들, 1998. 199쪽.

이다. 송화는 동호의 누나와 어머니인 가족이면서 동시에 연인이며 고향같은 드넓게 확장된 거대한 의미에 속해있는 존재이다. 이에 대해 임권택 감독은 보다 구체적으로 가족이며 고향이라는 표현을 사용하여 언급한 바 있다. 〈서편제〉에서 진도아리랑을 부르며 고개를 넘어오는 롱테이크 장면은 '서로 가족이라는 것을 확인하는 대목'이라고 밝힌 바 있다. 또한 동호에게 송화는 고향같은 존재라는 발언을 반복하여 언급하고 있다는 것을 주목할 만하다.

> 내가 생각하기로 동호 그놈은 물론 장가도 가고 새끼도 있지만 저 안에서는 오직 송화예요. 그러니까 이성간에 좋아했던 사이이기도 하지만 고향같은 존재. 고향이오. 그래서 뭐인가 어디 한 곳에 안주하고 편안하게 식구들을 거느리고 살 위인이 못된다고.(정성일 대담, 같은 책, 297쪽)

> 근데 그렇게 찾고 있는 것은, 그러니까 아버지를 포함해서 사랑하는 누나가 더 축이 되겠지만 고향이오. 고향.(정성일 대담, 같은 책, 308쪽)

위의 두 발언은 분명하게 동호에게 송화는 고향같은 존재로 자리하고 있으며 동호의 송화찾기는 가족이면서 동시에 고향찾기의 여정임을 확인해 볼 수 있다.

〈서편제〉에서 남동생인 동호(아들)는 송화(누이/어머니/고향)를 버리고 가출한다. 이를 가족서사의 맥락에서 풀어보면 아들은 누이/어머니/고향을 버렸다/떠났다는 내러티브로 요약할 수 있다. 이미 언급한 바대로 임권택 감독의 가출체험은 아들(임권택)은 가족(어머니/고향)을 떠났다라는 사실을 보여준다.

〈서편제〉와 〈길소뜸〉은 '고향/가족을 버린 이들의 고향/가족 찾기'의 서사로 귀결된다. 이는 청소년기에 가출체험을 한 임권택 감독의 억압되거나 은폐된 기억/상처의 영화적 재현의 모습으로 볼 수 있다. 또한 6·25 전쟁으로 가족과 헤어지고 고향을 등진 이산가족과 급격한 도시화로 고향을 떠나 도시 영세민으로 편입된 수많은 한국인의 원형적 내면 풍경과 닮아있다.

정성일은 "저는 한국 영화를 보면서 사실상 처음으로 임권택 감독님 영화에서 한국의 풍경을 보았습니다."[19]라고 실토한 바 있다. 사실 〈만다라〉, 〈서편제〉, 〈길소뜸〉… 어느 영화 하나 한국이라는 토양을 미장센으로 끌어들이지 않은 영화가 없다는 점에서 정성일의 주장에 적극 동의할 수 있다. 필자는 여기서 한걸음 더 나아가 임권택의 영화는 한국의 풍경뿐만 아니라 한국인의 내면풍경을 영화적으로 가장 잘 표현해 낸 작가라고 주장하고 싶다. 왜냐하면 한국인의 공식적 기억인 전쟁과 이농을 통한 고향상실 체험이 〈서편제〉, 〈길소뜸〉과 같은 영화 속의 등장인물을 통해 버리고 떠난 고향같은 누이와 아들을 찾는 서사로 재현되고 있기 때문이다. 생존의 조건 개선이라는 생활세계의 요구로 인해 사랑하는 대상/고향을 등진 이들이 세월이 지나 고향/가족 찾기에 나서는 한국인의 내면풍경은 임권택 영화의 원형적 장면과 서사로 재현되고 있다. 이 서사의 가장 큰 추동력은 한국인 혹은 임권택 영화의 등장인물의 원초적 장면과 은폐기억인 것이다. 여기서 감독의 사적 체험은 한국인 혹은 인간 보편적 체험의 세계로 확장되어 예술의 장을 펼쳐간다. 예술은 사적인 억압을 예술적 승화라는 여과장치를 통해 보편적 체험의 장으로 편입시킨다는 묵은 명제에 임권택의 영화는 화답하고 있다.

---

19 정성일 대담, 『임권택이 임권택을 말하다』, 현문서가, 2003. 547쪽

초현실주의와 꿈은 홍상수 영화에서
어떻게 배치되었는가

1. 들어가는 말

하나의 텍스트는 거대한 산과 같다. 산은 이름을 짓거나 크기를 측정하거나 형상에 대해 다양한 해석가능성을 열어준다. 한 가지 결론으로 수렴은 불가능하다. 동일한 해석의 불가능은 표준 도량형이 부재하는 것도 원인이며 해석자에 따라 선택하는 자가 제각각이기 때문이다. 해석의 다양성은 연구자의 시각에서 비롯되지만 해석의 무한성이 불가피한 것은 텍스트인 산이 계절마다 달라지고 해마다 달라지는 역동적인 변화의 주체이기 때문이다.

산보다 더 난해한 대상은 예술이며 예술 중에서도 영화일 것이다. 영화는 한 프레임 안에 이미지가 제시되면서 동시에 사운드가 개입하고 피사체의 움직임이 지속되기에 텍스트 해석의 난해성을 가중시킨다. 또한 움직이는 시각 이미지를 언어로 옮겨야한다는 번역의 문제가 남아있다. 장르의 특성이나 동일한 감독이 유사한 스타일을 반복할 때 해석자는 이를 약도로 삼아서 텍스트의 산으로 잠입해 들어간다. 특히 작가의 스타일이 두드러질 때 등산로는 더욱 선명하며 최소한 미학적 핵심의 정상을 밟지 못할지언정 길은 잃지 않는다. 이와 같은 연유로 관객들은 극장에서 외면하지만 연구자들에게는 환영받는 텍스트가 종종 존재한다. 홍상수의 영화는 관객의 외면과 연구자의 지지를 받는 대표적인 텍스트이며 지금도 연구자의 관심으로 있다. 홍상수의 영화는 영화 전문지의 짧은 영화평에서 연구지의 긴 논문에 이르기까지 무수한 담론의 세례를 받아왔다. 연구자들의 관심과 지지는 홍상수 감독의 지속적인 작품 활동을 추동해주는 요인 중의 하나일 것이다.

홍상수 감독에 대한 기존의 논의는 몇 갈래로 나누어진다. 처음에는 일상성과 모더니즘이라는 개념으로 홍상수의 텍스트에 접근해 갔다.[1] 그 다음은 영화보다는 문학 전공자들에 의해 외국의 영화와 홍상수의 텍스트를 비교하거나 문학의 텍스트와 영화의 연관성을 중심으로 한 비교연구가 활발하게 진행되었다.[2] 최근에는 홍상수 텍스트 내에서 두드러지게 발견되는 서사와 사건의 차이와 반복이라는 형식적인 문제에 대해 자기 복제라는 폄하와 차이와 반복을 통해 형식의 진화라는 긍정적인 평가가 양립해왔다.[3] 이는 비슷한 기의에 대한 서로 다른 기표의 논쟁에 가까워보인다.

홍상수의 영화 한 편 한 편은 정상에 이르는 다양한 등산로를 안내해주며 연구자들은 친절하게 그려진 등산 안내도를 바라보며 텍스트 분석에 대한 열망에 설렌다. 홍상수의 텍스트는 우회로와 지름길이 많은 등산로를 보유한 험하지 않은 산과 같다. 하지만 입구의 진입로는 많지만 한번 접어들면 무수한 미로와 대면해야하며 정작 정상은 눈앞에 어른거리지만 발을 딛고 올라서기에는 난해한 절벽으로 둘러싸인 산에 가깝다. 이와 같은 연유로 홍상수의 텍스트에 대해 눈에 보이는 부분에 대해 언급하기는 쉽지만 피상성의 함정에 빠지기 쉽다. 비교 연구와 사조의 틀로 포획하기 그리고 차이와 반복과 같은 철학적 개념으로 홍상수 영화를 재단하는 작업들은 피상성의 확

1 문학과 영화 연구회, 「일상 속의 낯선 풍경」, 『우리 영화 속 문학 읽기』, 월인, 2003. 장덕선, 「홍상수 감독의 영화에 드러난 일상성에 대한 연구」, 서강대 석사학위논문, 2003. 이평전, 「'일상'의 미학적 실천과 사유의 궤적」, 『문학과영상』, 제9권 2호, 2008. 등이 대표적 논의다.

2 김인식, 「상호텍스트적인 영향 : 영화 〈돼지가 우물에 빠진 날〉과 〈녹색광선〉의 경우」, 『인문과학』, 29집, 1999.

3 영화 잡지의 평론에서 주로 거론되었으며 대표적인 논의는 이도연의 논문이다. 이도연, 「홍상수 영화의 세계 인식과 미적 구조:초기작을 중심으로」, 『영상예술연구』, 제18집, 영상예술학회, 2011.

장에 일조한 부분이 적지 않았다. 미학적 핵심으로의 도달은 정상의 문턱에서 등산로가 끊긴 산봉우리를 정복하는 일만큼 난해하다. 홍상수는 장르도 거부했지만 선명한 형식과 미학적 선택도 유보하여 그 난해함의 심연을 넓혀놓았다. 오즈의 영화가 투명하여 오히려 그 심연의 깊이가 깊어졌다면 홍상수의 영화는 투명과 불투명의 왕복운동으로 심연의 깊이가 모호해졌으며, 명료성과 모호성의 기묘한 결합은 미학적 영역을 확장시켰다. 홍상수의 텍스트는 아직도 해석된 영역보다 분석해야할 미답의 영역이 훨씬 더 많이 남아있는 원시림에 가깝다.

홍상수의 텍스트는 초현실주의의 기법과 꿈을 통한 욕망의 가시화와 서사적 왜곡을 적극 수용하고 있다. 초현실주의의 기법과 꿈 장면은 홍상수 텍스트의 핵심 기표로 여겨지며 이와 같은 해석의 등산로를 따라 미학적 산행을 감행하려한다. 홍상수의 작품 중에서 꿈 시퀀스를 포함하는 영화는 〈돼지가 우물에 빠진 날〉(1996), 〈여자는 남자의 미래다〉(2004), 〈극장전〉(2005), 〈밤과 낮〉(2008), 〈잘 알지도 못하면서〉(2009)이다. 초현실주의적 요소는 〈오! 수정〉(2000)은 영문 제목이 마르셀 뒤샹의 초현실주의 경향의 작품인 〈큰 유리〉의 부제, 〈정말로 그녀의 독신자들에 의해 발가벗겨진 신부〉를 변형시켰다. 초현실주의는 비이성과 무질서를 지향하며 홍상수 감독의 연출관도 비이성과 무질서에 대해 호응하고 있다. 초현실주의 기법과의 관련성은 영화평론가 정성일도 언급한 바 있다. 홍상수 텍스트에서 초현실주의 기법은 전면적인 사용보다는 장면 구성과 형식에서 일정하게 견인하지만 자기화하여 굴절시켜 초현실주의 기법을 한국 영화에 적용시켰다는 점과 이를 통해 형식적 실험과 서사적 변형을 성취하였다는 점에서 홍상수 텍스트에 대한 창조적 재해석 가능성을 열어준다.

홍상수 텍스트는 초현실주의 기법과 꿈 시퀀스로 독창성을 드러낸다. 초현실주의 기법은 홍상수 텍스트에 스며들어 일정한 미학적 장치로 사용되며 꿈은 전치와 압축을 통해 홍상수 텍스트의 무한한 해석가능성에 화답한다.

2. 초현실주의와 홍상수 텍스트의 관련성

예술은 질서와 무질서로 양분할 때 질서를 염두에 두되 무질서를 지향한다. 수전 손택은 텍스트 해석의 무한한 가능성을 역설하면서 '해석은 비평가가 텍스트에 가한 테러'라는 선정적인 표현을 사용하기도 하였다. 해석은 텍스트를 풍요롭게도 하지만 제한시키는 독도 된다. 필자는 예술은 무질서의 영역인 바깥에 존재한다고 언급한 적 있다. '질서와 이성과 합리와 가시와 가청이 안이라면 무질서와 비이성과 비합리와 비가시와 비가청은 바깥'4이다. 바깥은 예술의 서식지이면서 동시에 초현실주의의 미학적 근거다.

'초현실주의'라는 용어는 1917년 기욤 아폴리네르(guillaume Apollinaire)에 의해 사용되었으며 장콕도의 무용극 〈퍼레이드〉 프로그램 해설에서 "그 저녁 공연이 여러 요소들을 배합해 창출해낸 예술적 진실은 리얼리즘을 초월한 진실, 즉 일종의 초-현실주의(sur-realism)"라고 표현하였다.5 초현실주의가 예술에 직접적 영향력을 행사한 것은 앙드레 브르통의 1924년 초현실주의 선언이며 다다 운동으로 파급되면서 맹위를 떨쳤다. 브르통은 초현실주의에 대해 "정신의 완전한 해방을 위한 수단"이며 "전력을 다하여 정신의 속박을 분쇄"6시키려는 운동으로 표방했다. 브르통과 다다이스트들은 연대하여 초현실주의와 다다운동을 펼쳤으며 지향점은 "기존 철학·종교의 맹점을 '꿈'과 '무의식'의 통로를 통해 극복하고 문학·예술을 새로운 '자유'의 영역7으로 견인하려했다. 다다운동을 한국사상사적인 맥락에서 분석한 정상균의 탁월한 지적처럼 초현실주의는 "한마디로 '생명의 자유로운 표현'이고 모든 속박을 거부하는 '생명과 자유' 그 자체의 형상화"로 귀결된다. 정신의 해방과 경이로운 세계에 대한 지지는 예술의 영역에서 기존의 예술이 고수한 질서와 형식을

---

4 졸저, 『한국 독립영화감독연구』, 부산대학교출판부, 2011. 73쪽.

5 피오나 브래들리, 김금미 역, 『초현실주의』, 열화당, 2003. 6쪽.

6 김용직·김치수·김종철 편, 『문예사조』, 문학과지성사, 1996. 248쪽.

7 정상균, 『나다 혁명운동과 이상의 오감도, 한국문예비평사상사 3』, 민지사, 2011. 292쪽.

와해시키고 이를 통한 인간의 정신 해방과 미적인 세계의 확장으로 귀결된다. 영화를 예술로 사유하는 감독은 초현실주의의 두 가지 지향점으로부터 자유롭기는 어려울 것이다. 이 같은 이유로 실험영화는 초현실주의로부터 자양분을 얻고, 있으며 대중성을 거부하고 자신의 예술세계를 고수하는 감독들이 초현실주의에 삼투되는 것은 예술에 대한 동의 표시로 수렴된다.

　초현실주의는 비논리, 무의식을 지향하여 예술의 영토 확장을 시도했다. 홍상수 감독도 대중영화 작업을 수행하지만 초현실주의 가치에 매혹되었다. 정성일은 "홍상수와 1920년대 초현실주의와의 관계에 대해서는 여전히 빈칸으로 남아 있다"[8]고 주장하면서 초현실주의와 홍상수의 텍스트 관련성을 피력했다. 초현실주의와 홍상수 텍스트는 직접적인 영향관계라기보다는 홍상수 텍스트에 초현실주의 기법이 영화적으로 여과되어 스며들어있다고 표현하는 것이 적절할 것 같다. 그동안 초현실주의와 홍상수 텍스트의 연관성에 대한 본격적 논의는 부재했다. 홍상수 감독의 텍스트와 초현실주의 기법과의 관련성은 분명하다. 첫째는 제목과 관련성이다. 둘째 데페이즈망(Dpaysement)에서 출발한 꼴라쥬이며, 셋째는 꿈 장면이다.

　제목 짓기에 대해 정성일은 〈오! 수정〉의 예를 들면서 "홍상수의 '신기한' 제목 짓기는 뒤샹에게서 영향을 받은 것이라고 나는 생각한다."[9]고 언급하면서 제목과 초현실주의의 관련성을 지적하였다. 제목 짓기에 대해 "결합 가능성이 낮은 의미 계열들의 조합으로 얻어지는 효과는 언어적 뉘앙스의 부조리함에서 오는 '낯설게 하기'"[10]로 평가하는 경우도 있다. 이는 병치 은유와 낯설게 하기라는 문학적 맥락에서 제목을 분석하고 있으며 초현실주의와의 연관성은 누락시킨다. 제목에서 초현실주의와의 관련성은 초현실주의 시인 루이 아라공의 시구절인 '여자는 남자의 미래다'를 수용함으로써 자인한 셈이다. 또한 〈오! 수정〉의 영문 제목은 마르셀 뒤샹의 〈정말로

8　정성일, 『필사의 탐독』, 바다출판사, 2010. 242 쪽.

9　정성일, 위의 책, 242쪽.

10　이도연, 앞의 논문, 102쪽.

그녀의 독신자들에 의해 발가벗겨진 신부(The Bride Stripped Bare by Her Bachelors)〉(1915-1923)를 차용한 〈Virgin Stripped Bare by Her Bachelors〉이다. 첫 작품인 〈돼지가 우물에 빠진 날〉은 돼지와 우물은 "수술대 위의 재봉틀"과 같은 데페이즈망이며 동시에 초현실주의 화가 달리의 "나는 지고한 돼지다"라는 맥락에서 읽을 수 있다. 완전함의 상징이 돼지라는 기의라면 '완전한 대상이 우물에 빠지는 아이러니'를 보여준다.

홍상수 감독은 필자와의 인터뷰에서 제목 짓기에 대해 설명한 적 있다. 그것은 "성냥갑 밖으로 성냥 한 개비를 꺼내보이며 내용과 연관된, 내용을 설명해주는 제목의 예를 들었으며, 다시 양손에 성냥과 티스푼을 나란히 들어보이면서 성냥갑이 내용이고 티스푼이 제목일 때 둘이 부딪쳐서 빚어내는 분위기가 자신이 추구하는 제목정하기"[11]라고 설명한 적 있다. 홍상수의 제목 짓기는 성냥갑과 티스푼이라는 어울리기 어려운 두 대상의 병치라는 데페이즈망이며 이는 꼴라쥬 기법으로 귀결된다.

두 번째 특징인 데페이즈망과 꼴라쥬는 초현실주의의 대표적 기법이다. 데페이즈망(Dépaysement)은 전치(轉置)이며 '나무 위에 매달린 손목'처럼 "낯익은 물체라도 그것이 놓여있는 본래의 일상적인 질서에서 떼어내어 뜻하지 않은 장소"[12]에 배치하여 심리적 쇼크를 주는 것이다. 이는 꼴라쥬에서 출발했으며 꼴라쥬(collage)는 "부조리한 평면 위에서 전혀 관계없는 두 실재 간의 우연한 상봉"이며 〈말도로르 노래〉에서 표현된 "해부대 위에서 우산과 재봉틀의 우연한 만남" 같은 표현 기법이다.[13] 홍상수의 텍스트에서는 이질적인 것이 서로 배치되는 데페이즈망을 통한 꼴라쥬 장면이 반복해서 등장한다. 〈돼지가 우물에 빠진 날〉에서는 싸움이 끝난 다음 가방에서 꺼내서 먹는 사과 장면과 보경의 꿈 장면이 나온다. 보경의 꿈 장면에서는 연적들이 만나서 상갓집에서 케이크를 먹는다. 상가집과 케이크, 싸움과 사과 먹기는 서로

---

11 문학산, 「문학산, 홍상수 감독을 만나다」, 『카파이』, 2000년 7·8월호, 75쪽.

12 조은정, 「초현실주의 회화에 내재된 이중이미지 연구」, 숙명여대 대학원 석사학위논문, 2005, 10쪽.

13 호세 피에르, 박순철 역, 『초현실주의』, 열화당, 1990. 15쪽.

우연하고 이질적인 이미지의 병치이다.

〈오! 수정〉에서 꼴라주는 전경에서 재훈의 키스와 후경에서 수정의 대화 분할 장면으로 등장한다. 연인인 수정과 재훈을 분할하여 성적 일탈과 불편한 대화를 충돌시킨다. 재훈은 유부녀와 키스하고 후경에서 영수는 '양작가 사는게 어때?'라는 질문을 하며 되묻는 수정에게 '난 내복을 입고 산다'며 논점 이탈한 대사를 배치한다. 또한 안산의 저수지에서 얼음판 위에 붙어있는 뽀뽀껌을 클로즈업으로 보여주고 이를 보고 뽀뽀해 달라는 재훈의 제안은 코믹한 꼴라쥬이다. 〈여자는 남자의 미래다〉에서 문호는 선화의 집에 방문하여 국방색 더플백을 주먹으로 친다. 다음 컷은 곧장 섹스장면이다. 섹스 장면과 직전의 샌드백 치기는 정서적으로 데페이즈망된다. 〈밤과 낮〉에서 공항에 새가 등장하는 것과 목욕탕에서 여자가 울고 창문으로 돼지 머리가 문을 두드리는 장면은 두 이미지의 충돌로 인해 전치된 꼴라쥬이다. 새와 비행기, 여자의 울음과 돼지의 창문을 뚫고 들어오려는 것은 꼴라쥬를 통해 복합적 정서와 이미지의 심연을 구축한다.

세 번째는 꿈의 장면이다. 초현실주의자들은 교양보다는 본능을 중시했으며 이성보다는 꿈에 관심을 집중하였다. 특히 "초현실주의자들의 자동기술적 글쓰기와 말하기는 프로이트가 환자들에게 그들의 꿈을 말하게 하던 방법을 흉내낸 것"[14]이다. 홍상수의 영화에서도 꿈 장면이 빈번하게 등장한다. 꿈 장면은 〈돼지가 우물에 빠진 날〉, 〈여자는 남자의 미래다〉, 〈극장전〉, 〈밤과 낮〉, 〈잘 알지도 못하면서〉까지 다섯 편에 등장한다. 홍상수 감독은 '꿈은 영화적 현실로 표현하기 어려운 것들을 표현하기 위한 확장의 도구로 사용되었다'고 주장했다. 꿈은 다양한 원인이 존재하지만 홍상수 텍스트에서 두 가지로 대별된다. 첫째는 주인공의 원망을 드러내는 장면으로 등장한다. 두 번째는 별개의 독립된 시퀀스로서 주인공과 전 장면의 맥락에서 억압된 것이 왜곡되고 치환되어 하나의 새로운 텍스트로 독립된 경우이다. 전자의 예는 〈여자는 남자의 미래다〉의 원망 충족몽이며 후자는 〈돼지가 우물에 빠진

---

14 피오나 브래들리, 앞의 책, 31쪽.

날〉의 보경 꿈과 〈밤과 낮〉의 마지막 시퀀스이다.

꿈 장면은 초현실주의의 꿈 세계를 적극 수용하여 영화적 표현 영역을 확장하고 구속된 정신의 자유를 신장한다는 취지에 부합한다. 초현실주의는 논리의 기계적 적용보다 비논리와 비이성을 통한 예술의 본질에 다가가려는 시도이다. 이 취지에 홍상수의 텍스트도 적극 호응하며 꿈은 욕망의 드러냄과 억압된 욕망의 왜곡으로 재구성되며 비논리적인 또 다른 텍스트로 완결된다. 꿈 장면과 영화는 일차적으로 직접적 관련성을 맺으며 이차적으로는 별개의 텍스트로 독립되어 영화 속 영화라는 미장아빔(mise-en abyme)을 형성한다. 미장아빔은 "작품에 존재하는 것에 대한 가시성의 회복"이며 "화면 내에 관람자 혹은 참관자를 끌어들이는 확장된 공간과 시선[15]"을 만들어낸다. 이때 꿈 시퀀스와 전체 영화는 이질적 대상의 조합인 꼴라쥬를 형성하거나 초현실주의의 이중이미지로 귀결된다. 후자는 홍상수 영화의 반복성이라는 특징으로 명명되어왔지만 초현실주의적 맥락에서 꼴라쥬와 이중이미지로 수렴된다. 아래 그림은 달리의 〈산속의 호수〉이다. 달리는 이중이미지라는 초현실주의 기법을 이 작품에 적용하였다. 달리는 우리가 육안으로 보는 모든 대상이 다른 것일 수도 있는 공간을 표현하였으며 이는 두 가지 이상의 대상을 동시에 재현한 이미지 도입으로 가능하였다.[16] 이것이 바로 이중이미지 기법이다. 이중이미지는 '한 사물이 다른 사물과 중첩되어 보이거나 다른 사물로 보이는 망상'[17]을 표현하여 동일한 텍스트에 다양한 기의를 생산하게 한다.

아래 그림은 산속의 호수이지만 호수는 물고기로도 보이며 더 적극적으로 개입해 들어가면 음경의 형상을

살바도르 달리의 〈산 속의 호수〉 (1938)

---

15 신혜경, 「미장아빔(mise-en abyme)에 관한 소고」, 『미학·예술학 연구』 제16집, 한국미학예술학회, 2002, 130쪽.

16 피오나 브래들리, 위의 책, 41쪽.

17 조은정, 앞의 논문, 11쪽.

보여준다. 하나의 이미지를 다양한 형상으로 표현하여 다양한 해석 가능성을 열어준다.

홍상수의 꿈 장면은 전체 영화적인 맥락과 꿈의 세계가 공존하여 다양한 서사적 층과 의미의 가능성을 열어주어 이중이미지의 기법을 사용한 회화의 해석법을 요구한다. 홍상수 텍스트에서 꿈 장면은 텍스트 해석의 중요한 열쇠가 될 수 있음을 암시한다. 홍상수 텍스트에서 꿈은 이중이미지와 꼴라쥬 맥락에서 해독할 때 미학적 풍부함을 증폭시킨다. 꿈 장면의 해석은 홍상수 텍스트의 의미 확장과 미학적 실험의 양상을 수면 위로 드러낼 것이다.

3. 꿈 재현의 두 갈래 : 원망 충족하기와 영화 속 영화로 배치하기

꿈과 영화는 밀월관계이면서 동시에 일정한 거리를 두고 있다. 꿈은 무의식의 바다에서 불균질적인 서사와 정체불명의 이미지를 조합한다. 영화는 작품의 서사라는 설계도에 따라 움직이며 관객에게 구체적인 소리와 인물로 보여준다. 영화가 꿈의 공장이기도 하지만 영화는 생생한 현실의 복사집에 가깝다. 꿈과 영화의 관련성은 옅거나 깊거나 많은 논의가 이어져왔다. 논의의 범람은 꿈과 영화의 친연성을 어김없이 입증해준다. 메츠는 꿈꾸는 자와 관객의 차이를 극명하게 진술한 바 있다. 즉 "꿈꾸는 자는 자신이 꿈꾸는 것을 모르는 반면, 영화 관객은 자신이 영화관에 있다는 사실을 안다"[18]는 것이다. 관객은 자신과 영화의 인물을 분리시킬 수도 있지만 대신 영화가 주는 환각 속으로 빠져들 수도 있다. 수동성과 능동성을 동시에 지니고 있으며 환상과 현실을 넘나들 수 있는 자율성을 지닌다. 다만 관객은 영화의 주인공이 될 수 없다. 메츠를 다시 인용하자면 꿈은 "동일한 욕망, 동일한 공포를 지닌 주체에 의해 처음부터 끝까지 촬영된 영화"같다. 꿈꾸는 자는 자신이 꿈꾸는 사실을 모르지만 자신이 주인공이 되어 한편의 영화를 완성한다. 꿈꾸는 자는 현실과 꿈의 영역 중에서 꿈의 지배자이자 꿈의 영화를 제작하는 자이다. 꿈

---

18 크리스티앙 메츠, 이수진 역, 『상상적 기표』, 문학과지성사, 2009. 139쪽.

은 자신이 현실에서 누락된 것을 채우려는 원망 충족을 실현시켜주며 동시에 잠을 허용하는 쾌락원칙에 충실하다. 영화는 서사에 충실하며 이미지와 소리를 통해 스크린의 영토에만 영향력을 미친다는 점에서 분리되고 현실적이다. 꿈과 영화는 닮았지만 다르다. 하지만 꿈은 영화적 경계를 넓히고 욕망의 영역도 확장한다. 영화 속으로 꿈을 견인해 올 때 영화는 고유한 영화의 서사적 맥락에 따르며 여기서 일탈한 또 다른 영화 속의 욕망이 돋보이게 된다. 영화 속에 등장하는 꿈은 주인공의 욕망을 충족해주기도 하지만 영화 속의 섬처럼 혹은 영화 속 영화와 같이 새로운 의미의 성을 축조한다. 꿈이 초현실주의자들의 전매특허이자 애용품이었으며 영화에서 변함없이 호명하는 이유는 바로 영화적 현실의 확장과 서사적 비틀기와 탈맥락적 의미의 확충과 재미의 보강에 직접 개입하기 때문이다.

홍상수 영화에도 꿈이 빈번하게 등장한다. 홍상수 감독은 "꿈 장면을 영화 속에서 보여주는 이유는 꿈 아닌 현실 장면으로는 보여줄 수 없는 것을 보여주기 위해서"[19]라고 연출 의도를 피력했다. 꿈 시퀀스나 신이 등장하는 영화는 〈돼지가 우물에 빠진 날〉, 〈여자는 남자의 미래다〉, 〈극장전〉, 〈밤과 낮〉, 〈잘 알지도 못하면서〉까지 다섯 편이며 〈해변의 여인〉은 문숙이 꿈을 꾸었다는 말을 한다. 홍상수 감독의 작품에서 꿈은 주인공의 원망을 충족시키는 꿈 고유의 속성을 재현하는 장면과 현실 장면으로 보여주기 어려운 왜곡되고 불가해한 세계를 보여주는 영화 속의 영화로 배치하는 시퀀스로 나누어진다. 전자는 전체 텍스트와 연관시켜서 분석할 때 기의가 비교적 명료하며 후자는 영화 속에 배치된 미장아빔이면서 동시에 왜곡과 압축과 반대로 표현하기와 같은 꿈의 언어가 가미되어 별개의 섬 같은 텍스트로 자리하며 작품의 의미와 형식의 결을 두텁게 한다.

1) 원망 충족하기 : 〈극장전〉, 〈여자는 남자의 미래다〉, 〈밤과 낮〉

꿈은 휴식을 위한 인간의 노력이다. 인간은 수면을 통해 휴식을 취하며 낮

19 이동진, 『이동진의 부메랑 인터뷰 그 영화의 비밀』, 예담, 2009. 77쪽.

시간에 남겨진 정신적 과제가 남아있으면 수면장애가 찾아온다. 수면장애는 꿈이라는 정신적 타협물로 제거되어 인간을 수면의 세계로 안내한다. 수면 세계의 입장은 꿈이 필요한 경우와 불필요한 경우로 나눈다. 꿈이 필요한 사람은 낮의 세계에서 자신의 원했던 것을 이루지 못한 감정의 부채를 안고 있거나 내일에 대한 불안이 통장의 잔고처럼 남아있는 자들이다. 감정의 부채와 불안의 고통은 꿈을 통해 자기 타협을 시도하며 협상이 이루어지면 수면의 세계로 입실과 휴식을 허락받게 된다. 꿈은 어떻게 타협하는가. 인간의 꿈은 낮의 기억과 유년의 기억 그리고 태어나기 전 유전적 기억 등이 공모하여 꿈의 서사를 써내려간다. 특히 낮의 기억은 꿈에 직접적인 서사적 자양분과 이미지를 배달한다. 이와 같은 이유로 인해 프로이트는 "꿈의 내용은 원망 성취이고 꿈의 동기는 원망이다"[20]고 천명했다. 꿈이 원망을 충족시켜서 낮의 세계에 채우지 못한 부족한 감정의 잔고를 메꾼다. 꿈은 현실의 불만으로 기우는 저울추를 욕망의 대리 충족으로 기우뚱한 균형을 맞춘다. 가깝게는 숙면을 취하게 하고 멀게는 삶의 불만족을 완화시켜주고 위로해준다.

꿈은 단지 원망의 성취에만 머물지 않고 "꿈의 성찰과 기억의 단순한 재생"[21]의 기능도 있다. 넓게는 낮의 사실을 왜곡하고 압축하고 자리를 바꾸는 전위 등 다양한 가공을 하여 심연의 이미지를 갖는다. 왜곡은 자기 검열로 인해 이루어지며 변장과 상징이라는 두꺼운 탈을 뒤집어써 꿈의 영역을 확장하며 이로 인해 해석자의 적극적인 개입을 요청하게 된다. 꿈이 왜곡과 자리 바꾸기를 통해 만들어낸 세계는 낮의 세계에 한정되기 보다는 기억의 저편에 놓여있는 은폐된 세계나 꿈꾸는 자가 태어나기 이전의 선사적 기억까지도 포괄한다. 여기서 꿈은 비가시적인 세계, 비이성적인 세계를 탐구하는 예술의 본령과 이를 예술적 실천 운동의 지침으로 삼는 초현실주의자의 강령과 맞닿게 된다. 가장 기본적인 꿈이 주인공의 희망을 꿈을 통해 보상받는 원망 충족이라면 보다 심오한 꿈의 세계는 비이성적이며 비서사적이며 경험

---

20   지그문트 프로이트, 조대경, 『꿈의 해석』, 서울대 출판부, 1993, 105쪽.

21   지그분트 프로이트, 위의 책, 110쪽.

과 기억의 울타리 밖까지 확장되는 초현실적 세계이다. 홍상수의 영화는 전 자와 후자를 모두 꿈 장면으로 제시한다. 비이성적 세계에 대한 영화적 관심 은 홍상수의 꿈 장면을 통해 영화적으로 재현되고 있다. 꿈은 원망 충족이라 는 명제를 극명하게 영화적으로 보여준 세 편의 장편은 주인공의 욕망은 무 엇이며 어떤 영화적 표현으로 제시되는가에 대한 의문의 답을 찾는 과정을 따라간다.

〈극장전〉은 열아홉 살 상원이 어머니와의 소통 실패와 삶에 대한 막연한 절망감으로 인한 자살 실패담을 다룬다. 그의 죽음에 대한 충동은 삶에의 유 혹이라는 다른 이름이다. 상원은 동창생 영실을 만나 여관에 투숙한다. 상원 은 영실과 섹스를 시도했으나 발기 불능으로 실패하고 잠에 빠져든다. 그때 상원은 자신이 내레이터가 되어 꿈을 꾸었다고 설명한다.

꿈 장면에서 상원은 화장실에 가려고 문을 열었는데 복도가 나왔다. 상원 은 화장실 문을 열었는데 공간은 화장실에서 복도로 이동된다. 복도의 벽과 복도로 향한 문을 특별한 색으로 도색하여 비현실적인 공간으로 잠입했음을 미장센으로 보여준다. 계단에 앉아 있는 붉은 원피스를 입은 외국 여성이 사 과를 먹고 있다. 그녀는 상원의 등장에 동요하지 않고 봉지에서 사과를 꺼내 서 상원에게 내민다. 가슴이 파인 옷을 입은 선정적인 여성은 "사과 드실래 요"라며 사과를 권하지만 상원은 머뭇거리다 거절한다. 카메라가 팬하면 상 원은 다시 방으로 향한다. 꿈 장면은 여기서 끝맺는다.

다음 컷은 영실의 벗은 가슴을 클로즈업으로 부각한 섹스 장면으로 넘어 간다. 영실은 '아파, 정말 아파'를 연신 내뱉으며 섹스의 즐거움보다는 고통을 토로한다. 영실은 '힘든데 왜 하려고 그래'라며 채근하고 상원은 죽고 싶다고 말한다. 상원은 '그냥 죽고 싶다'고 이유를 설명하지 않으며 "우리 섹스하지 말고 그냥 죽자"고 한다. 영실도 상원의 제안에 동조하여 우리 섹스하지 말고 그냥 죽자고 한다.

다음 컷은 남산을 설정화면으로 제시한 다음 줌아웃되어 식당 안으로 들 어온다. 식당에서 두 사람은 '많이 먹어'와 '맛있다'를 내뱉는다. 죽기로 상호

결의했던 두 사람이 살자고 많이 먹으라고 독려하는 장면은 바로 앞 장면과 충돌한다.

꿈에서 사과의 유혹은 붉은색 원피스의 붉은색으로 성적인 유혹을 표상한다. 상원은 사과를 먹지 못한다. 즉 유혹의 부응에 실패한다. 이는 영실과 상원이 잠을 이루기 전에 시도한 섹스의 실패가 꿈을 통해 전위된 것이다. 붉은 옷을 입은 여성은 '첩이 돼 주겠다고 제안한 영실'과 겹친다. 붉은 옷의 여성과 영실은 상원에게 섹스와 사과를 제공했다. 하지만 상원은 사과 먹기라는 성행위를 실패했다. 그리고 방으로 들어가듯이 잠에 빠져들었다. 사과 먹는 여성은 섹스를 열망하는 상원과 영실의 대체물이며 사과는 그들의 성욕을 대체한다. 동시에 붉은 원피스를 입은 외국 여성은 상원에게 섹스에의 권유이면서 동시에 자살 충동을 겪은 남자에게 사과 먹기라는 생존의 권유도 담고 있다.

여관에서 나오는 이들이 식사하는 것은 죽음에 대한 충동과 삶에 대한 욕망이 동전의 양면임을 아이러니로 보여주며 초현실주의의 꼴라쥬가 장면의 편집으로 활용된다. 식사 장면에서 음식 먹는 상원과 영실은 꿈에서 사과의 권유가 생존을 위한 영양섭취에의 의지로 읽을 수 있는 맥락을 만들어 준다. 섹스와 사과 먹기는 삶에의 충동으로, 죽기와 섹스의 실패는 죽음에의 유혹으로 표상된다. 상원은 삶과 죽음의 양가적 충동 속에 놓여있으며 이는 현실에서는 섹스의 시도는 삶의 충동으로 표현되며 섹스의 실패는 죽음의 의지로 드러난다.

결국 그 다음 시퀀스에서 그들은 알약을 구입하여 자살을 시도하나 실패한다. 살아난 상원이 집으로 돌아가자 어머니는 죽으라고 야단친다. 그러자 상원은 죽어버리겠다고 옥상으로 올라가서 자살 소동을 벌이지만 아무도 만류하는 자가 없자 또 자살에 실패한다. 이 장면에서 상원은 누군가 자신을 말리러 오지 않는지 두 번이나 뒤돌아본다. 이는 삶에 대한 상원의 욕망을 드러낸 것이다. 죽겠다고 자살을 시도한 것은 결국 주변사람들에게 관심을 받고 싶은 유아적 인정 욕구의 소산이다. 꿈에서 사과의 권유와 거절은 영화 속 현실에서 주인공의 섹스 충동과 좌절이라는 자신의 욕망이 제시된 것이다.

〈여자는 남자의 미래다〉는 주인공 문호의 개인적인 욕망을 적나라하게 재현하여 '꿈은 현실의 원망 충족이다'는 프로이트의 명제에 부합한다. 문호와 헌준은 중국집에서 낮술을 마신다. 그들은 창밖의 여자를 바라보면서 과거의 연인이었던 선화의 기억을 떠올린다. 헌준은 선화와 유학을 가면서 헤어졌다. 한국에 남은 문호는 선화에게 국화꽃을 선물하고 선화와 연인으로 발전했지만 헤어졌다. 헌준의 제안으로 두 사람은 부천에서 선화와 재회하며 과거의 추억을 꺼내어 '과거 바라보기'를 시도한다. 다음날 그들은 약수를 뜨러가며 문호는 축구장에서 학생을 우연히 만난다. 문호는 헌준과 선화에게 약수터에 다녀올 것을 권하고 운동장에 앉으며 그곳에서 꿈을 꾼다. 운동장에 앉아 있는 문호에게 남학생이 다가와 빨간 목도리를 전한다. 문호는 빨간 목도리를 목에 두른 다음 졸음에 빠져든다.

꿈 장면의 첫 컷에서 문호는 운동장에서 스탠드에 앉아있는 학생들에게 다가간다. 문호는 학생을 바라보며 학생들은 외화면에서 '선생님 왜 혼자 계세요.'라고 묻는다. 카메라가 팬하면 문호는 학생들 옆에 앉는다. 학생들은 음료수를 문호에게 건네주고 "선생님 너무 멋있어요"라고 과장된 아부를 하거나 '선생님 힘드세요'라며 걱정을 하기도 한다. 문호는 '난 너희들만 있으면 만사형통'이라고 호응하면서 과잉된 반가움을 서로 주고받는다. 그때 옆에 앉은 여학생이 붉은색 목도리를 벗어서 문호에게 건넨다. 그 목도리는 축구하던 학생이 건넸던 동일한 목도리이다. 문호는 목도리를 두르면서 세 번 반복해서 냄새가 좋다고 말하고 학생들은 과장되게 웃는다. 홍상수 영화 인물의 특징인 반복과 과장된 대사가 이 장면에서도 빛을 발한다. 세 번의 냄새에 대한 언급과 학생들의 큰 호응은 학생과 선생의 관계가 주는 과장을 꼬집으면서 세 번의 반복으로 희극성을 만들어낸다. 현실에서는 남학생이 빨간 목도리를 건넸지만 꿈에서는 여학생이 빨간 목도리를 건네고 문호는 꿈을 깬다. 빨간 목도리의 여학생은 다시 문호와 여인숙까지 동행하게 된다.

꿈은 남학생이 다가와서 문호에게 술자리에 동참을 권하면서 깨어난다. 꿈에서 호응이 컸었던 학생들은 문호와 덤덤하게 인사를 나누고 후경에서 다음 장소로 이동한다. 꿈은 학생들의 호응과 지지를 원하는 문호의 욕망을 충족시켜준다. 음료의 전달과 목도리의 제공은 학생들의 문호에 대한 지지 원망이 꿈을 통해 재현된 것이다. 이는 꿈은 꿈꾸는 자, 즉 문호의 원망의 충족이다는 명제와 부합한다. 문호는 학생들로부터 지지를 받아 자신의 꿈인 교수 임용에 긍정적 영향을 받고 싶어한다. 또한 여학생이 자신을 남성으로 대해주기를 바란다. 꿈 장면은 학생의 지지가 음료수 건네기로, 성적 지지는 목도리 건네는 여학생의 행위로 변형된다. 구체적인 성적인 욕망은 빨간 목도리 주인공인 여학생에 대한 관심을 냄새 좋다는 발언으로 표현한다. 꿈에서 현실로 옮긴 문호는 다음 장면에서 학생들과 술자리를 한다. 문호는 여학생에서 가장 최근에 섹스한 것은 누구와 언제이고 기분은 어땠는지 질문한다. 여학생은 이틀 전에 술취해서 남자가 원한 것 같아서 섹스를 했지만 장소가 더러워서 느낌이 없었다고 했다. 그 때 남학생은 '선생님 저질인 것 같아요'라고 공격을 하자 문호는 항변하고 긴 침묵 후에 자리를 뜬다. 여학생은 집으로 향하는 문호를 뒤따라온다. 그녀는 이리로 오셨을 것 같아서 왔다는 말과 술 한잔만 더하고 싶다고 한다. 그리고 나서 여학생은 솔직한 것이 좋다면서 당돌하게 우리 솔직해지자고 한다. 오늘 딱 하루뿐이라는 단서를 달고 두 사람은 손을 잡고 창원 여인숙으로 한다. 여학생이 최근의 섹스담을 말한 것과 유사하다. 일종의 예시처럼 그녀는 자신의 섹스담대로 더러운 장소에서 문호에게 오럴섹스를 한다. 오럴섹스는 문호가 지난밤에 선화에게 요구했던 것과 동일하여 반복된 행위를 보여준다. 반복된 행위는 홍상수 영화에서 핵심 기표처럼 작용한다. 붉은 목도리가 꿈과 현실을 이어주었다면 오럴섹스는 선화와 기억을 여학생의 행위와 연결시켜준다. 선화는 꿈에서 목도리를 벗어준 여학생으로 대체되었다.

붉은 목도리는 꿈 장면에서 핵심 기표이다. 문호는 중국집에서 목도리를 하는 창밖의 여성으로 인해 과거의 선화를 회상했다. 그리고 꿈과 꿈 이후 현실에서 여학생에게 전이되고 욕망의 실현에 대한 검열로서 남학생의 노크 소리에 섹스가 좌절된다. 문호는 낮에 운동장에서 꾸는 꿈 장면을 통해 학생들로부터 전폭적인 지지와 여학생 목도리에 대한 페티시즘적인 감탄으로 여성과의 성적 욕망의 실현에 원망을 충족한다. 이는 꿈은 현실의 원망 충족이다는 속성과 이에 대한 영화적 재현으로 귀결된다. 하지만 영화 속 현실에서는 솔직함을 강조하는 여학생과 섹스를 기도했지만 남학생의 방해로 좌절되는 것처럼 문호의 욕망은 지연되고 거절되고 있다.

〈밤과 낮〉은 욕망의 실현을 보여준 꿈과 욕망의 왜곡과 변형을 재현한 꿈이 동시에 등장한다. 전자의 꿈은 성남이 유정의 집에서 만나는 꿈 장면이다. 성남은 유정과 만나고 싶어하나 유정은 곁을 주지 않는다. 성남은 꿈에서 유정의 집을 찾아간다. 유정은 두 다리를 이불 밖으로 노출한 상태에서 잠에 빠져있다. 성남은 유정의 발가락에 키스를 하자 유정이 일어나서 "남자가 이게 뭐예요. 치사하게 할꺼면 하든가"라고 추궁한다. 성남은 잘못했다고 사과하고 유정은 섹스를 하거나 안하거나 결단을 하라는 말을 반복한다. 성남은 유정의 거절에 대한 불안감을 갖고 있다. 꿈에서는 유정의 거절 대신 오히려 유정의 적극적 수용으로 변형되며 성남은 애정행위를 적극적으로 행하라는 유정의 요청에 소극적인 태도를 보여준다. 현실에서는 성남의 적극적 구애와 유정의 거절 상황이지만 꿈에서는 유정의 적극적인 애정 표현의 허용과 성남의 소극적인 망설임으로 표현된다. 성남의 희망은 유정이 애정표현에 대해 적극성을 보여주기를 희망한 것이며 이는 꿈 장면으로 적나라하고 구체적이며 적극적으로 부각된다. 하지만 성남은 잠에서 깨어나 유정의 집을 찾아간다. 유정은 어떻게 찾아왔는지 묻고 성남을 거절한다. 꿈은 유정과 적극적인 애정관계를 만들고 싶은 성남의 원망을 충족한 것이며 성남의 욕망을 적나라하게 가시화한 것이다. 영화를 통해 주인공 성남의 감정이 일차 드러났다면 꿈 장면을 통해서는 더 확대되어 표현된 것이다. 일종의 영화 속에서 주인공의 욕망에 대한 심리적 클로즈업에 가깝다.

2) 욕망의 변형과 이중이미지로서의 꿈 시퀀스

현실의 세계에서 넘어진 욕망은 꿈의 세계에서 일으켜 세워진다. 기립의 방식은 변형을 수반한다. 변형은 전위라는 자리바꾸기와 변장이라는 가면 쓰기로 양분된다. 그래서 프로이트는 "꿈은 (억제되고 억압된) 원망의 (변장된) 성취"[22]라고 결론지었다. 변장된 성취는 꿈 해석의 난해함과 다양성을 열어주며 예술은 여기서 급유한다.

홍상수의 독창성은 변장된 꿈의 영화 속 배치를 통해 서사적 변형과 미학적 성취에 기인한다. 단순한 원망 충족에서 벗어난 꿈 시퀀스는 이미 언급한 대로 '영화 속 영화라는 미장이빔'으로 자리하거나 '전체 텍스트와 꿈 텍스트가 상봉하기 어려운 두 대상의 조합인 꼴라쥬'를 만들거나 '초현실주의의 이중이미지'로 자리한다. 꿈 장면은 이와 같은 연유로 중층적 해석과 텍스트 두텁게 읽기를 가능케 한다.

〈돼지가 우물에 빠진 날〉은 구효서의 소설을 원작으로 하여 홍상수 감독과 시나리오 창작 집단인 작가시대 동인들이 각색을 하였다. 꿈 시퀀스는 후반부에 등장한다. 보경(이응경 분)은 효섭을 기다리지만 도착하지 않는다. 그녀는 효섭의 집에 찾아가지만 문이 잠겨있다. 보경은 길거리에서 소매치기를 당하고, 남편의 비뇨기과 방문을 목격하게 된다. 효섭의 약속 위반과 남편의 비뇨기과 출입 사실의 발견 그리고 소매치기 당한 일과 동네의 사진관에 진열된 자신의 가족사진은 정신을 극도로 자극한다. 보경은 약국을 경영하는 친구 집에서 꿈을 꾼다.

꿈 장면은 보경의 영정 사진에서 시작되어 보경의 죽음과 이로 인한 주변 사람의 문상으로 구성된다. 동우는 문상객을 맞이하고 보경의 친구인 수경은 동우에게 식사를 권하며 동우는 라면을 먹는다. 마지막 시퀀스에서 아이스바를 사먹는 동우를 통해 그가 인스턴트 음식을 선호하는 것과 호응된다. 수경은 동우에게 귓속말로 효섭의 방문을 전한다. 효섭은 민재와 동행하고 연적 효섭과 대면한 동우는 자리를 피한다. 동우는 바로 귀를 씻는다. 동우는 효섭이 왔다는 말 자체에 불쾌함을 느끼고 귀를 씻는다. 동우의 결벽증 캐릭터가 꿈에 재현된다. 동우는 오물 묻은 양말을 씻다가 고속버스를 놓쳤으며,

---

22 지그문트 프로이트, 조대경 역, 앞의 책, 142쪽.

창녀와 잠자리에서 콘돔이 찢어지자 휴지로 닦아내고 세면장에서 거듭 씻는 결벽증이 있다.

효섭은 보경이 자고 있는 방으로 들어가 보경의 가슴을 만진다. 효섭은 보경과 여관에 들어갔을 때도 보경에게 매달리면서 가슴에 머리를 묻고 어린아이처럼 굴었다. 효섭은 보경에게 애정을 갈구하는 어린아이 같은 존재임을 보경의 꿈에서도 그대로 보여준다. 여성의 시체를 효섭이 애무하는 것은 상갓집과 성적 표현이라는 데페이즈망 이미지면서 동시에 살아있거나 죽거나 좋아해주기를 바라는 보경의 효섭에 대한 원망을 충족시켜주는 행위다. 이어서 민재는 케이크를 잘라서 문상객들에게 나누어준다. 민재는 효섭의 생일날 케이크를 사서 효섭의 옥탑방을 방문한 적 있다. 그때 보경과 효섭은 옥탑방에 함께 있다가 민재의 등장으로 보경이 자리를 피한 적 있다. 민재는 케이크를 든 효섭의 여자로 보경에게 각인되었으며 생일 케이크는 효섭의 집이 아닌 상갓집에서 나누어 먹는 것으로 변형되었다. 케이크는 축하의 이미지이지만 상갓집에서 케이크는 초현실주의적 이미지인 수술대 위의 재봉틀같은 꼴라쥬다. 상갓집은 케이크를 나누어 먹는 장면을 통해 그로테스크한 공간으로 변모한다. 그때 보경이 방에서 나오면서 "다 모이셨네요"라고 말하며 동우는 "벌써 일어났어"라면서 케이크 먹는 일을 지속한다. 여기서 보경은 꿈에서 깨어난다.

보경의 꿈은 효섭의 연락 두절에 대한 보경의 불안몽이다. 효섭의 부재는 보경의 죽음으로 전치되어 꿈을 통해 등장한다. 효섭과 동우의 만남에 대한 불안은 문상과 케이크 먹는 것을 통해 꿈에서 봉합된다. 또한 마지막 시퀀스에서 드러난 효섭과 민재의 죽음에 대한 예시몽 역할도 한다. 꿈에서는 보경의 죽음이 등장하지만 영화에서는 효섭과 민재가 죽은 것이다. 이 장면은 보경의 욕망과 불안의 변형되어 꿈을 영화적으로 탁월하게 재현했다. 또한 전체 영화 서사적 맥락에서 별개의 섬처럼 독립된 서사와 의미를 완결시킨다. 즉, 효섭과 민재의 죽음에 대한 예시와 효섭의 부재에 대한 보경의 불안이 왜곡되고 진위된 꿈으로 압축되었다. 상가집에서 케이크 먹기와 시체를 애무하는 효섭은 비논리적이며 심리적 충격을 주는 쇼트와 쇼트의 콜라쥬이며 서사와 해석의 의미망을 확장하는 이중이미지의 영화적 성취이다.

〈밤과 낮〉의 두 번째 꿈 장면은 마지막 시퀀스에서 등장한다. 성남은 귀국하여 아내와 함께 잠든다. 꿈 시퀀스에서 성남은 프랑스에서 만난 지혜와 부부로 등장한다. 홍상수 감독은 '여행을 다녀왔지만 문제가 해결된 것 같지 않은 성남의 속내를 표현'하기 위해 꿈 시퀀스를 구성했다고 한다. 감독은 두 가지 연출 의도로 시퀀스를 구성했으며 첫 번째는 인물이 의외여야하기에 보자르에 다니던 지혜(정지혜)를 등장시켰으며 또 하나는 일상적으로 꾸는 꿈의 이미지를 부여하기 위해 성남 부부의 일상을 보여준 것이다.

꿈속의 아내인 지혜가 다녔던 보자르는 유정(박은혜 분)이 다닌 학교이기에 지혜는 유정의 대체 인물로 볼 수 있다. 성남은 유정에게 구애를 했으나 처음에는 거부당했다. 성남과 유정은 감정적 예속적 관계였다. 주는 유정이었으며 종은 성남이었다. 하지만 꿈에서는 성남이 권위적인 가부장으로 등장하여 "세상에 우리 둘만 같은 편"이라고 강조하거나 김치찌개에 대해 고압적으로 품평을 하고 헤어스타일에 대해서도 "죽을 때까지 생머리외 아무것도 하지마"라고 고압적 태도를 보인다. 꿈에서는 현실에서 반대되는 목적을 가진 욕구들이 "대립물들이 서로 분리되는 것이 아니라 마치 동일한 것 인양 취급[23]"된다. 꿈에서 서로 상반된 것들과 갈등하는 요소는 오히려 반대 의미로 드러나기도 한다. 성남은 권위적이고 강압적인 이미지의 가부장으로 자신을 이미지화하지만 현실에서는 아내 성인과 유정에게 순종적이다. 자신의 반대 이미지를 꿈에서 드러내며 '강하다- 약하다', '밝다-어둡다', '높다-낮다'의 어근들이 원래 동일한 어근에서 출발하는 것처럼 '지혜에게 군림하다'는 '지혜/성인/유정에게 복종하고 싶다'의 왜곡되고 전위된 이미지일 것이다.

음악이 흐르고 목욕가방을 든 지혜는 목욕탕에 가며 성남은 집 안에서 지켜본다. 지혜는 욕탕에서 울음을 터트리고 목욕탕의 창문에서는 돼지머리 모양의 동물이 창문을 들이 받는다. 창문에서 돼지머리가 창을 두드리고 여

---

23 지그문트 프로이트, 한승완 역, 『나의 이력서』, 열린책들, 1997. 177쪽.

자는 울분을 터트린다. 두드리는 돼지의 행위와 우는 지혜는 밖에서 안으로 진입하려는 돼지의 시도와 눈물이 눈밖으로 뿜어져 나온다는 측면에서 호응을 이룬다. 목욕탕이라는 공간에서 여자의 울음소리와 돼지머리가 창을 두들기는 소리는 동시에 불안을 야기하고 증폭시킨다. 지혜의 억압이 눈물로 분출하는 모습은 돼지의 창을 뚫고 들어가려는 본능적 행위와 어울리고 있다. 홍상수 감독은 직감에 의존한 연출이라고 확답을 피했지만 꿈을 통한 비논리적 상황의 제시와 통념에 벗어난 시각의 확장을 겨냥하고 있다는 점에서 초현실주의자의 예술관과 접맥된다. 또한 이 장면은 공존하기 어려운 두 오브제의 충돌이라는 전형적인 초현실주의 이미지의 영화적 재현이다. 초현실주의 미술이 이미지와 이미지만 출동시켰다면 홍상수의 〈밤과 낮〉에서 목욕탕 장면은 돼지의 창문 두들기는 소리와 여자의 울음소리를 목욕탕이라는 몸을 씻는 혹은 정화의 공간에 배치하여 시각과 청각의 맞섬과 시각과 시각의 엇나감을 통한 영화적 꼴라쥬를 완성하였다. 즉 목욕탕의 여자 울음과 창문의 돼지머리는 초현실주의의 대표적인 이미지인 "수술대 위의 우산과 재봉틀"의 영화적 꼴라주이다. 또한 서사와 정서를 열어두는 이중이미지로 해석가능하다. 이중이미지로 해석할 경우 하나는 지혜가 목욕탕에서 우는 장면이며 다른 이미지는 성행위의 시도와 좌절로 읽을 수 있다. 꿈에서 원통형 상자, 장롱, 난로 등은 여성의 자궁이며 방은 여자를 나타낸다.[24] 지혜가 있는 목욕탕은 자궁이며 돼지머리는 남성의 성기일 경우 성적 결합의 시도와 좌절의 장면으로도 해석할 수 있다.

이어서 성남과 지혜는 도자기를 포장한 상자를 들고 걸어가다가 자전거에 치여서 도자기를 깨뜨린다. 부뉴엘의 〈안달루시아의 개〉에서 자전거 타고 지나가던 인물의 넘어짐처럼 우연한 사고로 인한 도자기의 파손 상황이 발생한다. 도자기의 깨짐은 우연성의 개입으로 인한 두 사람의 결별을 견인한다. 이동진은 도자기의 깨짐이 태아를 상징하며 "죄책감과 불안을 포함한 상징물"이 아닌가라고 추정했다. 도자기의 깨짐도 이중이미지로 해석가능하다.

---

24 지그문트 프로이트, 조대경 역, 앞의 책, 312쪽.

도자기의 깨짐은 우연성의 개입으로 인한 두 관계의 파산이라는 시각적 정보가 일차적으로 해독된다. 우연성의 개입과 지배라는 초현실주의적 비논리가 꿈의 장면에 자연스럽게 개입하고 있으며 성인에게 도자기를 선물하고 싶지 않은 지혜의 무의식적 욕망 표출로도 볼 수 있다. 또한 도자기의 상징은 성인의 거짓 임신과 유정의 임신이라는 맥락에서 구체적인 기의를 유추할 수도 있다. 더불어 성남은 아내 성인에게 사랑한다고 애정 표현을 하지만 파리에서 유정과 사랑을 했으며 부부지만 도자기처럼 우연한 사건에 의해 깨질 수도 있을 것이라는 불안감이 상존한다. 또한 지혜는 유정을 대체한 인물이므로 유정과의 관계 정리에 대한 성남의 책임회피에 대한 명분을 제공한다. 즉 유정/지혜의 실수로 도자기가 깨졌으므로 성남과 유정의 결별에 대한 성남의 책임은 없다는 것이다. 마지막으로 꿈에서 언덕길을 오르내리는 것이 성행위를 상징하며 치인다는 행위도 성교를 상징한다는 맥락에서 볼 때(프랑스에서 잠시 대화한) 지혜와의 섹스에 대한 욕망을 변형된 이미지도 보여준 것이다.

성남의 무의식에서 도자기의 깨짐은 지혜와 결별의 계기를 마련해 주면서 동시에 현실의 성인과의 관계 청산에 대한 불안의 시각화일 수 있다. 성남은 '늬가 뭔데 망치고 지랄이야'라며 비속어를 총동원하여 욕설을 내뱉는다. 홍상수 감독의 영화에서 인물의 분노의 표출과 비속어의 분출은 반복된 장면이며 성남의 폭언에 지혜는 떠난다. 성남은 지혜를 부르지만 지혜는 후경으로 떠나간다.

성남은 프랑스에서 유정/지혜를 떠났지만 꿈에서는 지혜가 성남의 질책에 자발적으로 떠난 것으로 재현된다. 프랑스에서 유정/지혜를 버리고 떠난 성남은 일종의 면죄부를 스스로 부여하기 위해 지혜가 성남을 떠났다는 꿈의 서사를 완결시킨다. 꿈은 꿈꾸는 자에게 이기적으로 작동되며 왜곡을 통해 원망을 충족시킨다. 현실의 세계에서 좌절과 상처는 왜곡된 꿈의 세계를 통해 거짓 위로나 서사로 내면의 균형을 유지한다. 영화도 꿈 장면을 통해 성남의 불안감과 자기 면죄부 부여를 동시에 재현한다.

성인은 성남의 잠꼬대에 화가 나서 그를 깨운다. 그에게 숨긴 것이 있는지

채근하지만 성남은 시치미를 뗀다. 성인은 그런 꿈꾸지 말라고 하며 성남은 잘 하겠다고 즉흥적인 반성을 하여 무마한다. 카메라는 구름 그림으로 틸업된다. 구름은 허공에 떠있는 비현실적인 것이며 그들의 화해가 현실적 효력을 발휘하기 어려울 것을 암시한다. 동시에 구름은 꿈으로 입장과 퇴장을 하는 문의 역할을 한다.

〈잘 알지도 못하면서〉는 꿈과 현실의 경계를 모호하게 한다. 구경남 감독은 제천국제음악영화제에 심사위원으로 활동하기 위해 제천에 도착한다. 그는 그곳에서 개구리 올챙이 시절을 모르는 후배 김 감독은 만나고 또 다른 후배 부상용을 만나게 된다. 구경남은 영화를 구경을 하는 감독이기에 구경남이며, 제천국제음악영화제에 팀장으로 일하는 공현희는 공연히 식사부터 게스트 접대까지 맡아서 공연히 고생한다. 부상용은 나중에 왼손에 부상을 당하여 붕대를 감고 있기에 부상용이다.

부상용은 구경남에게 자신의 집에 함께 갈 것을 권한다. 가까운 곳이라고 했던 부상용의 집은 택시로 40분 가야 도착하는 곳에 있었다. 부상용은 '빛 같은 존재'인 아내 유신(정유미 분)을 소개한다. 유신은 구경남에 대해 안좋은 얼굴을 기대했는데 눈이 예쁘다고 추켜세운다. 이어서 꿈과 현실의 경계를 모호하게 한 꿈 장면이 등장한다.

구경남은 침실에서 자다가 유신의 흐느끼는 소리에 잠이 깬다. 구경남은 유신과 부상용의 침실로 가자 부상용이 죽어있다. 부상용의 죽음은 예기치 않은 우연의 횡포이며 유신이 낙심하자 구경남은 그녀를 껴안고 위로한다. 구경남은 진열된 부상용 부부 사진을 가져와 부상용의 얼굴에 볼펜으로 낙서를 한다. 유신은 구경남의 침실로 찾아와 당신 때문에 죽었다고 항의한다. 구경남은 즉흥적으로 당신이 원한다면 "사람들이 좋아하는 영화를 만들어 돈을 벌겠다"고 다짐하면서 유신을 책임지겠다고 한다. 유신은 '새롭게 시작할 수 있을까요'라며 동조하고 두 사람은 서로 껴안고 침대에 눕는다. 부상용의 우연한 사망과 유신과 구경남의 새로운 출발은 감정과 서사적 개연성이 생략된 채 비약하여 비현실적인 상황으로 만들어간다.

다음 장면은 현실로 넘어오며 부상용 부부의 사진이미지에 외화면에서 코고는 소리가 들린다. 구경남은 유신과 누웠던 그대로 옷 입은 상태에서 일어난다. 거실에는 의자에 유신의 겉옷이 걸려 있고 구경남의 시점 쇼트로 팬하면 샤워중인 유신과 욕실 앞에 떨어진 유신의 속옷을 보여준다.

이 시퀀스는 현실과 환상을 모호하게 한다. 꿈의 징후는 부상용 부부의 사진과 구경남의 옷차림이다. 부상용 부부 사진은 위치와 상태의 문제에서 차이가 난다. 구경남은 유신과 동침 전에 사진에 낙서를 했다. 하지만 아침에 사진은 가구 위에 진열된 것이 아니고 벽에 걸려 있으며(위치이동) 동시에 부상용의 얼굴에 가해진 낙서(낙서 흔적 제거)가 지워졌다. 또한 구경남은 유신과 동침을 하였다면 옷을 벗은 상태에서 침대에서 일어나야 하지만 옷 입은 불편한 상태이다. 이 장면을 현실에 가까운 것으로 받아들일 수 있는 것은 부상용의 편지로 인해서다. 부상용은 구경남에게 편지를 하여 "당신을 사람 취급하는 것을 금하기로 했다. 우리가 사는 곳 근처에도 오지 말라"고 결별을 선언한 것을 통해 살펴볼 때 구경남과 유신 사이에 애정표현과 관련된 사건이 발생했음에 분명하다.

역사는 역사가의 사료선택과 사관에 따라 다르게 기술된다. 간밤에 일어난 일들도 바라보는 입장에 따라 다르게 해석할 수 있다. 홍상수 감독은 꿈과 현실의 경계를 모호하게 하여 그들에게 일어난 꿈 같은 부조리한 일을 유신과 부상용의 과장된 언행을 통해 부각시켰을 것이다. 그들의 구경남을 내치고 포용하는 장면에서 벌레가 기어가는 장면을 길게 잡아서 보여준다. 인간과 짐승을 양분할 때 벌레와 가까운 광기와 언행에 대해 벌레 이미지로 병치했던 것이다.

일상의 사건이 꿈처럼 극적인 일(부상용의 갑작스러운 죽음)로 발생할 수 있으며 또한 현실을 꿈처럼 모호하게 표현하여 '안다고 할 수 있는 일의 한계에 대해 역설'하고 있는 것이다. 고순의 마지막 대사처럼 "딱 아는 만큼만 안다고 말해야" 한다면 이 장면은 꿈같은 현실을 꿈처럼 모호하게 표현한 시퀀스이다.

홍상수 감독은 꿈 장면을 통해 욕망의 충족과 왜곡과 변형을 통한 초현실주의적 서사와 이미지를 영화로 재현했다. 꿈 장면은 비논리를 선호하는 초현실주의와 예술의 접점을 이루었다. 홍상수의 텍스트는 영화미학과 형식의 사유 속에서 꿈을 도입하였으며 초현실주의적 기법의 영화적 변형으로 완결하였다. 초현실주의적 기법과 꿈의 영화적 수용은 기계적이기보다는 미학과 형식으로 삼투에 가깝다. 초현실주의 요소의 삼투는 홍상수의 독창성과 미학적 성취라는 빛을 남겼지만 다른 한편으로는 난해함으로 인한 대중성의 저해라는 그림자도 그리웠다. 예술은 산업적 고려보다 미학적 결단에 방점을 찍을 때 자신의 길을 열어간다.

4. 맺음말

홍상수의 영화는 등산로 많은 산과 흡사하며 출입구 많은 건물과 닮았다. 하나의 방법론으로 초현실주의적 기법과 꿈을 통해 홍상수 텍스트에 접근해보았다.

초현실주의는 무의식에 대한 탐구와 비논리에 대한 추구로 예술의 핵심과 맞닿는다. 홍상수 감독은 충무로에서 작업을 수행해왔지만 대중과 소통의 저해라는 치명적인 약점을 무릅쓰고 초현실주의적 기법을 영화적으로 수용하였다. 그동안 초현실주의와 홍상수 텍스트와의 관련성에 대한 본격적 논의가 부족했다. 홍상수 감독의 텍스트는 세 가지 점에서 초현실주의와 연관된다. 첫째는 제목이며, 둘째는 꼴라쥬 기법의 사용이며 셋째는 꿈 장면이다.

제목 짓기는 초현실주의 시인 루이 아라공의 시구절에서 〈여자는 남자의 미래다〉를 작명하였으며 〈오! 수정〉의 영문 제목은 마르셀 뒤샹의 〈정말로 그녀의 독신자들에 의해 발가벗겨진 신부(The Bride Stripped Bare by Her Bachelors)〉(1915-1923)를 염두에 둔 〈Virgin Stripped Bare by Her Bachelors〉이다.

꼴라쥬는 "해부대 위에서 우산과 재봉틀의 우연한 만남" 같은 이질적인 이미지의 배치로 가능하다. 〈돼지가 우물에 빠졌을 때〉에서 상갓집에서 케이크를 먹는 장면이 대표적이다. 꿈의 장면은 교양보다는 본능을 중시한 초현실주의자들의 자동기술적 글쓰기의 영화적 변형이다. 홍상수의 영화에서 꿈은 원망을 드러내는 장면과 독립된 텍스트로 억압된 것의 왜곡으로 등장한다. 전자의 예는 〈여자는 남자의 미래다〉의 원망 충족몽이며 후자의 대표적인 예는 〈돼지가 우물에 빠진 날〉의 보경 꿈이다. 전자는 텍스트와 직접적으로 관련성을 맺으며 후자는 별개의 텍스트로 독립되어 '영화속 영화라는 미장아빔'을 형성하며 동시에 '꿈 시퀀스와 전체 영화는 상봉하기 어려운 두 대상의 기이한 조합인 꼴라쥬'로 귀결된다. 미장아빔과 꼴라쥬는 모두 두 가지 이상의 의미를 지니는 이중이미지로 귀결된다. 꿈 장면은 초현실주의의 꿈 세계를 적극 수용하여 영화적 표현 영역을 확장하고 정신의 자유를 신장한다는 취지에 적극 부합한다.

홍상수의 독창성은 꿈 시퀀스를 통한 서사적 변형과 미학적 성취에 기인한다. 꿈 장면은 미장아빔으로 자리하거나 꼴라쥬나 이중이미지를 수용한다. 이는 홍상수 텍스트의 중층적 해석 가능성을 열어주며 동시에 영화 미학의 깊이를 꾀한다. 홍상수 감독은 대중과 소통보다 미학적 영역 확장에 무게중심을 둔 작가적 행보를 이어왔다는 점은 초현실주의의 영화적 삼투로 입증된 셈이다.

　　금정산 아래에서 영화를 바라보면서 살아온 바보는 이렇게 기록하였다.

　　발자크가 인간희극으로 한 편의 소설로 완성하려고 했다면 홍상수는 자신의 영화를 한 척의 선박을 건조하는 부품이자 자체 완결된 퍼즐 조각으로 생각했다. 이 발언은 영화평론가 김시무의 인간희극에서 이미 언급된 바 있지만 인간희극이라는 상호텍스트성이 아닌 의상의 화엄일승법계도에 나오는 다(多)이면서 하나로 통합되는 그 하나에 더 주의할 필요가 있다.

　　그 하나의 배라는 모자이크화 혹은 레고의 완성에는 멀리서 바라보면 무엇이 새겨져 있을까. 삼이다. 한 여자와 두 남자 (〈오 수정〉, 〈잘 알지도 못하면서〉, 〈하하하〉, 〈극장전〉, 〈옥희의 영화〉 등등) 또는 한 여자와 여러 남자(〈다른 나라에서〉, 〈우리 선희〉)의 구도는 결국 한 여성을 꼭짓점으로 한 욕망의 삼각형의 모습을 띤다. 삼은 자신의 영화 사이, 자신의 영화와 영화 사이 그리고 자신의 실제 삶과 자신의 예술(영화) 사이라는 세 공간의 사이에서 영화 작업을 하고 있으며 영화를 통해 세상의 거울에 담아낸다.

반복이다. 홍상수는 한 번 등장한 인물과 대사 심지어 사물까지, 버려진 담배까지 다시 돌아온다. 반복성이 홍상수의 화두라고 이구동성으로 말한다. 이 반복성을 들뢰즈의 차이를 분비하는 반복성이라는 개념으로 규정하는 것은 일정한 설득력이 있지만 개념으로 예술을 지나치게 단순화시킨다. 반복은 홍상수의 모자이크화를 연결해주는 레고의 도형 모양과 같다. 〈하하하〉의 중식은 우울증약을 먹고 그의 연인 연주는 〈누구의 딸도 아닌 혜원〉에서 혜원의 언니로 등장하여 인물로 레고의 한 면에 들어간다. 〈우리 선희〉의 '내성적이고 안목 있고 또라이'라는 단어는 몇 차례 반복되어 선희는 누구인가에 답한다. 〈누구의 딸도 아닌 혜원〉에서 길에 버려진 담배는 한참 시간이 흐른 후에 혜원이 신발로 끈다. 한 작품 속에서 대사와 행위의 반복은 홍상수의 의미를 창조하고 홍상수의 서사적 리듬으로 자리한다.

'예쁘다'와 '술 마시고 싶다'는 모든 영화를 엮어주는 이음새 단어다. 이 단어는 홍상수 영화에서 사전적 의미를 벗어난다. '예쁘다'는 '아름답다'이기도 하지만 욕망의 대상에 대한 최고의 찬사라는 의미도 반복된 등장으로 획득했다. '술 마시고 싶다'는 '함께 대화하고 싶다'와 '함께 잠자리를 하고 싶다'는 의미 사이에 놓여 있다. 이 단어들의 반복은 한 남자가 자신의 욕망의 대상을 찾아 떠돈다는 홍상수의 인물의 동선을 이끌어가는 연료이다. 반복은 서사를 끌고 가는 연료이자 동인이다. 그리고 〈우리 선희〉에서 선희의 자기소개서의 변형된 반복과 선희에 대한 평가는 웃음을 지향한다. 동현의 선희에 대한 자기소개서에서 발원한 문장이 문수와 재학의 대화를 통과할 때 발생하는 것은 선희라는 인물의 낙인이기 보다는 반복성의 웃음을 지향한다. 반복성은 차이와 반복이자 서사적 리듬이며 심지어 웃음의 기교이며 더 많은 의미와 영화적 재미라는 열매를 매달고 있다. 그 열매가 홍상수 모자이크화의 색깔을 결정한다.

홍상수의 술 마시는 장면은 오즈의 영화에서 퇴근 후 친구와 지인들과 마시는 일본식 술과 다르다. 오즈는 일상의 파고가 잔잔하다면 홍상수는 술자리의 감정의 기복이 태풍이 오는 해변과 같다. 술자리에서 인간과 예술에 대한 생경한 발언을 하지만 더 심한 것은 감정의 가감없는 드러냄이다. 술 마시는 동성의 두 사람은 대체적으로 감정적으로 충돌하고 이성의 두 사람은 감정 과잉으로 서로 가까워진다. 술은 예의와 금기의 방어막을 해체시키고 감정의 진솔한 귀환을 허용하기 때문이다. 술 마시는 일은 감정의 귀환이며 디오니소스 세계로 향하는 첫 계단이다. 술 마신 다음에는 두 남녀의 정사 장면이 이어진다. 정사 장면은 욕망의 대상의 소유로 읽는다. 욕망의 대상의 소유는 현상학적 판단이자 팔루스적 주이상스라는 개념으로 치환하는 것이다. 술마시면서 하는 "예쁘다"와 잠자리에서 읊조리는 "최고 예쁘다"는 기의적 거리가 있다. 팔루스적 주이상스로 치환하는 것은 풍어의 배에 가득 선적된 한 마리의 고기를 향해 작살로 내려찍으면서 '이것은 바다 고기이다'라고 규정하는 행위와 거리가 멀지않다. 고유한 한 물고기를 바닷고기로 한정할 때 수많은 바닷고기의 어종이 누락되고 심해어의 아름다움과 다양한 바다의 생태계 그리고 어부들의 그물로 끄집어 올리는 육체적 노동은 그물로 빠져나가는 물처럼 된다. 홍상수의 정사 장면은 욕망 대상의 소유이기도 하지만 디오니소스 세계로의 입장에 가깝다. 술집은 디오니소스의 축제로 향한 입구이며, 동양식으로 복숭아 농원으로 진입이며, 홍길동식으로 율도국의 당도이다. 이 장면은 두 남녀의 만남이기도 하지만 홍상수 영화의 장의 개진이다. 반복된 언어와 행위는 리듬과 웃음을 주지만 결국 진심이 아닌 기계적 찬사라는 속물성으로 전락한다. 이 속물성에서 벗어나는 것은 인간이 대상에 대한 '예쁘다'는 반복된 찬사에 머물고 있지만 그 인간의 순간의 진실에 입각한 찬사와 감정의 표현은 현실에서 낙원으로 인도하여 결국 진심으로 변하게 된다. (양의 질화) 대상에 대한 순간의 진실을 마음껏 개진하는 것은 감정적 진실의 꼭짓점이자 사랑의 이름으로 파 내려간 바닥의 끝임을 가볍게 제시한다. 욕망의 길을 따라가는 남녀는 관습과 억압의 옷을 풀어헤치고 잠자리를 함께 한다. 옷은 관습과 속물과 억압과 거짓의 다른 이름이며 합방의 장면은 영화적 환상이자 마음의 영화적 현현이다. 홍상수가 열어간 영화적 풍경은 뜻밖에도 가장 통속적인 방식으로 가장 높은 곳을 향하고 있다.

김기덕의 영화 텍스트 미학적 원리로서 만물제동주의萬物齊同主義와 동시주의

1. 김기덕의 텍스트 읽기와 만물제동주의

김기덕의 영화는 논쟁적이며 유니크하다. 논쟁은 윤리적 허용치를 넘어선 지점과 미학적 가능성의 대척점에서 발생한다. 윤리적 불편함은 대부분 여성 연구자들의 비평적 작업에서 두드러지며 '남성 중심주의 시각에서 여성을 대상화하거나 창녀라는 신분적 열등함을 통해 남성의 성적 우월감을 과시하는 비윤리적 태도'에 기인한다. 미학적 평가는 반추상으로 이름 붙여진 김기덕의 텍스트를 예술 영화의 장으로 호명한다. 김기덕의 텍스트는 한때 뜨거운 논쟁의 대상이었지만 〈피에타〉(2012)의 베니스영화제 최우수 작품상 수상으로 비판적 분위기는 잦아들었으며 대신 작품에 대한 평가로 방향이 선회하였다.

기존의 비판은 "시선의 권력에 대한 질문을 지워버린 채 타자 이미지-특히 여성-를 착취하는 무소불위의 권력을 휘두르는 초월적 작가의 영화"[1]로 수렴되며 페미니즘 시각에서는 설득력을 갖게 된다. 하지만 김기덕 텍스트에 대한 총체적 평가라는 입장에서 바라본다면 특정 이론에 기댄 협소한 작

---

1   이명애, 「김기덕 감독 영화의 옹호와 비판에 관한 변증법적 고찰」, 서강대 대학원 석사학위논문, 2001. 28쪽.

가론으로 전락시킬 위험성도 내포하고 있다. 또한 빈번하게 등장하는 창녀와 그녀를 사랑하지만 추락시킨 인물의 구도에 대해 "창녀는 사회적 열패감이 많은 남성들에게 보상과 치유를 제공하며 사회로부터 박탈된 계급적 권위의식마저 회복하게 해주는 천사와 같은 존재"[2]로 평가되기도 한다. 이는 남성과 여성의 성역할의 차이 그리고 자본주의 사회의 신분제라는 차이를 전제로 할 때 설득력을 갖게 된다. 하지만 남성과 여성, 창녀와 남자 주인공의 차이를 지우는 입장에서 바라보면 다른 시선과 예술적 평가 가능성을 열어갈 수 있다. 기존의 김기덕에 대한 논의는 작품론에서 정신분석학과 종교적 시각에서 다양한 스펙트럼을 이룬다.[3] 기존의 평가와 다른 시각에서 김기덕의 텍스트를 살펴보는 것은 그의 미학적 가능성에 대한 질문을 던지는 유의미한 작업으로 여겨진다.

〈비몽〉(2008)에서 남녀 두 주인공에게 장미희는 "두 사람은 한 사람입니다"라고 말하고 진(오다기리조 분)은 흑백동색이라는 인장을 새기면서 '검은색과 흰색은 같은 색이다'고 천명하였다. 이 대사는 〈비몽〉을 관철하는 주제이자 미학적 원리이며 동시에 김기덕의 영화를 관통하는 사상인 만물제동주의와 상통한다. 흑백이 동색이라는 시선으로 김기덕의 텍스트를 조망할 때 김기덕의 텍스트에 대한 기존의 평가는 축소 해석의 혐의로부터 자유롭기 어렵다. 차별적 시각은 생동감있는 텍스트에 대한 의미의 억압과 박제화 위험을 노출한다. 김기덕의 텍스트를 관통하고 있는 미학적 원리는 만물제동주의이며, 만물제동주의는 '성과 속은 하나이고 꿈과 현실도 하나이고 옳은 것과 그른 것도 하나인 일체의 경계와 차이를 허용하지 않은 세계'이다. 이와 같은 앵

---

2 이명애, 위의 논문, 58쪽.

3 개별 작품 연구는 박상미, 「구원의 자궁에 대한 환상성 : 김기덕 영화 〈피에타〉」, 『현대영화연구』 제5집, 2013. 주유신, 「김기덕 영화 세계, '사마리아의 선행'으로 위장된 '성적 테러리즘' 연구」, 『영상예술연구』 제4호, 2004. 정신분석학적 입장에서 연구는 다음과 같다. 서인숙, 「김기덕 영화, 그 사도 마조히즘 연구」, 『영화연구』 제20호, 2002. 김소연, 「김기덕 혹은 (불)가능한 사랑의 연대기 : 욕망과 사랑에 대한 라캉의 관점을 통한 접근」, 『영상예술연구』 제20호, 영상예술학회. 2010. 종교적 입장의 연구는 다음과 같다. 박종천, 「영화가 종교를 만났을 때 : 김기덕의 〈봄 여름 가을 겨울 그리고 봄〉(2003)을 중심으로」, 『종교연구』 제44집, 2006. 김병선·한혜미, 「김기덕 영화에 나타난 무속적 상징에 관한 연구」, 『기호학연구』 제37권, 2013.

글과 저울에 올려놓을 때 〈나쁜 남자〉에서 한기의 사랑은 폭력과 동의어이며, 〈빈 집〉(2004)에서 존재와 부재, 환상과 현실의 경계는 지워진다. 만물제동주의 관점에서 김기덕의 텍스트와 사상을 조망할 때 더 적극적으로 김기덕의 사유와 미학적 스펙트럼이 확장될 수 있을 것이다. 만물제동주의는 장자 철학의 핵심이며 동시에 서양의 동시주의 미학과 접맥되며 영화가 예술과 합일하는 지점이다.

신화에서도 원시인들과 불교도인들의 사유는 만물제동주의와 흡사하다. 티베트 불교도는 "이 세상의 모든 생물들은 네 어머니이자 아버지이며, 형제자매"[4]로 여겨 살생을 금한다. 인간은 윤회적 시각에서 사유할 때 이전에 한 번 정도는 염소의 자녀였거나 염소의 어미였을 것이다. 그래서 모든 생물은 가족이며 염소와 인간, 모기와 호랑이를 구분짓지 않는다. 만물제동주의는 '나비가 장주가 되었는지 장주가 나비가 되었는지 알 수 없으며 말이 되면 말로 살아가고 닭이 되면 닭'으로 살아가는 천균의 태도와도 닮았다. 예술은 서로 일치할 수 없는 것을 일치하게 하며, 성과 속, 삶과 죽음, 희망과 절망을 모두 하나로 바라보는 평등한 세계다.

김기덕의 만물제동주의는 김기덕 텍스트의 독창적인 해석 가능성을 열어줄 것이다. 만물제동주의 사유를 보여준 텍스트는 〈파란대문〉(1998), 〈나쁜 남자〉(2001), 〈빈 집〉, 〈비몽〉, 〈피에타〉가 두드러진다.

2. 사상으로서 만물제동주의와 미학적 개념으로서 동시주의

만물제동주의는 이것과 저것의 구분 지우기이며, 이것이 저것으로 변화될 때 절대 긍정하는 입장이다. 만물제동주의는 장자의 사유를 관통하는 핵심 사상이다. 장자는 물화와 이것과 저것의 구분 지우기로 일체의 것을 긍정하고 인간의 시비에 입각한 분별적 태도를 거부하였다. 만물제동주의는 "이것과 저것의 구별, 미인과 추녀라는 차별, 옳고 그름이라는 다툼, 완성과 파괴

---

4 나카자와 신이치, 김옥희 옮김, 『대칭성의 인류학, 무의식에서 발견하는 대안적 지성』, 동아시아, 2012, 167쪽.

의 차이는 상대적 대립이 끊어진 도의 자리에서는 하나가 된다는 것"[5]이다.

> 인간은 오직 '물화' 속에서 주어진 현재를 주어진 현재로서 즐겁게 소요하면 된다. 깨어나면 장주로 살고, 꿈을 꾸면 나비로 훨훨 날며, 말이 되면 소리 높이 울고, 물고기가 되면 깊이 잠수하며, 죽으면 조용히 무덤에 누우면 좋지 아니한가.[6]

김기덕은 자필 수고에서 기존의 지식에 의존해서 자신의 세계관을 형성하는 것보다 '회복하기 힘든 야생의 순수'를 찾고 기존의 인생 지침대로 살아가는 것을 거부하겠다는 입장을 표명했다. 이와 같이 개인적 사유의 우회로를 통해 "나보다 부자도 마땅히 없고 가난한 자도 행복한 사람도 불행한 사람도 마땅히 없다. 모두 내 속에서 내가 설정하는 깊이며 넓이며 무게다."[7]라는 사유로 정착된다. 이는 자기 준거를 통해 생을 영위하고 영화를 만들겠다는 선언이다. 김기덕 영화의 독창성의 뿌리는 자기 준거에 의지한 것이며 또한 자기 매몰의 함정에 빠질 위험성도 항존한다.

김기덕은 〈피에타〉로 베니스에서 동시대의 작가로 승인 받았을 때 수평 사회에 대한 열망을 피력했다. 평등사회도 아니고 스스로 조어인 수평사회를 희망했다. 수평사회는 모두가 차별받지 않는 평등한 세상이다. 수평사회의 맹아는 장정일과의 대담에서 엿보인다. 소설가 장정일은 김기덕 영화에 등장하는 주변인물(타자)들에 대해 "무한 경쟁과 약육강식의 중심부로부터 한 발 옆으로 밀려난 가난한 청춘들의 '제살 뜯어먹기'를 보여준 것"이라는 공격적 질문을 던졌다. 김기덕은 "'제살 뜯어 먹기'라고 하는데, 아니다. 하늘에서 세상을 내려다보려고 한다. 수평으로 세상을 보는 것과 수직으로 내려다보는 것은 큰 차이가 있는데 수평으로 사람들을 보면 원근에 따라 크고 작

---

5 오진탁. 「莊子의 万物齊同思想에 대한 불교적 해석」, 「철학」 제42집, 한국철학회. 1994. 66쪽.

6 나카지마 다카히로 지음. 조영렬 역. 「장자, 닭이 되어 때를 알려라」, 글항아리. 2010. 200쪽.

7 정성일 엮음. 「김기덕 야생 혹은 속죄양」, 행복한책읽기. 2003. 70쪽.

은 사람이 있어 사회적 계급이 보일 수밖에 없다. 그러나 하늘에서 내려다보면 대부분 같은 크기로 보인다. 나는 그렇게 하늘에서 내려다본 시선으로 영화를 만들고 캐릭터를 본다"[8]고 응수했다. 그는 하늘에서 내려다보면 수평으로 보이며, 수평으로 바라보면 수직적 위계가 보이므로 하늘에서 바라본 수평적 캐릭터를 영화에 배치한다. 김기덕이 지향하는 수평사회는 하늘에서 바라보는 차이의 위계가 없는 수평적 관계가 통용되는 세계다. 이는 장자의 만물제동주의와 궤를 같이 한다. 만물제동주의와 김기덕의 수평적 관계는 모든 인간과 사물을 동등하게 대하고 차별을 지운다는 점에서 서로 만난다. 이와 같은 수평적 관계로 계급을 바라볼 때 창녀와 주인집 딸이 평등하고(〈파란대문〉), 만물제동주의 눈에는 창녀의 매춘과 회사원의 야근은 '몸을 이용하여 산다는 점'에서 등치된다.

김기덕은 자신의 영화에 반추상이라는 이름을 붙였다. 반추상은 '행위의 표현을 넘어 심리의 표현을 더하는 것'이며 심리적 표현에 방점이 놓였다. 예를 들어 "〈악어〉(1996)의 물속 장면은 심리적 반추상 공간이며, 〈파란대문〉에서 여름에 눈 오는 장면들은 상황적 반추상 또는 역설적 반추상"으로 설명하였다.

그는 '비현실적 공간과 이미지를 통해 낯선 것'으로 텍스트를 완성하여 관객의 적극적 해석을 요구하면서 스스로 표현의 장을 확장한다. 여기서 반추상과 초현실주의적 기법이 자생적으로 표출된다. 더불어 기존의 이분법적

구획짓기는 무화되고, 경계 역시 사라지고 만물제동주의로 수렴된다. 심리적 표현과 비현실적 공간은 현실의 확장이며, 가시적 세계와 비가시적 세계의 울타리 허물기로 확장된다. 김기덕의 방식은 자생적 상상력에서 촉발되어 장자의 만물제동주의와 초현실주의의 시내로 스며든다. 이는 김기덕의 미학적 장치이자 창조적 상상력의 산물이다.

장자는 〈대종사〉편에서 자여의 대화를 통해 자신의 사상을 설파하였다.

점점 내 왼팔이 변화되어 닭이 된다면, 나는 때를 알리겠네. 점점 내 오른팔이 변화되어 탄환이 된다면, 올빼미라도 쏘아서 구이로 만들겠네. 점점 내 엉덩이가 변화되어 바퀴가 되고 내 마음이 말이 된다면, 그것을 타고 가겠네, 마차에 타지 않아도 좋겠다. 무릇 얻는 것도 때가 있고 잃는 것도 차례가 있네. 때를 편안히 여겨 따르면 슬픔과 기쁨 같은 감정이 끼어들 수 없다네. 이것이 예로부터 일러온 현해(懸解, 속박을 푸는 것)라네.[9]

사물은 저것 아닌 것이 없고, 이것 아닌 것도 없다. 저것의 관점에서 보면 이것은 보이지 않지만, 이것의 관점에서 안다면 알 수 있다. 그러므로 '저것은 이것에서 나오고, 이것은 저것에 의거한다"고 한다. 즉, 이것과 저것은 나란히 생기는 개념이다. …(중략)… 저것과 이것이 짝을 이루는 개념이 아닐 때, 그것을 도추(道樞, 도의 지도리)라 한다. 지도리(회전축)가 원의 중심에 있으면, 무궁에 대처한다. 옳은 것도 하나의 무궁이고, 그른 것도 하나의 무궁이다.[10]

두 인용은 만물제동주의의 철학적 기반이 된다. 만물제동주의는 서양의 초현실주의 미학의 중핵을 담당하는 동시주의와 상통한다. 동시주의가 표현 확장을 위한 미학적 전략이었다면 장자의 만물제동주의는 세상의 이치를 적시하는 사상에 근접한다.

김기덕은 〈비몽〉에서 나비의 목걸이와 나비를 등장시켜 장자의 〈호접지

---

9   나카지마 다카히로, 앞의 책, 248–249쪽.
10   나카지마 다카히로, 앞의 책, 210쪽.

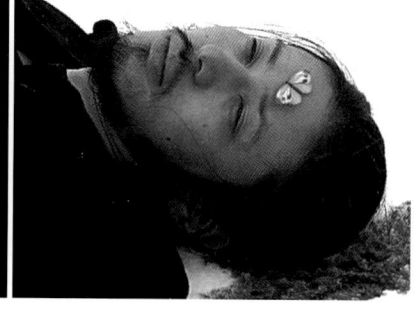

몽〉 우화를 영화적 미장아범으로 배치했다. 란의 죽음은 란이 나비로 화(化)하여 진에게 날아가서 죽음을 통한 사랑의 완성이다. 안숭범의 장자적 해석인 "나비란 존재는 진화와 탈바꿈을 통해 생긴 것이고 변화하는 것을 보여준다"[11]는 평가는 설득력을 가진다. 여기서 나비는 바로 란이고(나=너) 란과 진은 서로 나란히 같다는 입장과 죽음을 통해 나비로 화한 것(생=사)은 만물제동주의의 영화적 표현이다. 이 장면은 김기덕의 영화적 표현을 장자 철학의 그물에 담아낸 것이다.

만물제동주의가 선과 악 그리고 흑과 백을 서로 구별하지 않고 도의 지도리에 따라 경계없이 넘나든다면, 서양의 동시주의(Simultaneism)는 서로 대조된 성격과 모순된 상황의 상호 공존을 지향한다. 동시주의는 기욤 아폴리네르(Guilaume Apollinaire)가 1913년 『입체파 화가들, 미적 명상』이라는 책에서 사용하였으며 "동시주의적 화가의 작품은 자명한 구조의 순수한 미적 쾌락과 숭고한 의미 즉 주제를 동시에 제공"[12] 한다는 맥락에서 언급하였다. 동시주의는 입체파 화가들에게 사물을 바라보는 창조적 시각을 제시했다. 그것은 서로 다른 관점에서 대상을 그리고, 정면과 측면을 동시에 바라보는 시각적 특권의 부여였다. 동시주의는 서로 다른 시각의 예술적 소환과 함께 모순의 상호 공존에 대한 긍정이다. 모순에 대한 긍정은 초현실과 현실의

---

11 안숭범, 「시적 은유로서 몽타주와 영화적 '무딘 의미': 〈비몽〉에 나타난 몽타주 분석을 통해」, 『문학과 영상』, 10권 3호, 문학과영상학회, 2009.

12 정상균, 『다다 혁명 운동과 문학의 동시주의』, 학고방, 2012. 19쪽.

공존으로 확산되어 예술적 지평을 열었다. 다다이스트들은 동시주의를 적극적으로 옹호하여 예술적 실천을 감행했다. "자유는 다다다. 다다는 긴장 속에 색채들의 고함침이고, 반대와 모든 모순을 섞어 엮어 내는 것(interlacing)이고, 괴상한 것이고 불일치(inconsistencies) 즉 생명(LIFE)"의 선언으로 동시주의를 옹호했다. 정상균에 의하면 다다는 '양극의 동시적 공존'을 전제하며 다양한 예술적 실천을 통해 '전쟁 반대', '제국주의 반대', '전체주의 반대'라는 사회 개혁운동에 참여했다. 미술에서 동시주의는 달리의 작품에서 극명하게 드러나며 정상균은 달리의 동시주의를 시각적 동시주의, 생=사의 동시주의, 남녀의 동시주의 , 계절의 동시주의 등 다양하게 세분화한다.[13] 계절의 동시주의는 겨울의 눈과 여름의 푸른 잎을 동시에 한 화면에 표현하였으며 이는 〈파란대문〉의 마지막 장면인 눈 내리는 여름 장면과 원리적으로 일치한다. 김기덕은 프랑스에서 미술 수업을 받았으며 자신의 작품의 미장센에 회화적 요소를 강화시켰다. 서양의 미술 기법은 김기덕 텍스트에 일정한 영향을 주었다. 달리의 동시주의 기법은 김기덕의 만물제동주의에 대한 서양미술의 그림자가 엿보인다.

3. 김기덕 텍스트의 만물제동주의 영향과 동시주의의 확장

김기덕의 텍스트는 꿈과 현실을 연동시키고 성녀와 창녀를 나란히 취급한다. 이는 장자의 만물제동주의와 서양의 동시주의의 체화이다. 특히 장자의 만물제동주의는 김기덕의 영화세계와 흡사하다.

'사물의 변화'라는 것은 하나의 사물이 다른 사물로 변하는 것이고, 거기에는 일방과 타방의 차별이 있다. 그러나 그것은 상식적인 입장이고, 모든 것은 평등하다고 보는 입장에서 보면 자기와 타자의 구별이 없기 때문에, 나비는 그대로 장주이다. 따라서 이러한 변화가 찾아오더라도 자기를 잃는 일은 없다.

---

13 정상균, 앞의 책, 38–57쪽.

살아있는 자기가 있는 동시에 죽어있는 자기가 있다. 인생만을 현실이라고 보는 것은 차별에 선 입장이고, 인생 또한 꿈이라고 보는 것은 무차별의 입장이다. 왜냐하면 만물제동의 이치에서 보면 꿈과 현실의 구별이 없기 때문이다.[14]

이는 제물론에서 도의 지도리와 동일하다. 장자는 자연의 조명에 비추어 사물을 바라볼 때 이것과 저것이 하나인 경계에 도달한다고 했다. 이것은 바로 '이것과 저것이 그 대립을 없애버린 경지, 도추(道樞, 도의 지도리)'[15]이다.

김기덕의 영화에서 만물제동주의에 입각한 동시주의 재현은 몇 가지로 집약해 볼 수 있다. 첫 번째는 '나와 너, 에로스와 타나토스의 동시주의'이다. 두 번째는 창녀를 주인공으로 한 작품에서 드러나는 '성녀와 창녀의 동시주의'이며, 세 번째는 삶과 죽음의 동시주의이다. 동시주의는 만물제동주의의 영화적 수용이면서 김기덕의 독창성의 표지이다.

1) 나와 너의 동시주의, 에로스와 타나토스의 동시주의

나와 너의 동시주의는 창녀와 주인집 딸의 경계를 지우는 〈파란대문〉에서 극명하게 드러난다. 〈파란대문〉에서 여관 주인 딸 진아와 창녀인 혜미는 위계의 차이가 있다. 하지만 두 사람은 상호 공감을 통해 그 벽을 허문다. 순결한 여대생과 불결한 창녀라는 이분법적 사고는 해체되고 이를 고집하는 경직성을 질타한다. 주인과 종업원, 성녀와 창녀의 위계 지우기는 만물제동주의 입장에서 자연스럽게 수용 가능하다. 두 인물의 거리는 매춘 문제에 대한 가치 판단으로 더 넓어진다. 성의 상품화는 고귀한 성을 도구화하는 것에 대한 질타다. 성은 오직 상호 간의 감정의 표현으로 이루어진 관계를 제외하고는 도구화할 수 없는 성역에 속한다. 성매매는 도덕 위반이라는 윤리적 비판이 지배적이다. 김기덕 영화에서 재현된 성은 사랑하는 사이에 나눌 수 있는 사랑의 표현이거나 돈을 매개로 한 매매의 수단이거나 도덕적 가치 판단

---

14 나카지마 다카히로, 앞의 책, 199쪽.

15 장자, 안동림 역, 『장자』, 현암사, 2001, 59쪽.

을 유보한다. 성에 대한 모든 편견은 폐기되고 성에 대한 신비화와 절대화의 규범도 배제한다. 이때 모든 성적 행위는 인간의 다른 행위와 큰 차이가 없다는 행위의 동시주의로 확장된다. 여기서 진아와 혜미의 차별의 벽은 허물어지고 만다.

마지막 시퀀스에서 아픈 혜미를 대신하여 진아가 매춘을 하기 위해 손님방으로 들어가는 행위는 이와 같은 김기덕의 철학이 만들어낸 장면이다. 그는 반추상 장면으로 여름에 눈이 내리는 기적같은 일로 표현했다. 성녀와 창녀의 동시주의 입장에서 이 장면은 영화적 개연성을 획득한다. 예술의 세계에서는 창녀도 성녀도 동등한 인간으로 수렴된다. 다시 말해서 진아와 혜미는 '서로 다른 나와 너의 동시주의의 확인' 혹은 깊은 상호 이해를 통한 우정과 자매애로 수렴된다.

강한섭은 이와 같은 타자성에 대한 이해, 만물제동주의적 태도를 '쌍둥이 자매의 인정'으로 해석했다. 그는 〈파란대문〉의 내러티브를 재구성하여 "1) 잃어버린 쌍둥이 자매의 발견-〉 2)쌍둥이 자매의 부인(否認)과 분노 -〉 3) 증거제시 -〉 4)쌍둥이 자매의 혼란 -〉인정과 화해"[16]로 파악했다. 너와 너의 동시주의에 입각한 창녀와 여대생의 구분 없는 만물제동주의 태도는 쌍둥이 자매 같은 타자성에 대한 깊은 이해로 수렴된다. 김기덕의 인물은 나와 너의 구분과 차이를 지우고 상호 이해의 지평을 심화한다.

여성과 여성 인물이 쌍둥이 같은 자매애에 도달했다면 남성과 여성 사이

16 강한섭, 앞의 글, 189쪽.

는 자웅동체와 같은 얽힘과 상호 이해 그리고 사랑으로 발전한다. 〈비몽〉은 꿈꾸는 남자와 몽유하는 여자의 이야기이다. 그들은 남녀가 꿈을 공유하는 자웅동체형 인간에 가깝다.

〈비몽〉은 '흑백은 동색이다'와 '두 사람은 한 사람이다'라는 동시주의 태도를 대사로 명시한다. 또한 남자가 꾸는 꿈과 여자의 몽유 공유를 통해 자웅동체형 인물로 수렴된다. 두 사람은 상호 격리되었지만 꿈을 통해 자웅동체적으로 사는 것에서 벗어나려고 애쓴다. 하지만 결국 사랑은 그들을 하나로 묶는다. 사랑은 몸과 영혼이 다른 두 사람이 한 사람처럼 일체감을 느끼는 것이다. 하지만 꿈은 두 사람을 분리시키고 때론 합치시키면서 두 사람의 사랑에 장애물로 작용한다. 결국 란(이나영 분)은 진(오다기리 죠 분)이 꾸는 꿈속에서 자신의 옛 애인이 다른 여자와 정사를 나누는 장소에서 그를 살해한다. 이는 진이 자신의 옛 연인에 대한 질투로 인해 꾸는 꿈이었지만 현실에서는 란이 그의 옛 연인의 살해범으로 구속된다. 진은 죄책감으로 잠을 자지 않겠다고 작심하지만 잠을 자지 않는 것은 수면욕을 거세하는 일이라 불가능하다. 결국 진은 란에게 찾아가서 "죽으면 꿈을 꾸지 않을 것"이라고 말한다. 란은 진에게 사랑한다고 말한다. 란은 진의 눈을 가리며 미래를 예견한다. 그에게 뭐가 보이느냐고 묻자 진은 나비가 보인다고 말한다. 나비는 란이 나비로 화하여 진에게 가는 결말을 예시적으로 보여주는 대사이다. 결국 진은 두 사람의 고통을 없애기 위해 한강에 투신하고 여자는 남자와 합일하기 위해 죽음을 선택한다. 에로스는 타나토스를 통해 완성한다는 사실을 마지막 장면으로 제시한다. 사랑은 그들의 죽음으로 완성된다. 진은 한강에서 투신을 하고 란은 감옥에서 자살한다. 란은 푸른색 올가미에서 나비로 변하여 한강에 투신한 진에게 날아간다. 나비가 진의 이마에 앉자 진은 눈을 뜨고 나비가 손에 앉자 두 사람은 서로 손을 잡는다.

이 컷은 죽음을 통해 그들의 사랑 완성으로 가시화된다. 자웅이체였던 그들은 자웅동체로 손을 잡고 죽음이라는 영원의 시간으로 건너간 것이다. 나와 너, 남성과 여성의 동시주의는 죽음과 삶의 동시주의를 통해 '에로스는 타

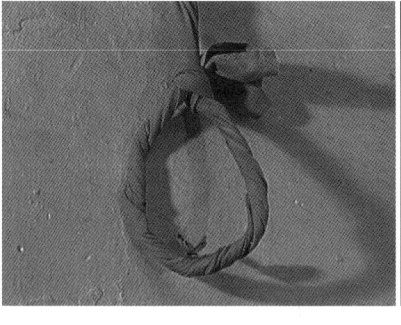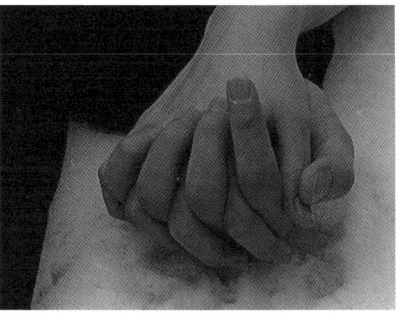

나토스로 완성된다'는 사실을 입증한다.

에로스는 최초로 태어난 신이며 이 신은 인간이 자신에게 결핍된 것을 찾게 한다. 우선 몸의 아름다움을 통해 다가가게 하고 이어서 영혼의 아름다움을 통해 자신의 짝을 찾아간다. 결국 '나는 지금 곁에 있는 것들이 나중에도 곁에 있기를 바란다.'[17]는 에로스의 욕망을 향해 나아간다. 란은 지금 곁에 있는 진이 자신의 곁에 영원히 있기를 욕망한다. 에로스의 최고 단계는 '생성도 소멸도 없으며 증가도 감소도 하지 않는 아름다움 그 자체'이다. 하지만 연인은 미의 완성보다 타나토스를 통한 에로스의 완성을 지향한다. 즉 '죽음을 통해 완성한 사랑'은 바타이유의 '죽음까지 파고드는 삶'이며 "죽음의 제의를 통해 사랑을 완성하는 것"[18]이다. 죽음으로 사랑을 완성하는 것은 〈공무도하가〉의 백수광부의 아내의 죽음, 자살로 죽은 모딜리아니와 사랑을 완성한 그의 아내 잔 에뷔테른의 사례를 들 수 있다. 〈비몽〉의 란 역시 죽음을 통해 진과의 사랑을 완성한다. 란과 진의 꿈을 통해 한 몸이 되는 기이한 관계는 자웅동체의 동시주의적 표현이며 삶의 본능인 에로스와 죽음의 본능인 타나토스의 결합을 통한 사랑의 완성으로 귀결된다.

2) 성녀와 창녀의 동시주의

〈파란대문〉에서 여대생과 몸을 파는 여성을 구분하지 않는 동시주의에 대

---

17 플라톤, 강철웅 역, 『향연』, 이제이북스, 2016. 20쪽.

18 조용훈 지음, 『에로스와 타나토스』, 살림, 2005. 54쪽.

해 이미 설명한 바 있다. 성녀와 창녀는 동시주의의 저울 위에서 어느 쪽으로도 기울지 않는다. 〈파란대문〉에서 맹아를 보인 창녀와 성녀의 동시주의는 〈나쁜 남자〉에서 보다 극명하게 드러난다.

〈나쁜 남자〉는 '깡패 한기(조재현 분)가 여대생 선화(서원 분)를 창녀로 전락시키는 이야기'다. 마지막 장면에서 한기는 트럭으로 이동 매춘업을 한다. 마지막 장면은 이 영화의 주제를 함축하고 있으며 김기덕 감독도 고심했다고 한다. 시나리오 집필 시 처음에는 한기가 거울 앞에서 숨을 참아서 도인들이 하는 방식으로 자살하는 장면으로 구상했다. 하지만 숙고를 거듭한 끝에 김기덕 감독은 마지막 장면을 이동 매춘으로 정했다. 이 장면은 바다를 바라보면서 한기는 담배를 피우고 선화는 멀리 응시하는 것으로 구성되었다. 배우들이 모두 동의하지 않자 그는 "인간이라는 게 어떤 자리가 놓여져 있는 자리 이외의 것을 버릴 수 없지 않냐. 너 당장 배우 그만둘 수 있느냐, 나 당장 감독 그만두지 못한다. 그런 것처럼 어쩌면 그것이야말로 그들에게 버릴 수 없는 그런 것일 거다"[19] 라며 동의를 구했다고 한다. 김기덕은 그들의 매춘을 생활의 관성으로 보여주고 싶었을 것이다. 이때 매춘과 다른 노동은 동등한 가치를 지닌다. 즉 매춘과 노동의 동시주의, 더 구체적으로 매춘에 대한 윤리적 가치 판단을 유보하고 모두 동등한 노동으로 치환할 때 이 장면은 설득력을 얻게된다. 그 뿌리에는 노동과 매춘의 동시주의와 매춘과 타 직업에 대한

19   정성일 엮음, 「정성일, 김기덕을 만나다」, 앞의 책, 381쪽.

차별을 거부하는 직업에 대한 만물제동주의가 놓여 있다. 마지막 장면에 대한 다음과 같은 평가는 대체적으로 설득력을 지닌다.

〈나쁜 남자〉의 마지막 시퀀스는, 〈악어〉만큼이나 강렬하고, 서늘하게 아름답다. 여자는 트럭 속에서 몸을 팔고, 남자는 공허한 눈빛으로 담배를 피운다. 이윽고, 일을 끝낸 여자가 나타나 남자 옆에, 쪼그리고 앉는다. 아무도, 말이 없다. 그저, 담배를 나눠 피우며, 지쳐 쓰러져 있는 바다를 응시할 뿐이다. 이러면, 된 것이다. 무엇이, 더 필요한가? 중요한 것은 오직, 매 순간, 새살로 돋아나는 것, 자기만의 삶을, 살아내는 것. 비록, 그것이 창녀의 삶처럼 보이든 말든. 비록, 그것이 깡패의 삶처럼 보이든 말든. 그러면, 된 것이다. 생의 고단함을 담배 연기로 날려보내고, 전 우주의 무게로 쏟아지는 허무를 건디면서, 유목민들은 다시 길을 떠난다.[20]

조하형은 '자기만의 삶을 살아내는 것, 창녀처럼 보이든 깡패처럼 보이든 말든'이라고 표현했다. 임정식은 '〈나쁜 남자〉의 선화도 자기희생을 통해 악의 상징인 한기의 영혼을 정화함으로써 종교성을 획득'[21]했다는 평가를 통해 창녀로 전락한 선화는 성녀로 승화된 삶을 회복했다고 의미 부여했다. 창녀의 생활 방식과 깡패의 사는 방식은 모두 삶의 의지이며 그들의 생존을 위한 노동 행위로 등치시키면 이 장면은 사랑하는 이의 성을 팔아 먹고사는 깡패가 아닌 생존을 위해 노동을 하는 숭고한 현장으로 전이될 가능성이 열린다. 물론 이 가능성이 해석의 장에서 승인되기 위해서는 기존의 도덕이라는 안경이 배제되어야 하고 매춘과 노동이 등호로 연결되어야 한다. 기존의 성과 속의 이분법이 지워지면 이 장면은 노동과 매춘의 동시주의이며, 생존을 위한 육체노동의 잔혹한 순간을 카메라가 포착한 것으로 치환된다. 매춘의 노

---

20 조하영, 「상처는 터지지만 아프지는 않다 김기덕의 〈나쁜 남자〉를 중심으로」, 정성일 엮음, 『김기덕 야생 혹은 속죄양』, 행복한책읽기, 2003. 339쪽.

21 임정식, 「김기덕 영화의 타자성 연구」, 고려대 석사학위논문, 2008.

동 승인은 곧바로 이어지는 음악인 '신 없이 구원에 도달하려는 이'라는 찬송가이다. 찬송가가 배경음악으로 깔리면서 그들은 트럭을 타고 떠나는 순례자의 위상으로 고양된다. 마지막 장면은 성과 속의 동시주의를 통한 감독의 예술적 감수성이 빚어낸 엔딩으로 귀결된다. 성과 속, 매춘과 노동 그리고 폭력과 사랑, 가학과 피학은 모두 동시주의와 만물제동주의의 용광로 속에서 함께 용해되어 예술의 형상을 만들어낸다. 성녀와 창녀가 평등한 시대로 귀환한다. 그들은 신분의 자로 차별하는 폭력적 분리의 시대에서 해방된다. 김기덕은 영화의 프레임에 원시의 시대를 소환한 것이다. 아니 원시 자연의 시대와 차별적 분리의 시대를 구획짓는 행위 자체를 무화하고 거절한다. 예술의 이름으로 어떠한 차별도, 위계도 허용할 수 없다. 위계를 허용한 순간 예술은 세상의 원칙에 예속되는 노예로 전락한다. 예술의 정신은 해방이며, 예술가는 '인간은 모두 주인이다'는 명제를 부정할 수 없다.

3) 삶과 죽음의 동시주의이다.

삶의 본능은 상승 욕구이고 죽음의 본능은 하강 욕구이다. 삶의 본능은 에로스의 다른 이름이다. 에로스는 욕망의 측면에서 살펴보면 성적 사랑과 식욕 그리고 종족 보존을 꾀하는 자기 보존 본능에 충실하다. 죽음의 본능은 타나토스와 등치되며 타나토스는 운명, 잠, 다툼, 복수와 결합된다. 죽음은 결국 에로스의 맞은편에 서 있을 때 긴장과 갈등을 보여주며 함께할 때 고요해진다. 죽음을 통한 사랑의 완성도 가능하지만 사랑을 통한 죽음의 평온도 그

르지 않다. 〈비몽〉은 에로스와 타나토스의 문제가 다르지 않음을 영화적으로 풀어낸다. 진은 몽유하고 란은 꿈을 꾼다. 란은 타나토스의 다툼과 잠의 운명을 대표한다. 진은 헤어진 남자친구로부터 벗어나는 것으로 에로스를 거부하고 타나토스에 기울어져있다. 진은 에로스를 거부하고 란과 다툼과 갈등을 보이지만 결국 "사랑한다"를 긍정하고 스스로 타나토스를 통해 사랑(에로스)를 완성한다. 마지막 장면에서 그들의 손잡음은 삶과 죽음의 동시주의이며, 에로스와 타나토스의 합일 이미지의 영화적 완성이다.

〈빈 집〉에서 선화(이승연 분)는 태석(재희 분)을 통해 사랑을 회복한다. 그녀의 삶은 죽음 같다. 즉 타나토스의 세계에서 살고 있을 뿐이었다. 태석은 감옥에 갇혀서 숨는 훈련을 한다. 그는 스스로를 감춘다(죽인다). 그는 죽음을 통해 선화와 함께하고 선화의 사랑을 얻는다. 자기의 죽음/감춤(타나토스의 승인)이 선화에게 사랑과 삶의 의지를 회복(에로스의 회복)하게 하고 가정을 되살린다. 태석의 죽음, 선화의 사랑은 그들이 한 공간에서 항존할 수 있게 한다. 죽음(감춤, 타나토스)과 삶(존재, 에로스)은 동시적으로 공존한다는 영화적 동시주의 표현의 정점을 마지막 장면으로 보여준다. 이는 〈비몽〉의 손잡는 장면과 〈빈집〉의 삼인의 포옹장면이 같은 뿌리임을 분명하게 적시한다. 타나토스를 통한 에로스의 완성, 죽음을 통한 영원한 삶의 회복이라는 숭고한 예술적 이상의 가시화이기도 하다.

〈피에타〉는 육신의 죽음을 통한 영적인 탄생이라는 종교적 세계를 다룬다. 강도(이정진 분)는 폭력이 일상화된 삶을 살아가고 삶의 동력은 폭력과 악행에 맞추어져 있다. 그에게 어머니 미선(조민수 분)이 나타난다. 어머니는 세상에 대한 복수와 타인과의 싸움으로 점철된 타나토스적 삶을 살아가는 그에게 아름다운 영혼의 오아시스인 에로스이다. 처음에는 그녀를 폭력적으로 대했지만 차츰 차츰 그녀를 에로스의 대상으로 대한다. 에로스는 결핍된 것에 대한 욕망을 통해 추동된다. 강도에게 어머니는 그동안 억압되고 스스로 잠근 사랑의 용암을 분출시키는 분화구다. 하지만 그녀는 강도로 인해 자결하게 된 아들의 복수를 위해 에로스의 탈을 쓴 타나토스(복수)였다.

그녀는 강도에게 가장 사랑하는 것을 잃게 하는, 인간이 겪을 수 있는 가장 큰 슬픔을 맛보게 하려는 복수가 우선이다. 이를 위해 그녀는 강도 면전에서 자살한다. 그녀는 죽음으로 복수를 완성한다. 하지만 그녀에 대한 애착과 삶에 대한 아름다움 회복으로 에로스에 충만한 강도는 스스로의 잘못을 회개한다. 그는 회개하는 죄인으로 재생된다. 강도는 스스로 자기 학대로 보이는 행위를 하지만 조금 더 천착해 보면 종교적 희생이라는 영기가 감돈다. 강도는 그동안 악행을 자행한 피해자들에게 스스로 회개하고 트럭에 묶여 스스로 십자가에 못박히는 성스러운 희생을 선택한다. 그는 어머니의 죽음을 통해 스스로를 죽이고 다시 영적으로 거듭난다. 어머니의 죽음(타나토스)은 강도라는 패륜아를 영적으로 탄생(에로스)하게 한다. 그는 어머니 죽음을 통해 자신을 죽이고(십자가) 영적으로 구원받는다. 그녀의 죽음은 강도를 재생시켰고, 강도의(육신) 죽음은 그의 영성 회복을 통해 영생하게 된다. 〈피에타〉는 가시적인 몸의 세계에서 벗어나 육신의 타나토스와 영의 에로스를 동시주의로 재현한다. 육신의 죽음과 영적 탄생이 한 몸임을 보여주면서 예술의 관문을 통해 성의 세계로 진입한 숭고한 예술적 장면을 완성한 것이다. 예술이 진선미의 계단을 통해 성(聖)의 세계로 도달하는 것이 정점이라면 〈피에타〉는 동시주의 계단을 통해 영적 탄생이라는 성의 세계로 진입한 것이다. 에로스와 타나토스는 육신의 삶과 죽음의 땅에서 영생과 불멸이라는 바다로 향하는 기항지였다.

4. 만물제동주의와 수평주의의 연관성

김기덕 영화는 치열한 도덕적 논쟁과 비판을 통과하여 보다 공고한 미학적 지위를 확보했다. 미학적 기반은 반추상과 유니크한 그의 미장센이라는 가시적인 요인도 있지만 장자의 만물제동주의의 영화적 수용이라는 면을 간과하기 어려운 것이다. 그렇다면 만물제동주의의 발원지는 어디서 찾아야 하는가라는 질문에 답해야한다.

그는 한국 사회에서 소수자의 자리에서 영화작업을 수행해왔으며 주류 질서와 무관한 행보를 보여왔다. 그는 등장인물의 행위를 통해 지속적으로 수평적 관계와 평등을 지향하는 수평사회를 역설했다. 수평사회를 지향하는 김기덕 감독의 수평주의적 태도는 모든 만물의 위계를 거부하고 안과 밖 그리고 옳고 그름의 경계를 지운 만물제동주의와 사상적으로 접속할 수 있는 지름길로 인도했다. 그의 작품은 장자의 만물제동주의를 향해 나아가는 방향이기 보다는 자신의 이념을 영화로 표현하는 영화적 표현의 확장 여정이 장자로 향하는 길과 합치되어 갔다고 결론짓는 것이 보다 자연스럽다. 그는 만물제동주의적 입장의 장자 철학과 서양의 동시주의를 관통하면서 스스로의 영화세계 확장을 모색했다. 만물제동주의는 그의 영화적 표현과 미학적 세계를 풍부하게 하고 아울러 보편적인 영화미학을 경유하여 불교와 기독교를 아우르는 종교적 세계로 인도하였다. 이 만물제동주의의 출발점은 그의 자전적 사실을 근거로 유추해보면 주류와 거리를 둔 타자성에서 기인한다. 충무로의 비주류 지대에서 영화 작업을 시작한 그의 이력은 그의 정체성을 타자이자 예술적 무산계급에 가깝다. 이와 같은 그의 계급적 위상은 한국사회의 병폐이자 억압의 기제인 수직적 질서를 거부하고 수평적 관계를 지향하게 하였을 것이다. 이와 같은 맥락에서 만물제동주의를 철학적 사유와 미학적 원리를 영화로 수용한 것은 농촌에서 성장한 이들이 산천의 나무와 들풀에 남다른 감응을 보인 것만큼 자연스러운 일로 여겨진다.

김기덕 영화에 등장하는 사회적 소수자들의 평등 지향적 태도에서 폭력적인 위계를 무화시키려는 감독의 숨은 의지를 읽어낼 수 있다. 이 의지는 김기덕 감독이 주장한 '수평으로 세상을 보는 것과 수직으로 내려다보는 것은 큰 차이'를 통한 수평사회 지향성으로 천명되기도 한다. 하늘의 시선에서 지상을 내려다 볼 때 수평적 세계가 열린다. 그는 영화제의 수상 소감이 '수평사회'였던 것은 숨은 의지의 토로였다. 강한섭의 표현대로 "그는 초등학교를 겨우 나와 공장을 전전하며 일하고 기름밥 먹고 성장하여 청년이 되고 반항하고 깨지고 하면서 먹물들이 철학책 1백 권을 제대로 읽어야 깨우칠 수 있는 사물에 대한 이해와 세상에 대한 자신감을 터득한 것"[22]이므로 그의 철학은 독창적이고 단단하고 때로는 독단의 기미도 엿보인다. 김기덕의 수평사회에 대한 지향은 장자의 만물제동주의로 합류되면서 철학적 토대의 마련과 미학적 지평 확장이라는 두 기둥을 확보하게 된 셈이다. 수평주의는 장자의 만물제동주의를 경유하여 서양의 동시주의와 내밀하게 연대하게 된다. 그의 작품은 다듬어진 완결성보다 다듬어지지 않는 투박함과 야생성을 기반으로 한다. 그는 위계적 차별을 거부하고 위계가 지워진 수평사회를 지향하는 물길을 헤쳐가면서 만물제동주의라는 큰 바다에 합류하게 된다. 김기덕의 수평주의는 자신의 텍스트 근저에 장자의 만물제동주의 사상이 작동하고 있다는 사실을 입증한다. 타자와 수평주의 그리고 반추상은 만물제동주의의 연못으로 흘러든 물줄기다.

5. 만물제동주의의 발원지는 수평주의이며 미학적 개념은 동시주의로 통합된다.

김기덕 영화는 수평적 세계, 윤리의 척도, 권력의 위계라는 인위의 때가 묻지 않는 시공을 펼쳐낸다. 이와 같은 거친 야생의 세계는 그로테스크한 독창성이라는 미학적 관심과 여성에 대한 가학성을 부각시킨다는 윤리적 비판의 화살을 초래했다. 김기덕 영화 미학의 중핵은 만물제동주의다. 만물제동주의의 그물을 김기덕의 텍스트는 자유롭게 넘나든다. 만물제동주의는 장자 철학의 핵심 사유이며 동시에 서양의 아폴리네르가 주창한 동시주의와 접맥된다. 더 거슬러 올라가면 신화의 세계에서 보여준 원시적 대칭성과 동일하며 불교의 '일즉다 다즉일(一卽多 多卽一)' 사상과 합류한다. 여기서 김기덕의 독창성이 보편성의 바다로 흘러들 출구를 찾게 된다. 그는 만물제동주의를 통해 거대한 보편적 사상의 근원과 맞닿게 된다.

만물제동주의는 인물의 관계에서 출발하여 폭넓은 예술적 사유의 지평과

---

22 강한섭, 「〈파란대문〉을 다시 본다」, 정성일 엮음, 앞의 책, 187쪽.

언어의 확장을 열어간다. 김기덕 텍스트에 나타난 만물제동주의에 입각한 동시주의 경향은 몇 가지로 수렴된다. 첫 번째는 '나와 너의 동시주의', 두 번째는 '성녀와 창녀의 동시주의' 세 번째는 '삶과 죽음의 동시주의'이다. 결국 동시주의는 만물제동주의의 영화적 수용이면서 예술의 영역 확장과 김기덕의 독창성으로 수렴된다. 김기덕의 만물제동주의는 장자 철학과 접맥되었으며, 미학적으로는 서양의 동시주의와 만난다. 이는 동양의 철학과 서양의 미학이 어우러지는 장을 영화가 주물로 제공한 것이다.

김기덕의 수평주의에 대한 열망은 만물제동주의를 경유하여 동시주의에 닿게 된다. 그는 동시주의와 만물제동주의라는 공고한 철학과 미학적 기반을 통해 자신의 예술적 영토를 무한 확장하여 작가의 반열에 도달했다. 예술이 진선미의 계단을 통해 성(聖)의 세계로 당도한다면 〈피에타〉는 동시주의를 통해 영적 탄생이라는 성스러운 세계의 문을 두드린 것이다. 김기덕은 영화라는 미의 계단을 통해 나와 너, 삶과 죽음이 항존하는 광활한 지평으로 항해하는 길을 개척했다. 그 무기는 동시주의와 만물제동주의라는 해도(海圖)였다.

금정산 아래에서 영화를 바라보면서 살아온 바보는 이렇게 기록하였다.

김기덕의 영화는 날것이며 야생이며 아주 낯선 무엇이다.
날것과 야생은 숙성과 질서 그리고 위계를 거부하고 불화한다.
예술과는 태생적으로 친밀하고 이미 한 가족이다.
그의 영화는 기존의 질서와 위계에 대해 맞서고 피흘려 싸운다.
예술과는 쉽게 악수하고 아이처럼 함께 놀고 깊게 합일한다.
문화 권력자가 무기로 사용하는 개념과 언어로 바라보면 김기덕은
불편하고 불량하고 무례하다
예술의 감수성으로 바라보면 김기덕은 친절하고 심오하며 독창적이다.
그의 영화는 도덕과는 항상 싸우고 예술과는 늘 화해한다.
그가 기존의 권력과 맞서는 유일한 무기는 예술적 감수성과 자신의 영화다.

영화는 예술인가라는 물음은 그 앞에서는 이미 폐기처분되었으며
다만 영화=예술이다는 공식을 체화하고 실천하느라 분주하다.
김기덕은 영화의 영토를 무한하게 팽창하는 예술 제국주의자에 가깝다.
하지만 팽창의 경계를 도덕과 윤리가 불심검문하고 무장해제하려고 한다.
그는 예술의 복음을 전파하기 위해 순교하는 순교자적 태도로
늘 저항하고 경계 밖으로 도주한다.
그의 유일한 무기는 영화라는 예술의 전폭적 지지이다.
그의 영화에 대한 가치 판단은 관객의 몫이다.
예술이 현실의 지배 질서와 도덕으로부터 견제받고 구속받지 않았던 적은
일찍이 없었다.
예술이 해방의 전사인 것은 모든 표현과 모든 사유가 가능하기 때문이다.
모든 예술은 자유와 해방의 두 날개로 날아가는 우주선이다.
예술에 대한 모든 해석은 가능하다.
왜냐하면 예술 헌법 제 1조 1항은 바로 모든 것으로부터 자유이기 때문이다.
위 문장은 김기덕의 주장이 아니라 금정산 아래 사는 바보의 횡설수설이다.

하나의 텍스트에 접근하는 길은 많으며 〈경주〉에는 죽음의 본능인 타나토스와 삶의 의지인 에로스라는 두 개의 대로로 진입할 수 있다. 경주는 능의 죽음 이미지가 편재하며 선배 창희의 죽음, 공항에서 만난 모녀의 보문 호수에서 분신자살, 폭주족의 죽음이 대표하는 실제의 죽음이 산재해있다. 다른 한편에는 관계의 죽음이 존재하며 창희와 그의 젊은 아내 사이의 관계 단절이 대표적이다. 최현과 후배 여정도 마찬가의 범주이다. 또 다른 죽음은 감정의 죽음이며 이는 과거에 사랑하는 대상과 결별로 인해 야기되는 것이다. 감정의 죽음은 새로운 사랑하는 대상의 출현과 발견을 통해 에로스가 삶의 활력을 재생해준다. 대상애는 특정 대상에 대한 사랑과 상대방에게 사랑의 대상이 되고 싶은 욕구로 나누어진다. 대상애의 또 다른 문제는 결별로 인한 다른 애도의 기간을 보내고 새로운 대상과 에로스를 생성하거나 특정 대상에 대한 에로스를 완성하기 위한 타나토스이다. 디오티마는 에로스의 사다리에서 '대상에 대한 사랑'에서 '아름다운 것 자체에 대한 사랑'으로 고양된다고 주장했다.

동아시아 영화의 작가는 디아스포라 주인공에 대한 특별한 관심을 보여준다. 장률의 텍스트는 디아스포라 정서로 가득하다. 디아스포라는 "같은 민족 성원들이 세계 여러 지역으로 흩어지는 과정뿐만 아니라 분산한 동족들과 그들이 거주하는 장소와 공동체"를 지칭한다. 디아스포라의 개념은 학자에 따라 다층적으로 수용되고 분기되며 무딤베(Valentine Y. Mudimbe)와 엥글(David Engle)은 '정치적 이유로 거주국 사회에 동화될 수 없고 동화하려고 하지 않으며 그렇다고 자신이 고안해 낸 이상화된 기원지로 귀환할 수 없는 사람들의 공동체'까지 디아스포라를 확장하면서 정치적 이유로 인한 디아스포라의 생성 원인에 주목한다. 필자도 공간의 분산과 이동으로 야기된 공간적 이산과 정신적 유랑과 삶의 뿌리 뽑힘으로 야기된 정신적 이산으로 양분했다. 일반적인 디아스포라의 상황은 공간의 이주로 야기된 고향상실 기억과 낯선 장소에서 유랑과 망명이라는 이중의 과제를 낳는다. 고향상실과 거주지 부재 상황은 여행과 유목적 산책자의 몸짓으로 보여준다.

2부

아시아 영화

작가는 영향의 토양에 성장하는 나무와 같다. 직접적인 영향은 동시대의 예술 사조에서 비롯되지만 간접적인 영향은 자신의 이력에서 발원한다. 김윤식 선생은 '작품은 작가의 체험의 구체화에서 더 나아가 그 배후에 작가가 감추고 있는 꿈과 가면 그리고 도피하고 싶은 인생에 관한 그림'일지도 모른다고 했다. 작품이라는 텍스트는 작가의 체험의 변형과 작가의 가면과 꿈과 창조의 세계가 빚어낸 한 폭의 그림에 가깝다. 작가의 전기는 작가의 텍스트를 이해하는 단서를 제공한다. 지아장커는 북경전영학원 문학과 입학을 계기로 미술 공부와 글쓰기에 대한 관심을 영화로 전향한다. 그곳에서 결성한 단체가 북경전영학원 청년실험영화소조이다.

디아스포라의 고향 찾기와
데칼코마니 미학 – 장률론1

1. 디아스포라와 데칼코마니의 행로

　동아시아 영화의 작가는 디아스포라 주인공에 대한 특별한 관심을 보여준다. 장률의 텍스트는 디아스포라 정서로 가득하다. 디아스포라는 "같은 민족 성원들이 세계 여러 지역으로 흩어지는 과정뿐만 아니라 분산한 동족들과 그들이 거주하는 장소와 공동체"1를 지칭한다. 디아스포라의 개념은 학자에 따라 다층적으로 수용되고 분기되며 무딤베(Valentine Y. Mudimbe)와 엥글(David Engle)은 '정치적 이유로 거주국 사회에 동화될 수 없고 동화하려고 하지 않으며 그렇다고 자신이 고안해낸 이상화된 기원지로 귀환할 수 없는 사람들의 공동체'까지 디아스포라를 확장하면서 정치적 이유로 인한 디아스포라의 생성 원인에 주목한다. 필자도 공간의 분산과 이동으로 야기된 공간적 이산과 정신적 유랑과 삶의 뿌리 뽑힘으로 야기된 정신적 이산으로 양분했다. 일반적인 디아스포라의 상황은 공간의 이주로 야기된 고향상실 기억과 낯선 장소에서 유랑과 망명이라는 이중의 과제를 낳는다. 고향상실과 거주지 부재 상황은 여행과 유목적 산책자의 몸짓으로 보여준다. 그들이 상실

---

1 윤인진, 『코리안 디아스포라:재외 한인의 이주, 적응, 정체성』, 고려대학교출판부, 2004. 5쪽.

한 것은 고향이지만 이로 인해 발생한 직업의 부재와 정체성의 혼란도 감당해야한다.

디아스포라의 유목적 상황은 개인에 따라 원인과 대응 행위는 다양하게 표출된다. 임권택은 고향을 떠난 자들이 스스로 예술가적 정체성을 찾기 위해 길 위를 떠도는 길 영화로 나아갔으며(〈만다라〉, 〈서편제〉, 〈취화선〉) 전수일은 실향민이 사라진 고향 집을 찾거나 삶의 의미를 잃어가는 남성이 자기 정체성을 찾아 떠돈다(〈개와 늑대 사이의 시간〉(2007), 〈히말라야, 바람이 머무는 곳〉(2008)). 장률의 영화는 조국을 떠난 자가 동족의 나라에서 이중적 정체성으로 문화적 차이를 야기하고 여행자가 낯선 공간에서 부유하는 행위로 영화적 독창성을 획득한다.

동아시아 디아스포라 영화의 주인공은 낯선 곳을 떠돌거나(〈스틸 라이프〉(지아장커, 2006), 〈개와 늑대 사이의 시간〉, 〈경주〉(장률, 2014), 〈군산:거위를 노래하다〉(장률, 2018)) 누군가를 찾아 나서거나(〈서편제〉, 〈길소뜸〉, 〈여자는 남자의 미래다〉) 여행자가 되어 산책을 하면서(〈경주〉, 〈군산:거위를 노래하다〉) 사건을 만든다. 디아스포라들에게 세상은 모두 타향이며, 낯선 여행지이다.

장률의 영화는 크게 두 갈래로 논의되었다. 가장 많은 평가는 탈북자와 디아스포라를 주인공으로 한 디아스포라의 정체성 입장에서 해석하는 것이다. 두 번째는 작품의 장소성과 미학적 해석이다.

디아스포라의 정체성은 구체적인 이산과 떠돌기라는 문제를 중심으로 논의한 부분과 디아스포라의 확장된 해석으로 구분된다. 전자는 디아스포라의 입장에서 등장인물인 디아스포라에 대한 논의이다. 김태만은 〈망종〉(2006)과 〈경계〉(2007)를 분석하면서 이 작품이 "타인과의 언어적 소통이 단절되어 있어 원초적 고독과 신산함, 경계를 넘나드는 이방인으로서의 불안과 긴장"[2]을 담고 있다고 평가한다. 강성률은 디아스포라의 범주를 확장하여 자본주의의 모순, 여성의 차별적 존재를 디아스포라적 조건을 카메라가 거리를

---

2 김태만, 「재중 코리안 디아스포라의 트라우마」, 『중국현대문학』 54호, 한국중국현대문학회, 2010. 242쪽.

두고 지켜보는 것이 장률 영화의 특징으로 결론지었다.[3] 이와 같은 관점의 연구는 장률 감독의 재중 동포의 정체성이라는 전기적 사실에 의존하는 연구이며 디아스포라의 정제성을 전제로 논의하는 공통점과 한계를 보여준다. 디아스포라의 개념을 보다 확장한 연구는 장수현과 육상효이다. 장수현은 "장뤼의 디아스포라 의식은 현재가 아니라 과거로부터 상상해낸 개인들의 기억에 의존"[4]하고 있다는 입장에서 해석을 확장한다. 육상효는 디아스포라적 스타일을 강조하면서 관찰하는 카메라와 외화면을 통한 디아스포라의 정서와 이데올로기의 표현에 주목하였다. 장률의 영화는 '사건의 핵심 장면을 외화면에서 포착하며 내화면의 중심은 사건의 주변을 담고 사건의 중심은 외화면인 주변으로 전이하여 중심과 주변의 바뀜으로 디아스포라적인 소외의 시선'[5]을 표현한다. 디아스포라의 시선은 외화면을 중심으로 하여 주변과 중심의 바뀜이라는 해석은 장률의 디아스포라 의식이 스타일에 어떤 영향을 주고 있는가에 대한 분석으로 확장한 다. 장소성과 작가의 미학에 대한 논의는 초기 작품과 〈경주〉와 〈춘몽〉(2016) 그리고 〈군산:거위를 노래하다〉에 대한 평가에서 두드러진다. 천진은 민족국가의 내러티브가 아우르지 못한 외부의 파편들이 영화 속에 자리하며 주인공의 장소는 소극적인 부분과 적극적인 양면을 지닌다고 주장한다. 〈망종〉에서 "낡은 집과 순희의 몸은 전지구적 자본의 확산에 휘말린 파편"[6]이며 "그녀의 몸과 삶은 자기 봉쇄적이고 방어적(self-closing and defensive)힘에 지배된 장소에서 붙들려 있지만, 동시에 열린 자세로 탐색하며(outward-looking) 스스로의 장소를 만드는 가능성"[7]으로 읽어낸다. 진성희는 〈춘몽〉의 수색을 통해 낙후된 공간이며 고향이

---

3 강성률, 「떠도는 인생, 지켜보는 카메라 :장률 영화의 디아스포라」, 『현대영화연구』 제11호, 한양대 현대영화연구소, 2011.

4 장수현, 「상상된 기억으로서의 디아스포라 : 장뤼(張律)의 디아스포라 의식과 그 영화적 재현」, 『한민족문화연구』 제41집, 한민족문화학회, 2012. 184쪽.

5 육상효, 「침묵과 부재 : 장률 영화 속의 디아스포라」, 『한국콘텐츠학회 논문지』 vol 9 no 11, 2009.

6 천진, 「파편들의 리듬– 장률 영화의 장소(place) 문제」, 『중국 문학』 제93집, 한국중국어문학회, 2017. 264쪽.

7 천진, 위의 논문, 264쪽.

미지를 재구성하였으며 〈군산:거위를 노래하다〉에서 군산이라는 헤테로토
피아 공간에서 "이방인과 나와의 관계 윤리를 정초하는 데리다의 환대를 상
상할 수 있게 하는 곳이자 타자 중심의 사고가 가능하게 하는 영화적 장소"[8]
로 재현하고 상정했다고 해석하였다. 정은정은 네오리얼리즘의 미학적 측면
에서 장률의 작품을 분석하는 독창적 시각을 보여준다. 이 시각은 장률의 '영
화는 시대와 사회에서 벌어진 일을 기록해야 할 의무'가 있다는 인터뷰를 통
해 동시대 이탈리아 현실을 담아내려는 네오리얼리즘의 입장과 맞닿아 있다.
"사건의 전개가 인과적 연쇄로 이루어지는 것이 아니라 결과들의 우연적 배
치로 이루어진다."[9]는 장률 작품은 바쟁의 우연적 배치를 통한 현실의 재현
가능성과 연관된다. 우연성이 현실의 재현가능성을 높여주지만, 장률의 서사
가 비서사적 경향보다는 심층적으로 정교하게 데칼코마니적으로 구성되었
다는 점은 주목된다.

　디아스포라의 정체성은 장률의 작품을 특징짓는 대전제이다. 그렇다면 디
아스포라들은 그들의 이산적 정서로 떠돌면서 낯선 이주지나 여행지에서 어
디에 정박할 것이며 상실한 고향을 무엇으로 대체하느냐는 질문을 제기할
수 있다. 또한 디아스포라의 행적은 이에 걸맞은 서사를 생성할 것이다. 그들
이 만드는 서사는 장률의 서사로 규정할 만한 특징적 요소를 갖고 있는가에
대해 고찰할 필요성이 제기된다.

　여행자는 여행지에서 자신의 고향을 찾는다. 황지우의 말처럼 "여행지가
고향인 사람은 폐인"이고 그들은 여행지에서 고향을 찾거나 대체 고향인 임
시 거주지를 모색한다. 조국과 민족이 다른 이중의 정체성을 지닌 장률 감독
의 작품 주인공은 대체로 디아스포라이다. 〈경계〉의 순희, 〈이리〉(2008)의 진
서, 〈중경〉(2007)의 중국어 선생님, 〈경주〉의 교수, 〈춘몽〉의 주인공들, 그리

8 　진성희, 「장률(張律)의 〈군산:거위를 노래하다〉를 통해 본 공간의 일상과 환대에 대하여」, 『중국 소설 논
총』 제57집, 2019. 184쪽. 진성희, 「창작 주체의 문화적 위치와 영화 서사와의 관계에 대한 일고찰」, 『비교문화
연구』 제50집, 2018.

9 　정은정, 「네오리얼리즘 미학적 지향에서 바라본 장률의 영화 미학」, 『현대영화연구』 16집, 한양대학교 현대
영화연구소, 2013. 81쪽.

고 〈군산 : 거위를 노래하다〉의 윤영과 송현은 디아스포라의 후예다. 그들은 모두 뿌리내리지 못하고 직업도 모호하고 가족을 잃고 떠도는 디아스포라이다. 장률의 텍스트는 떠돌이의 시선으로 그들이 부유하거나 여행을 하는 장소에 대한 특별한 장소감을 포착한다. 그리고 그들이 대체 고향 만들기를 통해 삶의 구심점을 만든다. 임시거주지라는 집을 중심으로 주변으로 구심점과 원심력 그리고 디아스포라의 대체 고향 만들기는 장률 텍스트의 중심 기둥이다. 또 다른 기둥은 처음과 마지막이 서로 순환하여 맞닿는 순환 서사와 이를 통해 텍스트 내에서 서로 마주 보고 겹쳐지는 데칼코마니 미학이다. 데칼코마니는 텍스트 내의 겹침과 텍스트와 텍스트 사이에서 상호텍스트적으로 확장되어 겹쳐지는 양상으로 나타난다. 떠도는 자들의 고향 찾기와 텍스트의 겹침을 통한 데칼코마니 미학은 장률 최근작인 〈춘몽〉과 〈군산:거위를 노래하다〉의 핵심 영역이다.

2. 집의 구심력과 원심력 : 민박집과 명궁 그리고 고향주막의 장소성

1) 고향과 집의 서사적 구심점

중심이 고향이라면 주변은 타향이고 이주지이다. 고향은 정신의 구심점으로, 여행객과 이주자를 소환한다. 디아스포라가 원심력의 방향이면 고향은 구심점이다. 디아스포라(diaspora)는 씨를 뿌린다는 어원에서 출발하였으며 옥스퍼드 사전에 "바빌론 유수 이후 팔레스타인 밖에서 흩어져 사는 유대인 거류지나 유대인"[10]을 의미한다. 이는 정치적 이유로 고향을 떠나 다른 곳으로 지리적 이동을 하는 거주지와 이주민을 의미한다. 디아스포라는 대체로 지리적 요인과 경제적, 정치적 요인들로 인해 이주한다. 이들은 고향을 향한 그리움이라는 구심력으로 귀향을 갈망한다.

디아스포라는 고대 그리스인들이 식민지를 개척하여 자국민들을 이주시켜 이주와 건설의 의미에서 유대인의 유랑 그리고 전쟁과 기아로 인한 난민

---

10 윤인진, 앞의 책, 5쪽.

과 이주 노동 등 다양한 조건에서 고향과 거주지를 떠나는 인물과 거주지로 스펙트럼이 확장된다. 정치적 이산(離散)은 이념의 차이로 인해 망명하여 출생지로 귀환할 수 없다. 정서적 이산은 자신의 거주지가 어머니 품속 같은 안정된 장소가 아닌 불안정한 임시 거주지로 느끼는 감정이다.

차이밍량의 〈애정만세〉(1994)에서 빈 아파트로 찾아든 시아오 강(이강생 분)은 전형적 정서적 이산자다. 장률의 주인공은 공간의 이주를 통한 공간적 디아스포라가 지배적이지만 정신적 디아스포라도 중첩된다. 그들은 낯선 곳으로 이주와 여행이라는 공통의 모티프로 서사를 진행한다. 주인공들은 정신적 이산으로 인해 모든 장소가 여행지로 변한다. 〈경주〉의 최현에게 춘화는 잃어버린 고향의 맥거핀이다. 최현에게 경주는 여행지이자 고향의 대체 장소이다. 〈춘몽〉의 예리(한예리 분)도 연변에서 온 디아스포라이고 정범(박정범 분)은 탈북하여 고향을 등졌으며 익준(양익준 분)은 고아로 가족이 부재한다. 〈군산:거위를 노래하다〉의 윤영(박해일 분)과 송현(문소리 분)은 재일교포 이사장(정진영 분)의 민박집에 정박한다. 여행지는 디아스포라의 상황을 극대화하지만 동시에 고향 회귀의 욕망을 불러일으킨다. 디아스포라들은 여행지와 거주지에 고향과 집을 생성한다.

〈군산:거위를 노래하다〉의 윤영과 송현은 함께 술을 마시고 충동적으로 군산 여행을 결정한다. 첫 장면에서 윤영과 송현은 군산 터미널에서 나와 군산의 관광 안내판을 바라본다. 군산은 행정 지명의 군산이기도 하지만 영화의 앞과 뒤의 에피소드를 기워주는 누빔점이다. 제목으로 자리한 군산은 윤영과 송현이 술김에 내려온 소도시이지만 윤영의 어머니 고향이라는 비밀이 숨겨져 있다. 군산은 윤영에게 모태이다. 그의 군산행은 자궁회귀와 같은 디아스포라의 무의식적 귀향이다. 고향은 귀환의 구심점이다. 그들은 민박집에 투숙하고 안도한다. 민박집은 윤영과 송현의 임시 거주지이지만 서울에서 부친의 집에 기생하는 윤영에게 안식처이며 이혼으로 집을 잃은 송현에게 고향 같다. 그들에게 민박집은 대체 고향이자 유사가족을 구성하는 집이다. 군산의 민박집은 유대의 둥지이며 서사적 구심점이다.

송현과 윤영은 칼국숫집 명궁에서 주인 백화로부터 민박집을 소개받는다. 그들은 터널을 지나서 민박집에 투숙한다. 장률 감독의 영화에서 터널은 통과제의의 장소이다. 터널의 통과는 충동적 여행객에서 어머니의 고향으로 귀환한 자궁 회귀 서사의 입구로 접어든 것을 의미한다. 이사장은 감시카메라로 두 사람을 살핀 다음 투숙을 허용한다. 송현은 이사장에게 어디서 뵌 분 같다며 친밀감을 표한다. 이 대사는 서울에서 윤영이 송현의 사촌 언니 지영(이미숙 분)을 소개받고 나서 호감을 표시하는 대사와 동일하다. 우회적 호감 표시가 대사라면 성적 호감의 기호는 신체 접촉이다. 윤영은 방에서 송현의 쇄골을 만진다. 인물이 다른 인물의 신체 일부를 만지면서 감정을 표현하는 것은 〈경주〉에서 공윤희가 자신의 남편과 닮은 최현의 귀를 만지는 장면에서 이미 등장했다.

민박집이 군산 서사의 구심점이라면 칼국숫집 명궁은 정신적 안식처이다. 명궁의 백화(문숙 분)는 이만희의 〈삼포가는 길〉(1975)에 출현했던 인물과 동일한 이름인 백화이다. 백화는 〈삼포가는 길〉에서 떠돌았지만 군산에서 정주하고 있다. 이곳은 백화의 정주지이지만 군산에 방문한 이들에게 자신의 숙소로 가는 정류장 대합실과 유사하다. 송현과 윤영도 백화의 칼국숫집에서 이사장의 민박집을 소개받아서 방문했다. 또한 상처로 인해 정신적 디아스포라가 된 인물들에게 정신의 거주지를 마련해준다. 송현은 윤영이 민박집을 떠나고 이사장이 사라진 필름에 대해 의심하여 극도로 상실감을 느끼면서 백화의 명궁으로 찾아간다. 그리고 송현은 백화에게 한잔 하자고 권하고 힘들어하는 송현에게 '허리를 펴고 숨을 깊게 쉬라'고 조언한다. 백화는 정서적 상실감에 빠진 송현을 위로하고 실어증에 빠진 주은과 일본어로 유쾌하게 대화를 한다. 백화의 칼국숫집 명궁은 정신적 디아스포라들에게 정신의 거처이자 치유소이다. 민박집은 공간적 이산자들의 귀환처라면 정신적 이산자들에게 명궁은 어머니의 품이다.

인간은 뿌리를 내리는 주거와 정신의 안정감을 지향한다. 로버트 콜즈는 "뿌리, 소속감, 내 것, 네 것, 우리 것으로 인식되는 어떤 장소를 쟁취하려는 것"[11]을 인간의 본성의 일부로 주장한다. 렐프는 정주하는 것, 뿌리를 내리는 것은 '세상을 내다보는 안전지대를 가지는 것이며, 사물의 질서 속에서 자신의 입장을 확고하게 파악하는 것이며 그리고 특정한 어딘가에 의미있는 정신적이고 심리적 애착을 갖는 것'[12]이라고 했다. 송현과 윤영에게 군산의 민박집은 정신적 애착을 갖는 일시적 뿌리를 내리는 장소로 자리한다. 바슐라르도 집은 "인간에게 안정의 근거와 그 환상을 주는 이미지들의 집적체"[13]라고 했다. 집은 정신적 안정과 공간적 보호소 역할을 한다.

민박집은 주인과 손님이 어우러져 유사가족을 이룬다. 송현은 아내와 사별한 이사장에게 마음이 기울고 민박집 딸은 윤영에게 가족애와 이성애를 동시에 느낀다. 군산의 이미지는 남녀 간의 감정을 드러내기에 적합한 공간이었다는 감독의 연출 의도대로 이사장을 사이에 둔 송현과 윤영의 삼각관계이거나 윤영을 사이에 둔 송현과 주은의 남녀 관계가 형성된다. 하지만 이사장과 송현이라는 부모 세대와 윤영과 주은이라는 자녀 세대로 이루어진 유사가족이기도 하다.

고향상실자의 유사가족 만들기는 〈경계〉에서 이미 그 맹아를 보여주었다. 탈북자 순희와 창호는 몽고의 게르에 도착하여 형가이와 가족처럼 지낸다. 형가이는 창호에게 아버지처럼 자상하게 대하고 순희에게 선물을 한다. 육상효는 "같은 천막 안에서 잠을 자고, 같이 식사를 하고, 같이 필요한 노동을 하는 이들의 모습은 완전한 가족"[14]으로 규정한다. 이사장의 민박집이 디아스포라의 대체 고향이자 유사가족의 집이라는 점에서 〈경계〉의 게르와 〈춘몽〉의 고향주막과 〈경주〉의 아리솔은 같은 계열의 장소다.

〈춘몽〉에서 예리가 운영하는 고향주막은 뿌리 뽑힌 자들이 모여든 곳이다. 이곳에서 예리는 어머니와 같은 역할 하며 세 명의 남자와 친밀감을 형성

---

11 에드워드 렐프, 김현주·김덕현·심승희 역, 『장소와 장소성 상실』 논형, 2005. 95쪽. 재인용

12 에드워드 렐프, 위의 책, 95쪽.

13 가스통 바슐라르, 곽광수 역, 『공간의 시학』, 민음사, 1994. 132쪽.

14 육상효, 「침묵과 부재 : 장률 영화 속의 디아스포라」, 『한국콘텐츠 학회 논문지』 vol 9 no 11, 2009. 167쪽.

한다. 고향주막은 주인 예리에게 생활의 터전이지만 탈북자 정범에게는 남한의 정신적 거주지이다. 〈무산일기〉(박정범, 2010)에서 전승철이 친구의 집에 임시거주하고 노래방에서 임시직으로 일하며 어디에도 뿌리내릴 곳이 없었지만 고향주막에 와서 비로소 환대받고 정주한다. 고아 익준에게 예리 부친은 의사(疑似) 아버지로 자리하고 고향주막은 가족이 살고 있는 집과 같다. 그리고 건물주 아들인 종빈은 고향주막의 소유주이다. 하지만 그는 간질병 환자이며 우유를 먹고 있는 정신적 미성숙으로서 가족과 친구의 유대가 결여되었으며 정신적 디아스포라인 그가 친구를 만나고 좋아하는 예리와 함께 만날 수 있는 정서적 안식처가 고향주막이다. 사회적 타자인 디아스포라들에게 고향주막은 정신적 고향이자 대체 가족을 형성하는 장소이다.

2) 디아스포라의 고향과 가족 생성

장률 감독의 주인공들은 대체로 디아스포라적 경향이 강하며 이로 인해 이들은 고향상실의 결핍을 채워줄 대체 공간을 찾거나 직접 생성한다. 그곳은 〈경계〉에서 게르, 〈경주〉에서는 아리솔 찻집, 〈춘몽〉의 고향주막, 〈군산: 거위를 노래하다〉에서 민박집과 명궁이다. 지리적 이산자와 정신적 이산자들은 장소감을 통해 그들의 정신적 거처를 마련하고 있다. 그들은 이 장소를 구심점으로 하여 경주라는 죽음이 편재된 도시의 이미지를 견인하고 군산이라는 남녀의 자유로운 감정의 교류를 가능하게 하는 장소의 이미지를 서사적으로 담아낸다. 아울러 수색의 공간에서 뿌리 뽑힌 자들의 유대감을 만들어낸다. 고향을 상실하고 정신적 가정이 부재한 이들에게 가정과 같은 친밀함과 유대를 생성해내는 장소는 가정과 유사한 집이다. 이-푸 투안은 가정은 '환자와 부상자가 따뜻한 배려를 받으면서 회복할 수 있는 장소'[15]라고 했다. 여기에 덧붙여 그곳에 귀속된 이들의 특별한 친밀함이 관계의 유대를 강화해준다. 이-푸 투안에 의하면 친밀함은 '진실한 앎과 교환의 순간'에 점화된다.

---

15   이- 푸 투안, 구동회·심승희 역, 『공간과 장소』, 대윤, 2011, 221쪽.

민박집에서 송현과 이사장은 함께 국수를 먹고 사별한 이사장 아내의 사연과 이혼한 송현의 남성에 대한 태도에 대해 대화한다. 이사장에게 송현은 '남자들은 여자들에게 상처 주려고 세상에 온 것 같다'고 말하고 이사장은 상처 주지 않으실 분 같다고 호의적으로 평가한다. 〈춘몽〉에서 예리 주막에 모인 세 사람은 모든 문제를 예리와 상의하고 예리는 사진관 주인에게 "내 남자들"이라고 소개하면서 친밀한 수평적 관계임을 밝힌다.

민박집과 고향주막이 갖는 집의 징후는 첫 번째 친밀감의 생성이다. 이-푸 투안에 의하면 화롯가와 나무의 그늘처럼 "집은 어디서나 인간에게 친밀한 장소"[16]라는 점에서 집이자 고향에 가깝다. 집은 정서적 안식처이며 친밀한 유대가 가능한 장소이다. 이-푸 투안의 예시처럼 테네시 윌리엄스는 〈이구아나의 밤〉(존 휴스턴, 1964)에서 한나의 대사처럼 "나는 집을 두 사람이 공유하는 어떤 것, 감정적으로 말하자면 각자가…(중략)… 둥지를 틀고 쉬고 생활할 수 있는 것"일 수 있다. 한나는 한 인간이 다른 사람에게 안주할 수 있는 정서적 안주처를 제공하면 인간에게 인간은 집이자 고향과 같은 장소가 될 수 있음을 역설한다. 송현은 이사장에게, 주은은 윤영에게 정주하려고 한다. 〈춘몽〉에서 익준과 정범 그리고 종빈은 예리와 감정적 유대를 통해 정박한다. 예술은 일상적인 공간을 특별한 장소로 변화시키며 숙박시설을 가정집으로, 더 나아가서 인간을 집으로 변화시키는 힘이 있다. 예술은 현실을 증식시키고 나무를 집으로, 인간을 감정의 안식처로 창조하고 설득하는 마술적 힘도 지니고 있다.

디아스포라들이 스며드는 곳은 환대를 통해 결핍을 채워주는 집이다. 윤영과 송현은 서울에서 정신적 거처를 상실하고 군산으로 내려간다. 윤영은 가족애가 결여되었으며 송현은 정서적 결핍을 안고 있다. 이사장은 부인과 사별하였고 송현은 남편이 부재한다. 윤영은 부친과 거주하지만 가족의 귀속감이 결여되어 모두 결핍을 명찰로 달고 있다. 가족의 유대감 결핍은 민박집의 유사가족 형성 동인이다.

유사가족은 불균질적이고 불안정하며 갈등도 노출된다. 윤영은 송현에게

---

16 이-푸 투안, 위의 책, 237쪽.

감정적으로 기울고 송현은 이사장에게 호감을 보이며 주은은 윤영을 특별하게 느끼면서 서로의 감정 방향이 엇나간다. 서로의 감정이 엇갈리면서 윤영은 송현에게 '누나는 되고 나는 왜 안돼'라며 주은과 자신의 관계를 오해하는 것에 대해 항의한다. 이들 디아스포라들이 민박집으로 거슬러 왔지만 정서적 안정감과 환대에 도달하지 못하는 거리감을 환기한다. 그럼에도 불구하고 민박집과 명궁은 그들에게 대체 가족의 장소로 일정한 역할은 수행한다.

〈춘몽〉에서 고향주막은 고향이라는 이름처럼 정신의 고향을 상실한 떠돌이들에게 정신적 고향이다. 이곳은 그들이 모두 동경하는 고향처럼 그들이 좋아하는 여성이자 어머니와 같은 예리가 존재한다. 심지어 동성을 좋아하는 주영이도 예리가 있는 곳에 머문다. 인물은 이곳에서 나갔다고 다시 흘러든다. 이들은 터널을 지나 다른 공간에서 영화를 감상하고 나서 다시 둥지로 돌아오는 새처럼 고향주막으로 돌아와서 하루를 마감한다. 휠체어에 앉아 있는 예리의 부친은 세 명의 남자들에게 부재하는 가장의 표상이자 상징적인 가장의 자리에 있다. 익준은 예리 부친에게 장인어른이라고 호칭하고 종빈은 무능한 아버지를 질타하면서 가부장에 대한 적대적 태도를 보여준다. 그들에게 예리의 부친은 가부장이라는 이름의 존재이다. 그들은 고향주막이라는 상징적 고향, 정신적 고향이라는 장소를 공유하고 상징적 아버지로 예리 아버지를 공유한다.

고향은 오랜 전통이 쌓인 토속성과 뿌리내림으로 이루어진다. 종족의 순수성과 토속성 그리고 과거에 대한 기억이 고향을 이룬다면 디아스포라는 이주성과 배타적 이질성 그리고 뿌리 뽑힘이 특징이다. 공간적 이동으로 인한 디아스포라는 여행지라는 낯선 장소에서 친밀감과 유대를 통해 토속성과 정서적 동질성 그리고 정신적 뿌리내림을 시도한다. 윤영은 어머니의 고향이라는 토속성과 이사장도 아내의 고향이라는 기억으로 군산이라는 장소성의 회복을 지향한다. 하지만 그들에게 군산은 토속성도 뿌리내림도 허용하지 않는다. 다만 디아스포라의 고향 찾기라는 욕망은 상호 친밀성과 뿌리 뽑힘에 대한 연대로 장소를 고향으로 전이시킨다.

송현과 이사장, 예리와 그의 친구들은 모두 친밀감을 통해 특정 장소를 가정으로 변모시키고 고향과 같은 의식적 장소성을 창출해낸다. 이 지점이 장률 디아스포라의 독창적인 지점이다. 그들은 자신들의 뿌리 뽑힘에 대한 대안으로, 대항으로 유목적인 도시와 공간에서 정서적 정주할 터전을 마련한다. 이는 친밀감과 상호 연대를 통한 정신적 집의 재건이 정서적 고향의 회복이자 발견으로 귀결된다. 또한 이 집은 주인공들이 모이고 흩어지면서 서사가 분기되고 결집된다. 예술적으로 회복한 고향은 뿌리 뽑힘에 대항하여 친밀성 회복을 통한 정서적 둥지이다. 상징적 장소감 획득으로 고향을 회복하고 친밀함으로 유사가정을 재건한다. 장소는 일차적으로 서사적 구심점이며 인물들의 대화의 소통과 상호 유대감으로 형성하는 친밀한 둥지이다. 이는 현대인의 생존 조건과 감정 구조의 핵심과 맞닿아 있다. 선험적 고향을 상실한 현대인은 모두 정신적 디아스포라이자 고향과 가정을 떠난 떠돌이이다. 정서적 정주처가 부재한 도시인과 현대인의 고향상실 그리고 소통 부재로 인한 친밀감 훼손은 가족 만들기와 고향 찾기의 욕망을 생성한다. 주인공의 친밀감과 상호 연대를 통해 집(가정)을 회복하는 행위는 집의 부재와 고향상실의 실존적 상황에 대한 예술적 대응이다. 장률의 영화는 현대인의 내면을 가족 만들기와 고향 찾기를 통해 표상한다.

그렇다면 장률의 고향 찾기가 궁극적으로 지향하는 지점은 무엇인가. 들뢰즈는 프루스트에 관한 글에서 "예술작품은 '잃어버린 시간을 되찾는 유일한 방법'으로 예술작품은 최고의 기호들을 지니고 있으며 그것의 의미는 진정한 영원, 절대적인 시간 속에 있다"[17]고 결론 지었다. 작품은 근원적인 시간과 영원을 찾는 것이다. 장률의 고향 찾기는 프루스트의 잃어버린 시간 찾기의 행보와 크게 다르지 않다. 군산의 민박집과 수색의 고향주막은 하나의 상징이며 고향의 이미지라는 본질을 두껍게 감싸고 있는 영화적 움직임이다. 예술이 들뢰즈의 표현대로 "본질로 감싸인 세계 속에서 생성하는 시간"을 보여준다면 장률의 영화는 "장소로 감싸여진 공간 속에서 비가시적으로 존재

---

17   질 들뢰즈, 서동욱·이충민 역, 『프루스트와 기호들』, 민음사, 2019. 81쪽.

하는 근원적인 고향과 집"을 사유하게 한다. 고향을 잃어버린 디아스포라들의 고향 찾기는 고향의 본질에 대해 질문하고 고향에 대한 이미지를 통해 그 이미지에 뒤덮인 고향과 선험적 고향상실한 내면을 되돌아보게 한다. 영화 예술은 장소의 이미지로 감싸진 근원적 고향을 프레임으로 소환하고 사유의 거울에 재배치한다. 장률의 영화가 비가시적으로 가시화한 것은 대체 고향 이미지가 아니라 장소의 이미지 안에 둘러싸여서 감추어진 고향의 본질, 고향의 근원성이다. 우리 모두는 디아스포라이며 어떠한 장소도 인간의 성찰적 사유와 예술적 실천에 의해 고향이 될 수 있음을 역설한다.

3. 데칼코마니(décalcomanie)의 미학 : 작가 스타일의 데칼코마니와 상호텍스트적 데칼코마니

초현실주의는 무의식과 꿈을 예술로 소환하기 위해 언어의 자동기술법을 사용한다. 의식과 문법의 이름으로 허용된 것보다 배제된 것을 이끌어 내는 방법이다. 초현실주의 기법 중에서 데칼코마니는 한쪽의 종이 위에 물감을 칠하고 종이를 겹쳐 좌우대칭을 이루게 한다.

데칼코마니(décalcomanie)는 유리판에 수분이 흡수되지 않는 종이 위에 물감을 묻히고 다시 종이를 대어 형태를 만들어 내는 수법이다. 또는 한쪽에 물감을 바르고 종이를 겹쳐서 형상을 만들어낸다. 좌우와 유리판 위의 물감이 번져서 작품을 완성한다. 좌우에 유사한 색과 형상이 존재하고 서로 마주 보고 겹치는 대칭의 멋을 보여준다.[18] 장률의 영화는 1부와 2부가 물감처럼 대칭되고, 한 텍스트에 다른 텍스트의 여러 요소가 콜라주 되어 텍스트의 주제나 감성을 묻어나게 한다. 작가의 인장이 묻어나 1부와 2부가 겹치는 것을 작가 스타일의 데칼코마니로 명명하고 한 텍스트에 다른 텍스트의 장면과 주제가 배어있는 것을 상호텍스트적 데칼코마니로 구분한다.

장률의 〈군산:거위를 노래하다〉는 군산에서 일어난 전반부와 서울을 배경

---

18 매슈 게일, 오진경 역, 『다다와 초현실주의』, 한길아트, 2001.

으로 한 후반부가 시간의 역순으로 데칼코마니 서사를 구성하게 한다. 제라르 주네트(Gérard Genette)는 '이야기와 담화가 같은 순서를 지니는 정상적인 연쇄와 회상 장면과 예시적 장면으로 시간의 순서가 뒤섞인 시간 착오적 연쇄'[19]로 구분하였다. 이 구분에 따르면 장률의 서사는 시간 착오적 연쇄에 속하지만 보다 더 엄밀하게는 전반부와 후반부가 맞물리고 서로 겹치는 데칼코마니 서사에 부합한다.

장률의 서사에 대해 정은정은 "사건의 전개가 인과적 연쇄로 이루어지는 것이 아니라 결과들의 우연적 배치"[20]로 파악하면서 우연적 배치는 '각각의 장면이 서사나 의미로부터 자유로워지게 되며 결과적으로 현실이 있는 그대로의 모습'을 제시할 가능성이 더 넓어진다고 했다. 하지만 장률의 서사는비서사이기보다는 교묘하게 순환되고 전후가 호응하는 데칼코마니 구조로 이루어져 해석의 가능성을 열어준다.

서사적 반복으로 마지막과 처음 시작이 고리처럼 연결되는 순환적 구조는 대사나 행위, 작가의 다른 텍스트로 확장하여 상호텍스트적 데칼코마니 구조라는 장률의 서사적 특징으로 귀결된다. 장률의 데칼코마니 미학은 〈필름시대사랑〉(2015)에서 맹아가 보인다. 1부 '사랑'과 3부 '그들'은 인물의 등장과 부재로 겹친다. 2부 '필름'에서 보르헤스의 『만리장성과 책들』이 인용되고 진시황의 분서갱유를 암시하는 분서장면이 등장한다. 보르헤스는 「끝없이 두 갈래로 갈라지는 길들이 있는 정원」에서 '마지막 페이지와 첫 페이지가 동일해 무한히 계속될 수 있는 그런 책'[21]을 꿈꾼다. 여기서 마지막 페이지와 첫 페이지가 동일하다는 것에서 처음과 끝이 다시 만나는 순환서사의 형식과 유사성을 확인할 수 있다. 〈필름시대사랑〉이후 장률의 서사는 데칼코마니 미학을 수용하고 있으며 이는 보르헤스와 관련성을 짐작해볼 수 있다.

〈군산:거위를 노래하다〉는 작가 스타일이 텍스트 내부에서 데칼코마니로

---

19 시모어 채트먼, 김경수 역, 『영화와 소설의 서사구조』, 민음사, 1995. 75쪽.

20 정은정, 앞의 논문, 81쪽.

21 호르헤 루이스 보르헤스, 송병선 역, 『픽션들』, 민음사, 2011. 159쪽.

콜라주 되거나 다른 텍스트가 인용된다. 〈춘몽〉은 감독과 다른 영화 그리고 소설의 텍스트를 인용하거나 참조한다.

데칼코마니로 에피소드가 겹치는 경우는 〈군산:거위를 노래하다〉에서 군산과 서울 시퀀스이다. 〈군산:거위를 노래하다〉는 주인공이 낯선 장소에서 누군가를 만나 사건이 발생하고 떠나는 장률의 심층 서사를 근간으로 한다. 〈춘몽〉은 중국에서 아버지를 찾아온 온 한예리가 한국에 머물면서 세 친구를 만나고 세상을 떠나는 이야기다. 〈군산:거위를 노래하다〉의 1부는 윤영과 송현이 군산의 민박집에 머물다 서울로 돌아가는 이야기다. 2부는 서울에서 윤영이 송현을 만나서 군산으로 떠나는 서사다. 만남과 사건 그리고 떠남의 구조를 반복한다. 〈경주〉도 북경대 교수가 아리솔 주인과 그녀의 친구들을 만나 하룻밤 경주에서 지내면서 죽음을 목격하고 떠나는 서사다.

1) 작가 스타일의 데칼코마니

장률의 〈춘몽〉은 1부와 2부 사이에 대사와 이미지로 대칭된다. 〈춘몽〉은 다른 작품과 데칼코마니 되어서 상호텍스트성으로 해석 가능하다. 장률의 작품은 1부와 2부가 좌우대칭으로 데칼코마니되거나 1부 내에서 서로 대사와 행위가 겹치는 이중의 데칼코마니이다.

장률의 작가적 데칼코마니는 왜 반복되는가. 〈필름시대사랑〉의 1부 '사랑'과 3부 '그들'은 반복되지만, 3부에서는 〈살인의 추억〉(봉준호, 2003)과 〈박하사탕〉(이창동, 1999)의 장면이 추가된다. 이 작품의 형식은 이후 〈춘몽〉과 〈군산:거위를 노래하다〉에서 데칼코마니의 서사로 발전한다.

데칼코마니 미학은 전반부와 후반부, 꿈과 현실이 반복된 장면과 행위로 누빔점을 만든다. 행위나 대사 그리고 인물의 반복은 서사적 리듬과 씨뿌리는 장면과 씨 거두는 장면으로 호응된다. 〈춘몽〉에서 행위와 인물이 반복하여 리듬을 만든다. 정범은 체불임금을 받기 위해 사장의 차 옆에서 90도로 인사한다. 역술인(강산에 분)도 두 번 등장한다. 1부에서는 예리에게 '아빠는 오래 산다'고 예언을 하며 두 번째는 예리에게 '안녕하지 못하다'고 말하면서 예리의 건강 이상과 죽음을 암시한다. 골목에서 내려온 휠체어를 탄 예리 부친과 휠체어가 내려온 장면도 반복된다.『북간도』를 읽는 예리와 이백의 시를 읽는 예리 그리고 자신의 자작시를 보이스오버로 읽어주는 주영의 행위도 반복된다. 인용된 문학작품은 모두 실향민의 그리움을 담고 있다. 안수길의『북간도』는 구한말 북간도에 이주한 이주민의 생활을 보여주며, 이백의「정야사」는 "고개 들어 달을 보다 /고향 생각에 고개 숙이네"의 구절처럼 향수를 주제로 한다. 주영의 자작시도 "오래전 당신은 고향을 떠났습니다. 돌아오라고 손짓하던 고향은 당신 대신 늙어가고 있어요. 백두산이 슬픔으로 반백이 되고 천지 안의 눈물이 마르기 전에 당신을 그것에 데려다주고 싶어요"이며 고향을 떠난 예리의 상황과 예리를 향한 주영의 마음이 담겨있다. 소설의 낭독과 시의 낭송은 인물의 디아스포라의 감정을 대변하며 내용은 고향상실의 정서를 담고 있다.

가구에서 인물이 나오는 행위는 죽음과 관련된다. 처음에 노인이 가구에서 나오고 나중에는 예리가 가구에서 나온다. 예리는 욕조로 들어간 다음 가구 안으로 들어가면서 자신의 유택으로 향하는 의지와 죽음을 예시한다. 밤중에 욕조로 들어간 장면과 가구 안에서 나오는 장면 그리고 춤을 추고 이곳에서 다른 곳으로 떠나는 여행은 죽음의 이미지로 반복된다. 유사한 행위의 반복은 예리의 죽음으로 마침표를 찍는다.

〈군산:거위를 노래하다〉에서 군산에 도착한 두 인물이 감정의 동요를 겪고 상경하여 치통으로 인해 약국에 들르고 치과에 방문한 장면이 1부이다. 2부는 약국에 들러서 약을 사는 장면에서 시작하여 군산 여행을 떠나는 장면에서 마무리된다.

1부에서 민박집에서 윤영은 송현의 쇄골을 만지고 다시 주은은 윤영의 손을 끌고 가서 자신의 쇄골을 만지게 한다. 송현은 밀실에서 이사장을 만지려다 멈춘다. 서울의 술집에서 윤영은 송현의 얼굴을 만지면서 신체접촉은 사랑의 기호로 정박한다.

윤동주 시인은 중요한 인물로 반복된다. 1부에서 민박집 사장은 윤동주가 투옥된 후쿠오카에서 왔다. 2부에서 윤영 집의 가사 도우미 윤순희는 윤동주의 고향인 연길 명동촌 출신이다. 두 사람 모두 윤동주와 연관된 장소에서 한국으로 이주했다. 윤동주의 기념관에서 서시가 낭송되고 윤동주가 살아있다면 조선족이라는 자조적인 대화도 나눈다. 서사는 시간의 선형적 순서로 보면 서울이 먼저이고 서울에서 취한 두 남녀가 도착한 군산이 다음이다. 하지만 영화에서는 순서가 뒤 바뀌어 처음 장면과 마지막 신이 서로 만나는 순환 서사다. 이와 같은 서사는 〈이리〉와 〈춘몽〉도 유사하다. 순환 서사는 "오프닝 이미지 또는 오프닝 크레딧이 영화 줄거리의 중반 또는 마지막에 반복적으로 이어지는"[22]형식이다.

행위의 데칼코마니는 108배 동작이다. 1부 군산에서 송현은 이사장에게 108배 하는 법을 알려준다. 윤영은 송현을 찾다가 집과 집 사이 공간에서 108배 하는 두 사람을 목격한다. 2부 서울에서 송현은 중국집에서 윤영에게 108배를 알려준다. 윤영은 「거위(詠鵝)」라는 시를 읊으며 거위춤을 춘다. 108배 행위는 1부와 2부를 중첩하는 행위이다. 송현의 108배를 가르쳐주는 행위는 이성에 대한 호감의 표명이며 대사는 '어디서 본적이 있다'이다.

오해 장면의 반복은 웃음과 긴장의 리듬을 연출한다. 웃음과 긴장은 영화적으로 이완된 리듬과 서사적 흐름에 작은 강조점을 찍는다. 오해 장면은 타인에 의한 오해와 주인공의 오인으로 나눌 수 있다. 윤영은 민박집에서 송현과 이사장의 숨소리를 듣는다. 그는 두 사람의 사랑 행위를 상상한다. 하지만 다음 컷에서 윤영이 목격한 것은 108배 하는 두 사람의 모습이다. 결국 윤영의 오해였던 것이다. 타인에 의한 오해는 명궁 장면에서 출발한다. 아침 식사를 마친 남녀가 민박집을 묻자 명궁 칼국수의 주인 백화는 두 남녀가 사랑을 나누고 싶은 공간을 찾는 연인으로 오해한다. 백화는 '젊으니까 좋다'라고 말한다. 송현은 부끄러워하며 부정한다. 사실은 그들은 사랑을 나눌 곳보다는 군산에서 휴식을 위한 숙소를 찾고 있었다. 하지만 백화는 확신한다.

또 다른 오해 장면은 가사도우미 순희의 신분을 확인하는 상황이다. 이 장

---

22 피종호, 『포스트모더니즘 영화미학』, 한양대학교출판부, 2013. 167쪽.

면은 전체적인 서사에서 인과성을 배제하고 가장 독립적으로 삽입된 장면이다. 편집의 인과성을 무시하고 윤순희의 신분에 대한 설명과 한국인의 조선족에 대한 이중적 태도를 꼬집으려는 감독의 의도가 드러난다. 윤영은 우편물을 가사도우미 순희에게 전한다. 윤영은 발신지의 주소가 용정시 명동촌이어서 혹시 윤동주 시인이 태어난 곳인지 묻는다. 순희는 윤동주 시인이 증조할아버지 사촌이며 자신의 순희라는 이름도 윤동주의 시구절에서 따왔다고 한다. 윤동주 시인에 대한 관심이 많은 윤영은 반가워서 순희의 손을 잡는다. 그때 외출에서 돌아온 아버지가 후경에서 이들을 오해의 시선으로 바라본다. 윤영의 부친은 윤영의 행위를 순희에 대한 애정표현으로 오해한다. 오해 장면을 통한 희극적 상황도 데칼코마니된다.

또 다른 영화적 데칼코마니 미학은 미장아빔 서사다. 〈군산:거위를 노래하다〉는 다섯 장의 사진이 미장아빔으로 배치되어 과거의 시간을 환기하고 데칼코마니된다.

윤영은 방에서 다섯 장의 사진을 바라본다. 이 사진들은 이후 영화의 장면을 통해 인화가 되듯이 서사 속에 배치된다. 사진은 칼국숫집 명궁과 정원의 거위 그리고 대나무 숲의 사진과 골목길을 가로지르는 경암동 철길과 폐허의 내부다. 영화는 군산이 서울의 사건을 환기시켜주듯이 사진의 기억을 영화가 하나하나 복기하듯이 풀어낸다. 다섯 장의 사진이 에피소드의 장소로 배치되어 서사를 방사형으로 풀어나간다.

칼국숫집 명궁은 송현과 윤영이 군산에서 처음 방문한 음식점이며 힘들 때 찾는 집이다. 그곳은 민박집을 소개하고 마음의 상처 입은 송현이 위로받기 위해 스며든 곳이다. 대나무 숲은 송현이 예불을 드리는 사이 윤영이 숨은 곳이며 거위의 정원은 윤영의 부친이 거위의 이름을 부르며 모이를 주는 장소다. 윤영의 부친은 거위를 영아라고 부르면서 가족의 유대 상실감을 가족 같은 거위에게 위로받는다. 군산의 명소인 경암동 철길과 폐가는 여행자의 낯선 정서와 닮았다. 다섯 장의 사진은 미장아빔으로 배치되어 서사를 분기하며 장소성을 부여한다.

〈춘몽〉에서 사진은 이별과 죽음의 이미지다. 사진은 과거 완료형이자 시간의 흔적과 지나간 시간이라는 죽음의 이미지로 의미론적 데칼코마니를 만든다. 사진은 과거의 시간을 봉인하고 과거를 소환한다. 현재의 시간에서 과거의 풍경은 존재했었다는 증명서이다. 장률의 영화에서 사진은 부재와 죽음의 이미지와 밀착된다. 죽음과 의미론적으로 근접한 사진은 예리의 영정사진이자 독사진이다. 예리의 영정사진은 예리의 죽음을 직접적으로 현시한다. 이 사진은 세 친구와 방문한 사진관에서 찍었던 것이다. 예리의 영정사진은 예리의 부재를 환기하고 죽음을 명시한 구체적인 증거물이다. 예리의 죽음은 고향주막에서 예리의 춤과 사진 속 인물의 당도를 통해 영화적으로 표현된다. 고향주막에 방문한 남성은 맥주를 시키고 음악을 원한다. 그리고 그 음악에 맞추어 예리는 춤을 준다. 고향주막에서 예리의 춤은 현실에서 비현실의 세계로 접어드는 통로이다. 옥상장면에서 춤추는 예리는 카메라가 360도 팬하자 혼자 평상에 앉게 된다. 춤은 현실에서 다른 장소와 시간으로 떠나게 하는 매개물이다. 춤은 삶의 공간에서 죽음과 환상의 공간으로 이끈다. 춤은 고향주막을 공연의 공간으로 변모시키기도 하지만 동시에 삶의 자리(이승)에서 죽음의 지대(피안)로 출항하는 여객선의 기적소리와 같다. 예리는 춤을 통해 피안으로 떠나고 죽음으로 안내한 남자도 춤을 추면서 동행한다. 남자가 먼저 문을 열고 나가자 예리도 고향주막의 문을 열고 따라간다. 예리가 떠나자 문의 종소리에 따라 외화면에서 오토바이 소리가 들리면서 예리의 떠남을 암시한다. 죽음은 예리의 문을 열고 나감과 오토바이의 떠남이라는 행위의 연쇄로 암시된다. 남자의 등장은 이질적인 남성과 죽음의 상황이 주는 이질성과 조응한다. 장률 감독은 '죽음 이전에 무슨 전조가 보이며 죽음은 일상적인 상황이나 조건이 이질적인 상황으로 바뀌는 경험과 유사하다'[23]고 설명했다. 이 이질성은 차안에서 피안으로 떠나는 죽음을 야기하는 이질성이다. 잘생긴 남자의 등장으로 야기된 고향주막의 긴장과 이질성은 평온한 삶을 교란하는 낯선 죽음에 대한 징후와 닮았다. 남자의 등장은 예리의 휴

23 문관규, 장률 감독 대담, 장소 부산대 인덕관, 2019. 6월 12일.

대폰 속의 사진으로 예견되었으며 예리의 사진 촬영과 낯선 남자의 방문은 예리의 죽음이라는 사건으로 귀결되는 사진 이미지의 데칼코마니이다. 세 친구의 기념촬영은 예리의 떠남을 예견하는 송별 사진이며 휴대폰 속의 사진도 죽음과 이별의 기호이며 이는 의미론적 데칼코마니이다.

2) 상호텍스트적 데칼코마니

상호텍스트성은 해석의 중심을 작가에서 관객에게 이동시킨다. 관객은 해석의 주도권을 통해 해석의 다양성을 열어간다.

장률의 텍스트 사이의 데칼코마니는 오해의 반복을 들 수 있다. 〈군산:거위를 노래하다〉에서 송현은 거리에서 만난 행인이 그녀를 순희로 오해한다. 송현은 부인하지만 재중동포는 우긴다. 결국 송현의 목에 점이 없음을 확인하고 오해가 판명된다. 이 장면은 송현이 2부의 음식점에서 조선족 종업원에게 스스로 조선족 연기를 했던 행위와 호응한다. 닮은 사람의 오해는 〈춘몽〉에서 반복된다. 정범은 닮았다는 이유로 행인을 구타한다.

〈군산:거위를 노래하다〉에서 윤영은 어디서 만난 것 같다는 말을 반복한다. 1부의 마지막 시퀀스인 서울 장면에서 약국에서 만난 한예리에게 전하는 말이다. 약국에서 한예리에게 하는 대사는 〈필름시대사랑〉과 연관된다. 윤영은 〈필름시대사랑〉에서 촬영 현장의 조명 스태프로 등장하며 약사인 한예리는 그 영화 속 영화에서 문병객이다. 텍스트와 텍스트 사이를 연결하면 박해일은 이미 다른 작품에서 한예리를 본 적 있다. 〈필름시대사랑〉의 제3부는 〈살인의 추억〉 속 피의자인 박해일을 통해 〈필름시대사랑〉에서 일어난 살인 사건을 취조한다.

상호텍스트적 데칼코마니 장면은 〈춘몽〉의 신민아 방문에서 흥미롭다. 신민아는 〈경주〉에서 자신을 좋아했던 경찰 영민과 함께 정범을 방문한다. 〈군산:거위를 노래하다〉에서 칼국숫집 명궁에는 〈삼포가는 길〉(1975)의 백화가 술을 마시고 있다. 이만희의 〈삼포가는 길〉은 술집에서 일하는 백화(문숙 분)가 정 씨와 영달과 동행하다가 대합실에 혼자 남겨진다. 백화는 그들에게 삼포로 동행하고 싶은 의사를 전달하지만 거절당하고 그녀의 이름이 '백화가 아니고 점례예요'라고 말한다. 두 남자가 떠나고 나서 백화는 대합실에서 창밖을 바라본다. "대합실 창밖으로 술집간판이 흐릿하게 보인다. 여자는 창밖을 보면서 씽긋 웃는다."[24] 〈삼포가는 길〉의 마지막 장면에서 감천역의 대합실에 남겨진 백화가 군산의 명궁에서 칼국숫집을 운영하고 있다. 백화는 명궁에서 혼자 술을 마시며 손님을 대합실의 역장처럼 맞이한다. 문숙은 〈군산:거위를 노래하다〉에서 백화라는 이름을 쓴다. 〈삼포가는 길〉과 관련성을 드러낸다.

〈춘몽〉에서 병에 걸려 약을 먹는 예리는 〈군산:거위를 노래하다〉에서 약국에서 약사로 등장하여 윤영에게 치통약을 준다. 강미자 감독의 〈푸른 강은 흘러라〉(2008)에서 예리는 교실에서 윤동주의 「서시」를 낭독하며 〈춘몽〉에서 예리는 안수길의 『북간도』와 이태백의 시 「정야사(靜夜思)」를 낭송한다. 행위의 반복은 서로 다른 텍스트에 등장하면서 작가적 기표가 예술적 기의를 만들어낸다.

〈이리〉, 〈필름시대사랑〉 그리고 〈군산:거위를 노래하다〉와 〈춘몽〉에서 주인공들은 모두 터널을 지나서 다른 공간으로 이동한다. 터널을 통과한 그들은 새로운 상황과 사건을 대면한다. 〈군산:거위를 노래하다〉에서 윤영은 터널을 지나 섬으로 향한다. 〈필름시대사랑〉에서 촬영장에서 필름을 훔친 박해일은 터널을 지나서 잠실 탄천으로 간다. 그곳에서 그는 행인에게 사랑에 대한 대화를 나누고 마임으로 기타를 연주한다. 기타 연주는 〈필름시대사랑〉의 예리 할아버지 안성기가 마임으로 연주하는 것의 변주이다.

영화와 영화가 아닌 영화와 문학 텍스트의 인용을 통한 데칼코마니도 두드러진다. 대표적인 텍스트가 당시(唐詩)이며 첫 장편 영화 제목도 〈당시〉(2004)이다. 이 작품에는 수 편의 당시가 자막으로 등장한다. 두 번째 작품인 〈망종〉에서도 창호와 아이들이 이태백의 시를 낭송한다. 〈경주〉에서는 봉자개 그림에 시 구절이 등장하며 〈춘몽〉에서는 이태백의 시를 낭송하고 〈군산:거위를 노래하다〉에서 낙빈왕의 「거위(詠鵝)」를 낭송한다.

---

24 유지형, 『영화감독 이만희』, 다빈치, 2005, 260쪽.

윤영은 거위춤을 추면서 낙빈왕의 「거위」를 낭송한다. 108배와 윤영의 춤으로 연래춘은 중국 음식점에서 예술적 장소로 탈바꿈한다. 예술이 일상의 장으로 삼투하여 장소의 전환을 이루는 일상적 장소의 예술화이다. 바슐라르는 독서체험을 통해 영혼의 울림을 경험할 수 있다고 했다. 독서체험으로 도달한 영혼의 울림은 존재의 전환을 초래한다. 바슐라르의 울림은 '우리들로 하여금 우리들 자신의 존재의 심화'[25]에 이르게 한다. 춤은 중국집과 옥상이라는 장소를 통해 예술의 심화를 야기한다. 장소의 정체성 전환과 예술의 장소로 탈바꿈은 영화적 표현의 현현으로 성취된다. 춤은 장소감 획득과 영화적 표현을 팽창하는 촉매제이다.

춤으로 장소의 예술적 전환을 보여준 사례는 〈군산:거위를 노래하다〉의 연래춘 장면과 〈춘몽〉의 옥상 장면 그리고 영상자료원에서 쫓겨난 예리가 거리의 거울을 보면서 춤추는 장면을 들 수 있다. 옥상 장면은 옥상의 평상에서 네 사람이 술을 마시고 예리는 갑자기 일어나 춤을 춘다. 세 명의 남자는 술을 마시면서 예리를 바라본다. 예리의 춤은 영상자료원에 나온 후 거리의 거울을 보면서 추는 장면에 등장한다. 이 춤은 현실에서 다른 곳으로 이동과 정서적 전환을 보여준다. 옥상에서 예리가 춤을 춘 다음 자리에 돌아오자 세 친구가 이미 사라졌다. 사라진 친구들은 영화의 마지막 시퀀스에서 포커스 인으로 등장한다. 예리가 낯선 남자와 함께 떠나고 예리의 영정사진으로 전환된다. 흑백이 서서히 칼라로 바뀌면서 세 친구가 앉아 있으며 우유와 소주 한 병을 세워두고 있다. 옥상에서 술을 마셨던 사실은 그들의 남긴 술과 안주로 표상되며 그들은 사라진 다음 시간과 공간이 점프되어 등장한다. 그들은 시간과 공간의 이동을 예리의 춤으로 실현한다. 춤은 막과 같은 역할을 하며 영화적 시간과 공간으로 들어가는 통로이다. 이 장면은 장률 감독이 예술적 사유를 실천하는 진면목을 드러낸다. 꿈과 현실의 경계가 없는 것이 아니라 춤을 통해 영화적 현실과 꿈을 데칼코마니 한 것이며 그 경계선은 춤이다. 춤은 현실에 대한 냉정한 직시 보다는 삶의 망각을 통한 새로운 세계를 개진하고

---

25 가스통 바슐라르, 앞의 책, 18쪽.

영화의 영토를 또 다른 우주로 확장한다. 거장의 징후는 기존의 언어와 관습적 표현의 세계에서 균열을 내고 그 틈으로 창조적 세계를 열어간다. 이 세계는 창조적 언어와 심오한 모호성이 예술의 이름으로 발자국을 남긴다. 예리와 윤영의 춤으로 새로운 장소가 열리고 영화적 현실이 팽창하고 예술의 장이 증폭된다. 이 장면은 예술의 장과 영화적 현실의 출현으로 영화적인 것의 현현으로 감독의 독창성을 극대화한다. 이것은 데칼코마니 미학을 통한 시공간의 확장과 춤의 개입을 통한 영화적인 것의 현현으로 집약된다. 영화적인 것은 존재로 불리기도 하고 기호로 불리기도 하고 프랑스에서는 시간으로 이름짓기도 하다. 결국 모두 예술의 우주이며 영화라는 또 다른 위성의 영토에 대한 서로 다른 모국어들이다.

4. 영화적 시공간의 확장과 예술의 현현

장률의 〈춘몽〉과 〈군산:거위를 노래하다〉의 등장인물은 디아스포라적 정서가 농후하다. 그들은 정주처가 없으며 심지어 경제적인 안정을 찾을 수 있는 직업도 모호하다. 그들은 정주지와 가족이 부재한 전형적 디아스포라이다. 장률의 텍스트의 특징은 디아스포라들이 장소성 상실을 대체할 고향과 유사가족 만들기의 시도이다. 이들은 군산을 여행하거나 수색에 거주하거나 민박집과 고향주막이라는 임시거주지를 마련하고 유사가족을 형성하여 정박한다. 그들은 여행을 통해 유대감과 환대를 회복하여 상실한 고향의 복원과 유사가족이 머물 집을 찾는다. 그 집은 민박집과 명궁 그리고 고향주막이다. 이와 같은 집은 서사의 구심점이 되어 떠나거나 돌아오면서 중심 장소로 자리한다. 이 지점은 기존 장률의 디아스포라 연구의 공백으로 남겨진 부분으로 여겨진다.

또한 순환 서사를 통해 처음과 끝의 장면이 서로 맞물리면서 포스트모던 서사를 구성하며 동시에 앞 에피소드와 뒤 에피소드의 누빔점이 행위와 대사 그리고 텍스트의 삽입으로 만들어내는 데칼코마니 미학을 보여준다. 1부와 2부가 서로 마주 보고 겹쳐지는 데칼코마니 서사는 장률의 작가적 낙인이며 동시에 텍스트와 텍스트를 서로 연결하면서 의미적 층위를 두텁게 하고반복의 리듬도 만들어낸다. 데칼코마니는 텍스트 내의 겹침이라는 작가적스타일의 데칼코마니와 텍스트와 텍스트 사이에서 상호텍스트성으로 결합하는 상호텍스트적 데칼코마니로 양분된다. 떠도는 자들의 고향 찾기와 텍스트의 겹침을 통한 데칼코마니 미학은 보르헤스의 영향으로 여겨지며 장률의 정서와 미학적 핵심이다. 〈춘몽〉과 〈군산:거위를 노래하다〉는 데칼코마니미학을 통해 서사적 리듬 형성과 춤의 개입으로 인한 영화적 시공간의 확장그리고 예술적 장소의 현현이라는 진풍경을 프레임에 선적한다.

금정산 아래에서 영화를 바라보면서 살아온 바보는 이렇게 기록하였다.

숲에 갈참나무와 소나무 자작나무가 서식하고 있다.
숲속에 나있는 길 위에 한 사람이 가만히 서 있다.
만물은 숲과 한 식구가 되어 나무처럼 도열한다.
장률의 영화는 숲 속으로 편입된 인물이 문득 풍경이 되는 순간을 보여준다.
이 인물은 숲과 어울리지만 이질감을 떨어내지 못하고
낯선 표정을 짓고 있다.
낯선 이질감은 숲도 인간도 모두 자신의 또렷한 돈을 새김된 부조로 자리하게 한다.
여기서 관객은 선험적 고향상실도
디아스포라의 떠도는 마음도
돋보이는 푼크툼도
개념이 아닌 감성의 그물에 가득 채운다.
바닥에 잘 박혀있는 돌과
밖에 덩그렇게 놓여있는 돌이 즐비한 산길에서

덩그렇게 놓여있는 돌의 고독한 표정과 독자성을 견지하는 단단한 고집이 장률 영화의 최현과 창호와 윤영이다.

순희는 산길 끝에 고개 숙이고 서 있는 자작나무에 가깝다.

바람이 불기 전까지는 다만 고요한 나무이지만

바람이 불면 잎은 비수가 되고

가지가 우지끈 부러지면서 살아있는 나무였음을 입증하는 나무다.

이 생동감과 통나무의 둔탁함과 질박함이 장률 영화의 맛이다.

장률의 〈경주〉에 나타난 타나토스의
징후와 에로스의 풍경들 – 장률론2

1. 영화로 들어가는 문 : 〈경주〉의 입문

　경주는 신라 정신의 정화다. 경주는 수학여행지이며, 992년 동안 도읍지인 천년 고도다. 경주는 괄호 앞에 무수하게 많은 명사와 형용사를 포섭할 수 있는 용광로와 같다. 한국 영화에서 경주는 수학여행지에서 패싸움을 벌이는 공간(〈신라의 달밤〉)이거나 열차에서 우연히 만난 옛 여인을 따라 감정의 미로를 걷는 장소(〈생활의 발견〉)이다. 하지만 장률 감독에게 경주는 삶과 죽음 이미지가 소나무처럼 늘어서 있고 에로스와 타나토스의 감정들이 관광객과 거주민처럼 공존하고 현실과 환상이 전통 가옥과 현대 건물처럼 양립해 있다.

　무엇보다 〈경주〉의 왕릉 이미지는 죽음의 기의가 압도적이며, 그 속에서 살아가는 이들과 방문한 이방인들이 마주하여 발산하는 에로스가 자연스럽게 발산된다. 혼재된 이미지는 능 앞에서 키스를 하는 청춘 남녀와 소풍 온 유치원생들의 생동한 삶의 세계를 표상한다. 유구한 역사의 시간에 자리하는 능은 죽음의 이미지로 프레임에 담겨 경주를 함축한다.

　장률의 〈경주〉는 북경대 교수 최현의 과거로의 여행이다. 그는 7년 전 찻집에서 본 적 있던 춘화에 대한 기억으로 경주 찻집 아리솔을 방문한다. 최현(박해일 분)의 방문은 과거의 시간을 복원하려는 노력이기도 하지만 이제는 스러진 그의 경주에 대한 기억과 연애에 대한 기억 그리고 춘화라는 욕망에 대한 환기를 소환한다.

경주는 일종의 시간의 무덤이며 기억의 장례를 지낸 이들이 집단거주하고 있는 곳이다. 3년 전에 찻집을 인수하여 운영하는 공윤희(신민아 분)는 남편과의 기억을·덮고, 욕망도 벽지를 덮은 춘화처럼 묻어두고 현재의 시간대에 살아간다. 창희의 아내 역시 창희와의 결별이라는 죽음으로 기억의 장례를 치러야 하고 창희와의 관계도 무덤이 되었다. 최현 역시 현재라는 시간층에 존재하는 중국인 아내와의 관계는 가족 구성원으로서 존립하지만 애정을 기반으로 한 관계는 균열했으며 관계 단절의 위기에 처해있다.

〈경주〉는 최현이 문상을 하러 가고, 경주에서 공윤희를 만나는 등 수많은 죽음의 시간을 카메라의 중심에 배치했다. 〈경주〉는 죽음의 이미지와 삶의 에로스 그리고 떠도는 디아스포라의 몸짓을 카메라에 채우고 비우는 것을 반복한다. 점멸하는 프레임처럼.

〈경주〉는 관광 도시의 상투적 이미지를 후경으로 밀어내고 정체성에 대해 질문한다. 정체성은 '경주는 죽음(능)이 과잉 보존된 도시다'로 귀결된다. 죽음은 장률의 인터뷰와 공윤희의 대사에서 거듭 확인된다. 장률은 경주의 이미지를 "능과 일상이 공존한다는 게 인상적이었다"고 집약한다. 능과 일상은 죽음과 삶으로 번역할 수 있다. 공윤희는 베란다 밖에 있는 능을 바라보면서 최현에게 "경주에서는 능을 보지 않고는 살기 힘들어요"라고 말한다. 사자들의 유택과 살아있는 자들의 주택이 나란히 존립하고 있는 곳이 경주이며 이는 타나토스와 에로스의 병치로 해석 가능하다. 왕릉은 통치자의 영원한 안식처이자 신라 왕조의 권위를 암시하지만 영화에서는 사자(死者)의 만년 유택(幽宅)이다. 능은 죽음의 존재 증명이자 가시화이며 역사의 가면이다.[1] 살

---

1 문관규, 「춘화를 찾은 여정 그리고 큰 서사를 작은 주머니에 담아야 하는 어려움」, 『김해 문화의 전당』 45집, 2014. 8월. 한 단락은 이 글의 첫 단락의 일부를 수정하였음을 밝혀둔다.

아있는 자의 존재 증명은 서로 간의 사랑에 놓여 있다. 최현은 춘화를 찾아서 경주에 왔다. 에로스에 대한 열망이 경주행을 촉발하고 과거의 사랑과 현재의 사랑을 대면하게 된다. 공윤희도 과거의 사랑을 애도하고, 스스로 사랑하는 대상을 찾아 나선다. 형사 영민, 선배 창희의 삶에 대한 의지는 사랑하는 대상에 대한 사랑에서 기인하며 그들이 살고 있는 곳은 모녀가 생을 마감하고 폭주족이 질주를 멈추는 능과 같은 죽음의 도시 경주이다. 에로스와 타나토스의 좌표에 따라 〈경주〉라는 텍스트가 발산하는 의미의 지층을 탐사하도록 한다.

2. 타나토스의 산재 : 여러 층위의 죽음들

1) 실제의 죽음들과 관계의 죽음

최현의 대구 방문 목적은 선배의 문상이다. 선배 창희는 결혼 후 몇 해 동안 두문불출하다가 세상을 뜨고 만다. 선배 창희의 죽음은 첫 번째 실제 죽음이며 대구 공항에서 만난 두 모녀의 죽음은 두 번째 실제 죽음이다. 세 번째 실제 죽음은 최현이 거리를 걷다가 목격한 폭주족들의 사고사다. 그리고 윤희로부터 전해 들은 윤희 남편의 죽음이다. 그의 사인은 우울증이며 이는 창희의 사인과 유사하다. 경주에 즐비한 능처럼 실제 죽음이 영화를 채운다. 다른 한편으로 인간과 인간의 관계의 단절이라는 관계의 죽음도 산재해 있다.

첫 번째 관계의 죽음은 창희와 그의 젊은 아내와의 사이에서 발생한다. 이는 선배의 말을 통해 전해진 부분이라 와전과 확대 가능성이 열려있다. 선배는 창희가 어리고 미인인 부인을 만나서 주변인과 관계를 청산하고 두문불출하였다고 한다. 창희는 젊고 아름다운 아내에 모든 시간과 마음을 헌신한 것으로 짐작된다. 하지만 아내에게 다른 남자가 생기자 그는 1년 동안 아무 말도 하지 않고 침묵으로 일관했다고 한다. 침묵은 언어의 중단이지만 관계의 죽음을 행위로 보여준 것이다. 창희의 부부관계는 관계의 죽음으로 귀결되었고 결국 창희의 육체적 죽음으로 종결된 셈이다. 장례식은 창희의 죽음과 관계의 죽음이 중첩된 죽음에 대한 장례이기도 하다.

두 번째 관계의 죽음은 최현과 김여정(윤진서 분) 사이에 놓여 있다. 최현은 서울에 사는 이미 결혼한 김여정을 경주로 부르고 김여정은 먼 길을 마다 않고 경주에 도착한다. 최현은 여정이 도착하는 대합실에서 카메라로 그녀를 담아내며 그녀와 기억을 만추하려고 한다. 그리고 최현은 현재의 시간에서 과거의 시간을 소환하듯이 그녀와 관계도 복원하려고 한다. 김여정은 도착하자마자 두 시간밖에 시간이 없음을 선언하고 그와 거리를 두고 걷거나 식사를 하면서도 거의 침묵한다. 최현의 결혼 생활에 대한 물음에 여정은 '내가 행복할 것 같으냐'고 항의하고 (의처증 남편으로 추정되는 이로부터) 전화를 받고 곧장 자리를 뜬다. 식당 장면은 식당이 먼저 제시되고 두 사람의 대사가 오프 스크린에서 들리고 팬하여 식사 장면으로 전환된다. 김여정이 울자 외화면에서 '여자 울리면 안 된다'고 주인아주머니가 참견하고 최현이 계산할 때 아주머니가 문 앞에 앉아서 돈을 받는다. 첫 장면에 부재했던 아주머니가 대사로 개입하고 등장하여 마지막 컷에서 존재한다.

경주역 플랫폼에서 여정은 과거사를 최현에게 항의하듯이 말한다. 김여정과 최현은 오래전에 함께 술을 마시고 최현의 집에서 잠자리를 하게 되었다. 그 일로 인해 김여정은 임신했다. 그 사건에 대해 최현에게 항의하고 이어서 김여정은 최현이 자신이 도착할 때 찍은 사진을 지우고 '모든 것은 지워야 한다'고 읊조린다. 김여정은 이미 최현과의 과거 기억을 지우고 싶으며 감정도 사진처럼 이미 지워져 있으며 애증의 여운만 남은 셈이다. 최현은 과거의 시간을 그대로 현재로 소환하여 김여정과의 애정을 회복하려 시도했으나 여정은 이미 최현과의 관계를 지웠으며 관계의 죽음에 이른 것이다. 최현과 김여정은 관계의 복원 실패와 관계의 죽음을 한 시퀀스로 표현한다. 김여정이 떠난 후 최현은 비로소 담배를 피운다. 담배는 아내가 싫어한다는 이유로 최현이 참고 있던 감정의 제어장치이다. 최현은 처음에 대구 공항에서 담배를 안 피우고 냄새만 맡았으며 두 번째 문상에서도 냄새만 맡았고 세 번째 경주역에서는 담배 대신 손톱을 깎으면서 흡연 욕망을 물리쳤다. 하지만 김여정의 태도와 과거에 대한 회한으로 급기야 담배를 피우게 된다. 최현이 경주에서 관계의 죽음과 과거의 단절이라는 심리적 고통을 맛보고 있다는 사실을 흡연 장면으로 표현한다.

2) 감정의 죽음 그리고 재생된 에로스의 힘

나무 연구가 강판권은 나무에 빗대어 인간의 삶을 흔들리면서 튼튼하게 뿌리내리기로 규정했다. 그는 "아무리 위대한 사람일지라도 평생 흔들리지 않고 살아가는 사람은 없다. 나무가 하늘을 향해 곧게 자랄 수 있는 것도 바람에 수없이 흔들리면서 살아가기 때문이다. 그러나 오직 흔들리기만 한다면 살아남을 수 없다. 나무는 흔들리면서 뿌리는 한층 더 튼튼해진다."[2]

흔들림의 원인은 경제력의 상실로 인한 생계의 문제부터 삶의 방향을 상실하는 가치의 문제까지 펼쳐져 있겠지만 인간과 인간의 관계에서는 감정의 지속 가능성과 흔들림의 문제가 중심에 놓여 있을 것이다.

감정의 문제는 삶의 의지인 에로스가 주도권을 지니고 있다. 에로스는 대상에 대한 사랑이라는 첫 단계에서 출발하며 이성에 대한 애정으로 감정의 뿌리를 내린다. 사랑은 대상에 대한 사랑에서 스스로 상대방에게 사랑의 대상이 되고 싶은 감정의 인정 욕구로 나아간다. 사랑은 대상에 대한 사랑에서 아름다운 것 자체에 대한 자각으로 나아가야 되지만 구체적인 대상에 대해 사랑이라는 감정을 주고 동시에 받고 싶은 욕망의 지배력에 무력해진다. 여기서 이상적인 관계는 서로 동등하게 사랑하고 사랑받는 대상이 되는 것이다. 문제는 대상에 대한 상호 감정의 차이가 존재하며 더 나아가서 결별(사별과 이별)로 인한 분리 고통이 과제로 다가온다.

에로스의 문제가 대상애로 국한될 때 두 가지 문제가 발생한다. 하나는 사랑하는 대상의 존재와 스스로 사랑하는 대상으로 인정받기이고 다른 하나는 결별로 인한 다른 대상과 에로스의 생성과 기존의 대상에 대한 에로스를 위한 죽음의 선택이다.

윤희는 사랑하는 대상인 남편이 존재하였고, 남편의 사랑을 받았다. 하지만

---

2 강판권, 『나무 철학』, 글항아리, 2015, 65쪽.

사별로 인해 사랑하는 대상이 부재하는 상황이 발생한다. 그녀의 선택은 대상의 교체이거나 사랑하는 대상을 위해 스스로 자기 상실의 길을 가야 하는 양자택일이다. 윤희는 사랑하는 대상을 상실하고 사랑받는 대상의 자리에서 박탈되는 문제로 삶의 의욕 상실과 고통에 빠졌다. 즉, 사랑하는 사람의 상실로 인한 슬픔에 빠진 것이다. 여기서 그녀는 "심각할 정도로 고통스러운 낙심, 외부 세계에 대한 관심의 중단, 사랑할 수 있는 능력의 상실, 모든 행동의 억제"[3]라는 우울증에 빠졌다. 하지만 다도를 배우고 차를 마시면서 남편(인간)에서 차에 대한 애정으로 사랑하는 대상의 교체로 우울증에서 벗어난다. 그녀는 사랑하는 대상을 인간에서 차에 대한 관심으로 확장했고(사랑하기) 자신을 사랑하는 대상으로 삼아준(사랑받기) 경찰 영민과 박 교수 그리고 최현이라는 복수의 존재들이 남편의 자리를 대신해 준다. 윤희는 사랑하는 대상을 상실했지만 차와 다른 남자들로의 전이를 통해 새로운 삶의 의지를 확보하게 된다. 이는 재생된 에로스의 힘으로 그녀가 다시 살아갈 수 있는 동력을 만들어낸 것이다. 정신분석학적 입장에서는 윤희의 애도의 문제로 귀결된다. 애도는 대상의 상실로 야기되며 대상에 투여된 리비도가 자기애에 의해 회복되면서 대상(남편)을 포기하고 새로운 대상과 만남을 통해 극복하고 승화하는 것이다.[4] 윤희의 삶의 활력 회복도 애도의 과정과 유사하며 에로스 측면에서는 대상애에서 더 확장된 보편적 대상으로 에로스 사다리 상승을 통한 스스로 자유의 회복으로 귀결된다.

창희의 자살은 관계와 감정의 죽음으로 야기된 것이다. 창희는 사랑하는 대상인 아내가 존재하지만 그녀의 외도로 인해 사랑하는 대상의 상실을 경험하게 된다. 그의 사랑하는 아내는 감정의 죽음으로 상실되었으며 동시에 스스로 아내로부터 사랑받는 대상의 자리에서 밀려나게 된다. 그는 사랑하는 대상의 상실과 사랑받는 대상으로서의 자격 박탈이라는 이중의 결별 체

---

3 지그문트 프로이트, 윤희기 역, 『무의식에 관하여』, 열린책들, 2000, 249쪽.

4 김철권, 「그녀에게 남자의 사랑과 여자의 욕망에 대하여」, 『부산대 예술문화와 영상매체 논문 예비발표자료집』, 2016년 8월 20일, 92쪽. 애도의 문제는 이 자료집에서 모티프를 얻어 보완한 부분임을 밝혀둔다.

험을 감당해야 했다. 사랑하는 대상의 상실로 인해 창희는 윤희처럼 새로운 대상으로 교체나 회복으로 나아가지 못하고 스스로의 죽음으로 돌입한다. 스스로의 죽음은 사랑하는 대상의 상실로 야기된 에로스의 대상 상실에 따라 타나토스를 통한 사랑의 완성을 택하는 자살로 귀결된다. 정신분석학적으로 볼 때 창희는 사랑하는 대상의 교체 실패로 인해 새로운 에로스를 재생하지 못하고 자아 상실인 자살로 귀결된 것이다. 에로스는 대상의 교체이거나 대상의 확장이거나 끊임없는 초월적 대상에 대한 열정을 요구한다. 창희의 선택은 아내의 자리를 대체할 대상의 소환 불능으로 인해 불가피하게 죽음으로 다가가게 한 것으로 볼 수 있다.

최현은 사랑하는 대상이 복수(複數)로 존재한다. 여정은 과거 최현이 사랑했던 대상이며 아내는 현재의 대상이고 윤희는 아마 미래의 사랑하는 대상으로 발전할 가능성이 존재한다. 하지만 최현에게 과거의 여인 여정은 과거에 대한 상처를 말하면서 대상에서 퇴장한다. 현재의 아내 역시 음성녹음을 통해 살펴볼 때 긴밀한 감정적 유대를 갖고 있지 못하다. 최현은 과거와 현재의 대상 상실과 대상의 교체 불안에 놓여있다. 최현은 대상애를 인간에서 춘화로 대표되는 새로운 대상으로 확대하려는 시도는 경주행으로 설득해낸다. 그는 결국 춘화라는 아름다운 것을 찾는 여정을 통해 윤희라는 새로운 사랑의 대상을 만났고 과거의 죽음 이미지를 확인하고 결별의 개연성을 만들어낸다. 그는(여정이 대표하는) 사랑받는 대상으로서 배제되고 거절당하지만 사랑하는 대상(윤희, 춘화)을 찾게 되어 새로운 에로스가 재생된다. 최현은 자신을 사랑해주는 대상이 부재하여 낮시간에 영혼의 디아스포라의 행적을 보인다. 그는 과거의 사랑인 여정을 부르지만 곧장 헤어지고, 과거의 춘화를 찾아 아리솔에 오지만 역시 춘화를 감상하지 못하고 밤에 윤희의 집에 초대받지만 동침하지 못하고 영혼의 디아스포라로 떠돈다. 그는 사랑하는 대상을 찾아서 경주에 온 것이며 춘화와 윤희를 통해 죽은 감정들이 에로스로 재생하고 있다.

윤희는 남편의 죽음이 야기한 감정의 죽음을 다도와 주변 남자의 관심으로 감정의 결핍을 조금씩 완화해간다. 결국 남편에 대한 대상애에서 다도에 대한 관심으로 에로스의 보편적 지평 확장이 삶의 활력을 찾게 된다. 계모임 남자 인물로 대표되는 주변인들의 관심은 윤희에게 에로스의 재생과 삶의 의미 회복을 가능케 한다. 최현도 에로스 대상으로 윤희와 춘화로 전이하여 삶의 활력을 확보한다.

3) 크리스탈 이미지, 인물과 시간의 봉합 그리고 아름다움의 현현,

이 영화는 마지막 장면이라는 바다에 도달하기 위한 에로스와 타나토스의 물결을 이끌고 왔다. 마지막 장면은 다양한 해석 가능성을 열어준다는 점에서 관객이 스스로 채워야 할 텍스트의 여백을 던져둔다. 바르트는 『텍스트의 즐거움』에서 '독서한다는 것은 읽어서 소비하는 것 말고, 독자 자신이 직접 텍스트에 참여하여 텍스트를 써나가는 것'을 제안하였다. 〈경주〉의 마지막 장면은 백 명의 독자가 백 가지 감성으로 텍스트를 해석할 수 있는 기회를 제공하는 한 컷이다.

이 장면은 두터운 해석의 지층을 보여준다. 만약, 어느 하나의 해석을 강조하면서 의미의 출구를 열어갈 때 큰 강물에서 쏘가리 하나만 건지고 존재하는 수많은 어종의 존재를 사장하는 우를 범할 수 있을 것이다. 이 장면은 〈경주〉를 관통하는 주제를 함축하며, 수많은 감정과 의미가 아름답게 모자이크를 만들어내면서 다채로운 문양을 통해 두터운 의미망으로 귀속된다.

첫 번째 가시적인 지층은 바로 낭만적 시공의 드러남이다. 등장인물로 선배 창희와 최현 그리고 선배 이춘원과 주인 윤희가 등장한다. 최현과 두 선배는 야외에서 정사를 나누는 두 남녀와 학이 모두 셋으로 짝을 이루고 윤희는 예전의 찻집 주인과 창희의 젊은 아내와 짝패가 된다. 창희는 실제로 세상을 떠났으며 그들이 춘화를 보았던 그 시간들도 현재의 기준에서 현재의 죽음이자 기억이다. 현재라는 구체적 시간과 과거 회상이라는 이미 일어났던 일은 복수의 윤희가 등장하면서 시간의 구분을 지우고(매장시키고) 과거의 기억(춘화를 보았던 일)과 낭만적 시간을 복원한다. 이 시공은 춘화의 세계가 열어주는 '한 잔 하고 하세'와 같은 욕망의 해방과 어느 시간대에도 걸림이 없는 세상의 모든 시간과 억압의 굴레가 빗겨나간 장소이자 실제 존재했던 시간과 기억이 죽고 낭만적 시공이 탄생한 것이다.

현실은 환상의 공간에서 환상처럼 존재하고 환상은 현실의 장을 비집고 들어와 윤희와 최현이 마주 보고 웃는 것처럼 꿈속처럼 사실된 낭만을 되살려낸다. 윤희는 벽지에 덮여진 춘화로 과거의 시간을 소환한다. 윤희의 춘화 소환은 실제 일어났던 사건(찻집에서 차를 마시며 춘화를 감상한 적 있다는 과거 사실)을 통해 낭만적으로 되살린 시간이고, 윤희와 최현이 다른 시간에 대한 그리움으로 소환한 낭만적인 시간이며, 도덕률에 구속된 욕망을 풀어헤치고 날것의 감정으로 대면한 영화적 장면이다.

두 번째로 마지막 장면은 회상 장면으로 볼 수 있다. 이 장면은 최현이 7년 전 보았던 춘화에 대한 기억 환기이다. 윤희가 아리솔의 벽지를 뜯어내면서 암전으로 넘어가고 벽지를 뜯어내는 소리가 장면을 연결해준다. 다음 컷에서 세 사람이 춘화를 보고 대화하는 장면으로 넘어간다. 이 장면은 최현이 7년 전에 경주에서 춘화를 보았다는 대사에 대한 입증이자, 최현이 찾던 춘화를 관객에게 제시하는 로드무비의 문제 해결이기도 하다. 최현의 경주행의 표면적 목적은 과거에 본 춘화를 다시 감상하기 위한 것이다. 하지만 어제 만난 윤희가 등장하고 최현과 윤희가 서로 웃으면서 평범한 회상 장면에 균열이 생겨난다. 두 인물이 웃음으로 화답하지 않았다면 윤희와 과거 아리솔 주인은 1인 2역으로 처리할 수 있다. 춘화의 화가가 누구인지 묻는 최현의 질문에 '미인이었던 아리솔 주인을 보러 자주 찾아온 화가가 그려 주었다'는 윤희의 답으로 아리솔 전주인은 미모의 여인이었다는 사실을 알 수 있다. 윤희와 아리솔 주인은 미인이라는 공통점을 지니고 윤희와 창희 아내와 아리솔 주인은 상호 유사성을 통해 쌍둥이 형 인물로 연관되어 '윤희는 아리솔 주인이다'로 등치할 수 있다. 하지만 최현의 문제이다. 최현은 과거의 회상 장면에서 7년 전 최현이었다가 윤희를 보고 웃는 행위를 통해서 어제 만났던 두 남녀로 치환된다. 여기서 최현은 과거의 시간과 현재의 시간을 넘나드는 인물이자 시간의 지도리 역할을 하고 있다. 회상 장면은 기존의 영화에서 단지 과거의 순간으로 회귀하는 회상이 아닌 과거의 시간을 보여주는 회상과 현재와 과거의 시간의 문턱을 없애는 최현을 통해 과거가 현재로 스며드는 시간의 중첩 양상을 보여준다. 최현의 존재는 시간의 지도리로 과거와 현재라는 시간의 경계를 지우고 윤희 역시 과거와 현재를 넘나드는 인물로 자리한다.

세 번째 지층은 바로 시간의 중첩으로 만들어낸 크리스탈 이미지의 재현이다. 과거의 인물은 최현과 창희 그리고 선배 이춘원이며 현재의 인물(과거 아리솔의 주인으로 추정)은 윤희가 존재한다. 한 장면에 현재의 인물과 과거의 인물이 동시에 존재한다. 이는 인물과 시간의 봉합이다. 기존의 영화에서 같은 공간에서 현재의 인물이 과거의 인물과 대면하게 되는 것은 시간이 중첩된 크리스탈 이미지로 수렴된다. 베르히만의 〈산딸기〉(1957)에서 이삭이 자신이 유년 시절 방문했던 사라의 별장에서 과거의 사라를 바라보는 장면에서 시간의 크리스탈 이미지가 등장한다. 현재의 이삭의 기억을 통해 과거의 시간과 인물이 한 프레임에 등장한 것이다. 크리스탈 이미지는 들뢰즈가 시간 이미지를 설명하면서 사용하였다. 들뢰즈는 "시간 이미지가 발견되는 곳은 로브 그리예의 지나가는 현재들의 영속성이란 존재하지 않는 반면, 과거의 현재, 현재의 현재, 미래의 현재의 동시성이 존재"[5] 하는 곳이다. 크리스탈 이미지는 두 시간대의 공존이며 "현실적인 것과 잠재적인 것이라는 상이한 두 측면이 나타나고 하나는 다른 하나 없이 사유할 수 없다"[6]는 진술이 가능할 만큼 상호융합한 돌출이다.

영화는 시간을 봉인하는 동시에 숨어있는 시간을 프레임으로 소환하는 매체이다. 〈경주〉는 과거의 회상 장면에 현재의 인물(윤희와 최현)이 개입하면서 인물을 통해 과거와 현재를 봉합하고 인물 간의 간격도 봉합하는 모호하고 낭만적 시공을 생성한다. 크리스탈 이미지가 한 인물의 회상을 통한 과거의 소환을 통한 한 프레임 내의 두 시간대 공존이라면 〈경주〉는 두 모호한 인

---

5 질 들뢰즈, 이정하 역, 『시네마2(시간-이미지)』, 시각과언어, 2005. 206쪽.

6 쉬잔 엠 드 라카드, 이지영 역, 『들뢰즈 : 철학과 영화』, 열화당, 2004. 87쪽.

물을 통해 과거와 현재의 공존이라는 또 다른 시간의 현현 층을 만들어낸다는 점에서 장률의 시간 확장과 독창성이 자리한다.

이와 같은 과거와 현재가 뒤섞여 현재의 인물과 과거의 인물이 공존하는 낭만적인 시공이 도래한다. 이는 과거의 구체적인 시간의 죽음으로 가능하다. 시간과 인물이 봉합하여 중첩을 이룬 한편 여러 인물들이 쌍둥이처럼 하나로 통합되기도 한다. 윤희와 창희의 미망인은 남편의 죽음이라는 동일한 사건을 겪었으며 남편의 사인이 모두 우울증으로 인한 자살로 유사하다. 창희의 사인이 다소 모호하지만 춘원의 진술과 최현의 백일몽에 의하면 아내의 변심으로 인한 우울증이며 타살에 가까운 자살이다. 윤희의 남편도 사인이 우울증이다. 창희의 미망인과 아리솔 주인은 모두 화가들이 사랑하는 대상이라는 점에서 동일하다. 화가가 사랑하는 대상이라는 점과 남편의 사인 그리고 대상애로 인한 슬픔을 겪었던 이들이라는 점에서 세 인물이 한 역할을 수행하는 것처럼 보인다. 윤희의 과거사인 남편과의 사별은 창희 미망인을 통해 제시하고, 아리솔 주인의 이야기도 윤희의 과거를 은연중에 드러내고 윤희 스스로는 현재의 모습으로 현재와 미래를 예견하게 하여 여러 인물들의 이어달리기 같은 삶을 통해 윤희라는 인물을 통합적으로 보여준다. 마지막 장면의 윤희는 주인이자 윤희 자신의 모습이 중첩되어있다. 기존의 크리스탈 이미지가 시간의 중첩에 국한되었다면 이 장면은 인물의 겹침을 통한 시간의 중첩 장면으로 확장된다.

마지막으로 영화적 맥락에서 볼 때 이 장면은 현재 윤희의 환상이다. 남편의 귀를 닮은 남자를 만난 윤희가 소환한 과거와 모호한 환상이 중첩된다. 환상에서 윤희는 에로스의 장으로 스며들고 현실에서 최현은 타나토스의 벌판으로 질주한다. 아침에 일어난 최현은 어제 만났던 사주 보는 할아버지의 부재를 확인하고, 거리에서 달리던 폭주족의 급작스러운 죽음을 목도하고, 7년 전에 흘렀던 강물이 사라지고 메마른 강바닥에서 흐르는 물소리를 들으며 타나토스로 충만한 경주(죽음과 부재)의 기슭에 정박한다. 이때 윤희는 아리솔에서 벽지를 떼어내고 춘화를 꺼낸다. 춘화는 윤희의 욕망이자 에로스의 현현이다. 남편의 죽음으로 에로스를 애도의 감정으로 벽지처럼 덮고 살았던 윤희는 에로스(춘화)를 해방시킨다. 이는 사랑하는 대상에 대한 관심으로 이어질 개연성으로 넘어간다. 그리고 암전이 되면 벽지 뜯는 소리가 이어지고 과거 춘화를 보았던 최현의 기억이 소환된다. 최현과 두 선배는 춘화를 감상하며 차를 마신다. 최현의 경주 여행의 목적이었던 그 춘화가 마지막 장면에 전면적으로 클로즈업된다. 윤희가 춘화를 떼어낸 장면과 세 사람이 춘화를 보면서 아리솔에서 나누는 대화 장면은 조명의 차이와 최현 의복의 차이로 인해 과거 회상으로 여겨지게 한다. 이들의 대화에 윤희가 프레임 인 하면서 현재의 윤희와 과거의 아리솔 주인이 혼재된다. 즉, 과거와 현재의 시간이서로 뫼비우스의 띠로 연결된다. 윤희의 옷은 어제 윤희가 입고 있던 흰색 블라우스로 동일하지만 머리 모양은 길게 늘어뜨려 묶었고 하의는 바지가 아닌 생활 한복 치마로 바뀌어 있다. 윤희의 의복도 상의의 현재와 하의의 과거가 섞여 있다. 의복에서 과거와 현재가 공존하며, 최현은 과거의 시간과 공간에 자리하고 윤희는 현재의 시간과 공간에 앉아 있다. 단지 과거의 회상 장면이 윤희의 프레임 인으로 인해 과거와 현재의 중첩인 크리스탈 이미지로 바뀌고 과거의 시간에 현재의 시간이 모호하게 삼투되어 윤희의 환상으로 프레임이 채워진다.

영화적 맥락에서 환상 장면은 이미 제시된 적이 있다. 최현은 아리솔에서 차를 마시다가 백일몽으로 창희의 아내를 만나서 창희의 사인이 자살이라는 사실을 듣는다. 이때 카메라는 최현과 창희 아내의 투 쇼트에서 최현 쪽으로 팬하고 창희 부인이 프레임 아웃된 상태에서 외화면 목소리로 "피곤하셨나 봐요"가 들린다. 최현은 백일몽에서 깨어나 다시 현실 공간으로 돌아온다. 최현의 백일몽 장면은 팬과 윤희 외화면 목소리로 현실 시간으로 돌아왔다면 마지막 장면은 윤희의 프레임 인을 통해 과거 회상 장면이 환상 장면으로 전환된다. 과거의 시간에 존재한 인물과 사건의 소환이 회상 장면이라면 윤희는 과거의 기억을 자신의 방식으로 재구성기 위해 과거로 틈입해 들어간 것이다.

문제는 최현의 웃음이다. 최현은 과거의 자리에 존재하다가 윤희의 등장으로 환상 장면의 인물로 넘어온 것이다. 최현은 윤희의 환상을 통해 소환된 인물로 전환된다. 최현은 왜 웃는가. 그리고 윤희 역시 왜 웃음을 참지 못하는가. 열쇠는 두 가지이다. 하나는 춘화 속의 정사 장면과 "한 잔 하고 하세"라는 직설적인 글이다. 〈경주〉는 반복의 리듬을 영화 속에서 중요한 장치로 집어넣었다. 천둥소리와 종소리 그리고 풍경 소리로 이어지는 외화면에서 들리는 소리의 반복이 있고, 모녀와 폭주족과 창희와 윤희 남편의 죽음이라는 행위의 반복이 있고 직설적 언어의 반복도 있다. 직설적 표현은 이전 장면에서 반복되어 리듬을 만들고 의미 해석의 단서를 제공한다. 최현이 차를 마신 후 들른 화장실 벽의 낙서인 '차를 마셨더니 오줌이 잘 나온다'는 상황에 대한 직설적 표현이며, 윤희가 노래방에서 부른 노래 〈찻잔〉은 윤희의 직업에 대한 구체적인 인용이며, 계모임을 마치고 사람들과 모두 헤어지고 달밤에 윤희 집에 도착하여 거실에서 마주한 풍자개(豊子愷) 그림에 '사람들이 흩어진 후에 초승달이 뜨고 하늘은 물처럼 맑다'라는 글귀도 직설적이다. 모두 상황과 감정에 대한 직설적 표출이라는 공통점을 지닌다. 춘화의 글귀 역시 화가의 욕망이 직설적으로 표출되었다. 에로스 측면과 직설화법에 기대면 '최현의 웃음은 한잔 마시고 하자는 욕망의 드러남이고 윤희의 감추는 미소 역시 욕망에 대한 묵인'으로 해석 가능하다.

시선의 존재도 해석의 단서이다. 외화면에서 풍경 소리가 들리고 인물들은 시선을 오른편으로 던지고 영화가 암전된다. 그들이 던지는 시선은 춘화 속의 두 인물들이 향하는 시선과 닮았지만 방향은 반대이다. 춘화 속 두 인물의 시선은 윤희와 최현이 윤희의 거실에서 종소리를 듣고 향하던 방향과 동일하다. 즉 춘화 속 인물과 최현과 윤희는 유사하다. 그들의 지난 밤에 지연되었던 에로스가 춘화의 개봉으로 인해 해방된 것이다. 윤희는 춘화의 개봉이라는 행위를 통해 기존의 감정적 억압의 봉인을 떼어내고 춘화로 대표되는 욕망, 남편과 이별로 인해 야기된 사랑하는 대상의 거부와 부재라는 슬픔에서 벗어나게 되는 것이다. 즉, 과거의 시간, 억압의 시간에서 빠져나와 현재의 시간, 낭만과 환상의 시공에 당도한 것이다. 하지만 여전히 의복의 중첩처럼 과거(타나토스, 무표정)와 현재(에로스, 웃음)는 혼재한다. 최현은 춘화와 만남으로, 그동안 억압된(금연) 감정의 타나토스에서 보다 자유로워진다. 최현에게 춘화는 과거에 대면한 에로스이며 동시에 아름다운 것 자체이다. 춘화는 끌리는 대상이면서 동시에 아름다운 것 자체라는 미의 표상이므로 최현의 타나토스(여정과 결별, 아내와 불화, 죽음과 대면, 윤희와 동침 거부)의 미로를 통해 당도한 아름다움 자체인 에로스의 정상이다. 하지만 그가 당도한 정상은 과거의 시간대에서 소환한 것이므로 여전히 현재를 밝게 채우는 에로스의 밝음보다 과거가 현재로 삼투되는 어두운 타나토스의 기운이 감돈다. 이와 같은 무거움을 헬리콥터처럼 집어 올리는 것이 바로 웃음이며 카니발적 해방감이다.

웃음의 두 번째 이유는 해방감이다. 감정의 카니발, 시간의 카니발, 에로스와 타나토스의 울타리를 지우는 카니발이라는 초원에 웃음이 아름드리나무처럼 솟아오른다. 윤희의 환상에서 그들은 사랑하는 대상으로 상호 승인한다. 카니발은 무질서와 해방으로 이루어지며, 감정은 춘화를 통해 직설적으로 드러나고, 감정의 해방은 웃음으로 화답한다. 최현에게 춘화는 자신의 욕망의 전시이기도 하지만 '아름다움 그 자체'(에로스)이다. 즉 에로스가 도달하는 마지막 단계에서 아름다움과 춘화는 동일시된다. 최현은 금연으로 표상된 욕망의 억압을 여정의 대화(상처의 환기)로 위반하고 윤희와 동침 자체로 이어지다가 춘화의 대면으로 자신의 욕망 해방을 웃음으로 드러낸다. 윤희는 남편의 죽음으로 인한 사랑의 대상 상실로 감정의 죽음이라는 시간을 보내왔다. 그녀는 최현을 남편의 표상으로 생각하고 남편과 닮은 최현이 귀를 만져보았으나 그와 남편이 동일인이 아님을 확인한다. 그녀는 풍자개 그림에 적힌 "초승달이 뜨고 하늘은 물처럼 맑다'에서 욕망의 달을 떠올렸지만 하늘과 물처럼 맑은 이성의 절제로 에로스를 다스렸다. 하지만 벽지에 덮인 춘화를 공개하는 행위로 자신의 봉인된 에로스도 해방시키고 비로소 환상을 통해 사랑하는 대상으로 최현을 받아들이는 것이다. 즉 사랑하는 대상을 남편에서 최현으로 대체한 것이다. 여기서 그녀의 감정의 죽음과 애도는 새로운 사랑하는 대상의 선택으로 인해 해방되고 자유로워진다. 웃음의 정체는 새로운 사랑하는 대상에 대한 관심과 발견이 주는 기쁨이며 이것은 에로스 1단계인 대상애로의 회귀다. 최현은 아름다운 것 그 자체의 발견하는 기쁨과 사랑하는 대상과의 만남이라는 에로스 사다리 4단계와 1단계에 도달한 것과 차이가 있다. 그들의 웃음은 벽지로 붙여진 억압의 해방을 통한 미의 정점에 정박한다. 물론 그들이 도달한 정점은 한 단계 한 단계 싸워서 이루어낸 것이기에 값지다. 이곳은 에로스와 타나토스, 억압과 해방 그리고 과거와 현재라는 시간의 간격을 모두 무화하여 창조한 예술의 자리이다. 이곳은 예술의 발원지이며 동시에 아름다움 존재 그 자체이며 우리 정신의 고향(자궁)으로의 귀성이자 우주 만물들의 완전한 일체감이 주는 해방의 웃음이고 이를 깨우치는 풍경소리인 것이다. 마지막 장면은 과거와 현재의 동시적 공존이라는 크리스탈 이미지를 넘어 영화적 스펙트럼을 풍부하게 하여 〈경주〉의 대미를 함축적으로 완결한다.

춘화 속의 학이 최현의 선배인 것처럼 인간과 동물, 남자와 여자, 과거와 현재는 서로 경계 없이 넘나드는 것이다. 현실과 상상, 죽음과 삶, 이성과 낭만은 춘화와 찻집 공간이 서로 구분 없는 것과 마찬가지로 공존한다. 이는 구체적인 사건과 시간의 상실, 즉 죽음으로 가능한 새로운 시간과 공간의 탄생으로 가능한 것이다. 과거의 첨점이 현재로 끼어들어 시간의 겹이 두터워지는 들뢰즈식 크리스탈 이미지가 아닌 환상과 현실, 과거와 현재, 허구와 영화 속 사실이 뒤섞이고, 인물의 중복으로 만들어낸 낭만적 장면이자 감정이 껍질을 깨고 웃음으로 솟구치는 장면이다.

3. 에로스의 풍경과 타나토스의 징후

1) 『향연』 사다리
『향연』에서 에로스에 대해 여러 초대를 받은 현인들이 각자의 주장을 설파한다. 파이드로스는 '맨 처음 카오스가 생겨났고 그 다음으로 늘 모든 것의 굳건한 터전인 가슴 넓은 가이아(땅)가 생겨났고 그리고 에로스가 탄생'하였으며 에로스는 인간이 아름답게 사랑하도록 유도하고 있다. 에로스는 삶의 본능이므로 성적 대상에 대한 사랑과 스스로 보존하려는 자기 보존 본능을 양 기둥으로 삼고 있다. 에로스의 본능으로 인해 인간은 다른 인간을 위해 노력하고 다른 대상을 위해 헌신하고 심지어 목숨을 거는 것까지 나아간다. 인간이 인간을 향한 에로스 중에 스스로의 반쪽을 찾는 것이다. 이 에로스는 자신에게 결여된 것을 추구하며 결여된 것을 찾아서 하나로 이루게 하는 것이다. 이는 원래 하나이던 몸이 둘로 나뉘게 되면서 하나로 합해서 온전한 세계를 이루게 되기 때문에 부족한 결핍에 대한 충족 의지로 나타난다. 여기서 에로스로 인해 행복하게 되는 것은 "우리가 사랑을 온전히 이루어서 각자가 자기 애인을 만나 옛 본성으로 돌아가게 될 때"[7]도달하게 된다. 여기서 에로스는 대상에 대한 사랑이며 자신이 결여된 것을 찾아서 채우는 사랑이며 스스로 마음에 맞는 애인을 만나는 것으로 인간이라는 대상에 대한 에로스로 국한된다. 이 에로스는 사랑의 이름으로 행해진 대표성을 지니며 지금도 일상을 지배하고 예술에 호명되고 있다.

『향연』에서는 철학자 담론의 장답게 더 고상한 입장들이 많이 개진된다. 디오티마는 에로스의 사다리에 대해 말하면서 에로스의 단계를 구분하여 대상에 대한 사랑에서 아름다운 것 자체로 오르는 가파른 고양 과정을 설파한다. 처음 단계는 구체적으로 하나의 몸을 사랑하는 것이다. 여기서 몸은 특정한 대상이 된다. 사랑하는 대상에 대한 육체적 욕망이 대표적인 에로스의 형태일 것이다. 다음 단계는 한 몸에 속한 아름다움이 다른 몸에 속한 아름다움을 형제처럼 대하는 것이다. 모든 몸의 아름다움은 하나라는 보편성의 지평으로 확장되는 것이다. 다음 단계는 몸의 아름다움보다 영혼의 아름다움에 매혹된다. 다음 단계는 지혜에 대한 사랑이다. 마지막 단계는 아름다운 그것 자체에 대한 사랑이다. 마지막 단계의 생성되거나 소멸되지 않는 아름다운

---

7 플라톤, 강철웅 역, 『향연』, 이제이북스, 2016. 103쪽.

것 그 자체이다. 이곳이 에로스가 도달할 마지막 경지이며 "그것은 늘 있는 것이고, 생성되지도 소멸하지도 않고, 증가하지도 감소하지도 않는 것. 그것은 그것 자체가 그것 자체로 그것 자체만으로 늘 단일 형상으로 있는 것"[8]이며 영원불멸의 경지를 보여준다. 서양의 철학자들은 에로스의 정점을 아름다운 것 자체를 바라보는 것이며 직관하는 것으로 아름다움에 대한 절대 가치 부여와 추구 의지를 보여준다.

〈경주〉에서 나타나는 에로스는, 창희의 아내에 대한 감정은 대상애에 가까우며 후배 여정의 현재 감정 상황은 결핍된 대상을 찾지 못해 여전히 떠돌고 있는 디아스포라적 감정이다. 최현은 아내와 감정의 합일 상태보다 결혼제도로 불안전한 결합을 유지하고 있다는 인상을 준다. 그는 아리솔에 영혼의 감정을 건드리는 대상, 춘화를 찾아갔으나 윤희라는 대상을 만난다. 그는 보편적인 대상애로 확장되다가 윤희와 관계에서 대상의 에로스로 회귀하려다 절제(촛불 끄는 행위)를 통해 영혼의 아름다움으로 선회한다.

2) 에로스와 타나토스의 혼재 그리고 에로스의 사다리[9]

장자는 「나비의 꿈」에서 '인생은 나비가 꾸는 꿈인가 아니면 내가 나비가 되는 꿈을 꾸었는가'에 대해 질문을 던졌다. 장자의 철학은 나비가 되면 나비로 살고 깨어나면 장주로 살고 말이 되면 말처럼 달리는 만물제동론(万物齊同論)으로 수렴된다. 여기서 꿈과 현실의 경계는 구별이 없어진다. 죽음과 삶 그리고 꿈과 현실의 거리 없애기는 장자의 철학에서 핵심이지만 〈경주〉에서도 채택하고 있다.

최현은 찻집 아리솔에서 선배 창희의 아내와 대화를 나눈다. 그녀는 망자의 사인에 대해 항변한다. 그가 대화를 마치자 현실의 아리솔 주인인 공윤희가 다가온다. 백일몽과 현실이 한 컷의 차이로 동일한 공간에서 이어진다. 관광 안내소에서 맑은 날씨에 천둥소리가 들리고 마지막 시퀀스에서 냇물이

---

8 플라톤. 위의 책. 141쪽.

9 문관규. 앞의 글. 이 장은 기존에 『김해 문화의 전당』에 실린 글을 일부를 수정 보완하였음을 밝혀둔다.

말랐지만 물 흐르는 소리가 환청처럼 들린다. 현실과 꿈의 거리 없애기는 비가시적인 대상이 사운드를 통해 존재함을 드러내고 현실과 꿈, 과거와 현재가 동시적으로 융합되면서 장률식 경주의 이미지로 수렴된다. 경주의 이미지는 바로 삶의 본능과 죽음의 본능의 공존이다. 이를 에로스와 타나토스로 옮겨보면 〈경주〉는 에로스와 타나토스가 혼재한 공간이며 이 혼재함을 구심점으로 하여 현실과 환상, 현재와 과거가 원심력으로 확산된다.

삶의 영역은 계모임과 오토바이의 질주이다. 삶의 본능에 가까운 구역에는 현재의 시간에 존재하는 윤희와 최헌의 만남이 있으며 춘화를 도배한 벽지가 놓여 있다.

죽음의 구역은 도시에 가로놓인 능이고 과거의 시간이며 상갓집과 일련의 죽음이다. 최현과 공윤희는 차를 마시고 대화를 나누고 물고기를 바라보면서 어항 속의 물고기처럼 구체적으로 살아있다. 가장 구체적인 삶의 이미지는 춘화이다. 마지막 장면에서 과거의 회상화면으로 춘화가 등장한다. 춘화에는 남녀가 교합하는 장면이 그려져 있으며 "한 잔 하고 하세"라고 글씨가 쓰여 있다. 한잔하자는 풍류와 낭만에의 권유와 '하세'라는 에로스의 희망과 번식에의 참여 의지는 삶의 이미지를 극명하게 드러낸다.

상갓집에서 선배의 영정 사진은 죽음을 재현하고 경주의 능은 통치자의 죽음을 가시화한다. 이면의 죽음도 팽만하다. 최현이 정류장에서 만난 모녀가 자살했다는 소식을 형사 영민에게 듣는다. 공윤희는 죽은 남편과 귀가 닮은 최현을 통해 남편을 소환하지만 곧 실패한다. 한다. 그녀의 남편의 사인은 우울증으로 선배 창희의 사인과 흡사하다. 그녀의 남편에 대한 기억은 죽음의 일시적 소환과 그 실패를 확증한다. 최현은 윤희 일행과 계모임에 가는 도중에 폭주족을 만난다. 그 폭주족들은 마지막 시퀀스에서 다시 등장하며 최현이 예기치 않은 죽음을 목도하게 한다. 그들은 폭주라는 삶의 충동(에로스)과 갑작스러운 죽음(타나토스)이라는 양면을 통해 죽음의 맨얼굴을 영화에서 처음으로 보여준다.

후배 여정의 사주를 봤던 할아버지도 몇 년 전에 작고했다. 여정은 과거의 여자이며 할아버지 역시 과거에 존재했던 인물이므로 죽음의 영역에 속한다. 여정은 최현에서 이제 지워진(타나토스) 여성이지만 잠시 두 시간 동안 회상처럼, 꿈처럼 나타났다 되돌아간 것이다. 현실에서 경주를 방문했지만 최현에게 아픈 기억만 환기하고 사라진다. 이는 최현의 백일몽 속에서 창희의 아내가 나타나 창희 사인에 대한 해명을 하고 사라진 것과 유사하다. 현재의 시간에 잠시 소환된 과거가 사라진 것은 여정의 떠남과 할아버지의 부재가 의미적 유사성으로 포섭된다.

〈경주〉는 살아있는 인간들의 삶과 죽음이 징검다리처럼 연결되어 결말 장면에 도달한다. 최현은 공윤희에게 공자의 후손이라고 말한다. 일본 관광객이 불현듯 최현에게 과거사에 대해 사과하고 싶다고 말한다. 공자의 후손, 과거사에 대한 사과는 과거(죽음)가 현재로 또 다시 역사의 길을 따라 소환되는 장면이다. 공자와 과거 일제 만행은 과거의 이미지이자 죽음의 영역에 속한다.

살아있는 인간들이 하나둘씩 죽음으로 포섭되고 사라졌다면 후경에는 왕릉이라는 죽음의 이미지가 과거완료형으로 자리하고 있다. 죽음의 현재와 과거가 하나의 프레임으로 수용되어 경주는 죽음의 도시이자 삶과 죽음의 경계가 무너진 도시임을 역설한다.

장률이 이산자들의 정서적 불안을 이전의 영화에서 다루었다면 〈경주〉에서는 산책자의 여유와 웃음을 담아냈다. 웃음은 사진을 찍는 최현의 카메라를 피해 등 뒤로 숨는 공윤희의 자세를 친구 다연이 목격하고 오해하는 장면에서도 등장한다. 하지만 행위의 반복이 웃음 코드로 깔려있다. 공윤희는 남편과 사별하고 술을 마시다가 스님의 권유로 차를 마셨다고 한다. 공윤희는 차를 따르고 노래방에서 〈찻잔〉이라는 노래를 부르고, 그녀의 집에 있는 풍자개의 그림에는 차를 마시는 풍경이 들어있다. 공윤희의 동선에는 찻집 주인의 정체성을 환기시키는 노래 제목과 연관된 행위와 소도구를 배치해두었다.

공윤희는 능에 올라가서 "들어가도 돼요?"라고 묻고 최현은 공윤희의 현관에서 "들어가도 되는지?"라고 묻는다. 공윤희가 능의 능선에 눕자 건너편에서 최현도 능선에 누워있다. 최현은 찻집에서부터 공윤희와 술집에 동행하고, 집까지 동행한다. 경주 방문의 목적이 춘화를 보고 싶은 열망이었다면 공윤희와의 동행의 목적은 그녀와의 사랑보다 구체적으로는 동침에의 기대였을 것이다. 최현의 춘화 찾기에서 공윤희와 사랑 가능성으로 관객의 기대도 전이된다. 공윤희는 침실로 들어가서 문을 잠근 다음 다시 문을 살짝 열어둔다. 문은 최현을 향한 마음이다. 밖에서 최현은 촛불을 끄는 훈련을 한다. 공윤희의 문을 열어두는 은밀한 의사 표현에 촛불 끄기라는 절제된 대응은 성적 긴장감을 희극적 상황으로 넘어가게 한다. 공윤희는 동침의 자제라는 감정의 죽음(타나토스)을 통해 더 나은 에로스로 상승 의지를 이어간다. 최현 역시 촛불에 집중하면서 육체적 에로스에 대한 갈망을 촛불 끄듯이 자제하고 감정의 거세(타나토스)로 더 상승된 에로스의 사다리를 타고 오른다. 그 다음 사다리는 과거의 현장에서 현재와 과거, 삶의 의지(에로스)와 죽음의 흔적(타나토스)을 천착하여 결국 마지막 장면에 도달한다. 마지막 장면은 과거의 인물과 사건의 소환과 현재적 욕망(춘화의 감상)의 충족이 프레임에 걸린다. 이 장면은 에로스와 타나토스의 혼재와 현재와 과거의 모호한 공존으로 그들의 낭만적 시간과 해방의 공간을 채운다. 세 친구의 춘화에 대한 대화(과거, 타나토스)와 공윤희와 최현의 미소는 마음을 주고받는 염화미소로(현재, 에로스) 외화면의 소리로 시선을 돌리는 순간 프리즈 프레임처럼 완결된다.

3) 타나토스로 도달한 에로스의 미

에로스는 삶의 충동이고 사랑의 동력으로 인생을 견디게 한다. 타나토스는 죽음의 유혹이며 죽음으로 삶을 완성하기를 추동한다. 관계의 죽음이든 육신의 죽음이든 죽음의 운명을 피할 수 없는 인간은 에로스와 타나토스의 화해를 지향할 수밖에 없다. 에로스와 타나토스의 화해는 문학과 예술 그리고 이들의 근간이 된 삶에서는 에로스의 제단에 자신의 죽음을 바치는 선택이 시도된다. 백수광부를 따라 투신한 〈공무도하가〉의 여인, 화가인 남편의 죽음을 애도하기 위해 스스로 목숨을 던진 모딜리아니의 부인 잔 에뷔테른의 선택은 모두 에로스의 제단에 자신의 목숨을 바친 것이라는 공통점으로 수렴된다. 조용훈은 "에로스와 타나토스가 사랑을 완성하고 죽음을 동경하는 충동이므로 인간은 죽음으로 완성된 사랑을 지향할 수밖에 없다"[10]고 결론짓는다. 죽음으로 완성된 사랑은 타나토스에 도달하여 완성된 사랑으로 번역 가능하다.

『향연』에서 에로스의 단계에서 1단계는 아름다운 몸을 사랑하는 것이다. 2단계는 몸의 아름다움 일반으로 확장된 것이다. 3단계는 영혼의 아름다움을 추구한다. 마지막 단계는 더 이상 생성되거나 소멸되지 않는 아름다운 것 자체를 직관하는 것이다.

에로스의 여러 층위에서 가장 친근하고 지배력 강한 것은 대상에 대한 사랑이며 이들과의 항구적인 공존이다. 모든 인간들에게 공통적인 에로스의 특징은 "좋은 것들이 늘 자신들에게 있기를 바란다."[11]로 모아진다. 창희는 어린 부인을 얻고 나서 그와 함께 가까이 있기 위해 3년을 두문불출하였다고 한다. 그는 좋은 것, 사랑하는 대상과 늘 함께하고 싶은 에로스 1단계에 집중한 것이다. 하지만 친구의 전언에 의하면 그의 아내에게 다른 남자가 생기고 나서 아내와 침묵으로 관계의 종말을 고하고 이어서 죽음으로 이르렀다고 한다.

아내가 최현에서 나타나서 환상 속에서 하는 말은 "창희 씨가 살해된 것이 아니고 스스로 결정한 일"이다. 그는 누군가에 의해 타살되거나 병사한 게 아니라 스스로 죽음(타나토스)의 길을 택한 사랑을 위한 선택이라는 사실을 분명하게 명시한다. 최현은 환상 장면을 통해 창희의 죽음을 타나토스를 통한 에로스의 완성으로 끌어올리고 있다.

최현은 윤희에게 춘화를 누가 그렸는지 묻는다. 최현은 춘화가 그냥 오랫동안 생각이 났고 잘 그린 그림 같다고 품평을 한다. 윤희는 마지못해 최현의 물음에 답하면서 "예전 아리솔 주인이 미인이었으며 주인 때문에 자주 찾아

---

10 조용훈, 『에로스와 타나토스』, 살림, 2005. 41쪽.

11 플라톤, 강철웅 역, 『향연』, 이제이북스, 2016. 133쪽.

오던 화가가 그린 것"이라고 답한다. 그 화가는 아마 아리솔 주인에 대한 사랑(에로스)의 감정을 지니고 있었으며 춘화를 통해 자신의 욕망을 우회적으로 담았다고 볼 수 있다.

윤희는 자신의 집으로 최현을 안내한다. 최현은 손님이기 이전에 남편과 닮은 남자이며 남편과의 동일시로 인해 대상을 향한 에로스에 빠져든다. 결국 윤희는 최현의 귀를 만져보고 싶다고 하고 남편과 최현의 동일성을 확인하려 하나 다르다는 사실을 확인하고 만다. 그때 풍자개의 작품 속의 한자인 '人散後, 一钩新月天如水(사람들이 흩어지자 초승달이 뜨고 하늘이 물처럼 맑다)'라는 글의 의미를 듣게 된다. 이 구절은 최현이 두 번 읊고 윤희도 반복해서 읊조리면서 되새긴다. 그녀도 욕망에 촛불처럼 흔들렸던 영혼이 물처럼 맑아지면서 대상애에서 감정을 죽이고(타나토스) 혼자 방으로 들어간다. 방에 들어간 윤희는 방문을 닫았다가(억압) 다시 살짝 개방시켜놓으면서 여지를 남겨둔다. 윤희는 타나토스를 통해 대상애에서 남편에 대한 기억의 환기와 영혼의 아름다움에 대한 사랑으로 한 단계 승화된다. 감정의 타나토스를 통해 윤희는 또 다른 영혼의 에로스에 도달하며 '하늘은 물처럼 맑다'처럼 영혼의 아름다움을 보존한다.

4. 맺음말

하나의 텍스트에 접근하는 길은 많으며 〈경주〉는 죽음의 본능인 타나토스와 삶의 의지인 에로스라는 두 개의 대로로 진입할 수 있다. 경주는 능의 죽음 이미지가 편재하며 선배 창희의 죽음, 공항에서 만난 모녀의 보문 호수에서 투신자살, 폭주족의 죽음이 대표하는 실제의 죽음이 산재해있다. 다른 한편에는 관계의 죽음이 존재하며 창희와 그의 젊은 아내 사이의 관계 단절이 대표적이다. 최현과 후배 여정도 마찬가지의 범주이다. 또 다른 죽음은 감정의 죽음이며 이는 과거에 사랑하는 대상과의 결별로 인해 야기되는 것이다. 감정의 죽음은 새로운 사랑하는 대상의 출현과 발견을 통해 에로스가 삶의 활력을 재생해준다. 대상애는 특정 대상에 대한 사랑과 상대방에게 사랑의 대상이 되고 싶은 욕구로 나누어진다. 대상애의 또 다른 문제는 결별로 인한 다른 애도의 기간을 보내고 새로운 대상과 에로스를 생성하거나 특정 대상에 대한 에로스를 완성하기 위한 타나토스이다. 디오티마는 에로스의 사다리에서 '대상에 대한 사랑'에서 '아름다운 것 자체에 대한 사랑'으로 고양된다고 주장했다.

〈경주〉에서 인물의 에로스는 창희의 아내에 대한 감정, 윤희의 남편에 대한 애착, 최현의 여정과 윤희에 대한 감추어진 감정은 모두 대상애를 지향한다. 하지만 공윤희는 최현과의 동침의 자제라는 감정의 죽음(타나토스)을 통해 더 나은 에로스로 상승 의지를 보여준다. 최현도 육체적 에로스에 대한 갈망을 절제하고 감정의 타나토스를 통해 더 상승된 에로스의 사다리로 오른다.

마지막 장면은 낭만적 시공을 생성하고 아름다움을 현현하게 하는 에로스와 타나토스의 융합으로 귀결된다. 이 장면은 과거의 시간을 현재에 소환하여 에로스와 타나토스의 혼재, 현재와 과거의 모호한 공존으로 낭만적 시간과 해방의 공간으로 귀결된다.

〈경주〉의 인물들은 타나토스를 통한 에로스의 완성의 여정을 보여준다. 창희는 아내를 사랑하지만 아내는 그에 대한 사랑을 철회한다. 그는 사랑하는 대상으로부터 사랑받기에 실패하면서 극심한 우울증 상황에 처하게 된다. 그는 스스로 죽음의 길(타나토스)을 통해 아내와의 사랑을 완성한다. 이는 죽음(타나토스)을 통한 사랑(에로스)의 완성으로 귀결된다.

윤희도 남편이라는 사랑하는 대상에 대한 상실로 삶의 활력을 잃고 타나토스적 시간을 살아간다. 윤희는 최현을 남편과 동일시하면서 일시적인 에로스 감정에 휘말린다. 결국 윤희는 귀를 만져 보고 나서 다르다는 사실을 검증받고, 그녀의 감정은 물처럼 맑아지고 욕망을 회수한다. 그녀는 욕망에 흔들렸다가 영혼이 맑아지면서 감정을 죽이고(타나토스) 욕망을 철회한다. 타나토스를 통해 남편에 대한 에로스를 완성한다. 하지만 다음 장면에서 윤희는 비로소 남편의 죽음으로 야기된 욕망의 억압(타나토스)에서 해방되어 벽지를 뜯어내고 춘화를 개방하고 최현을 바라보는 대상애의 회복(에로스)으로 나아간다. 윤희는 처음 타나토스를 통해 에로스를 유지했다가 다시 타나토스의 억압을 물리치고 다시 에로스의 활력을 찾는 행보를 보여준다. 윤희의 행보는 마지막 장면을 통해 에로스의 정점인 아름다운 것의 완성에 당도하고 예술의 자리로 귀속된다. 윤희의 춘화 개봉은 억압의 해방을 통한 에로스의 수용이며 에로스의 해방을 위한 투쟁을 통해 이루어낸 것이다. 마지막 대화 장면은 에로스와 타나토스, 억압과 해방 그리고 과거와 현재라는 시간의 경계가 지워진 해방의 시공이자 낭만적 예술이 창조한 백미이다. 예술의 발원지는 아름다움 존재 그 자체이며 타나토스와 에로스도 여기서 발원하고 이곳으로 회귀하는 물길의 다른 이름이다.

데페이즈망dépaysement과 영화적 미장아빔cinematic mise-en-abyme은 지아장커의 영화세계를 어떤 모자이크화로 만들었는가?

1. 데페이즈망과 영화적 미장아빔으로 들어가는 지아장커의 영화

작품은 시대와 작가의 토양에 성장하는 나무와 같다. 직접적인 영향은 동시대의 예술 사조에서 비롯되지만 간접적인 영향은 자신의 이력에서 발원한다. 김윤식 선생은 '작품은 작가의 체험의 구체화에서 더 나아가 그 배후에 작가가 감추고 있는 꿈과 가면 그리고 도피하고 싶은 인생에 관한 그림'[1]일지도 모른다고 했다. 작품이라는 텍스트는 작가의 체험의 변형과 작가의 가면과 꿈과 창조의 세계가 빚어낸 한 폭의 그림에 가깝다. 작가의 전기는 작가의 텍스트를 이해하는 단서를 제공한다. 지아장커는 북경전영학원 문학과 입학을 계기로 미술 공부와 글쓰기에 대한 관심을 영화로 전향한다. 그곳에서 결성한 단체가 북경전영학원 청년실험영화소조이다. 그는 이 집단을 중심으로 〈어느 날 북경에서〉(1994)라는 다큐멘터리 작업을 시작하였으며 1995년에 〈샤오산의 귀가〉를 완성하여 홍콩 단편영화제에서 대상을 수상하면서 감독으로 인정

---

1 김윤식, 『한국근대작가론고』, 일지사, 1997. 420쪽.

을 받게 되었다. 그의 영화에는 그림 작업과 실험영화 소조 활동 그리고 중국 6세대라는 영향의 그림자가 드리워져 있다.

그동안 자아장커의 많은 연구는 6세대의 세대 범주 내에서 주로 행해져 왔다. 지아장커의 작가 연구는 중국의 현대화와 지아장커의 사실주의를 연관시키는 시각에서 진행되었다. 개별 작품연구는 폭력의 주제나 영화 언어를 통한 텍스트 분석으로 이어진다.[2] 하지만 초현실주의의 데페이즈망(dépaysement)과 영화 속에 다른 텍스트를 배치하여 의미와 주제를 환기시키거나 중층적으로 해석하는 영화적 미장아빔의 시각에서 작품과 지아장커를 바라보는 입장은 미흡하다. 영화적 미장아빔(cinematic mise-en-abyme)은 상호텍스트성과 미장아빔이라는 개념을 토대로 '영화' 텍스트에 적용한 미학적 개념이다. 미장아빔은 '문장 속에 문장'의 의미를 내포하거나 '영화 속 영화'로의 동일한 배치로 의미와 주제를 생성한다. 미장아빔의 요소는 일기, 조각, 사진, 신문, 포스터 등이 중복되거나 삽입되면서 주제를 강조한다.[3] 영화적 미장아빔은 '영화적 요소'를 중심으로 재배치되고 미학적 효과를 지향한다. 이는 "텍스트의 중첩적 배치를 기반으로 하여 부가적으로 자기반영적 영화 기법이나 시네 다이어리 혹은 감독의 독창적인 낙인과 같은 영화적 요소의 가미로 형성된 영화라는 거대한 텍스트를 형성한다는 점에서 상호텍스트성과 차이"[4]를 지닌다. 영화적 미장아빔은 영화 혹은 영화적 요소가 강조된다는 측면에서 상호텍스트성과 미장아빔의 개념과 거리를 둔다.

지아장커의 다양한 장면에는 미학적 기법들이 산재해있다. 특히 〈스틸 라이프〉(2006)에서 동밍의 집에 있는 빨랫줄에 여러 시계가 걸려 있는 장

2　세대론과 개별 작품론에 대한 대표적인 지아장커 연구는 다음과 같다. 조혜영, 「寫實의 시인, "民工" 자아장커가 그린 중국 현대화」, 『중국학 연구』 제36집, 2016. 박민수, 「자본주의의 폭력과 진화에 대한 성찰. ─지아장커의 〈천주정〉을 중심으로」, 『동북아 문화연구』 제53집, 동북아시아문화학회, 2017. 유세종, 「지아장커, 세계의 그늘을 비추는 거울, 賈樟柯」, 봄날의 박씨, 2018.

3　신혜경, 「미장아빔(mise-en abyme)에 관한 소고」, 『미학·예술학 연구』 제16집, 한국미학예술학회, 2002. 120─127쪽.

4　문관규, 「한국독립영화에 반영된 영화적 미장아빔(cinematic mise-en-abyme)에 관한 연구」, 『영화연구』 제64호, 한국영화학회, 2015. 11쪽. 영화적 미장아빔에 대한 개념은 이 논문을 참조.

면은 달리의 〈기억의 지속(The Persistence of Memory)〉(1931)과 관련되어 있으며 〈천주정〉(2013)에서 다하이가 마부를 살해하고 나서 도로를 걸어가는 마차와 도로변의 수녀의 모습은 부뉴엘의 〈안달루시아의 개(Un chien Andalou)〉(1929)에서 등장했던 피아노 위에 놓인 썩은 당나귀를 연상시킨다. 이는 초현실주의의 회화 기법의 영화적 수용의 일단을 엿볼 수 있다. 초현실주의의 여러 기법 중에서 서로 다른 이미지의 상호 배치와 충돌을 통해 미학적 효과를 만들어내는 데페이즈망 기법이 지아장커의 장면 구성에 일정하게 반복된다. 지아장커 미학의 한 축은 초현실주의 데페이즈망의 영화적 표현이며 다른 축은 중국의 전통문화의 지속과 외래문화의 유입으로 인한 변화로 야기된 문화적 혼종과 혼란 그리고 이에 대한 문화횡단(transculturation)적 요소에 대한 영화적 관심이다. 이와 같은 영화를 통해 중국 현실을 담아내려는 시도는 6세대의 노력에 맞닿아있으며 이에 대한 독창적 표현으로서 문화횡단도 일종의 영화적 데페이즈망 이미지로 포착해낸다. 문화는 다른 문화로 동화되기보다는 문화적 변형을 통해 일부의 껍질을 벗겨낸다. 문화횡단은 그 공간에 의미를 새겨넣는 과정을 통해 성취된다. 이 단편은 중국 전통문화는 현대문화의 탈각과 의미 새기기가 결합되어 미학적 데페이즈망을 이루어내며 중국 당대 현실의 사실성을 견인해낸다. 현재 중국의 변화는 전통문화라는 본래 문화와 서구 외래문화의 데페이즈망으로 볼 수 있다. 과거의 이미지와 현재와 미래의 이미지, 전통문화와 외래문화는 그 자체로 역사적 문화적 데페이즈망의 가능성을 열어준다. 동시에 동시대 중국의 맨얼굴을 사실적으로 보여주는 중국 6세대의 지향점과도 연관된다. 데페이즈망은 초현실주의적 기법이지만 중국현실의 재현의 도구로 호명된다.

다른 한편으로 전통문화와 농공민에 대한 지아장커의 관심은 자국 전통문화의 인용을 통한 주제의 심화에 기여하고 있다. 중국 전통문화와 대중문화의 영화적 미장아빔은 미학적 해석을 위한 좋은 출구이다. 지아장커 텍스트에 함유된 전통문화의 의미와 작가 자신의 반복된 스타일을 통해서 자신의 영화 속에 배치된 작가 스타일의 영화적 미장아빔 요소는 작가주의적 입장에서 작가의 텍스트 이해에 일조할 것이다. 초현실주의적 기법으로서 데페이즈망과 중국문화의 영화적 인용 그리고 작가 스타일의 영화적 미장아빔은 텍스트의 해석층을 두텁게 할 것이다. 이와 같은 해석은 지아장커 텍스트 해석의 빈틈을 메꾸어 줄 것이다. 데페이즈망과 영화적 미장아빔의 렌즈로 바라볼 때 〈임소요〉(2002), 〈천주정〉, 〈스틸 라이프〉는 중요한 피사체이며 이를 중심으로 지아장커의 거대한 모자이크화가 그려진다.

2. 데페이즈망을 통한 미학적 층위

작가는 동시대의 예술적 토양과 자신의 예술적 지향을 작품에 담아낸다. 지아장커는 중국 6세대라는 시대적 분위기로부터 자유롭기 힘들다. 6세대는 1989년 천안문 민주화 시위를 체험한 세대이고 정치와 이념으로부터 거리를 두면서 중국의 현실을 카메라에 포착했다. 또한 중국의 태생적인 정치적 검열과 산업적 요구를 표면에 받아들이면서 일정한 거리에서 그들의 입지를 만들어갔다. 지아장커는 6세대의 중국 현실을 바라보는 시선과 문학을 전공하였고, 그가 실험영화소조에서 활동한 영화 애호가 출신이라는 지점에서 그의 작가적 행보를 가늠할 수 있다. 6세대의 중국 현실을 바라보는 새로운 시선과 실험영화소조의 활동은 현실을 다른 시각에서 사유하게 하는 기반일 것이다. 중국의 당대 현실을 영화의 프레임에 견인하는 작업과 독창적 시각을 획득하려는 노력은 다큐멘터리 기법의 전폭적 수용과 초현실주의의 개념의 영화적 유입으로 귀결되었다. 여기서 두드러진 초현실주의의 기법은 사물이나 이미지를 낯선 상황에 배치해 비합리적이고 비관습적으로 사유하게 하는 데페이즈망(dépaysement)이다. 데페이즈망은 이탈리아 조르조 데 키리코(Giorgio de Chirico)에 의해 시도된 작업을 브르통이 재발견하고 마그리트에 의해 작품으로 수용되었다. 마그리트는 '관련 없는 요소의 병치가 시적 이미지를 유발하는 것'[5]을 〈헤겔의 휴일〉에서 입증했다. 〈헤겔의 휴일〉은 우산

---

5 김현화, 『현대미술의 여정』, 한길사, 2019. 371쪽.

과 유리잔의 병치를 통해 '긍정과 부정, 거부와 수용의 변증법적 관계를 시적 은유'[6]로 표현하였다. 이와 같은 비합리적인 대상의 병치와 대상과 이미지의 거리를 통해 관념화되고 일반화된 사유에서 벗어나게 하는 기법이 데페이즈 망이다. 이는 "'사람을 타향에 보내는 것' 또는 '다른 생활 환경에 두는 것'"[7]을 의미한다. 데페이즈망은 초현실주의 미술에서 이미지나 물체를 관습적인 질 서와 분위기와 불일치한 장소에 배치하는 기법으로 발전한다. 데페이즈망은 "현실적인 사물들이 일상적이고 구체적인 용도나 의미를 상실한 채 그것이 놓일 수 없는 장소에 놓이게 함으로써 초현실적 환상을 창조해내는 것"[8]이다. 데페이즈망은 회화의 장에서 이미 다양한 실천을 수행해왔으며 분류도 다채롭다. 영화에서도 서로 다른 이미지의 배치나 이미지와 사운드의 결합으로 의미가 강화되거나 관객의 심리적 충격을 야기하는 충돌의 몽타주가 존재한다. 다른 이미지와 이미지의 배치나 크기와 정서가 불일치하는 쇼트와 쇼트를 배치하여 갈등을 유발하는 충돌의 몽타주는 회화의 데페이즈망 기법과 유사하다.

회화에서 데페이즈망은 사물의 의인화나 크기의 변화 그리고 무생물의 생물화와 우연한 만남 등 작가에 따라 다채롭게 표현되어 초현실주의의 대표적인 기법으로 뿌리내렸다. 지아장커의 작품에서 데페이즈망은 변하는 현실과 변하지 않거나 느리게 변하는 과거의 공존으로 인해 야기된 중국의 사실적 현실을 훼손되지 않게 담아내는 데 적합한 기법으로 선택된 것 같다. 중국의 전통과 현대의 불균질적 동거가 보여주는 데페이즈망 상황은 보다 다양한 층위로 확장된다. 재봉틀과 우산과 같은 우연한 만남으로 인한 장소와 이미지의 불일치 그리고 불행한 상황에서 기쁜 폭죽이 터지는 것과 같은 불일치가 야기하는 역설로 구분해 볼 수 있다. 중국의 변하는 것과 변하지 않는 것은 데페이즈망 기법으로 중국의 전통문화와 서양의 외래문화의 문화적 횡단 양상이 프레임에 정박된다.

---

6 김현화, 위의 책, 371쪽.

7 박윤정, 「초현실주의 데페이즈망 기법이 현대 미술에 미친 영향」, 창원대 석사학위논문, 2010, 3쪽.

8 김지열, 「초현실주의 회화에 있어서의 데페이즈망에 관한 연구」, 이화여대 석사학위논문, 1991, 71쪽.

1) 느리게 유지된 전통문화와 빠르게 변화된 현대 문화의 이질적 배치

〈임소요〉(2002)는 두 인물이 미래의 희망을 잃고 배회하는 서사이다. 그들이 주로 점유하는 공간은 이질적 헤테로토피아에 가깝다. 그 공간은 당구장과 비디오 룸이며 과거의 공간이 사라지고 현대의 이름으로 오래된 건물에 들어선 시설들이다. 특정한 장소는 과거와 현재의 시간이 공존하여 이질성과 변해가는 중국의 사실적인 풍경을 극명하게 드러낸다. 푸코에 의하면 헤테로토피아는 이소성을 지니며 "자기 이외의 모든 장소들에 맞서서, 어떤 의미로는 그것들을 지우고 중화시키고 혹은 정화시키기 위해 마련한 장소들"[9]이다. 주인공들이 활동하고 점유하는 공간은 과거에 익숙함과 친근함의 장소였다면 지금은 변화에 의해 인간을 주변화시키는 이질적 공간이며 도피처이자 일시적 성소로 자리한다.

장소는 관습적 공간과 이질적 용도의 헤테로토피아가 대립한다. 동시대 중국 소도시의 정체된 과거가 가속도로 흘러가는 현재의 순간과 데페이즈 망된다. 변화하는 도시와 변화의 속도에 못 따라가는 오래된 건물은 급속도로 흐르는 시대의 조류에 발맞추지 못하는 청춘들의 삶을 은유한다. 시간과 공간은 그 곳에 살아가는 인물과 여러 겹에서 은유적 유사성과 이질적 공존으로 데페이즈망된다. 지아장커의 카메라는 변해가는 중국의 현실이라는 이름으로 풍경을 소환한다. 당대 중국의 현실이라는 단면은 데페이즈망이라는 미학적 기법으로 부각되기도 하고 영화적 거리를 유지하면서 견인된다. 지아장커의 리얼리즘은 미학적 데페이즈망으로 아픈 시간의 단층에 영화적 이미지를 각인한다. 동시대 현실의 참모습은 리얼리즘의 렌즈로 포착되어 작가적 독창성으로 수렴된다. 이는 바쟁이 이탈리아 네오리얼리즘을 상찬하면서 다큐멘터리적 사실성보다 정신의 잔재를 담아내는 정신적 리얼리즘의 성취에 지지를 보냈던 것을 상기시킨다. 중국의 지아장커는 이 정신적 리얼리즘을 한층 더 성숙한 태도로 성취해낸다.

---

9 미셸 푸코, 이상길 역, 『헤테로토피아』, 문학과지성사, 2014. 13쪽.

〈임소요〉에서 전통문화와 외래문화의 데페이즈망은 한 건물에 공존하는 다층적 풍경들이다. 외래문화인 당구대 위에서 포커를 치고 한쪽 구석에서는 샤오지와 빈빈이 지루한 시간을 보낸다. 거리에서는 경찰이 범인을 체포해간다. 중국의 변화는 당구장 위에서 포커치는 무리들과 범인이 체포되는 풍경으로 한 공간에서 제시된다. 중국 전통문화와 현대 외래문화의 혼종적 이미지가 첫 시퀀스에서 동시대의 풍경으로 배치된다. 유입된 외래문화와 중국 토착문화의 차이에 대한 극단적인 예는 은행강도 신이다. 빈빈과 샤오지는 은행 강도를 감행한다, 이들은 외래문화인 영화를 통해 은행 강도 장면을 알고 준비한다. 하지만 이들은 영화에서 차용하여 사제 폭탄을 만들어 중국 건설 은행으로 들어가서 빈빈은 '모두 손들어' 한다. 하지만 손님은 아무도 없고 공안 경찰이 다가와 체포하고 폭탄을 터트릴 라이터도 없냐고 야단친다. 빈빈은 권총 강도짓을 호기롭게 시도하여 사제 폭탄을 품고 가지만 라이터도 없고 직원도 보이지 않는다. 영화의 장면이라는 외래문화를 통해 현재의 시점에 강도를 시도하다 실패한다. 시간의 어긋남과 불일치로 인한 해프닝과 쓸쓸함이 묻어난다. 지아장커는 출구가 없는 세상에서 "폭력은 그들에게 최후의 낭만"[10]임을 입증하였다.

이어지는 장면에서 빈빈은 경찰서에서 은행 강도로 체포되어 〈임소요(任逍遙)〉 노래를 부른다. 그 후경에 산시성 고속도로 개통 소식이 텔레비전의 보도를 통해 전해진다. 고속도로의 개통이라는 변화하는 모습과 전통적인 영웅을 꿈꾸는 〈임소요〉 노래는 같은 공간 안에 서로 다른 시간대로 배치되어 시간의 차이가 주는 애잔함을 느끼게 한다. 텔레비전 속의 중국은 급변하고 있으며 빈빈은 〈임소요〉 가사에 의존하여 자유로운 삶을 꿈꾸는 전근대적인 방식으로 세상에 대항한다. 변화하는 중국과 이 속도에 호응하지 못하는 세대의 자화상은 사실적 풍경에 담긴다.

〈스틸 라이프〉는 두 남녀가 삼협댐 건설 현장에 집을 떠난 아내와 남편을 찾는 이야기이다. 한산밍(한산밍 분)은 16년 동안 소식이 없는 아내를 찾아

10　賈樟柯, 『賈想Ⅰ』, 臺海出版社, 2017. 119쪽.

오며 훙(자오타오 분)은셴은 2년 동안 소식이 두절된 남편을 찾아서 펑지에에 도착하여 결국 만나지만 다시 떠나간다. 만남과 헤어짐, 도착과 떠남의 움직임 속에 과거 건물의 철거와 새로운 댐의 건설이 과거와 미래의 시간대에 놓여 있다. 과거의 전통과 미래의 변화를 추동하는 현대의 시간이 교직되고 공존하는 현장이 펑지에라는 장소다.

삼협댐의 건설 현장에서 노동자들이 허물고 있는 건물과 16년 동안 아내와 남편을 잊지 못하고 찾아오는 두 인물은 과거의 기억과 전통문화를 표상한다. 156.3미터 수몰 표지와 함께 아직 존재하는 건물과 공간인 과거를 덮으려는 시도와 새로 건설된 다리에 점등식을 하고 성인 남녀가 어우러져 블루스를 추면서 흐르는 현재의 시간과 외래문화는 신중국의 변화로 표상된다.

노동자와 선상에 사는 농공민은 대부분 전통의 공간에 정주한다. 새로운 댐을 통한 미래의 비전을 열어가려는 노동자의 건강한 노동이 자연 속에 하나의 풍경으로 수렴되면서 변화하는 중국 이미지의 사실적 재현이라는 지아장커의 영화적 목표에 호응한다. 낡고 허물어지는 전통문화와 불가피하게 수용해야 하는 현대 문화의 이질적 공존은 한산밍이 아내를 찾는 장면에서 거듭 배치된다.

한산밍은 아내를 찾기 위해 동사무소에 도착한다. 동사무소가 주민들의 집단 항의로 어수선한 상황에 이방인인 한산밍이 조용히 프레임에 등장한다. 지아장커의 장면 연출 스타일은 다수의 군중을 먼저 제시하고 주인공을 나중에 프레임 안으로 배치한다. 군중은 바스트 샷이나 클로즈업으로 흐르면서 배치되고 주인공은 개인 단독 샷으로 정착한다. 모든 등장인물에게 동등한 지위를 부여하려는 감독의 연출관과 농공민을 바라보는 수평적 태도가 반영된다. 그는 동사무소 직원을 통해 아내 찾기를 시도한다. 동사무소 직원은 컴퓨터의 작동 불능으로 인해 다음에 방문해줄 것을 요구한다. 어수선한 군중의 장면과 현대적 컴퓨터를 다루는 직원이 한 장소에 배치된 것은 전통과 현대의 데페이즈망이다.

셴훙이 공사장을 걸어가는 장면의 전경과 후경에 이질적 이미지가 배치된다. 평지에에 도착한 셴훙은 건물을 철거하는 공사장으로 걸어간다. 철거지역의 풍경 쇼트가 정물화로 연결된다. 노동자들은 공장의 벽을 망치로 두들기며, 남편을 찾기 위해 방문한 셴훙은 느리게 걸어서 지나간다. 노동자의 일하는 이미지와 이방인의 산책하는 이미지는 과거와 현재의 이미지로 수렴된다. 과거의 시간이 지워져 가는 폐허의 풍경 이미지와 현재의 시간은 누군가를 찾아 움직이는 셴훙의 행위가 서로 다른 이질적 시간의 층을 만들어낸다.

셴훙은 옥상의 빨랫줄에 옷을 건다. 셴훙이 서 있는 옥상의 후경에 로켓처럼 생긴 건물이 하늘로 날아오른다. 과거의 중국 건물은 무너지고 철거되는 하강의 이미지를 보여준다면 미래의 중국 로켓은 하늘로 비상한다. 노후된 건물과 철거로 인해 이주하는 이주민들은 과거와 현재의 시간대에 머물고 있는 하강의 이미지로 수렴된다. 이에 반해 하늘을 나는 로켓은 미래와 변화하는 중국과 상승 이미지를 대표한다. 이 장면은 건물의 무너짐과 로켓의 상승, 과거의 고수와 미래의 변화를 동시주의적으로 포착하여 동시대 문화횡단의 이미지를 데페이즈망 기법으로 함축한다.

셴훙은 장강의 유람선에 승선하여 상하이로 향한다. 유람선 안에서 텔레비전은 삼협댐 건설 취지를 영상으로 보도한다. 아나운서는 공산당 지도부의 이상의 실현이라는 댐 건설의 정치적 의미를 강조한다. 텔레비전의 화면 속의 시간은 과거와 역사의 시간이며 장강 유람선 위의 시간은 현실의 시간이다. 남편과 이별하고 평지에를 떠나는 셴훙의 감정과 삼협댐의 성과를 강조하는 정치 선전은 정서적으로 충돌하고, 동시에 과거와 현재의 서로 다른 시간이 배치된다. 텔레비전은 배 위의 현실과 화면 속이라는 이질성을 드러낸다. 텔레비전을 통한 중첩된 시공간의 배치는 지아장커의 장면구성의 특징이다. 시간과 공간의 데페이즈망은 전통의 유지와 변화의 기대 그리고 중국의 변화된 현실에 대한 사실적 기록으로 귀착된다.

〈천주정〉은 네 번의 죽음을 에피소드로 배치한다. 지아장커는 다큐멘터리적 사실성과 리얼리즘적 공격성을 감추지 않는다. 첫 장면에서 다하이(大海)의 행위는 앞으로 전개될 이야기를 암시하는 예시적 이미지다. 다하이는 전복된 트럭 앞에서 사과를 위로 던졌다가 다시 받는 행위를 반복한다. 후경에는 사과를 거리에 쏟은 트럭이 있으며 전경에서 무표정한 다하이가 이미지의 부조화로 데페이즈망 된다. 다하이의 행위와 전복된 트럭은 이 에피소드의 이야기를 미리 알려준다. 다하이는 쓰러진 트럭에 개의치 않고 하고 싶은 일을 행한다. 그는 공동체와 공공성을 우선하는 자신의 철학으로 인해 개인과 물질주의로 변하는 동시대의 흐름을 거부한다. 다하이의 행동은 변화된 시대와 불화하는 정신적 데페이즈망의 모습에 가깝다.

첫 에피소드에서 다하이는 주변인 여섯 명을 살해한다. 살인의 동기는 변해가는 중국과 과거의 이념을 고수하려는 인물 간의 거리감과 이질성에서 비롯된다. 다하이는 공산주의 이념에 충실하여 균등 분배와 평등 정신을 강조하며 재산을 사유화하는 자본가에 대항한다. 다하이의 대항은 시대의 변화에 부합하지 못하고 낡은 인습에 고착된 인물의 우행이다. 우행과 시대와의 불화는 정신적으로 데페이즈망 된다. 유세종의 해석대로 "사회주의의 일정 시기 동안 행해진 법에 의한 형벌의 공평성과 '정의로웠던 사회'에 대한 다하이의 기억은 개혁 개방 시기의 변화된 현실 속에서 다만 과거의 일이 되었을 뿐"[11]이다. 다하이는 공정 분배와 평등 지향이라는 과거의 사상에 지배되어 개혁 개방 이후 자본화되는 현재의 변화를 수용하지 못하고 〈수호지〉의 임충 야분에 등장하는 임충처럼 직접 악의 무리에 대항한다. 다하이의 행위는 임충야분의 인물과 동일시되고 호랑이를 때려잡은 무송의 의협심을 환기시켜준다. 이는 『수호지』의 정신을 수용하면서 동시에 고루한 정신에 고착된 인물에 대한 비판으로 나아간다. 과거에 고착된 이념과 현대의 변화된 환경은 다하이의 행위로 데페이즈망 된다. 연쇄살인은 협의 정신 발로와 완고한 개인의 사적 저항의 양면성을 지닌다. 중국의 성장통과 현대화의 그늘은 미학적 장치의 매개로 진정성을 획득한다. 과거와 현재의 서로 다른 이념이 데페이즈망 되어 동시대 중국 현실의 단면의 한 조각을 끌어 올린다. 이는 카메라를 통해 중국의 현실과 중국인을 담아내고 싶다는 감독의 열망에 부합한다.

---

11 유세종, 『지아장커, 세계의 그늘을 비추는 거울, 賈樟柯』, 봄날의박씨, 2018. 222쪽.

2) 우연한 만남으로 인한 장소와 이미지의 불일치

로트레아몽의 시에서 "수술대 위의 우산과 재봉틀"이라는 표현은 초현실주의자에게 영감을 주었다. 뒤샹과 달리의 작품은 우연한 만남과 낯선 환경에 사물의 배치를 적극 실천하였다. 우연한 만남으로 인한 장소와 이미지의 불일치는 회화와 동일하게 움직이는 회화이자 사진인 영화에서도 데페이즈망으로 수용되었다.

자아장커의 텍스트는 우연한 만남으로 인한 이미지의 불일치 장면이 산재되어 있다. 〈스틸 라이프〉에서 보여준 장소와 인물의 부조화는 관객들에게 다채로운 감정을 불러일으킨다. 한산밍은 16년 전에 집을 떠난 아내를 찾는다. 그에게 수몰 지역 여성이 '아가씨가 필요하지 않느냐'고 묻는다. 그는 시점 쇼트로 창밖을 바라본다. 중년 여성들이 페허 건물의 사이에서 등장한다. 그들은 매춘업소 앞에 진열된 매춘부의 자세로 서 있다. 페허의 건물이 주는 죽음 이미지와 매춘의 에로스 이미지가 낯설게 배치된다. 아내를 찾으려는 한산밍의 순수와 매춘이라는 세속적 이미지가 불합리하게 결합되어 심리적 파토스를 야기한다.

이와 같은 우연한 만남은 페허의 더미 위에 놓인 가방과 그 속에 들어있는 샤오마거의 모습에서 반복된다. 페허의 잔해들과 가방에 들어있는 인물의 부조화한 만남에는 스러져가는 장소와 생명의 약동이라는 서로 다른 이미지가 공존한다. 공사장의 페허 가방에 든 인물의 발견과 철거되고 있는 폐건물 기둥 사이에서 등장하는 생계형 매춘을 하는 여성의 출현 장면에서 죽음과 삶, 사라져가는 것과 그곳에서 살아가려고 애쓰는 인간군상이 데페이즈망된다. 한산밍은 페허가 된 건물처럼 16년 동안 녹슨 부부관계를 복원하려고 하고 조직폭력배 샤오마거는 던져진 가방 속에서 청춘의 꿈을 찾고 있다. 그는 결국 벽돌 더미에서 시체로 발견된다. 가방 속의 마거 이미지는 미래의 벽돌 속(무덤)을 예견한다. 즉 죽음에 대한 예시적 장면이다.

장소와 피사체의 불일치는 셴훙의 장소적 이질성을 적절하게 드러낸다.

센홍에게 펑지에의 모든 장소는 낯설며 이질적 정서는 남편과의 재회에서 극명하게 드러난다. 센홍은 남편과 재회하지만 심리적 간극을 메우기 힘들다. 그들의 심리적 거리감은 전경의 인물이 큰 사이즈로 배치되고 중경에 건물이 들어서 있고 후경의 강과 산이 작은 풍경으로 표현된 것에서 드러난다. 큰 산과 강이 작게 배치되고 인물이 크게 배치되어 피사체의 상식적 크기를 위반한다. 크기의 불일치는 2년 동안의 별거로 인한 심리적 거리감을 드러내고 이를 완화하기 위해 센홍과 남편의 춤추는 행위로 전환된다. 감정적 균열과 이별을 염두에 둔 두 인물의 심리적 거리감과 춤추는 행위는 심리와 행위의 불일치 양상을 보여준다. 심정적 불편함과 춤추는 행위는 심리적 상태(거리감)와 표면적인 행위(친밀)가 상호 충돌하여 심리와 행위의 불일치 상황이 빚어낸 데페이즈망이다. 이질감은 〈스틸 라이프〉의 건설과 파괴, 만남과 떠남과 같은 핵심 정서이다.

낯설고 우연한 만남 이미지는 한산밍과 아내가 폐허의 건물에서 사탕을 건네는 장면에서 반복된다. 폐허 건물에 마주 앉은 두 사람이 시간의 균열로 인한 심리적 거리를 봉합하기 위해 대화를 나누는 순간 후경에서 건물이 와르르 무너진다. 전경과 후경의 이미지는 16년 만에 만난 오래된 관계와 그들의 붕괴된 가정을 암시한다. 서로를 위하는 감정은 사탕으로 제시되지만 현재의 상황은 건물처럼 무너져있다. 경제적인 이유로 가정이 붕괴되었고 그들은 떨어져 살았지만 미래의 복원에 대한 기대와 불안감이 잔존함을 암시한다.

이와 같은 부조화 이미지는 〈산하고인〉(2015)의 문병 장면에서 반복된다. 〈산하고인〉에서 자오타오는 병들어 귀향한 친구인 리앙즈의 문병을 간다. 병든 리앙즈와 마주한 그녀는 병원비를 전해주고 리앙즈는 숨을 불편하게 내쉬며 감사함을 전한다. 그리고 그는 그녀에게 설날 노래를 부르는지 묻지만 그녀는 노래하지 않는다고 답한다. 그녀의 삶에서 삭제된 행복을 노래 부르기의 중단으로 대신한다. 자오는 자신이 보냈던 먼지 낀 청첩장을 들고 밖으로 나온다. 자오가 걸어가는 골목에 악단이 지나간다. 자오의 감정은 병든 친구와 지나간 세월에 대한 그리움으로 무겁지만 아이들의 연주는 흥겹다. 자오의 마음과 음악의 연주는 서로 부조화스럽게 프레임에 배치되면서 그녀의 아픔을 더 도드라지게 한다.

〈임소요〉는 초창기 영화답게 데페이즈망이 전경에 배치되기보다는 상징적으로 사용된다. 펀양과 다퉁에는 전통 건물들과 건설 중인 새 건물이 공존한다. 이곳의 전통과 외래, 낡음과 새로움이라는 사이에 비포장도로가 펼쳐져 있다. 카오카오는 황량한 풍경 속에서 단정하게 걷고 화려하게 장식을 한다. 카오카오는 무질서한 비포장 땅을 검은 카디건을 쓰고 이동한다. 비포장도로와 낡은 건물이 만들어내는 폐허 분위기와 단정하게 차려입으려는 젊은 여성의 이미지는 서로 부조화로 데페이즈망 된다. 소도시에는 오래된 시간의 퇴적된 폐허 이미지와 새로 건설되는 건물이 표상하는 젊음의 청신한 이미지가 함께 배치되어 동시대의 변화하는 중국 소도시의 전형적 이미지를 담아낸다. 이 장면은 이미지의 부조화로 데페이즈망 되었다면 올림픽 개최 도시로 북경이 선정되었다는 소식과 총을 소지한 기성세대에게 복수하려고 가다가 좌절된 샤오위의 감정은 심정적 부조화이다. 샤오위는 카오카오의 후견인이자 연인에게 구타를 당하고 복수하기 위해 달려간다. 텔레비전은 올림픽 개최지로 북경이 선정되었음을 공표한다. 샤오위의 절망감과 주변 시민들의 환호가 부조화되며 카메라는 팬하여 골목에서 폭죽을 쏘며 즐거워하는 어린아이들을 보여준다. 어린아이들의 환호와 샤오위의 좌절이 충돌하며 몽타주 된다. 환호 이미지와 개인의 좌절이 데페이즈망 되고 이는 중국 소도시 젊은이의 정서를 현시한다.

이와 같은 데페이즈망은 마지막 장면에서 산시성 개통 소식으로 외부로 진출할 수 있는 기회가 열린 기쁜 소식과 은행 강도 미수로 경찰의 취조를 받고 있는 빈빈의 상황에서도 동일하게 반복된다. 빈빈은 소도시의 경찰서에 갇혀 있으며 자신의 꿈도 저당 잡혀 있다. 하지만 텔레비전에서 보여준 고속도로는 외부로 향하며 미래의 발전이라는 길을 열어주는 개방성을 대변한다. 한 장면에서 폐쇄성과 개방성이 공존한다.

〈천주정〉에서 전형적인 우연한 만남으로 인한 장소와 이미지의 불일치는 다하이에 의해 죽은 마부로부터 벗어난 빈 수레를 끌고 가는 말과 이곳에 서 있는 두 수녀의 이미지이다. 말이 지나가고 나서 경찰차도 거슬러서 지나간다. 말은 마부의 폭력으로부터 해방되고 수녀와 경찰차는 질서를 유지하려는 억압을 표상한다. 해방과 억압의 이미지가 한 프레임에 배치되어 다하이의 살인의 함의를 풍부하게 한다. 이 장면은 부뉴엘의 〈안달루시아의 개〉에서 피아노 위에 묶인 썩은 당나귀와 신부를 연상하게 한다. 카톨릭과 부르주아에 대한 비판적 메시지를 담은 그 장면의 데페이즈망과 중국사회의 억압과 이에 저항하고 벗어나는 말의 이미지는 중국적 현실에 부합한다.

데페이즈망은 영화에서, 이미지와 이미지 사이에서 이미지와 인물의 감정적 부조화로 확장되면서 심층적 감정의 움직임을 포착하게 한다. 외래와 전통문화의 차이, 소도시와 대도시의 문화적 격차는 문화적 횡단을 통해 중국 현재의 단면을 탈은폐한다. 이는 지아장커가 바라보는 중국 현실이며 그 방식은 과거와 현재, 외래와 전통, 파괴와 건설의 공존이라는 시대적 풍경 자체를 데페이즈망으로 귀결한다.

3) 불일치한 상황과 이질적 시간이 공존하는 데페이즈망

시간과 상황의 불일치를 통해 희극적 데페이즈망이 형성된다. 코미디에서 현대인이 전근대적인 행동을 할 때 시간의 불일치로 인해 웃음이 유발된다. 여기서 희극성의 원천은 희극성과 이질성이다. 지아장커의 영화에서 시간의 이질성은 텔레비전의 사건이 보여주는 시간과 주인공들이 살아가는 지방 소도시의 시간의 간극에서 비롯된다. 텔레비전의 시간과 영화의 주인공이 존재하는 장소의 시간은 시대적 간극이 존재한다. 전근대와 근대라는 시간의 단면은 한 프레임에 공존한다. 텔레비전에서 보여준 중국은 올림픽이 유치되고 고속도로가 개통되지만, 인물들이 거주하는 다퉁과 펀양의 시간 속에서 사람들은 재래식 흉기를 들고 총에 대항하거나 사제 폭탄으로 은행 강도를 시도한다. 지아장커는 동일한 국가에 엄존하는 두 개의 이질적 시간으로 파토스를 만든다. 한 나라에 존재하는 소도시와 대도시 그리고 변하지 않은 과거와 변화 중인 현재의 두 단면은 동일한 프레임에 병치된 이질적 시간의 현현이다. 변하는 시간은 텔레비전이 대표한다. 텔레비전 뉴스와 드라마는 중국의 시간과 공간의 횡단면을 제시한다. 시각적으로는 건물의 건설과 폐허를 통해 현대화되는 중국과 소멸해가는 과거 중국의 풍경을 문화적 횡단면으로 보여준다. 불균질적 이미지로서 시간의 데페이즈망은 〈스틸 라이프〉와 〈임소요〉에서 두드러진다.

〈스틸 라이프〉에서는 UFO가 출몰한다. 셴훙이 서 있는 옥상 후경에 로켓트가 날아간다. 한산밍이 마크를 기다리는 식당에서 경극 배우는 휴대폰 오락을 한다. 한산밍의 옆자리에 앉아 있는 세 명의 경극 배우들이 휴대폰으로 오락을 한다. 경극 배우 복장이 보여주는 전근대의 시간과 휴대폰 오락으로 대표되는 현대의 시간이 데페이즈망 된다. UFO와 로켓과 휴대폰이 현재에서 미래로 향하는 시간축이라면 경극 배우와 폐허의 빨래줄과 수몰 지역의 철거된 건물은 과거의 지층이며 현재의 껍질들이다.

〈임소요〉의 강도 신도 시간적 간극을 보여준다. 샤오위와 빈빈은 수제폭탄을 어깨에 메고 중국 건설은행에 들어간다. 그들의 전근대적 강도 행위는 텔레비전의 고속도로 개통 소식이라는 근대적 시간과 함께 이질적 시간으로 공존한다. 시민들의 환호와 샤오위의 좌절은 상황적 불일치이며 재래적 복수라는 전근대적 시간과 올림픽 개최라는 미래의 사건은 시간적으로 이질적이다. 데페이즈망은 상황과 시간의 불일치로 슬픔이 밴 웃음을 만들어낸다. 이는 상이한 이미지의 충돌로 파토스를 야기하는 충돌의 몽타주와 접맥된다. 파토스는 "관객의 감정을 전혀 다른 상태로 전이시키는 효과"[12]를 만들어낸다. 에이젠슈테인의 충돌의 몽타주가 파토스의 촉발을 통해 관객의 혁명적 변화를 지향했다면 지아장커는 파토스를 통해 소도시 젊은이에 대한 연

---

12 김용수, 『영화에서의 몽타주 이론』, 열화당, 1996. 176쪽.

민과 그들의 미래에 대한 우려라는 동시대의 성찰을 지향한다. 때문에 빈빈이 경찰서에서 부르는 노래는 미래에 저당 잡힌 그들에게 마음대로 세상을 노닐 수 있는 자유를 부여하기 위한 찬가이다. 〈임소요〉는 자오카오의 대사처럼 '네가 하고 싶은 대로 할 자유'를 꿈꾼다.

〈천주정〉에서 다하이는 촌장과 기업가를 살해한다. 샤오위(자오타오 분)는 자본의 폭력에 대항하기 위해 우발적 살인을 저지른다. 상황의 불일치가 야기한 데페이즈망 이미지는 샤오위가 내연남의 아내의 폭행을 피해 들어간 매춘 버스 안이다. 샤오위는 유부남인 자신의 연인을 기차역에서 배웅하고 직장인 안마시술소 야귀인(夜歸人)으로 향한다. 안마시술소로 가는 도중 호객꾼의 소리를 듣는다. 샤오위는 야귀인에서 방문한 장유랑의 부인과 남성에게 폭행을 당한다. 샤오위는 거리에서 폭행을 피해 뱀과 여성을 진열하면서 매춘하는 차 안으로 뛰어든다. 차 안의 바닥에는 뱀들이 기어 다니고 통안에 매춘 소녀가 앉아있다. 매춘숙인 그곳은 샤오위에게는 도피처이자 피난처인 헤테로토피아이다. 소녀는 샤오위에게 휴지를 건넨다. 매춘하는 공간은 샤오위에게 안식처가 되고, 뱀과 매춘은 악이고 유혹을 표상하지만 소녀의 행위는 휴지의 색처럼 흰색의 순결한 정신을 보여준다. 소녀의 선행은 연못 속의 연꽃과 같다. 매춘숙과 순수한 마음의 공존은 뱀이 있는 위험한 곳이 안전한 도피처로 전이되고 매춘여성은 순결한 인간이 된다. 선과 악, 순결과 불결이 무화되고 정신의 새로운 장을 열어준다.

뱀은 샤오위의 근무처 휴게실에서 상영된 영화에 등장한다. 서극의 영화인 〈청사〉(1994)는 뱀이 변신하여 인간과 사랑에 빠지는 이야기이다. 샤오위가 안마시술소에서 휴식을 취한 후에 거리를 걸어갈 때 다시 뱀이 등장하여 거리를 가로질러 간다. 뱀은 버스 안에서 목도한 뱀과 영화 속의 뱀 그리고 거리를 가로지르는 뱀으로 거듭 등장하여 데페이즈망 이미지와 서사적 리듬을 만든다. 지아장커 감독은 "영화에서 뱀의 이미지는 중국 민담을 차용한 것이다. 하지만 역시 영화 속 동물의 사용에 있어 가장 중요한 점은, 우리는 섬이 아니라 서로 연결되어있는 존재라는 점"[13]을 염두에 두었다고 한다. 뱀의 등장은 동일한 에피소드에서 서사의 리듬을 만들어주며 동시에 인물이 처한 낯선 상황과 경이로운 감정을 환기시키는 데페이즈망의 매개로 활용된다. 감독의 연출 의도에 비추어 보면 인간과 자연물이 서로 연관되어 있으며 각 에피소드와 에피소드가 "호랑이, 소, 뱀, 물고기의 네 가지 동물로서 에피소드 형식"[14]을 구성하는 동물 이미지이기도 하다. 네 에피소드는 인물과 인물 사이의 만남과 동물의 등장으로 흘러간다. 첫 번째 에피소드에서 혼자 가는 말의 움직임이 다음 장을 이끌었다면 두 번째 에피소드의 끝은 살인을 하고 오토바이를 타고 가는 산얼의 앞에 소를 싣고 가는 트럭으로 연결된다. 소는 샤오위가 살인을 하고 걸어갈 때 길에 등장하는 두 마리 소로 연결된다.

길 위를 느릿느릿 걸어가는 소는 살인으로 인한 급박한 상황과 대치하며 경이로운 데페이즈망을 이룬다. 지아장커는 데페이즈망을 통해 경이로움을 만들어가면서 주인공의 감정의 미묘함을 담아낸다. 또한 동물의 계속된 등장은 분리된 에피소드의 관련성을 이어주는 매개 역할을 한다. 미학적 선택과 서사적 연결을 동시에 성취한 선택은 동물의 반복 등장과 이를 통한 낯선 상황 만들기였다.

3. 중국 문화와 작가 스타일의 영화적 미장아빔

포스트모더니즘 시대에 모든 텍스트는 이미 존재한 이전의 텍스트에 대한 의존도가 높으며 심지어 이미 존재한 것들을 재조합시키는 경우도 있다. 지아장커의 텍스트는 중국문화와 현실의 탈은폐와 작가적 인장의 반복이 두 기둥이다. 중국문화와 작가적 인장은 자아장커의 영화에 영화적 미장아빔으로 배치되어 미학적 결실을 획득한다.

---

13   정한석, 「폭력은 전염된다」, 《씨네21》 제906호, 2013. 박민수, 재인용.

14   박민수, 「자본주의의 폭력과 진화에 대한 성찰 – 지아장커의 〈천주정〉을 중심으로」, 「동북아 문화연구」 제53집, 동북아시아문화학회, 2017. 283쪽.

영화 작가는 자신의 눈으로 세상을 바라보고 자신의 언어로 시대를 증언한다. 작가의 반열에 오른 감독은 고유한 영화적 언어와 독창적 세계로 예술의 지평을 확장한다. 작가의 스타일은 작가의 인장이 되고 다른 텍스트의 유입은 영화적 미장아빔으로 미학적 풍경을 만든다. 지아장커는 〈천주정〉과 〈임소요〉 그리고 〈스틸 라이프〉 텍스트 속에 주제와 스타일의 인장을 촘촘하게 배치했다.

중국 5세대는 서구에 대한 인정 욕구라는 자의식을 지우지 못했다. 중국 6세대는 중국 현실에 대한 정직한 맨얼굴을 프레임 중앙에 배치하는 결기를 보였다. 장예모에 대해 다이진화는 "서구/유럽문화라는 중심의 대가 되는 주변이었고, 민족문화의 굴복이라는 대가를 지불하고 얻은 영예"[15]로 냉정하게 평가했다. 중국 6세대는 서구에 대한 인정보다는 동시대 중국 현실의 문화횡단에 대한 작가적 관심과 자본주의의 도래로 급변하는 공간과 인물의 가치관 혼란을 카메라로 성찰하였다. 서구의 시선에 대한 인정 욕구보다 자국 문화와 현실에 대한 탐구에 주력하였다. 자국의 변화는 느리게 움직이는 카메라와 천천히 걸어가는 인물의 움직임으로 사유와 성찰의 여백을 만들었다. 이 여백은 서구의 관심을 촉발하였으며 지아장커는 장예모와 다른 방식으로 서구의 인정을 받게 되었다. 장예모의 적극성에 자국 문화를 서구의 시선에 맞추는 동일시와 오독의 동일시라는 인위적인 노력이 가미되었다면 지아장커의 노력에는 중국 현실과 동시대 중국인의 내면을 지향하면서 데페이즈망 이미지와 사유를 포착하려는 관점이 담겨 있다. 지아장커는 중국의 문화와 동시대의 문화 횡단면에 새겨진 선한 인물들의 존중이라는 소박미를 천착했다. 지아장커의 영화는 중국의 문화라는 큰 그물 혹은 중국의 동시대라는 단면에 새겨진 중국 현실의 영화적 자화상에 가깝다.

영화 속에 스며든 중국의 문화는 유사성과 경이로움으로 포획된다. 작가가 직면한 당대의 현실이라는 표면에 카메라를 세우지만, 프레임의 표면에는 수천 년의 축적된 중국 문화가 자리한다. 동시에 중국 영화의 편린도 다채

15 다이진화, 이현복·성옥례 역, 『무중풍경:중국영화문화 1978-1998』, 산지니, 2007, 288쪽.

롭게 새겨진다. 베르그송이 설파한 과거의 기억과 미래의 기대로 확장되는 현재의 평면은 지아장커의 프레임에 수렴된다. 프레임에는 중국의 전통문화가 시간의 퇴적층에서 더러는 변형되고 때로는 고집스럽게 원형질을 유지하면서 새겨진다. 또한 이전의 영화 장면들이 겹치거나 거울처럼 마주 보면서 영화의 프레임 안으로 수렴된다. 중국의 영화와 전통문화에 스며든 상호텍스트의 물결 속에 중국의 사상이 영화의 주제로 수렴되고 두터운 의미망을 형성한다. 이것이 바로 지아장커의 영화의 중핵이다. 지아장커의 영화는 중국문화와 청년 시절의 영화 관람 체험 등 다양한 텍스트의 영화적 미장아빔이다. 〈스틸 라이프〉에서 샤오마거는 〈영웅본색〉을 감상하면서 주윤발이 돈으로 담뱃불을 붙이는 장면을 본다. 샤오마거는 신문지를 태워 담뱃불을 붙인다. 샤오마거는 주윤발을 흉내 내고 결국 주윤발처럼 비운의 운명을 맞이한다. 기교적 측면의 인용도 눈에 띈다. 〈스틸 라이프〉에서 오프 스크린을 통한 대화 장면이 등장한다. 셴훙과 그녀의 남편 회사 동료는 프레임 밖(동료)과 안(셴훙)에서 대화한다. 이는 프랑스와 트뤼포의 〈400번의 구타〉(1959)에서의 취조 장면과 구로사와 아키라의 〈라쇼몽〉(1950)에서의 증언 장면, 전수일의 〈검은 땅의 소녀와〉에서의 병원 문진 장면과 같은 계열이다.

〈천주정〉은 네 가지 에피소드로 구성되며 인물과 인물을 통해 서로 연결고리를 만든다. 첫 에피소드에서 한산밍은 평지에로 떠나고 다음 에피소드 오프닝 장면에서 한산밍은 산얼에게 담뱃불을 빌리다 실패한다. 이는 왕가위의 에피소드식으로 구성된 〈중경삼림〉(1994)의 서사의 영향을 암시한다. 중국 영화가 아닌 외국영화의 인용과 영향의 흔적도 엿보인다. 〈임소요〉에서 샤오지는 자오카오에게 관심을 갖고 있으며 빈빈에게 전화번호를 알아오게 한다. 차 안의 자오는 샤오지에게 나를 어떻게 유혹할 것인지 묻는다. 그리고 담배를 피우다고 기습적으로 샤오지에게 키스를 한다. 이 장면은 〈졸업〉(마이크 니컬스, 1967)에서 어린 벤자민이 담배를 피우는 로빈슨 부인에게 키스를 하는 장면과 프랑스 장 뤽 고다르 영화에 대한 오마주에 가깝다. 미국 영화 〈펄프 픽션〉(쿠엔틴 타란티노, 1994)의 장면도 직접적으로 인용된다. 〈임소요〉에서 자오와 샤오지는 대화를 나누다 총을 쏘는 흉내를 낸다. 다음 컷은 나이트 클럽 장면으로 전환된다. 이 장면은 식사하다 총을 들고 손님을 위협하는 〈펄프 픽션〉 장면의 직접적 인용이다. 영화의 인용은 중국 6세대의 영화 애호가 시절과 외래문화의 적극적 수용으로 자국의 영화를 풍부하게 하는 문화적 선택이다.

〈임소요〉에서 빈빈과 자오는 나비 문신을 하고 있다. 나비는 장자의 '호접지몽'을 연상시키며 〈임소요〉의 가사도 장자의 소요유 사상을 함축한다. "슬퍼도 괜찮아, 후회해도 괜찮아. 힘들어도 괜찮아. 피곤해도 괜찮아. 영웅은 빈천한 출신을 부끄러워하지 않네. 바람 따라 천지를 표표히 소요하고파"는 소요유에 대한 결의를 보여준다.

『장자』는 내편과 외편 그리고 잡편으로 구성되었다. 내편의 첫 번째 편이 소요유(逍遙遊)다. 소요유는 "구속이 없는 절대의 자유로운 경지에서 노니는 것"[16]이다. 〈임소요〉 노래 가사가 지향하는 것은 구속없는 자유정신이며 영화 〈임소요〉는 소도시에서 전망을 상실하고 떠도는 젊은이들에게 부여하는 무한한 자유에 대한 권유다. 샤오지와 카오카오는 동침을 통해 소요유 정신을 실현한다. 차오산은 버스 대기실에서 카오카오를 제지하지만 카오카오는 내리려고 여덟 번을 시도하지만 차오산은 제지한다. 카오카오는 주저앉아 잠시 울다가 다시 시도하여 열두 번째 시도 끝에 버스에서 벗어난다. 카오카오는 공연을 마친다. 샤오지는 새로 건설된 길을 바라보다 카오카오를 오토바이에 태워 도로로 달린다. 두 남녀는 오토바이로 새 길을 떠난다. 이는 과거의 비포장된 길이 표상하는 과거의 구속에서 벗어나 새로 난 길이라는 미래로 나아가는 것을 표상한다. 두 남녀는 여관에 투숙하고 서로 사랑을 나눈다. 카오카오는 거울에 나비를 그린다. 자오는 거울에 나비를 그리면서 샤오지에게 공자와 노자를 아느냐고 묻지만 샤오지는 장자는 안다고 한다. 그녀는 '임소요'를 아느냐고 물으면서 임소요는 "네가 하고 싶은 대로 할 자유가 있다는 것을 의미한다"고 말한다. 카오카오는 샤오지의 머리를 닦아주면서 차오산과 자신의

---

16 안동림 역주, 『장자』, 현암사, 2005, 25쪽.

관계에 대해 말한다. 그들은 체육 선생님과 학생으로 만났으며 함께 학교에서 쫓겨났다고 말한다. 나비에 대해 묻자 나비는 스스로 날아왔다고 말한다.

다음 장면은 버스에 탄 카오카오의 왼쪽 어깨에 있는 나비 문신을 제시한다. 컷이 바뀌면 샤오지의 가슴에도 나비 그림이 부착되었다. 나비는 세 번 등장하여 장자의 호접지몽을 연상시킨다. 인간(장주)이 나비로 변화하거나 나비가 인간(장주)으로 변화하는 물화의 순간처럼 그들의 삶도 나비가 꾸는 꿈이거나 그들이 꾸는 나비의 꿈이다. 그들은 어디에도 구속되지 않고 자유롭게 행동을 하겠다는 의지를 엿보인다. 나비와 임소요는 장자 철학의 영화적 미장아빔으로 어떤 상황의 어려움에도 구속되지 않고 자유롭고 당당하게 나아가겠다는 주제를 암시한다.

중국 문화의 영화적 미장아빔은 〈천주정〉에서의 〈임충야분〉이다. 임충은 검을 뽑아 간신을 죽인 인물이며 다하이는 총으로 촌장과 기업가 친구를 처단한다.『수호지』의 협객의 행위와 자신의 행위를 유사한 의미로 몽타주 하는 연상의 몽타주로 중국의 전통 소설을 인용한다.

〈스틸 라이프〉의 한산밍은 자신을 박대하는 처남인 마 씨에게 산서성의 특산주인 펀주(汾酒)를 선물한다. 철거 현장에서 일하던 노동자들이 다른 일터로 떠날 것을 논의하는 송별의 자리에서 술과 담배를 주고받는다. 술과 담배의 공유는 노동자들의 상호 연대와 노동에 대한 가치와 인간에 대한 존엄을 우회적으로 드러낸다.

두 번째는 움직이는 카메라와 선한 인간에 대한 존엄이다. 지아장커의 카메라는 트래킹한다. 움직이는 카메라는 운동성이 영화의 정체성임을 웅변하며 한편으로는 현실의 리듬과 카메라의 움직임을 나란히 하려는 의지가 엿보인다. 지아장커의 카메라는 중요한 인물이 늘 일정한 기다림의 시간을 지불하고 등장한다. 주인공이 곧장 등장하는 할리우드 카메라의 촬영법과 다르게 주인공을 뒤늦게 소개한다. 주인공이 풍경이 될 수도 있다는 주장일 수도 있으며 주인공의 기다림은 겸허함의 다른 말이다. 지아장커는 오즈의 다다미 쇼트가 대해 언급하면서 '감독은 전 생애를 걸고 단 하나의 신에 집중한다'고 했다. 오즈에게 다다미 쇼트가 자신이 바라보는 일본의 풍경에 근접한 앵글이라면 지아장커의 앵글은 중국의 풍경과 물결과 같은 속도로 흐르는 카메라와 기다림의 시간을 지불하고 등장하는 겸허한 인물로 집약된다. 오즈가 다다미 쇼트에 집중했다면 지아장커는 트래킹 쇼트를 선택했다.

〈스틸 라이프〉에서 선상의 인물들이 움직이는 카메라와 함께 지나가면 주인공 한산밍이 조연처럼 등장한다. 카메라는 배와 함께 움직이면서 선상에 승선한 중국인의 눈길에 맞추어 장강삼협을 바라보며 강과 함께 흐른다. 자연과 카메라의 움직임은 함께 호흡한다. 허문영은 "〈스틸 라이프〉를 한 마디로 요약할 수 있다면 '움직임에 관한 영화'"[17]라고 규정했다. 이는 지아장커가 스스로 두루마리 그림(手卷畵)이라고 명명한 방식이다.

〈천주정〉에서 국수 먹는 장면은 트래킹으로 보여주고 다하이와 한산밍의 숏으로 돌아온다. 샤오후이가 근무하는 공장의 풍경은 여러 노동자들을 움직이는 카메라가 앨범 사진처럼 제시하고 주인공인 샤오후이가 나중에 등장한다. 주인공이 부각되는 영웅주의와 결별하고 공장 노동자와 국수 먹고 있는 주민들이 우선한다. 다수의 인간이 우선하고 그들의 대표성을 지닌 한 개인에게 카메라가 다가간 것이다. 다수가 단수보다 귀한 지아장커의 철학과 사회주의가 서로 호응한다. 이와 같은 지아장커의 태도는 군중 신을 인물화처럼 제시하는 스타일로 정착된다. 군중 신의 삽입과 트래킹 쇼트의 반복은 동시대 인민에 대한 연대와 지지가 스타일로 표출된 것이다.

세 번째는 인물과 음악 그리고 행위의 반복성이다. 인물의 반복은 한산밍과 자오타오 그리고 왕홍웨이가 대표적이다. 감독의 사촌인 한산밍은 〈스틸 라이프〉와 〈천주정〉을 연작처럼 이어주는 가교 역할을 수행한다. 한산밍은 〈플랫폼〉에서 주인공의 사촌으로 등장한다. 〈스틸 라이프〉에서는 아내를 찾아서 수몰 지역에 당도하고 떠나는 인물로 등장한다. 〈소무〉(1998)의 주인공이자 감독의 친구인 왕홍웨이는 〈임소요〉에서 고리대금업자로 등장한다. 왕홍웨이는 노점에서 DVD를 파는 빈빈에게 자신이 주인공으로 출연한 〈소무〉가 있는

---

17 허문영, 『세속적 영화, 세속적 비평』, 강, 2010, 253쪽.

지 묻는다. 〈천주정〉에서는 샤오위를 돈다발로 구타하다 살해당하는 악역으로 변신한다. 왕홍웨이는 〈스틸 라이프〉에서 연락이 두절된 남편을 찾아온 센홍을 안내한다.

자오타오는 〈플랫폼〉에서 문화활동대원이며 왕홍웨이와 사랑하는 친구이다. 〈임소요〉와 〈천주정〉, 〈스틸 라이프〉에 모두 주인공으로 등장한다. 자오타오는 최근작 〈강호아녀〉(2018)에 이르기까지 주인공으로 등장하여 지아장커 영화의 페르소나로 자리했다. 그녀의 반복 등장은 극영화의 환영성을 완화하고 다큐멘터리적 사실성을 가미한다.

중국 가요와 외국 음악의 반복적 사용은 주제와 정서를 환기한다. 〈산하고인〉에서 〈Go West〉와 예천문(葉倩文)의 〈진중(珍重)〉이 세 번 반복되면서 두 남녀의 사랑을 암시한다. 영화 음악은 기존의 음악을 가져다가 사용하는 소스 뮤직과 작곡가가 작곡하는 오리지널 스코어가 있다. 오리지널 스코어는 "작곡가가 직접 작곡하는 음악으로 배우들은 듣지 못하고 관객만 듣는 음악"[18]이다. 지아장커의 음악은 소스 뮤직을 주로 사용하며 이를 통해 주제를 암시하거나 리듬을 만들어낸다. 〈스틸 라이프〉에서는 양신강(楊臣剛)의 〈쥐는 쌀을 좋아해(老鼠愛大米)〉를 반복해서 부르는 아이가 등장한다. 〈스틸 라이프〉 오프닝 시퀀스의 음악은 〈임충야분〉에 삽입된 노래이다. 〈임충야분〉은 〈천주정〉에서 다하이가 촌장과 친구인 기업가를 처단하게 한 심리적 동기를 부여한 극에서 이미 등장했다. 〈임충야분〉에서 임충은 육겸을 살해하고 양산박으로 도주한다. 이 부분에는 "위기를 극복하고 부인을 찾으러 가는 임충과 샨밍의 신세를 병치함으로써 지아장커는 〈스틸 라이프〉의 샨밍 에피소드의 주제를 직접적으로 제시"[19]하려는 의도와 〈천주정〉과 〈스틸 라이프〉를 연계하려는 작가적 전략이 함께 담겨 있다. 청년 세대의 절망과 미래에 대한 불안을 다룬 〈임소요〉에서는 당당하고 자유로운 삶을 권하는 〈임소요〉가 노래

---

18 박은경, 『히치콕 감독과 버나드 허먼의 영화음악』, 예솔, 2008, 20쪽.

19 서대정, 「〈스틸 라이프 三峽好人〉의 사운드 분석을 통한 지아장커의 드라마투르기 연구」, 『동북아 문화연구』 제53집, 동북아시아문화학회, 2017, 259쪽.

방에서 등장하며 빈빈이 직접 부른다. 음악은 인물의 캐릭터와 감정의 전달 그리고 주제를 암시하거나 등장인물들이 살아가는 세대를 대변한다. 〈징기스 칸〉과 〈Go West〉는 1990년대 세대 중국인이 문화적으로 친근하게 접한 대중 가요였으며 이는 당대의 현실을 객관적 카메라처럼 음악적으로 시대 소환한 것으로 여겨진다.

행위의 반복은 인물의 성격을 강화한다. 〈임소요〉에서 버스 안에서 나가 려는 카오카오를 사장은 강압적으로 자리에 앉힌다. 나가려는 카오카오와 제지하는 사장의 행위는 여러 차례 반복되고 결국 카오카오는 밖으로 나가 서 노래를 부르고 샤오지에게 마음을 열게 된다. 〈천주정〉에서 폭력의 반복 은 죽음의 반복과 연관된다. 남자 손님은 돈다발로 샤오위를 일곱 번 반복해 서 때린다. 분노한 샤오위는 우발적 살인을 범하게 되고 굴곡진 삶으로 전락 한다. 행위의 반복은 의례로 확장된다. 〈천주정〉에서 산얼은 고향에서 자신 이 살해한 청년들을 애도한다. 그는 향 대신 담뱃불로 애도의 절을 한다. 그 는 "원망하려거든 하느님을 원망하고 억울한 게 있으면 하느님께 항의하라" 고 독백한다. 모든 운명은 하늘이 정한 것이라는 영화의 제목을 환기시킨다. 〈스틸 라이프〉에서 동일한 애도의식이 거행된다. 한산밍은 샤오마거 영정 사 진 옆에 담배 세 개피를 향불처럼 봉헌한다. 그리고 샤오마거의 장례식을 한 다. 다큐멘터리 〈동〉(2006)의 장례식에서는 세 명의 노동자가 시신을 운구하 지만 〈스틸 라이프〉에서는 네 명의 노동자가 운구하여 장례식의 차이를 보여 준다.

지아장커의 작가적 스타일은 동시대 중국 현실과 청년세대가 감응하는 문 화적 혼란을 문화횡단 풍경으로 재현한다. 다이진화는 『무중풍경』에서 1990 년대 6세대가 처한 상황을 '안개 속 풍경'으로 지칭했다. 그들은 1990년대 문 화 환경이라는 기표에 대한 해명을 위해 기의를 찾기 위해 절망적인 언어를 탐사한 세대로 규정했다. 다이진화는 "6세대 작품의 공통 주제로는 먼저 도 시, 즉 변화 중인 도시"[20]를 거론하였으며 당대 중국의 도시 변화의 단면을 카

---

20 다이진화. 이현복·성옥례 역, 『무중풍경:중국영화문화 1978-1998』, 산지니, 2007. 481쪽.

메라로 포착하려는 지아장커의 시도와 일치한다. 이는 주변문화와 중심문화의 만남을 주체적으로 수용하는 문화횡단의 징후 포착과 연관된다. 문화횡단은 '원천문화를 목표 문화에 맞게 주제적으로 번역함으로써 새로운 의미를 창조[21]'하는 과정이다.

지아장커는 원천문화로서의 중국문화에 대한 관심과 존중의 시각에서 소도시 편양의 외래문화 수용과 변화를 객관적 카메라에 담는다. 토착문화는 중국의 전통차와 담배 그리고 전통주이며 편양이라는 감독의 고향이라는 장소도 포괄적으로 포함된다. 이것은 대상에 대한 존중과 장소감의 환기이며 주인공의 심리적 안식처이자 변화의 물결을 향해 떠나야 할 출항지이기도 하다. 외래문화는 〈Go West〉와 같은 외국 음악이거나 도시화로 인한 도시의 변화와 인간관계의 변화이다. 시간은 토착문화의 완만성과 외래문화의 가속성으로 차별화된다. 과거의 건물은 장소의 기억을 보존한 장소성의 자리이며 현재와 미래의 건물은 과거의 기억을 지우는 장소성 상실과 창조성의 공간이다. 중국 풍경의 전통과 외래 그리고 과거와 현재의 이질적 공존은 초현실주의의 데페이즈망으로 번역되어 지아장커의 독창성으로 귀결된다. 데페이즈망으로 배치된 중국의 문화횡단 풍경은 지아장커의 독창성으로 동시대 변화에 대한 리얼리즘적 성취와 미학적 언어의 획득이라는 이중의 성과를 거두게 된다. 그의 영화 스타일은 미학적 선택과 실천보다는 변화하는 중국 당대에 대한 다이어리적 성찰과 미래에 대한 기대 그리고 사라져가는 과거와 전통에 대한 향수의 데페이즈망적 풍경으로 수렴된다. 지아장커는 사라져가는 것에 대한 그리움과 쓸쓸함을 데페이즈망과 전통문화의 영화적 미장아빔으로 동시대 관객의 정서적 파토스를 만들어냈다. 이와 같은 파토스는 당대 중국인의 정서를 대변하면서 다른 한편으로 6세대의 정서에도 부합한다.

---

21 김용규, 『혼종문화론』, 소명출판사, 2013, 380쪽.

4. 지아장커 미학과 창조적 지평의 근원에 대하여

지아장커는 움직이는 카메라로 중국 현실과 동시대의 내면을 객관적으로 포착한다. 그는 중국의 현실을 피사체로 당대의 변화를 문화횡단의 시선으로 포획한다. 그 방법은 당대 중국의 존재라는 진실을 움직이는 카메라와 데페이즈망 기법으로 견인하였다. 이는 지아장커 작품의 미학적 완성과 창조적 지평을 확장한다.

데페이즈망이라는 초현실주의적 기법은 지아장커의 실험영화소조의 활동과 연관된다. 전통문화와 외래문화의 이질적 공존은 그 자체가 데페이즈망적 상황이다. 데페이즈망은 중국의 변화와 불변하는 것, 중국의 전통문화와 서양의 외래문화의 탈각과 의미 부여라는 프레임에 배치된다. 지아장커의 리얼리즘은 데페이즈망의 프리즘으로 당대 중국 현실을 영화적으로 재현한 것이다. 이는 바쟁이 주장한 정신의 잔재를 인화하는 정신적 리얼리즘에 부합한다. 중국의 성장통은 데페이즈망이라는 미학적 장치로 현현된다. 이는 카메라를 통해 중국의 현실과 중국문화를 담아내려는 감독의 열망에 부합한 미학적 장치임을 입증한다.

에이젠슈테인의 충돌의 몽타주가 파토스를 통한 혁명 정신의 전파를 지향했다면 지아장커는 소도시 젊은이에 대한 연민과 동시대에 대한 미학적 성찰을 수행한다. 중국의 문화와 작가적 스타일의 영화적 미장아빔은 지아장커의 작가적 인장이다. 대략 세 가지로 구분하자면 중국문화와 다른 영화텍스트의 영화적 인용과 움직이는 카메라와 선한 인간에 존엄 그리고 인물과 음악과 행위의 반복성을 통한 영화적 리듬의 형성으로 귀결된다. 이와 같은 작가적 인장은 지아장커 감독이 6세대가 처한 무중 풍경에서 스스로의 독창적 작가라는 거목으로 성장하게 한다. 시대 정신의 담지와 독창적인 언어의 획득은 지아장커의 작가적 위상을 굳건하게 한다.

금정산 아래에서 영화를 바라보면서 살아온 바보는 이렇게 기록하였다.

그는 예술가의 눈을 타고났다.

예술가의 눈은 중국문화의 퇴적층 깊이 새겨진 화석의 무늬를 통해 중국 정신을 판독하였다. 녹슬지 않고 오래된 중국의 정신과 지금 여기에서 펼쳐진 문명의 변화를 나란히 저울에 올려놓는다.

눈금은 과거로 치우치지 않고 미래로 기울지도 않으며 현재라는 중심에 적확하게 자리한다.

예술가의 눈은 전통과 현대라는 두 문화층을 나란히 배치하여 서로 어긋나게 보이는 데페이즈망이 되거나 서로 어울리는 몽타주로 가을걷이 끝난 들판의 넉넉한 풍경이 된다.

예술가의 눈은 공간에 대한 감수성의 수은주를 극도로 높였다.

평범한 당구장과 공사 중인 산샤댐 현장도 카메라에 담기는 순간 지아장커의 영화 풍경으로 변하여 고통과 남루함 대신 건강과 생동감으로 변하는 마술적 효과를 낸다.

일상이 때로는 풍경화로 펼쳐지고 인간은 정물화로 그려지고 결국 아름다웠던 과거와 변해가는 현재라는 시간은 한 획 한 획 그려가는 수묵화이자 두루마리로 펼쳐지는 수권화가 된다.

여기서 시간은 예술로 등기되고 아름다운 산수화 속으로 이적한다.

지아장커는 예술과 중국이라는 두 기둥에 우뚝 선, 선한 눈을 가진 작가이다.

오즈 야스지로 영화의 편집 미학 :
풍경 쇼트의 변주와 조형적 연속성의 확장

1. 오즈 야스지로 영화의 풍경

오즈는 영화 제목보다 오즈라는 이름 자체가 텍스트를 이미 설명한다. 감독의 이름이 서사와 스타일 그리고 주제를 환기시킬 때 감독과 영화는 합치된다. 이때 감독은 이미 스스로 작가의 반열에 서 있다. 오즈라는 이름으로 감행된 수많은 해석은 다섯 가지로 압축된다.

첫 번째는 '오즈의 영화 중심은 가족이다'가 맨 앞줄에 있다. 가족은 가족의 해체와 등가이며 '홀로 된 부모의 부양을 위해 결혼을 미루는 딸의 문제'가 기둥이다. 오즈의 카메라는 고정되어 있으며 다다미에 앉아 있는 인물 전체를 잡기 위해 앵글을 낮춘다는 사실이 두 번째이다. 세 번째는 오즈의 영화에서는 인 물의 행위와 이야기가 반복되고 심지어 자신의 작품도 재인용된다. 네 번째는 하스미 시게히코가 강조한 등방향성이다. 두 인물이 한 프레임에 놓여있을 때 그들이 바라보는 방향이 등방향이다. 다섯 번째는 도널드 리치가 주장한 '인간의 불완전함에도 불구하고 누구나 노력하면 행복해질 수 있다'는 오즈의 세계관이다. 마지막으로 편집에서 풍경 장면의 미학이다. 풍경 쇼트는 인서트이며 필로우 쇼트(pillow shot), 풍경 쇼트(landscape shot)

와 같은 다양한 이름이 부여되었지만 장면의 가교역할로 수렴된다.

오즈의 텍스트는 위에 열거한 오즈적 특징의 자장 안에서 수렴되고 확산되어 다채로운 향연을 벌인다. 오즈라는 거대한 텍스트는 다양한 담론의 홍수를 만들었다. 오즈의 양식적 통일성은 상찬되었지만 편집에 대해서는 상대적으로 소홀했다. 오즈는 편집의 관행과 거리를 두고 자신만의 편집 스타일에 집중했다. 오즈의 편집 스타일은 오즈의 미학으로 향하는 지름길이다. 오즈의 편집 미학은 풍경 쇼트의 변주와 조형적 연속성의 확장으로 수렴된다.

2. 오즈의 편집 미학 : 풍경 쇼트(landscape shot)의 변주와 조형적 연속성(graphic continuity) 의 확장

오즈 야스지로 (小津 安二郎, 1903-1963)는 1903년 동경의 후쿠가와(深川)의 시타마치에서 출생하여 1923년 쇼치쿠(松竹) 영화사에 입사한다. 1927년 〈참회의 칼(懺悔の刀)〉로 감독의 길을 걷게 된다. 쇼치쿠는 1920년대 중반부터 현대극을 주로 제작하였으며 오즈는 소시민의 행복을 다루는 작품에 몰두했다. 그에 대한 평가는 "대학생과 샐러리맨, 서민을 주인공으로 하여 인생의 체념과 달관을 즐겨 묘사"하였으며 "낮게 설정한 앵글의 고정화면에서 인물 행위의 무의미한 반복"[1]을 시도하는 감독으로 각인되었다. 캐시 가이스트는 오즈의 영화를 전기와 후기로 구분하며 후기는 〈만춘(晩春)〉(1949)부터 〈맥추(麥秋)〉(1951), 〈동경 이야기(東京物語)〉(1953) 그리고 〈꽁치의 맛(秋刀魚の味)〉(1962)에 이른다. 양식적 특징은 "완벽한 구도를 갖춘 장면, 거의 또는 전혀 카메라 움직임이 없는 비교적 정적인 샷, 평면적인 조명, 장면 간의 정황으로 때로는 그 휴지부로 기능하는 그 의미를 알기 어려운 '여백샷'의 잦은 사용"[2]으로 든다. 후기는 오즈의 양식적 성숙과 주제적 깊이를 더해가는

---

1 요모다 이누히코, 박전열 역, 『일본 영화의 이해』, 현암사, 2001. 77쪽.

2 아서 놀레티·데이비드 데서, 편장완·정수완 역, 『일본영화 다시 보기-작가주의, 장르, 역사』, 시공사, 2001. 143-144쪽.

절정기였다. 오즈의 편집도 후기에 접어들면서 훨씬 안정된 자신만의 스타일로 뿌리를 내려가기 시작한다. 오즈는 정해진 편집의 룰에 대해 무관심했다고 하지만 스스로의 편집 스타일을 발견하기 위한 모색과정이었다.

오즈는 정해진 편집 문법에 대해 외면하거나 둔감했다. 이는 영화 언어에 대한 무관심이라기보다는 자신만의 편집방식에 대한 확신에 근거한다. 여기서 오즈 야스지로 편집의 독창성이 발현된다. 오즈의 편집에 대해 다양한 이름이 부여되었다. 일본의 사토 다다오는 커튼 쇼트(curtain shot)라고 이름 짓고, 노엘 버치는 필로우 쇼트(pillow shot)라고 명명했으며, 데이비드 보드웰은 풍경 쇼트(landscape shot)로 불렀다.[3] 이름은 다르지만 모두 오즈식 쇼트 배열과 이에 대한 미학적 해석을 지향한다는 점에서 동일하다. 대부분 풍경과 사물의 이미지가 등장하므로 풍경 쇼트라는 용어로 통일하여 사용할 예정이다. 풍경 쇼트는 배경의 스펙터클을 보여주는 장면에 적합한 용어이며 인물의 대화 장면이나 건물 내부에서 일어나는 장면을 촬영할 때는 마스터 쇼트를 주로 사용한다. 마스터 쇼트로 보여주고 나서 세부적인 장면으로 접어드는 것이 편집의 관행이다. 도널드 리치는 동양과 서양의 편집 스타일의 차이를 쌓음과 덜어냄 혹은 마스터 쇼트의 사용과 인서트 클로즈업의 사용 차이로 설명한 바 있다.

그는 "에이젠슈테인은 '쌓음'으로써 장면을 만들어나가는 데 반해, 구로사와는 '지우면서' 만들어나간다"고 해석했다. 구로사와는 지우면서 중요한 것을 부각시키고 에이젠슈테인은 하나 하나 쌓아가면서 주제에 도달한다고 한다. 쌓아갈 때 전체를 보여주는 마스터 쇼트가 중요하며 "서양에서는 마스터 숏-전체 장면의 안무를 보여주는 숏-이 핵심적인데 반해, 일본 영화에서는 탁상 구석의 작은 요소 하나가 전체 장면을 암시할 수 있다"[4]고 한다.

---

3 시네마테크 부산, 『오즈 야스지로』, 대경문화, 2004. 153쪽. 폴 슈나이더는 코다(codas), 도널드 리치는 텅 빈 쇼트(empty shot), 데이비드 보드웰은 매개적 공간(intermediate spaces) 또는 풍경 쇼트(landscape shot)로 이름 지었다.

4 마이클 온다치, 이태선 역, 『영화편집의 예술과 기술, 월터 머치와의 대화』, 비즈앤비즈, 2013. 131쪽.

"서양에서는 르네상스 시대 초기부터 3차원 공간을 재현하는 경향의 미술이 발달했으므로 마스터숏의 전통이 강합니다. 서양인은 사물을 3차원으로 보는 방식을 무척 중요하게 여기죠…(중략)…반면 일본이나 중국 미술에서는 2차원의 프레임 안에 인물을 그려 넣고 세부요소를 강조함으로써 위력을 지니도록 하는 게 자연스러운 발전 과정이었지요"[5]

영화 편집은 서양의 기계장비를 사용하여 서구에서 작품이 만들어지면서 정착해갔지만, 기술을 수용하는 방식에서 서양과 동양의 차이를 엿볼 수 있다. 일본과 중국으로 대표되는 동양은 2차원의 평면을 중심 프레임으로 두고 미장센으로 배치된 인물과 소도구에 집중했다. 마스터 쇼트보다 클로즈업으로 파고든 쇼트가 부각된다. 쇼트와 쇼트는 연결하여 쌓아가는 것보다 다음 쇼트와 무관하지만 정서와 주제를 변죽 울리면서 암시할 수 있는 풍경 쇼트에 집중한다.

1) 풍경 쇼트의 변주 : 주거 공간 제시와 주제 표상 그리고 장소의 정체성 표상으로서의 안내 장면

오즈의 풍경 쇼트는 다층적이다. 풍경쇼트는 두 가지로 수렴된다. 하나는 설정화면의 기능이다. 이는 실외에서 실내로 전환되면서 공간에 대한 사전 안내를 수행하는 리드 장면이다. 다른 하나는 인서트 장면이다. 인서트 장면은 장면과 장면의 틈을 메꾸어주면서 컷과 컷의 다리 역할을 한다. 이때 두 쇼트의 연결은 조형적 유사성으로 연결되는 경우가 빈번하다. 풍경 쇼트와 조형적 유사성으로 장면 전환은 오즈 편집의 핵심축이다. 편집에 대한 소극적 입장에서 있다고 평가되어 온 오즈의 텍스트는 샷과 샷을 분석해보면 대단히 정교한 오즈적 편집 문법과 대면할 수 있다. 오즈 편집의 독창성은 기존의 오즈 연구가 성취한 빈틈이면서 동시에 서양의 연속 편집에 대한 대안을 제시한다.

풍경 쇼트에 대해서 긍정적인 평가와 부정적인 입장이 공존한다. 사토 다

---

5 마이클 온다치, 위의 책, 132쪽.

다오는 "시퀀스와 시퀀스 사이에 페이드인, 아웃을 쓰지 않는 대신 주요 인물이 등장하지 않는 풍경 쇼트를 반드시 삽입했다. 그것은 다음 시퀀스에서 전개될 장의 환경을 설명해주는 역할을 하는데, 그 구도의 전환 방법은 거리의 가로등, 술집 간판, 주택가에서 가까운 언덕의 곡선 등 거의 추상화에 가까운 세련된 아름다운 그림"[6]이 있다고 설명했다. 풍경 쇼트에 대한 일정한 의미를 부여한 정성일은 '필로우 쇼트에서, 두 개의 쇼트 사이에는 시간의 물질성이 개입한다. 그것은 반성의 시간이며 성찰의 시간'[7]이라고 하며 보다 적극적인 미학적 해석을 부가한다. 하지만 일본의 마르크스주의 비평가들은 풍경 쇼트에 대해 '플롯 전개에 기여하지 않으며 사회로부터 자연으로 도피'[8]한다는 비판을 가했다. 이에 대해 오즈의 연구가인 도널드 리치는 '사회의 문제는 사회의 구조적인 모순에서도 야기되지만 오히려 인간의 조건 자체에 원인이 있다.'는 측면에서 오즈의 입장을 옹호한다. 사회의 문제에 대한 원인과 개선에 대한 방향은 사회의 변혁을 통해 도모할 수도 있지만 인간 자체의 태도 변화를 통해 가능성을 모색할 수도 있다는 것이다. 분명 오즈는 후자에 속하며 우리는 모두 불완전하다는 사실을 긍정하는 자리에서 세상의 많은 사물을 관조적으로 바라볼 수 있다.

사회보다 인간, 국가보다 가족에 포커스를 맞추는 오즈의 입장에서 풍경 쇼트는 성찰이자 미적 거리 두기를 가능하게 하지만 구조적 모순과 역사적 횡포의 피해를 본 주변국과 타자들에게는 예술적 방관으로 읽힐 여지가 분명히 남아있다. 오즈의 활동기는 일본의 침략 전쟁과 패전이라는 역사적인 격동기를 통과했지만 오즈의 카메라는 안정되고 고정되어 있으며 '그럼에도 불구하고 우리는 행복했어'라는 대사로 등장인물들이 스스로 자위하는 것은 탈역사화라는 비판의 화살로부터 자유롭지 못할 것이다. 일제강점기라는 식민지의 역사를 경험한 한국의 연구자에게 오즈의 평가에 대해서는 미학적

---

6 시네마테크 부산, 앞의 책, 208쪽.

7 시네마테크 부산, 위의 책, 56쪽.

8 시네마테크 부산, 위의 책, 154쪽.

입장과 역사적인 맥락에서 균형 있게 바라보아야 할 것이라는 또 다른 책무가 부여된다. 이후 논의는 오즈의 편집 미학에 대한 규명이라는 미학적 입장에서 논의를 진행하는 한계가 있음을 미리 밝혀둔다.

〈동경 이야기〉에서 풍경 쇼트는 주인공이 살고 있는 주거 공간 안으로 안내하는 기능과 생활 환경을 설명해준다. 풍경화면은 인물의 생활공간에 대한 정서적 안내에 가깝다.[9]

첫 장면에서 5컷의 풍경 장면이 등장한다. 첫 컷은 석탑이며 후경으로 오노미치의 풍경이 펼쳐진다. 첫 컷에서 다음 컷으로 전환되면 탑의 위치에 물건과 병을 배치하여 조형적으로 유사한 구도를 만들어내면서 등교하는 아이들의 뒷모습을 포착했다. 다음 이미지는 부감으로 소도시의 풍경을 펼쳐주면서 첫 컷에 등장하는 석탑이 있는 절의 풍경으로 넘어간다. 마지막 컷에서 주인공이 거주하는 다실로 들어온다. 이 풍경 장면은 주인공이 살고 있는 생활 환경에 대한 정서적인 소개이며 주거 공간 안으로 안내하는 역할을 한다. 다음 풍경 쇼트는 노부부가 오노미치에서 출발하여 동경의 큰아들 집에 도

이미지 1　　　　　이미지 2　　　　　이미지 3

이미지 4　　　　　이미지 5　　　　　이미지 6

---

9 풍경 쇼트는 이미지를 설명할 때는 풍경화면으로 표기할 예정이다. 쇼트는 샷이라는 용어로 사용되며 편집과 촬영에서 사용하는 컷의 개념에 가깝다. 화면은 영화의 스크린에 영사된 이미지를 연상하므로 풍경화면이라는 개념을 사용하도록 한다. 특정 작품의 이미지가 처음에 등장하는 경우 풍경 쇼트로 표기하고 개별 쇼트의 이미지를 대상으로 설명할 때는 풍경화면으로 명기할 예정이다.

이미지 7   이미지 8   이미지 9

착하는 장면으로 가교 역할을 한다. 이미지 7은 병원 간판을 보여주면서 큰 아들의 직업을 암시하며 이어지는 빨랫줄 화면은 실내의 후경에 배치된 빨래로 연결된다. 큰아들의 직업 공간인 병원이면서 동시에 빨래가 있는 주거 공간을 겸하고 있다는 사실을 드러낸다. 동일한 사물인 빨래를 매개로 하여 연결한다. 동일한 소도구나 행위로 연결하는 편집 방식은 부채 부치는 행위에서 다음에 부채 부치는 행위로 전환되거나 모기향에서 모기향으로 전환되는 장면을 통해 오즈 스타일로 자리매김된다.

첫 번째 풍경 쇼트의 기능이 주거 공간을 제시하고 다음 장면의 가교 역할을 하였다면 두 번째는 텍스트의 주제를 표상한다. 이때 사용되는 풍경 쇼트는 적극적으로 해석이 개입될 때 주제와 내밀하게 접맥되고 있음을 알 수 있다. 우선 〈동경 이야기〉에서 오노미치의 풍경이 자주 반복되어 등장한다. 김려실은 "영화의 처음, 중간, 끝에 반복되는 오노미치의 풍경(기차, 배, 절)이 공간으로 대체되어 표현된 시간이라는 점을 이해한다면 그가 이 영화의 시간을 인과관계에 의한 단선적인 시간이 아니라 자연을 닮은 순환적 시간으로 표상하고자 했었다"[10]는 사실을 알 수 있다고 주장한다. 순환적 시간은 〈동경 이야기〉가 동경 여행의 출발에서 돌아옴과 연동되어 인간의 삶과 죽음의 문제에 대한 천착이라는 오즈의 주제로 귀결된다. 삶과 죽음, 출발과 돌아옴, 가족의 떠남과 새로운 가족의 재구성 등은 오즈의 고유한 주제이다.

〈동경 이야기〉에서 자연 흐름에 대한 반복이 아내의 죽음으로 병치했다면 〈고하야가와가의 가을〉(1961)에서는 강물의 흐름과 장례식에서 걸어가는

---

10   김려실, 「〈동경이야기〉의 공간표상 연구」, 『코기토』 제75호, 부산대학교 인문학연구소, 2014. 149쪽.

인간의 행렬이 연결된다. 강물의 흐름과 인간의 행렬의 배치는 삶과 죽음에 대한 관조적 자세로 프레임화된다. 이는 "모든 경우를 자기에게 주어진 것으로서 늠름하게 긍정하는 지점에서 참으로 자유로운 인간의 생활"[11]을 지향하는 장자적 세계와 닮았다. 또한 니체의 영원회귀에 대한 초인의 긍정과 흡사하다. 니체는 영원회귀로 인한 허무주의의 늪으로 빠지지 않는 길로서 절대 긍정하는 초인적 자세를 대안으로 갈파했다. 오즈 야스지로는 생과 사의 순환에 대해 초인적 의지의 발현이 아닌 부드러운 순응과 관조로 대응한다. 인생의 덧없음에 대한 부드러운 긍정과 이를 통한 삶의 긍정으로 나아가는 것이 오즈 텍스트의 진정한 힘이자 주제에 근접한다. 그것은 자연의 순환을 통한 생과 사의 순환에 대한 관조와 복도를 통한 안과 밖의 소통으로 경계를 지우는 태도로 표상된다.

이와 같은 오즈적 주제는 '자연의 반복과 복도를 매개로 한 공간 안과 밖의 반복'이라는 편집의 풍경 쇼트로 응축된다. 캐시 가이스트는 "집의 복도, 사무실과 아파트의 복도 그리고 이웃으로 통하는 골목길 등은 오즈 영화 속에 많이 등장한다. 이것들은 인간사에 있어 하나의 단계에서 다른 단계로 이어지는 길을 상징하는 것"[12]으로 읽었다.

세 번째 풍경 쇼트는 장소의 정체성을 구체적으로 보여주면서 안내하는 설정 화면이다. 하지만 다양한 변주가 일어나면서 오즈적 편집 미학을 완성한다. 설정 화면과 등치되는 일반적인 사례는 〈만춘〉에서 간판을 제시하고 카페 내부로 전환되는 경우다. 이는 전형적인 설정 화면의 편집방식과 합치된다.

하지만 오즈의 풍경 쇼트는 〈동경 이야기〉 도입부와 같이 과다한 이미지가 개입하여 단순한 설정화면으로 연결과 거리를 둔다. 〈동경 이야기〉에서는 공간을 안내하는 설명적 역할에서 확장되어 주인공의 삶과 정서를 견인하거나 주제를 표상했다. 풍경 쇼트는 설정 화면으로 제시될 때 단수의 이미지 컷을 사용한다면 오즈의 풍경 쇼트는 복수의 이미지를 파노라마로 나열하여 다양

---

11 나카지마 다카히로, 조영렬 역, 『장자, 닭이 되어 때를 알려라』, 글항아리, 2010. 200쪽.

12 아서 놀레티·데이비드 데서 편장완·정수완 역, 『일본 영화 다시보기 작가주의, 장르, 역사』, 시공사. 2001. 148쪽.

한 변주를 한다. 여기에서 오즈의 풍경 쇼트가 지니는 독창성을 엿볼 수 있다.

풍경 쇼트는 공간의 정체성을 구체적으로 표상하는 간판에서 골목과 도시 전경을 추가하면서 기존의 설정 화면과 차이를 만들어낸다. 오즈의 마지막 작품인 〈꽁치의 맛〉은 풍경 쇼트를 집대성한 텍스트이다.

〈꽁치의 맛〉에서는 실내 인물을 보여주기 전에 공간을 안내하는 설정화면[13]으로 풍경 쇼트가 사용된다. 하지만 풍경 쇼트는 도시에서 개별 건물 그리고 골목과 실내로 축소되거나 늘어나면서 다양한 변주를 한다. 여기에 하나의 룰이 적용된다. 그것은 실외에서 실내로 장소가 이동한다는 것과 실외는 도시에서 건물 그리고 골목의 3개 공간이 사용되거나 하나씩 생략되는 방식이다. 실내는 회사나 음식점의 복도 그리고 사무실이 생략되거나 모두 제시된다. 실외와 실내의 주요 공간이 첨가하거나 누락하면서 풍경 쇼트의 시각적 리듬과 관객의 정서적 반응을 생성한다. 아래에서 구체적인 사례를 통해 풍경 쇼트의 리듬을 확인할 수 있다.

〈꽁치의 맛〉에서 실내에서 근무하는 인물로 접어들기 전에 네 번의 풍경 쇼트가 제시된다. 외부는 3컷 내부는 2컷이다. 이 쇼트는 내부와 외부의 풍경 쇼트가 모두 첨가된 것이다. 도시의 건물과 굴뚝 전경을 두 컷으로 제시하고 다음은 창문 안에서 굴뚝으로 연결하며 실내인 복도로 들어간 다음 사무실의 인물로 넘어간다. 주인공 히라야마(류 치슈 분)가 사는 도시와 그가 하는 일을 소개하는 데 풍경 쇼트 4컷이 사용된다. 이와 같은 복수의 풍경 쇼트는 사무실과 술집 장면에서 동일하게 반복되어 공간의 정체성을 제시하는 오즈의 편집문법으로 수렴된다.

아래 이미지에서는 풍경 쇼트가 줄어들고 있음을 알 수 있다. 첫 장면은 아버지가 일하는 모습을 제시하는 장면이며 5컷에서 인물이 등장한다. 다음 장면은 딸 미치코가 근무하는 회사를 보여주는 풍경 쇼트이며 실외 장면이 2컷만 사용되고 곧장 실내인 복도로 컷된다. 건물의 설정 화면에서 건물의 창문으로 이어지고 복도로 전환되어 세 번째 컷에서 미치코가 등장하며 4번째 컷

---

13 풍경 쇼트로 통칭하였지만 설정 화면의 역할이 강하여 설정화면으로 명기함.

| 이미지 1 | 이미지 2 | 이미지 3 |

| 이미지 4 | 이미지 5 |

에서 실내로 접어든다. 실외는 풍경장면이 하나 줄어들었으며, 실내는 복도
에서 인물을 등장시켜서 인물의 프레임 인으로 두 가지 변화를 준다.

이미지 10에서 12는 영화의 후반부로 넘어가면서 히라야마가 근무하는
회사는 도시의 풍경화면을 생략하고 나머지 세 컷은 첫 장면과 동일하게 설
정 화면에서 인물로 들어간다. 외부의 풍경화면을 생략한 것은 이미 도시에
대한 소개가 마무리되었기 때문에 경제적인 풍경 쇼트의 사용을 선택한 것
이다. 오즈의 풍경 쇼트는 공간의 정체성을 제시하는 기능을 수행하면서 안
과 밖의 공간에 대한 컷 수를 더하고 빼면서 편집의 리듬을 만들어낸다.

첫 번째 등장한 풍경화면은 인물의 생활 공간을 제시하면서 동시에 인물의
직업과 건물의 정체성을 제시하는 기능을 수행한다. 영화의 서사가 진행되면
서 풍경 쇼트가 줄어들면서 편집의 경제성과 리듬을 만들어낸다. 오즈는 음
식점이라는 공간을 제시할 때도 동일한 편집 규칙을 사용한다. 그것은 외부

| 이미지 6 | 이미지 7 | 이미지 8 | 이미지 9 |

| 이미지 10 | 이미지 11 | 이미지 12 |

와 내부의 풍경 쇼트의 가감을 통한 리듬의 창조이다. 풍경 쇼트는 설정 화면의 기능을 축소하고 동일한 작품에서 컷을 줄이고 늘리는 리듬으로 수렴된다.

이미지 13에서 17은 세 친구의 세 번째 술자리이다. 첫 번째 술자리는 야구 전광판을 통해 외부 두 컷이 등장하고 실내의 텔레비전을 통해 실내로 넘어갔다. 두 번째 술자리는 은사님을 모시는 술자리였으며 풍경 쇼트는 외부의 도시 풍경이 두 컷, 골목이 한 컷 모두 세 컷이 제시되고 나서 실내의 홀과 술 마시는 방으로 넘어간다. 결국 다섯 컷에서 등장인물이 등장하는 것과 외부 3컷, 내부 2컷으로 3:2의 비율로 사용되는 것은 사무실과 동일하다. 또한 두 번째 술자리(이미지 18에서 21)도 외부 2컷과 내부 2컷을 사용하고 4컷에 술자리로 넘어간다. 이는 딸의 사무실을 소개하는 풍경 쇼트의 4컷 사용과 사용 컷 수와 내부와 외부 2:2 비율로 사용하면서 한 컷을 줄이는 것은 동일하다. 하지만 인물이 등장하는 것은 사무실은 3컷에서 프레임 인(frame in)

| 이미지 13 | 이미지 14 | 이미지 15 |

| 이미지 16 | 이미지 17 |

이미지 18

이미지 19

이미지 20

이미지 21

하였고 술집은 네 컷에서 프레임 인 하여 차이가 난다. 내부와 외부의 비율, 풍경 쇼트의 감소는 풍경 쇼트를 사용하는 오즈적 편집 리듬의 일단을 보여준다.

서로 다른 공간에서 풍경 쇼트의 동일한 사용과 미세한 차이를 확인하였다. 서사적으로 보면 〈꽁치의 맛〉은 히라야마가 딸과 함께 지내기로 한 부분을 전반부로, 히라야마가 개심하여 딸을 결혼시키기로 작정한 후반부로 나눌 수 있다. 전반부는 회사와 술집에 인물이 등장하기 전까지 도시의 전경이 제시되는 풍경장면을 주로 사용하고 건물 안으로 전환된다. 후반부는 외부의 풍경 쇼트 제시가 생략되거나 축소되고 곧장 내부로 전환되는 차이를 보인다.

이미지 22에서 이미지 26은 〈꽁치의 맛〉의 후반부이며 술집 장면이다. 이미지 22에서 24까지는 술집 간판을 설정 화면으로 제시한 다음 술집 실내로 전환되고 등장인물들이 은사를 모시고 있는 방으로 넘어간다. 이미지 25에

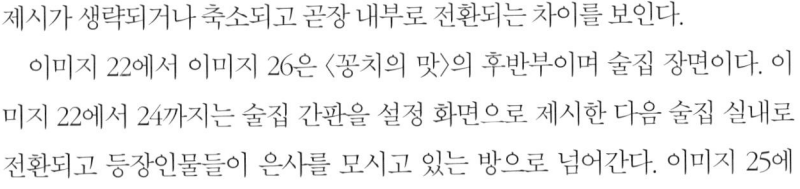

이미지 22

이미지 23

이미지 24

이미지 25

이미지 26

204

서 26은 보다 간결하게 카페의 간판에서 실내에 있는 부자의 대화 장면으로 넘어간다. 이는 전 장면에서 아파트에서 나올 때 "잠시 남편을 빌려주라"는 대사를 통해 두 사람이 대화하기 위해 술집으로 간다는 사실이 전달되었기 때문에 가능하다. 영화의 후반부는 도시의 풍경 쇼트가 간략해지면서 간판에서 곧장 실내로 전환하는 방식을 선호한다. 후반부에서 도시의 풍경 쇼트 생략은 두 가지 이유를 들 수 있다. 우선 전반부에 이미 관객들에게 충분히 인물들의 주거 공간과 생활 공간을 제시했기 때문에 반복할 필요가 없어졌을 것이다. 두 번째는 전반부에서 후반부로 넘어가면서 딸의 결혼에 대한 주인공의 심경변화를 편집 변화로 가시화하려는 의도로 보인다. 후반부의 풍경 쇼트는 공간의 정체성을 제시하는 설정 화면으로 축소되고 보편적인 편집의 규칙을 준수한다. 하지만 전반의 풍경 쇼트와 차이를 둔다는 점에서 텍스트 내에서 변화의 리듬을 보여준다.

풍경 쇼트를 중심으로 〈꽁치의 맛〉의 전반부와 후반부는 몇 가지 차이를 알 수 있다. 첫째 회사와 카페 장면 모두 풍경 쇼트를 사용하여 외부에서 실내의 인물로 넘어간다. 두 번째는 후반부에 풍경 쇼트가 축소되고 간결해졌다. 이는 인물이 활동하는 공간에 대한 안내의 역할로 축소되어 일반적인 설정 화면에 귀속된다. 세 번째는 실외의 건물 설정 화면에서 실내는 복도 장면을 경유해서 마지막에 인물이 활동하는 실내로 들어온다. 이 규칙은 회사와 음식점에서 모두 적용된다. 즉, 건물 설정 화면 – 복도(실내 홀) – 내부의 사무실(방)으로 연결된다.

결국 오즈의 풍경 쇼트는 감독의 치밀한 의도와 독창적인 편집 규칙에 의해 연출되었다는 사실이 입증된 것이다. 풍경 쇼트는 작품에 따라 주제를 암시하거나(〈동경 이야기〉) 서사의 리듬에 호응하면서 공간의 내부와 외부의 컷 수를 가감한다(〈꽁치의 맛〉). 풍경 쇼트는 인물들이 살고 있는 자연환경과 주거 공간을 제시하고 작품의 주제를 표상한다. 동시에 설정화면의 기능인 간판과 같은 역할을 수행하면서 장소의 정체성 표상과 안내 장면의 기능을 담당한다. 풍경 쇼트는 설정 화면의 기능을 확장하여 오즈의 편집의 독창성에 일조한다. 여기서 논의하지 않은 보다 다양한 풍경 쇼트도 존재한다. 그 쇼트들은 시간과 공간을 전환하는 컷 어웨이(cut away)와 인물의 내면을 대변하는 이미지로 자리하기도 하며 전장면(前場面)과 후장면(後場面)을 이어주는 가교의 역할 등 중층적으로 사용된다. 오즈의 풍경 쇼트는 설정 화면이라는 제한된 기능에서 벗어나 편집의 유연성과 미학적 가능성을 열어갔다는 점에서 편집 언어의 확장에 기여했다.

2) 조형적 연속성으로 연결되는 장면 전환의 세 층위

조형적 연속성은 연속성의 확장이며 편집 언어의 독창적 모험이다. 조형적 연속성은 조형적 유사성(graphic similarities)에 의존하여 장면을 전환한다. 조형적 유사성으로 인한 편집은 "쇼트 A의 형태, 색채, 총체적 구도 또는 움직임이 쇼트 B의 구도로 연결"[14]하는 방식이다. 오즈의 경우 다양한 조형적 유사성을 통해 연속 편집의 규칙을 확장하고 깊이를 만들어낸다. 여기에 오즈의 독창성이 자리한다.

연속성은 시간과 공간을 자연스럽게 전환시켜준다. 연속성의 방법은 시선의 일치, 행위의 일치를 들 수 있으며 오즈는 관행적 방식에 틈을 낸다. 오즈는 조형적 유사성을 통해 연속성의 다양한 변주를 시도한다. 오즈의 조형적 유사성을 통한 장면 전환은 '사물과 동일한 색깔 그리고 행위로 연결하는 것과 구도의 동일성을 통해 전환하거나 인간과 사물의 제동주의(齊同主義)'라는 세 가지 측면이 두드러진다.

(1) 사물에서 사물로, 동일한 색깔에서 색깔로, 행위에서 행위로 연결

편집에서 컷과 컷의 연결은 동작의 흐름이나 사물의 유사성으로 자연스러움을 만들어낸다. 오즈는 미장센의 동일한 도구로 조형적 유사성을 만들어낸다. 〈고하야가와가의 가을〉에서 올케언니를 방문하는 장면에서 거실의 흰 등이 계속 인물의 머리 위에 위치하며 마지막 컷의 복도까지 연결된다. 흰 조

---

14 데이비드 보드웰, 크리스틴 톰슨, 주진숙, 이용관 역, 『영화예술』, 지필미디어, 2011, 276쪽.

| 이미지 1 | 이미지 2 | 이미지 3 | 이미지 4 |

명등은 동일한 모양과 색깔의 사물이라는 조형적 유사성으로 네 컷을 연결한다. 이와 같은 동일한 미장센으로 배치된 사물을 통한 조형적 유사성으로 전환하는 사례는 빨랫줄에서 빨랫줄로 연결되거나(〈동경 이야기〉, 〈안녕하세요〉) 병에서 병으로(〈고하야가와가의 가을〉), 모기향에서 모기향(〈동경 이야기〉, 〈고하야가와가의 가을〉) 등 다양하게 반복된다.

두 번째 조형적 유사성의 요소는 동일한 색깔을 활용한다는 점이다. 대표적인 장면은 〈안녕하세요〉(1959)의 색채이다. 붉은색은 붉은 등과 가전제품으로 이어지면서 동일한 색으로 조형적 유사성을 유지한다.

| 이미지 1 | 이미지 2 | 이미지 3 | 이미지 4 |

이미지 1에서 5까지는 빨래의 붉은 색과 붉은 등이 색의 동일성과 배치된 위치의 유사성으로 연결된다. 첫 컷의 빨랫줄의 빨래는 다음 컷의 붉은 색의 등으로 이어지고, 이미지 3에서는 인물이 입고있는 붉은 색의 옷으로 이어지고 마지막 컷도 가전제품과 개어놓은 옷의 붉은 색으로 연속성이 유지된다. 보드웰도 이 장면을 주목하면서 "같은 위치에 생생한 붉은 전등이 있는 실내로 컷함으로써 장난스러운 조형적 일치를 창조한다"[15]고 설명했다. 보드웰은 연속 편집의 대안으로서 조형적 일치를 강조하였다. 하지만 오즈의 독창적인 맥락에서 재해석할 필요가 있다. 오즈는 연속편집의 대안에 대한 모색보다는

15 데이비드 보드웰·크리스틴 톰슨, 앞의 책, 313쪽.

스스로 창출한 자신의 장면 연결 방식으로 다양한 시도를 수행하였으며 그중 일부가 조형적 유사성에 의한 장면 전환의 스펙트럼 확장에 기여한 것이다.

붉은 색은 〈안녕하세요〉에서 장면과 장면을 연결해주는 고리 역할을 수행하면서 동시에 인물들의 사소한 갈등을 완화시켜주는 역할도 한다. 강소원은 "〈안녕하세요〉는 거의 모든 쇼트 안에 빨강, 파랑, 노랑을 배치한 원색의 퍼레이드 속에 그래픽적 유사성과 무게 균형을 유지한 단아한 화면구도로 그 모든 갈등을 무화시킨다"[16]고 평가하였다. 색을 사용한 연속성의 유지에 대해 그래픽(조형적)적 유사성으로 표현하였으며 균형 있는 구도는 오즈의 작품을 일관한 구도 설정 방법이며 여기서는 연속성의 확장으로써 조형적 유사성의 가능성으로 동일한 색을 통한 연결과 구도의 유사성으로 더 확장되어 갈 때 오즈의 조형적 유사성의 창조성의 지평이 열리게 된다.

세 번째 조형적 유사성으로 장면 전환은 행위를 통한 연결이다. 이는 연속 편집의 행위의 일치와 유사하지만 특정 소도구를 동반한 행위의 반복으로 조형적 유사성과 행위의 일치를 중첩시킨다. 〈동경 이야기〉에 등장하는 첫 이미지는 며느리 집에서 식사를 하는 장면이며 노리코는 부채를 부치고 있다. 다음 컷은 아들과 딸이 부모의 동경 여행에 대해 상의하는 장면으로 넘어가면서 역시 부채를 부치는 행위로 연결된다. 세 번째 이미지는 딸이 남편을 부르자 손에 부채를 들고 프레임 인 한다. 세 명이 실내에서 부채를 들고 있는 장면에서 실외로 장면이 전환되면서 바다를 향해 앉아있는 네 명의 여성도 부채를 들고 있다. 부채와 부채질하는 행위는 동일한 소도구와 행위를 통해 조형적 연속성을 만들어낸다.

미장센으로 배치된 사물과 색 그리고 행위라는 조형적 유사성은 오즈 편집의 연속성 특징으로 확인해 볼 수 있다. 오즈의 편집은 할리우드 영화의 연속성의 규칙을 준수하면서 자신만의 방식으로 확장한 셈이다.

---

16 시네마테크 부산, 앞의 책, 176쪽.

| 이미지 1 | 이미지 2 | 이미지 3 | 이미지 4 |

(2) 구도를 통한 연속성 유지

촬영의 구도도 조형적 유사성에 의한 연속성을 확보한다. 대표적인 장면
은 〈만춘〉에서 열차의 운행 방향과 열차 내에 있는 인물의 구도를 동일하게
잡아내는 장면이다. 첫 컷에서 노리코(하라 세츠코 분)가 서 있는 장면의 구
도와 실외의 열차 방향의 구도가 동일하다.

이 장면의 첫 번째 컷에서 열차가 좌에서 우측으로 사선을 그으며 지나간
다. 다음 컷(이미지1)에서 노리코의 바스트 샷을 열차의 움직이는 방향과 동
일한 구도를 유지한다. 이어지는 컷은 인물과 동일한 구도를 유지하면서 열
차가 좌에서 우측으로 주행한다.

| 이미지 1 | 이미지 2 | 이미지 3 | 이미지 4 |

이미지 3은 카메라가 우측으로 이동하여 인물의 앵글을 바꾸었다. 노리코
와 부친이 함께 앉아서 독서하는 장면으로 전환된다. 인물의 앉아 있는 장면
은 우측에서 좌측 하단으로 소실점을 만들면서, 하이앵글로 사선을 만들었
다. 다음 장면에서 열차가 운행되는 이미지 컷도 열차가 우측에서 좌측 하단
사선 방향으로 움직인다. 카메라는 앞 이미지와 동일하게 우측에서 하이앵
글로 포착하면서 좌측 하단에 소실점을 놓고 있다. 인물의 구도와 열차의 진
행방향의 유사성은 동일한 카메라 앵글과 화면 구도를 통해 조형적 유사성
이 형성된다. 구도를 통한 조형적 유사성은 오즈의 텍스트에서 인위성을 제

거하고 장면과 장면 연결의 자연스러움을 더해주고 있다.

이는 〈동경 이야기〉의 온천 장면에서 노부부의 실내화가 놓여 있는 컷과 실내에서 노부부가 누워있는 자세의 동일한 구도와 흡사하다. 여기서 신발의 모양과 구도는 누워있는 인물의 방향과 인물로 연결되어 조형적 유사성을 보여준다.

(3) 인간과 사물의 만물제동주의(萬物齊同主義)

오즈 영화의 편집에서 독창성과 깊이를 보여준 방식은 인물의 의복이나 사물을 통해 감정을 생성하거나 의미를 확장하는 장면의 연결이다. 조형적 유사성이 형태, 색채, 구도의 유사성에 의존했다면 사물과 인물의 일체감으로 확장하여 장면을 연결하며 이는 장자의 만물제동주의와 맞닿아있다. 모리 미키사부로는 "모든 것이 평등하다고 보는 입장에서 보면 자기와 타자의 구별이 없기 때문에, 나비는 그대로 장주이다. 따라서 어떤 변화가 찾아오더라도 자기를 잃을 일은 없다."[17]고 설명했다. 만물제동(萬物齊同)은 장주의 꿈에서 나비와 장주의 구별이 없듯이 사물과 인간 사이의 거리를 삭제한다. 만물제동의 입장에서 꿈과 현실의 구분이 없으며 이는 'A=非A이다'라는 명제를 수용하는 예술적 동시주의와 직결된다. 장자는 대종사(大宗師) 편에서 "좋아하는 것과도 하나요, 좋아하지 않는 것과도 하나였습니다. 하나인 것과도 하나요, 하나가 아닌 것과도 하나였습니다. 하나인 것은 하늘의 무리요, 하나가 아닌 것은 사람의 무리입니다"[18]라고 주장하면서 만물제동에 입각해 모두 하나임을 강조한다. 이와 같은 입장에서 〈만춘〉의 항아리 장면을 통해 항아리와 부친을 동일하게 볼 수 있는 근거를 제공받게 된다.

가장 단순한 경우는 인물의 의복과 소지품으로 인물의 존재를 전달하고 다음 컷에서 인물로 전환되면서 장면의 분위기를 유지하고 증폭한다. 이는 조형적 연속성의 확장이다. 인물이 사용하는 신발과 의복은 소도구로 머물

17　나카지마 다카히로, 앞의 책, 199쪽.

18　오강남 풀이, 『장자』, 현암사, 2013, 271쪽.

지 않고 독립된 피사체로 화면에 등장하면서 인물을 대신하여 은유적 풍부함을 낳는다. 〈동경 이야기〉에서 이미지 1은 온천의 여관에서 나란히 있는 신발 장면이 제시되고 이미지 2는 방에 나란히 누운 부부로 전환된다. 신발은 노부부의 투숙 사실을 사전에 예시하고 부부의 나란히 누운 형상과 조형적으로 유사하다.

이미지 1   이미지 2   이미지 3   이미지 4

이미지 3은 어수선한 신발이 제시된다. 이는 어수선한 온천의 분위기와 인물들의 상황을 예견하며 다음 장면에서 신발과 유사하게 둥그렇게 모여서 놀이하는 관광객으로 연결되어 조형적 유사성을 확보한다.

〈만춘〉에서 노리코와 하토리는 피크닉을 간다. 이미지 5에서는 자전거 두대가 세워져있고 다음 장면에 나란히 걸어가는 장면과 앉아있는 두 인물로 연결하여 조형적 유사성을 확보한다. 자전거와 인물은 신발과 인물처럼 조형적 연속성의 오즈적 편집 스타일로 확고해진다. 〈동경 이야기〉에서 신발이 두 부부의 취침 상황을 예시하였다면 〈만춘〉에서 자전거는 두 남녀의 나란히 걷고 나란히 앉아서 대화 나누는 것을 예견하고 시각적으로 은유한다. 이와 같은 방식은 〈도다가의 형제 자매들〉(1941)에서 모자가 등장하고 다음에 조문객들의 조문 장면에서도 사용된다.

인물의 의상과 소도구를 통해 연결하는 방식은 〈조춘〉(1956)에서도 등장

〈만춘〉 이미지 5   이미지 6   〈조춘〉 이미지 7   이미지 8

한다. 스기야마는 회사 동료와 외도로 지방으로 좌천되었다가 결국 아내와 화해한다. 외도 장면과 화해 장면도 전형적인 인간과 사물의 제동주의에 입각한 조형적 유사성의 편집방식으로 전환된다.

스기야마는 동료 금붕어와 동침을 한다. 동침 장면은 해변의 풍경 이미지가 제시되고 다음 컷인 이미지 7에서 실내에 걸린 두 남녀의 겉옷이 등장한다. 그리고 다음 컷에 잠옷을 입고 대화하는 두 사람으로 전환된다. 두 사람의 옷과 대화는 동침 사실을 전해준다. 걸린 옷은 두 인물을 대신하고 두 인물의 등장 장면에 대해 의복으로 조형적 유사성을 만들어내면서 두 인물이 특정한 공간에 존재한다는 정보 전달을 한다. 〈동경 이야기〉와 〈만춘〉에서 감독이 이동 수단이나 신발을 통해 인물을 대변했다면 〈조춘〉의 경우에는 두 인물의 동침을 넌지시 사전에 암시하는 사전 정보 전달의 측면이 더 강하다.

스기야마는 지방 발령을 받게 되고 그의 아내는 친정집으로 거처를 옮긴다. 스기야마의 지방 근무는 인서트 컷을 통해 시간과 공간의 변화를 표현한다. 스기야마는 사무실에서 직원과 날씨에 대한 대화를 나누면서 동경도 덥다는 말로 지방에 내려왔다는 사실을 전달한다.

스기야마는 퇴근하여 귀가한다. 그는 집에 도착하여 2층으로 올라간다. 스기야마는 자리에 앉고 오즈 야스지로 영화에서 보기 드물게 시점쇼트가 두 번 등장한다. 이미지 9는 시점 샷에 대한 반응 쇼트이다. 스기야마는 거실에 놓여 있는 아내의 여행 가방을 바라본다. 그는 아내가 집에 도착했다는 사실을 인지한다. 관객은 이미 거실에 걸린 아내의 옷을 통해 정보를 전달받았다. 다음 시점 샷으로 넘어가면 벽에 걸려 있는 옷을 풀 샷으로 잡는다. 이어서 스기야마가 일어서서 후경으로 움직이면 후경에 아내가 프레임 인 한다. 아

이미지 9   이미지 10   이미지 11   이미지 12

내의 등장 전에 복장과 소지품으로 아내의 도착을 알리는 것은 사전에 인물의 의복이나 도구를 제시하여 다음 장면을 예비하게 하는 오즈적 편집 스타일이다. 결국, 두 사람은 지방에서 재회하여 서로의 자기 성찰과 반성을 통해 화해한다. 그들은 사소한 일 때문에 불행하게 살 수 없으며 노력하고 응원하면서 살아갈 것을 다짐하고 서로 같은 방향을 바라본다. 등방향성은 미래에 대한 희망을 암시한다. 기차역에서 등방향성이 같은 옷을 입고 같은 일을 하러 가는 직장인의 삶을 보여주었다면 마지막의 등방향성은 부부가 함께 걸어가야 할 삶을 예견한다.

사물과 인간의 거리를 좁히는 만물제동주의의 입장에서 한걸음 진전된 장면은 〈만춘〉의 항아리 장면이다. 항아리는 인물의 소지품이 아닌 인서트로 들어온다는 점에서 다소 비약된다. 하지만 나비와 장주가 대등하고 꿈과 현실의 경계가 없다면 인물과 항아리는 어렵지 않게 동일시가 가능하다.

〈만춘〉의 항아리는 편집의 맥락에서 아버지를 대체하는 사물이다. 노리코는 "아빠가 미웠는데……"라며 자신의 심경을 토로하려는 순간, 부친은 잠들어 있다. 노리코가 고개를 돌려 이미지 16에서 천장을 향하자 시간이 머뭇거린 다음 항아리 컷으로 넘어간다. 노리코의 침묵은 항아리의 침묵으로 이어지고 아버지와 항아리는 조형적으로 닮았다. 자전거와 신발이 등장인물을

이미지 13 　　　　　 이미지 14 　　　　　 이미지 15

이미지 16 　　　　　 이미지 17 　　　　　 이미지 18

대변하듯이 항아리도 아버지를 암시한다. 이는 장자의 만물제동주의로 설명 가능하다. 만물제동은 모든 사물이 두루 동등하여 항아리와 인간, 닭이나 나비와 인간의 구별을 무화시킨다. 만물제동주의에서 동물과 인간의 구별이 없는 것처럼 〈만춘〉에서 항아리와 아버지는 등호로 연결가능하다. 이를 하스미 시게히코는 "전경과 후경, 명암의 대비, 부동의 그림자, 카메라 앵글의 유사성이라는 몇 개의 세부가 자는 얼굴과 항아리의 등가성을 증거"[19]한다고 했다. 하스미 시게히코는 앵글과 명암의 유사성을 토대로 등가성을 도출하였으며 필자는 조형적 유사성의 확장으로서 만물제동주의의 오즈적 발현으로 항아리와 아버지를 등치시킬 수 있다고 생각한다.

첫번째 항아리의 인서트는 부친에게 하고 싶은 말을 절제하는 노리코의 침묵에 호응한다. 항아리는 노리코의 침묵과 말하지 않는 부친의 침묵으로 연대한다. 부친의 취침과 항아리의 침묵 그리고 구도는 조형적 유사성으로 수렴된다. 〈동경 이야기〉에서 신발이 취침하는 노부부와 조형적 유사성으로 어트랙션 봉타주되는 것처럼 아버지의 침묵은 입다문 항아리가 함축한다. 노리코-항아리-석정으로 연결은 노리코-아버지-만물로 이어지며 이는 침묵의 삼각형이라는 마음의 형상을 가시화한다. 항아리와 인물과 정원의 괴석은 조형적으로도 유사하지만 정서적으로 더욱 닮았다. 항아리는 언어로하면 미끄러지는 대상을 시각화하여 감정의 심도를 깊게 한다. 결론적으로 오즈의 조형적 유사성으로의 장면 연결은 결국 만물제동주의의 영화적 표현으로 확장되고, 이미지로 감정의 심연을 확장하여 아름다움에서 숭고의 세계로 접어들게 한다. 오즈의 편집은 조형적 유사성의 확장을 통해 오즈의 주제를 함축하고 작품의 깊이를 더하는 데 일조하고 있다.

3. 맺음말

오즈는 편집에 대해 둔감했다고 스스로를 낮추었지만 그는 자신만의 편집

---

19 하스미 시게히코, 윤용순 역, 『감독 오즈 야스지로』, 한나래, 2001. 197쪽.

언어를 창출하여 영화의 세계를 확장하였다. 다만 기존의 편집 언어로 범주화하기 어렵거나 낯설었던 것이다.

오즈의 편집은 두 가지로 양분된다. 하나는 풍경 쇼트의 변주이며 다른 하나는 조형적 유사성의 확대이다. 풍경 쇼트의 변주 양상은 주인공이 살고 있는 주거 공간을 제시하면서 다음 장면에 대한 가교 역할을 수행한다. 두 번째는 작품의 주제를 우회적으로 표상하며, 마지막으로 장소의 정체성을 표상한다.

오즈의 풍경 쇼트는 설정화면이라는 관습적인 기능을 수행하고 동시에 인물의 주거환경에 대한 제시와 서사적 리듬을 만들기 위한 가교 역할로 확장되면서 오즈의 독창적인 편집 미학의 생성으로 수렴된다.

오즈의 편집은 조형적 유사성에 의한 장면 전환에서 독창성을 확보한다. 조형적 연속성은 미장센의 요소로서 색깔과 움직임의 요소로서 행위 그리고 구도의 유사성을 통해 확보된다. 색깔의 유사성으로 전환 사례는 〈안녕하세요〉에서 붉은 색 빨래에서 붉은 색 전등으로 연결되는 장면이다. 행위의 유사성은 〈동경 이야기〉에서 특정한 소도구인 부채질하는 행위에서 동일한 행위로 넘어가는 장면을 들 수 있다. 촬영의 구도를 통한 조형적 연속성은 〈만춘〉에서 열차의 운행 방향과 인물의 구도의 동일성으로 유지된다. 마지막으로 오즈 영화의 편집에서 독창성의 백미는 사물과 인물의 유사성을 통한 어트랙션 몽타주로의 전환이다. 조형적 유사성이 형태와 구도와 같은 형상의 유사성에 의해서 연속성이 유지되었다면 사물과 인물의 유사성은 형상의 유사성과 더불어 사물과 인물의 경계를 지우는 예술적 동시주의와 장자의 만물제동주의에 접맥된다. 〈동경 이야기〉에서 가지런히 놓인 신발이 나란히 누운 노부부의 모습을 표상했다면, 〈만춘〉에서 잠든 부친과 항아리의 동일시는 오즈의 조형적 유사성의 정점으로 귀결된다.

오즈 야스지로는 편집에 대해 비교적 자유로웠다고 발언하였지만 사실은 편집에서도 자신만의 방식을 완성하였다. 편집 미학은 이미 평가된 촬영과 서사의 독창성과 더불어 오즈 야스지로의 작가적 고유성을 입증한다. 오즈는 오즈만의 방식으로 오즈의 영화를 구축하고 완결한 것이다.

영화는 탄생한 이후 지속적인 변화 발전의 궤적을 그려왔다. 영화사는 기술의 변화와 연동되어 기술사적 발전을 이끌어왔다. 영화사의 쌍두마차 한편에 기술사가 자리한다면 다른 한편에는 영화적 표현을 확장한 작가적 노력이 자리한다. 전위적 작가들은 영화사의 한 축을 이끌어 왔다. 몽타주의 편집 기법을 실험한 에이젠슈테인과 초창기 연속 편집을 정초한 그리피스가 있으며 알프레드 히치콕은 서스펜스를 영화에 접목시켰다. 그는 서스펜스의 거장이라는 칭호를 받아 왔으며 그의 필모그래피를 면밀히 검토해보면 영화 스타일의 역사와 히치콕 작품의 변화가 궤를 함께하고 있다는 사실에 동의하지 않을 수 없다. 그의 성취는 이동 매트를 통해 스키타는 장면을 만들어내고(〈스펠바운드〉) 영사 프로세스를 통해 인물과 자연을 합성하고(〈현기증〉), 〈오명〉과 〈현기증〉에서는 악에 취한 장면과 현기증 장면 등을 영화적으로 표현해낸다. 〈스펠바운드〉에서는 특정 소도구를 크게 확대하여 클로즈업의 효과를 강화한다. 그의 이력은 영화적 표현의 확장의 역사이기도 하다.

칸트가 철학의 호수였다면 영화 작가는 영화 작품이 흘러드는 영화의 호수다. 영화는 그 자체로 이미 사진과 음악 그리고 문학과 같은 다양한 장르의 백화점을 이룬다. 작가는 수많은 텍스트를 용광로에 넣어서 대중적 상품과 예술적 작품으로 산출하는 연금술사에 가깝다. 작가 연구는 영향을 준 텍스트들과 동시대의 예술적 흐름 그리고 작가 개인에 대한 천착이 병행되어야 할 것이다. 코미디 감독인 우디 앨런에 대한 접근도 예외일 수 없다. 우디 앨런의 텍스트에 대한 분석은 영향을 준 텍스트와 작가 개인에서 출발해야 할 것이다. 작가 개인에 대한 전기적 고찰은 텍스트의 영향 관계에 단서를 제공할 것이며 장르적 특징은 코미디의 희극 전략을 통해 해명할 단서를 발견할 수 있을 것이다. 우디 앨런의 영화는 수많은 영화적 인용으로 이루어져 있으므로 상호텍스트성에 대한 개념을 분석틀로 설정하지 않을 수 없다.

3부

미국 영화

히치콕이 설명한 서스펜스의 핵심은 관객에게 보다 많은 정보를 제공하여 등장인물이 처한 위기 상황에서 긴장을 유발하고 유지하게 하는 전략과 맥거핀을 이용한 서사적 긴장감이다. 서스펜스의 주된 전략은 서사적 정보의 차이를 이용한다. 관객의 초점화는 조스트의 용어인 관객의 시각화와 의미가 유사하지만 관객의 시각적 정보의 우위라는 입장을 강조한 용어이다. 대표적인 장면은 〈마니〉의 절도 장면과 〈북북서로 진로를 돌려라〉의 산장 장면이다. 두 번째는 관객 초점화와 사물의 클로즈업을 결합한 방식이다. 〈스트레인저〉에서 브르노기 넥타이핀, 〈마니〉의 절도 장면에서 구두의 클로즈업을 들수 있다. 세 번째는 카메라 움직임을 통해 사물을 제시하는 것이다. 예를 들면 〈의혹의 그림자〉의 가족 파티장면에서 크레인 쇼트와 클로즈업을 통해 반지 긴 소녀 찰리 손의 제시이다.

우디 앨런 영화에 나타난 코미디 전략과 상호텍스트성

1. 우디 앨런의 영화로 들어가는 입구

칸트가 철학의 호수였다면 영화 작가는 영화 작품이 흘러드는 영화의 호수다. 영화는 그 자체로 이미 사진과 음악 그리고 문학과 같은 다양한 장르의 백화점을 이룬다. 작가는 수많은 텍스트를 용광로에 넣어서 대중적 상품과 예술적 작품으로 산출하는 연금술사에 가깝다. 작가 연구는 작가에게 영향을 준 텍스트들과 동시대의 예술적 흐름 그리고 작가 개인에 대한 천착이 병행되어야 할 것이다. 코미디 감독인 우디 앨런에 대한 접근도 예외일 수 없다. 우디 앨런의 텍스트에 대한 분석은 그에게 영향을 준 텍스트와 작가 개인에서 출발해야 할 것이다. 작가 개인에 대한 전기적 고찰은 텍스트의 영향 관계에 단서를 제공할 것이며 장르적 특징은 코미디의 희극 전략을 통해 해명할 단서를 발견할 수 있을 것이다. 우디 앨런의 영화는 수많은 영화적 인용으로 이루어져 있으므로 상호텍스트성에 대한 개념을 분석틀로 설정하지 않을 수 없다.

우디 앨런의 텍스트는 다양한 시각에서 분석할 수 있지만 논의의 집중을 위하여 두 가지 방향에서 접근할 계획이다. 그것은 장르로서의 코미디 전략과 기존의 영화를 인용하는 상호텍스트성 전략이다. 우디 앨런은 다작의 작가이므로 전 작품에 대한 분석은 앞으로 더 진행해야 할 과제로 남겨두고 본 고에서는 첫 작품인 〈돈을 갖고 튀어라〉(1969)에서 〈사랑과 죽음〉(1975)까지로 제한하여 초기 작품을 대상으로 한다. 초기 작품은 작가의 장르적 스타일과 코미디 캐릭터가 구체화되어 우디 앨런의 작가적 개성을 부각시켰다. 또한 패러디 장치를 매개로 하여 기존 텍스트가 적극적으로 인용되어 상호텍스트성의 개념으로 조명할 실마리를 제공한다. 전기적 고찰은 감독의 문화적 영향과 코미디적 토양이 어떻게 생성되었으며, 유럽 영화의 관람 체험은 자신의 영화 텍스트에 어떤 직간접적 영향을 주었는지에 대한 규명의 근거를 제공할 것으로 여겨진다. 전기적 고찰을 토대로 우디 앨런 코미디의 희극 전략과 상호텍스트성의 개념으로 미학적 해명을 할 수 있을 것이다.

2. 전기적 고찰과 작가적 서명

미국의 코미디는 버스터 키튼과 찰리 채플린이 황금시대를 이끌었다면, 우디 앨런은 영화적 인용으로 코미디 장르의 확장과 장르적 융합시대를 개척했다고 할 수 있다. 우디 앨런은 프랑스의 시네필인 프랑수와 트뤼포처럼 수많은 영화 감상 체험을 기반으로 자신의 영화 속으로 고전 영화들을 적극적으로 흡수하고 변형시켰다. 영화의 영향에 대해 그는 작가적 삼투 작용이라고 설명하면서 예술 작품에 대한 수용 체험의 축적은 "세월이 흐르면 어떤 방식으로든 특별히 노력하지 않아도 그것이 당신의 피 속에 그리고 신체의 섬유질 속에 들어가는 것[1]"으로 표현한다. 이와 같은 이유로 인해 우디 앨런의 성장사와 영화적 체험을 살펴보는 것은 그의 영화관과 연출 스타일을 이해하는데 중요한 단서를 제공할 것이다. 작가와 영화의 필연적 관련성에 대해 앤드루 새리스는 "예술가와 작품 사이의 의미심장한 통일성을 찾아내는

---

1 스티그 비에르크만, 이남 역, 『우디가 말하는 앨런』, 한나래, 1997, 25쪽.

것"[2]이 중요하며 이와 같은 결과물을 토대로 작가 개인적 서명이자 스타일의 반복을 발견할 수 있다고 주장했다.

우디 앨런은 1935년 12월 1일에 뉴욕에서 출생했으며 본명은 앨런 스튜어트 코닉스버그이다. 그가 생활한 공간은 브루클린 중하층 구역이며 집에서 도보로 걸어갈 수 있는 거리에 25개의 극장이 있었다. 그는 '일주일에 4-5차례나 아니면 날마다 주머니 사정이 되는 대로 영화관을 찾을 정도'로 영화 감상에 집중했다. 유태인과 뉴욕이라는 공간은 "'뉴욕의 유태계 지식인'이라는 노이로제와 성적 강박관념, 어린 시절의 아픈 경험이나 열등감[3]으로 변형되어 우디 앨런의 영화적 자양분을 형성한다. 우디 앨런의 유태인 인종차별에 대한 항의는 〈애니 홀〉(1977)과 〈맨해튼〉(1979)에서 주인공의 대사로 표출된다. 뉴욕 공간은 〈맨해튼〉과 〈맨해튼 미스터리〉(1993)처럼 제목으로 표면화되거나 대표적 영화 공간으로 장소적 중요성을 지닌다.

그는 마이클스 펍에서 월요일 저녁 클라리넷을 연주해왔으며 1952년에 우디 앨런으로 개명하였다. 1953년에 뉴욕대에 입학하였으나 강의보다도 학교 밖 생활과 극장에서의 영화 감상에 심취하여 학교를 중퇴한다. 그는 자신이 연출하거나 출연한 영화를 통해 제도 교육에 대해 비판적인 태도를 보인다. 그는 인터뷰에서 "뉴욕대학 시절 영문학은 F학점이며, 영화제작 강좌는 C학점을 받았으며 1학년 때 쫓겨났어요. 형이상학 기말시험에서 부정행위를 했거든요. 제 옆에 앉아있는 한 친구의 영혼을 들여다보았죠[4]"하고 당시의 대학 생활을 엿볼 수 있게 한다. 〈스타더스트 메모리스〉(1980)에서 우디 앨런은 영화 속에서 '대학 시절 부정행위를 했는데 옆에 앉은 친구의 영혼을 훔쳐보는 바람에 철학 점수를 받지 못했다'고 조롱했다. 그는 1966년부터 1980년까지 《뉴요커》에 글을 게재한 작가였다. 신문 연재와 블루 엔젤 클럽에서의 코미디언 활동은 그의 코미디의 자양분이다. 1969년 〈돈을 갖고 튀어

---

2 조안 홀로우즈·마크 얀코비치 엮음, 문재철 역, 『왜 대중영화인가』, 한울, 1999, 74쪽.

3 신강호, 『영화작가 연구』, 월인, 2006, 168-169쪽.

4 로버트 E.카프시스·캐시 코블렌츠 엮음, 오세인 역, 『우디 앨런: 뉴요커의 페이소스』, 마음산책, 2008, 268쪽.

라(Take the money and run)〉로 영화계에 입문하여 매년 한 편씩 영화를 제작하여 2012년 〈미드나잇 인 파리(Midnight in paris)〉까지 41편의 작품을 연출하였다. 그는 연출과 편집, 캐스팅 등 영화작업의 전권을 행사한 감독이다.

우디 앨런의 영화적 특징과 세계관을 살펴보면 작가의 개인적 서명이 드러난다. 첫 번째는 미국 영화보다는 유럽 영화의 영향과 흔적이 돋보인다. 그는 "미국 영화의 98%는 공장에서 제조된 영화들입니다. 반면에 유럽 영화들은 제작비가 넉넉하지 않기 때문에 좀 더 혁신적인 방법"[5]을 사용하므로 유럽의 감독과 예술가를 더 존경한다고 말했다.

두 번째는 작가나 작품의 영화적 인용을 통한 상호텍스트성을 미학적으로 채택했다는 점이다. 그의 영화는 프랑수아 트뤼포와 쌍벽을 이룰 만큼 기존의 영화 텍스트의 인용과 영향이 강하다. 트뤼포가 문학과 영화와 자신의 삶을 영화적으로 인용했다면 우디 앨런은 특정 영화감독의 작품을 패러디하여 웃음을 유발한다. 패러디는 "조롱하거나 우습게 만들려는 의도를 지닌 채 하나의 텍스트를 다른 텍스트와 대조시키는 것"[6] 이다. 우디 앨런은 패러디가 지향하는 경외와 경멸의 이중성에서 경멸을 삭제하고 경외와 흉내내기를 통한 웃음거리로 전락을 지향한다.

세 번째는 전형적인 인물들이 우디 앨런의 영화적 독창성을 부각시켜준다. 첫 번째 전형적인 인물은 '허약하고 생활 세계에 서투른 남성과 웃기지만 남자를 곤경에 빠뜨리는 여성'이라는 남녀 등장인물이다. 우디 앨런은 첫 영화 〈돈을 갖고 튀어라〉에서 전형적인 코미디 영화의 페르소나를 만들어낸다. 그 인물은 "신체적으로 허약하고 여자들을 쫓아 다니는 사람, 심성은 착하지만 무력하고 서투르고 안절부절못하는 사람"이며 "삶의 불안정성, 긴장감과 여성을 향한 불안감, 좋은 관계를 유지하지 못하는 무능력, 공포, 비겁행위"[7]를 보여주는 인물이며 반복해서 우디 앨런의 작품에 등장한다. 이는 막스 형

---

5 스티그 비에르크만, 위의 책, 46쪽.

6 린다 허천, 김상구·윤여복 역, 『패러디 이론』, 문예출판사, 1992, 55쪽.

7 스티그 비에르크만, 앞의 책, 56쪽.

제들과 찰리 채플린, 버스터 키튼 등의 정통 코미디언의 계보를 잇는 것이다. 여성 캐릭터는 〈사랑과 죽음〉의 소냐와 〈슬리퍼〉(1973)의 루나, 그리고 루이스 라서가 연기한 〈바나나 공화국(Bananas)〉(1971)의 낸시로 대표되는 '웃기지만 남자를 곤경에 빠뜨리는 여자'이다. 두 번째 전형적인 인물은 정신분석 상담을 받는 인물이다. 〈중년의 위기〉(1990)와 〈애니 홀〉에서는 남녀 모두 정신 분석 상담을 받으며 벽을 사용하여 분할 화면 효과를 내기도 한다. 세 번째 전형적인 인물은 말을 더듬거나 행위와 말을 반복하여 리듬을 만드는 캐릭터이다. 우디 앨런은 청각적 농담을 하기 위해 "'말을 더듬는 것'과 '반복'"을 사용하였으며 이는 "적절한 리듬을 얻기 위한 직관적 시도"[8]라고 그 이유를 밝혔다. 채플린은 보울러 모자와 지팡이와 걸음걸이로 대표된다면 우디 앨런은 말 더듬기와 반복 그리고 정신과 치료를 받는 캐릭터를 만들어냈다. 네 번째 전형적인 인물은 예술을 통해 구원받는 캐릭터이며 그는 실생활을 예술로 견인하여 물의를 일으키는 인물이기도 하다. 대표적인 경우는 〈맨해튼〉에서 "자기 책에 실제 사건들을 집어넣으면서 주변의 여인들에게 책망을 듣는 작가 캐릭터"[9]와 〈애니 홀〉에서 자신의 연애 실패담을 연극을 통해 성공담으로 바꾸는 인물로 재등장한다. 이들은 우디 앨런의 예술론인 '예술이 삶을 위로할 수 있는 출구가 될 수 있다'는 사실을 긍정한다.

네 번째 특징은 이념적으로 인본주의에 대한 지지와 파시즘에 대한 거부이다. 파시즘과 인본주의의 관계에 대해 그는 "파시즘은 늘 다른 이름으로 모습으로 나타나 여러 다른 라벨을 붙이고 등장하는 인본주의적 접근에 기본적으로 반기를 들죠, 우리에게 필요한 것은 인본주의에 대한 열망[10]"이라고 설명한다. 파시즘의 비판은 〈젤리그(Zelig)〉(1983)를 통해 우회적으로 드러낸다. 그는 〈젤리그〉가 파시즘에 대한 영화적 논평이었다고 밝힌 바 있다. 젤리그는 "어떤 사람이 마치 카멜레온이 주변 환경에 대해 그러하듯이 자기 보호

---

8   로버트 E.카프시스 · 캐시 코블렌츠 엮음, 앞의 책, 269쪽.

9   로버트 E.카프시스 · 캐시 코블렌츠 엮음, 위의 책, 301쪽.

10   로버트 E.카프시스 · 캐시 코블렌츠 엮음, 위의 책, 53쪽.

를 위해 주변과 섞이려고 자신의 인격과 감정들을 포기하는 행위가 가져오는 궁극적인 결과는 파시스트적인 설득력에 의해 좌우되는 완벽한 대상[11]인 것이다.

다섯 번째는 현실과 환상의 거리 지우기이다. 우디 앨런은 영화에서 현실의 불만을 완화하고 해소하는 출구로서 환상의 존재를 빈번하게 호출한다. 현실의 궁핍함은 늘 환상의 풍족함을 야기한다. 환상은 비참한 현실, 유한성이 존재하는 현실에 대한 도피처이자 영화적 공간의 확장으로 우디 앨런의 영화라는 성을 구축한다. 대표적인 작품은 세실리아(미아 패로 역)가 스크린에서 나온 남자 주인공과 만나는 〈카이로의 붉은 장미〉(1985)와 현재에서 과거로 여행하는 〈미드나잇 인 파리〉이다.

여섯 번째는 유한성에 대한 영화적 물음과 응답이다. 우디 앨런은 "섹스와 죽음은 자신이 가장 총애하는 관념들"이라고 했다. 〈스타더스트 메모리스〉에서는 주인공은 자신의 유한성에 대한 문제를 성찰하고 〈사랑과 죽음〉에서는 남녀의 사랑과 인간의 죽음에 대한 문제를 질문하고 답한다. 〈슬리퍼〉의 마지막 장면에서도 '우리가 믿을 수 있는 것은 섹스와 죽음뿐'이라고 반복하고 두 남녀의 키스로 봉합한다. 〈멜린다와 멜린다〉(2004)에서는 "죽음에 대한 공포를 감추려고 우리는 웃는 것이며 인생은 한 번 뿐이니 웃을 수 있을 때 웃자"고 유한성으로부터 대항하는 방법으로서 웃음과 코미디의 필요성을 역설한다.

일곱 번째는 동적인 카메라 움직임과 편집의 속도감이다. 우디 앨런의 영화에서 고정된 카메라는 드물다. 대부분 배우는 분주하게 프레임 안과 밖을 넘나들며 카메라는 더 바쁘게 움직인다. 우디 앨런은 코미디의 핵심을 속도감이라고 했다. 그는 "내가 첫 작품에서 배운 것은 아무리 장면 연기를 빨리해도 코미디는 늘 더 빨라야한다는 사실[12]"이라고 말했다. 우디 앨런의 작품은 주인공의 말의 속도도 빠르지만 움직임이 분주하여 더 속도가 배가된다. 인물의 움직임은 촬영하기 전에 치밀하게 준비된 연출이다. 우디 앨런은 촬

---

11 스티그 비에르크만, 앞의 책, 181쪽.

12 스티그 비에르크만, 위의 책, 68쪽.

영 감독과 상의하여 배우의 동선과 카메라의 움직임을 정한 다음 촬영하여 속도감을 만들어낸다.

3. 기대의 전복과 반복성 그리고 바보형 캐릭터 : 우디 앨런의 희극 전략

웃음은 우디 앨런 삶의 중심이다. 무대에서는 코미디언으로 몸짓과 대사로 청중에게 웃음을 선물했으며, 지면에서는 만평으로 독자와 만났고, 영화의 장에서는 코미디 감독으로 관객을 사로잡았다.

우디 앨런의 초기 작품은 〈돈을 갖고 튀어라〉에서 〈사랑과 죽음〉까지 이다. 신강호는 초기는 "슬랩스틱 코미디적인 시각적 개그가 특징"을 보이며 후기는 "유머 넘치는 대사들이 코미디의 핵심"[13]이라고 두 시기의 특징을 구분하였다. 〈애니 홀〉 이후 여성에 대한 관심이 우디 앨런 텍스트 변화의 핵심이라는 점과 시각적 개그라는 확장된 개념 대신 구체적인 희극 전략에 대한 분석의 필요성에 대한 과제를 남겨두었다.

우디 앨런의 초기 영화는 코미디 장르를 기반으로 한 패러디와 영화 언어의 실험기였다. 코미디 전략은 마지막 컷을 통해 웃음을 유발하는 기대의 전복과 반복성이 두드러졌다. 1977년 〈애니 홀〉에서 시작된 후반기는 여성 문제와 여자 주인공의 삶이 부각된 여성 영화로 이동한다. 정리하자면 초기에는 기대의 전복과 남성 바보 캐릭터를 강조하였으며 후기에는 대사 중심의 코미디로 전이와 여성의 삶을 중심으로 다룬다.

초기 작품이 장르적으로 코미디가 중심에 놓여 있다면 미학적 스타일은 기존의 영화를 인용하는 상호텍스트성을 보여준다. 우디 앨런의 텍스트는 한 편의 영화가 다수의 영화를 수용하여 제작된 종합 선물 세트에 가깝다. 우디 앨런의 영화는 장르적으로는 코미디, 미학적으로는 상호텍스트성이라는 두 기둥으로 구축된 셈이다.

〈돈을 갖고 튀어라〉에는 우디 앨런 영화의 작가적 특징을 대표하는 인물

13　신강호, 앞의 책, 171쪽.

과 희극 전략의 뿌리가 내장되어 있다. 이후 코미디는 〈돈을 갖고 튀어라〉의 변주이거나 여기서 분기한 자기 복제와 증식에 가까울 정도이다. 〈돈을 갖고 튀어라〉를 중심으로 코미디 전략을 살펴보면 초기 코미디 전략의 열쇠를 발견할 수 있다.

〈돈을 갖고 튀어라〉는 평생 범법자로 살아온 버질 스타크웰의 일대기이다. 버질 스타크웰은 유년시절부터 절도를 시도하다 경찰에 체포된다. 그는 은행 강도를 시도하나 실패하고 투옥된다. 하지만 탈옥하여 결혼을 한다. 그의 삶은 범행의 시도와 실패의 반복으로 점철된다. 결국 버질은 강도의 삶을 영유하다가 유명한 현상 수배범이 된다.

〈돈을 갖고 튀어라〉는 세 가지 희극 전략을 주로 사용한다. 첫 번째는 관객의 기대를 저버리면서 웃음을 만들어내는 기대의 전복이다. 기대의 전복은 선행된 쇼트에 의해 형성된 관객의 기대감을 저버리면서 웃음을 유발한다.[14] 전도의 문제는 공간의 정체성을 전도와 성 역할을 전도한 변장 코미디로도 확장된다. 우디 앨런은 마지막 해결 장면을 통한 웃음 유발을 지향하며 이는 "적합함과 부적합의 대비" 혹은 "동일한 결합체 내에서 통일된 또는 통일되었다고 여겨지는 관계와 이 관계의 결여간의 대비"[15]로 야기되는 웃음이 불일치론에 뿌리를 둔다. 또한 웃음은 "일종의 안도(relief) 혹은 긴장완화(release)로 정의"[16]하는 해소론(relief theory)으로도 귀결된다. 불일치론과 해소론은 모두 기대의 전복이라는 전략을 채택하며 전자가 오해와 긴장의 해소를 중시한다면, 후자는 긴장의 완화와 해소에 치중한다.

기대의 전복은 첫 쇼트에 사용한다. 버질 스타크웰은 남성성을 드러내기 위해 뒷골목에서 칼을 꺼내서 싸운다. 주변 불량배들은 모두 칼을 꺼내지만 마지막 컷에서 버질의 나이프가 다른 곳으로 튄다. 이는 긴장감이 유지되다가 일순간 해소되고 마는 해소론에 가깝다. 웃음의 이론 측면에서 볼 때 기대

---

14   문관규, 「1990년대 한국 코미디 연구—희극장면과 아버지 재현을 중심으로」, 동국대 박사학위논문, 2003. 58쪽.

15   류종영, 『웃음의 미학』, 유로, 2005. 180–181쪽.

16   박근서, 『코미디, 웃음과 행복의 텍스트』, 커뮤니케이션북스, 2006. 66쪽.

226

의 전복 전략을 사용하여 기대의 불일치론과 심리적 긴장을 해소하는 해소론으로의 귀결이 우디 앨런 코미디 전략의 핵심이다.

기대의 전복은 탈옥 장면에서 등장한다. 버질은 비누로 가짜 총을 만들어 탈옥을 시도한다. 그는 감옥의 간수에게 가짜 총으로 위협한다. 하지만 탈옥하는 날에 비가 내려서 비누로 된 가짜 총이 빗물에 녹아내려 체포되고 만다. 기대의 전복은 관객의 심각한 기대에서 사소한 결과로 인한 긴장의 완화로 귀결된다. 심리적 긴장의 해소는 주인공에 대한 심리적 동조와 연민을 통해 웃음을 생성한다. 우디 앨런의 영화는 범법자를 등장시키지만 범죄에 대한 윤리적 혹은 법적 처벌보다는 어리석은 행동과 실수를 통해 관객의 긴장 해소를 지향한다. 이는 화해 지향적인 웃음에 가깝다.

두 번째의 희극 전략은 반복성이다. 베르그송은 '반복은 웃음을 유발할 수 있다'고 했다. 반복성이 야기한 웃음은 "반복되는 장면이 보다 복잡할수록, 그리고 보다 자연스럽게 이루어질수록 그만큼 더 희극적[17]"이다. 웃음은 말이나 행위 혹은 사건과 상황의 반복으로 생성되며 이 원리는 코미디에서도 적용된다.

〈돈을 갖고 튀어라〉에서는 반복성은 강도 행각의 거듭된 실패와 안경이 짓밟히는 장면이 대표적이다. 안경은 유년시절부터 장년기까지 주변사람들에 의해 짓밟혀서 깨진다. 안경의 깨짐은 인물의 짓밟힌 삶을 은유한다. 은행 강도 행각은 영화의 핵심 사건이다. 버질은 평생을 노상강도와 은행털이를 시도하지만 늘 실패한다. 버질은 공원에서 핸드백을 훔치려다가 루이스를 만난다. 루이스와 사랑에 빠지게 되면서 돈을 마련하기 위해 은행털이를 시도한다. 그는 은행의 고객으로 가장하여 돈을 강탈하려 한다. "5만 달러 넣고 자연스럽게 행동하라"와 같은 몇 가지 메모를 창구 직원에게 건넨다. 하지만 은행원이 '총인지 춈인지와 행동인지 햅동인지'를 판독하지 못하여 실패하고 만다. 강도 행각이라는 심각한 상황과 철자법 잘못표기로 인한 소동이라는 가벼운 상황이 서로 불일치한다.

---

17 앙리 베르그송, 정연복 역, 『웃음』, 세계사, 1992, 80쪽.

버질은 2차 은행털이를 계획한다. 은행 강도는 사전에 전과자들을 규합하여 치밀한 작전을 세운다. 작전은 영화 촬영팀으로 위장하여 은행 금고를 터는 것이다. 버질 일행이 은행 창구로 가서 총을 드는 순간 다른 은행 강도단을 마주친다. 버질은 손님들에게 버질 팀과 다른 강도단 중에서 먼저 털리고 싶은 쪽에 박수를 치라고 주문한다. 강도행각이라는 심각한 분위기는 오락 게임으로 전이된다. 은행 강도 직전의 심각함은 사라지고 가벼운 유희로 전이되어 웃음이 유발된다. 결국 버질의 은행털이 계획은 또 실패하고 투옥된다. 버질은 세 번째 은행털이를 시도하여 은행 금고 문을 여는데 성공한다. 하지만 금고 안에서 집시 가족이 발견되어 돈을 훔치는 것은 또 실패한다. 결국 버질은 은행 강도를 반복하여 시도하지만 계속 실패의 이력서만 작성하고 만다. 강도의 반복된 시도와 실패는 전체적으로 반복성이라는 희극 전략으로 귀결된다. 반복성은 우디 앨런의 핵심적인 희극 전략임을 입증해준다.

〈슬리퍼〉에서도 냉동에서 깨어난 마일스는 경찰들의 추격을 벗어난다. 경찰들은 마일스를 공격할 때마다 총기 기능 고장으로 실패하는 것을 세 번 반복해서 보여준다. 〈바나나 공화국〉에서도 반복성이 두드러진다. 한번은 독재자를 무너뜨리고 정권을 장악한 자들이 다시 독재자로 군림하는 것과 처음 장면에서 독재자 암살을 중계하던 방송이 마지막 장면에서도 필딩의 동침 장면을 권투 중계 하듯이 중계한다. 이는 방송국 중계의 패러디이자 반복성 전략이다.

세 번째 특징은 바보형 캐릭터이다. 관객은 우월한 주인공보다 악인이나 열등한 인물에게 우월감을 느낀다. 우월감은 웃음의 대전제이다. 아리스토텔레스는 희극과 희극적 인물에 대해 "보통사람보다 못난 사람들의 모방"이며 "우스꽝스러운 것은 일종의 결함이며 창피스러운 점"[18]이라고 주장하였다. 채플린부터 막스 형제 그리고 우디 앨런에 이르기까지 코미디의 인물은 아리스토텔레스가 언급한 못난 사람들의 전유물이었다. 못난 사람은 도덕적으로 선하지 않으며 신체적으로는 결함을 지니고 있고 사회적으로는 부적응자

---

18 이상섭, 『아리스토텔레스의 「시학」 연구』, 문학과지성사, 2002, 36쪽.

이다. 우디 앨런의 주인공은 악인형 보다는 사회적 부적응자에 가까우며 이는 바보형 캐릭터에 부합한다.

〈돈을 갖고 튀어라〉의 버질 스타크웰은 사회의 부적응자이자 은행 강도이지만 폭력적이지는 않다. 그는 '심성은 착하지만 무기력하며, 사회생활에 서투르며 여성에 대한 불안감이 항존한 사회 부적응자의 전형'이다. 착한 바보인 사회 부적응자는 〈돈을 갖고 튀어라〉 이후에도 우디 앨런 영화의 대표적 캐릭터로 등장한다.

버질은 도둑맞은 도둑처럼 강도같지 않은 강도이다. 베르그송은 '자기가 친 그물에 걸려든 사람이 대표적 희극적 인물'로 주목하였으며 버질은 이의 전형이다. 그의 대표적인 바보 행각은 귀금속을 절도하기 위해 유리문을 절단하고 나서 귀금속 대신 자른 유리를 들고 도망가는 장면에서 드러난다. 이와 같은 바보형 인물은 코미디의 전형적인 캐릭터이자 우디 앨런 영화의 페르소나처럼 반복해서 등장한다.

버질은 현상금이 걸린 지명수배자로 살다가 노상강도를 하다 붙잡히고 만다. 그는 법정에서 800년형을 언도받고 복역하면서 인터뷰에 응한다. 버질은 범죄자의 삶을 후회하지 않느냐는 질문에 '강도는 좋은 직업이다'라고 답한다. 이유는 근무 시간이 짧으며 그로 인해 여행도 많이 다닐 수 있고 재미있는 사람도 만날 수 있으며 맘대로 살 수 있는 매력이 있기 때문이다. 그는 사회적 관습과 도덕률에 얽매이지 않는다. 그는 윤리적 가치 판단을 유보하고 모든 직업을 동등하게 바라보는 자유로운 시선을 보여준다. 우디 앨런은 "나의 철학은 그저 계속 일을 하고 일에만 집중하면 다른 모든 것은 제자리를 찾을 수 있다는 것"[19]이라고 밝힌 바 있다. 물론 버질은 영화 속 인물의 일관성을 보여주기 위한 것과 윤리적 판단과 거리를 둔 희극적 해방감을 드러내기 위해 발언했지만 여기에는 자기 직분에 충실하면 행복할 수 있다는 우디 앨런의 철학이 스며들어 있다.

우디 앨런의 코미디 전략은 세 가지로 집약된다. 첫 번째는 기대의 전복이

---

19 스티그 비에르만, 앞의 책, 238쪽.

다. 기대의 전복은 긴장을 해소하는 해소론이자 화해 지향적 해학이다. 두 번째는 상황과 행위의 반복성이다. 반복성을 통해 서사적 진행과 인물의 희극적 캐릭터를 강화한다. 세 번째는 사회 부적응자인 바보형 캐릭터이다. 이 캐릭터는 우디 앨런 영화의 전형을 보여준다. 우디 앨런의 웃음은 공격적 웃음보다는 화해적 웃음이며 그의 코미디는 사회적인 발언보다는 재미와 웃음을 통한 관객의 지지를 지향한다. 웃음은 구조적인 모순이나 거대 담론을 후경으로 미루고 상황의 희극성과 캐릭터에 초점을 맞춘다. 버질은 우범지대에서 태어나서 학업을 중단하고 성공적인 사회 진출 기회가 박탈되어 범죄에 노출되었다. 그의 범죄는 일종의 생계형 범죄에 가깝다. 우디 앨런은 버질이 범죄자로 전락할 수밖에 없는 구조적 문제에 눈감고 바보형 범죄자 캐릭터를 통해 영화적 재미와 웃음의 유발에 집중한다. 이는 우디 앨런이 뉴욕에서 활동하는 대중성에 충실한 코미디 감독임을 새삼 입증한다. 우디 앨런은 폭력적인 파시즘에 대해서 〈젤리그〉로 조롱하고 죽음의 위협에 대해서는 〈사랑과 죽음〉으로 대처하지만 늘 중심에는 코미디가 놓여 있다.

4. 영화적 인용으로서의 패러디 전략과 확장된 상호텍스트성

예술 텍스트는 이미 존재하는 텍스트의 그림자를 지우기 어렵다. 현대 소설은 성경과 아라비안 나이트에서 발원했다는 주장까지 나온다. 이 주장은 고전과 현대 작품이 서사와 보편적 감정의 결에서 서로 유사성을 지니면서 설득력을 갖는다. 특히 영화는 기존의 영화와 예술 텍스트를 흡수하는 경우가 허다하다.

우디 앨런의 영화는 영화의 인용과 자기 텍스트와 대화를 특징으로 한다. "모든 예술은 환영주의(illusionism)와 자기반영성(reflexivity) 사이의 영원한 긴장관계를 통해 발달"[20]했다면 우디 앨런의 영화는 자기반영성에 가깝다. 우디 앨런의 자기반영성은 기존의 작가나 다른 텍스트에 대한 직접적 영

---

20 로버트 스탬 지음 오세필·구종상 역, 『자기반영의 영화와 문학』, 한나래, 1998. 27쪽.

향과 자신의 텍스트에 대한 작가의 개인적 서명을 반복한다. 심지어 장르도 상호텍스트성으로 견인해온다. 우디 앨런은 메츠가 주장한 자기반영적 전략인 '정면으로 카메라 쳐다보기, 카메라를 향해 말하기, 자기반영적 중간자막들, 화면 속 화면, 영화 속 영화, 영화 도구의 노출'을 소극적으로 활용한다. 그가 지향하는 것은 자기 반영적 영화 전략을 통한 형식적 실험이기보다는 기존의 텍스트를 자신의 영화에 직접 인용하거나 창조적으로 변형하는 것이다. 기존의 텍스트는 의미의 저장소이거나 흉내내기의 대상이다. 상호텍스트성은 기존의 텍스트를 재해석하고 영화적 언어를 무한 확장한다. 영화의 역사는 시대정신을 대변하는 영화 언어 발견의 이력서다. 우디 앨런은 시대정신의 자리에 웃음을 놓고, 언어의 발견 대신 영화에 대한 인용과 변형이라는 상호텍스트성을 배치한다. 상호텍스트성은 패러디라는 희극적 장치로 매개되고 텍스트의 교류는 현실과 예술의 넘나들기로 확장되며, 한걸음 나아가 현실과 환상의 거리 지우기로 발전한다.

우디 앨런의 영화적 인용은 대부분 '조롱하거나 우습게 만들려는 의도를 지닌 패러디'다. 패러디는 "오랜 전통에 대한 경외와 경멸"[21]의 이중성을 지닌다. 하지만 우디 앨런은 경멸보다는 경외에 기울어져 있으며 패러디는 웃음의 유발 장치로 제한한다. 패러디는 기존의 예술에 대한 모방이자 차이를 기반으로 한 반복이다. 패러디는 텍스트를 조롱하거나 찬양한다. 우디 앨런의 패러디는 긍정과 찬양을 지향한다는 점에서 기존의 텍스트에 대해 우호적이다.

우디 앨런 텍스트는 '텍스트가 인용, 표절, 혹은 암시의 형태로 공존[22]'하는 상호텍스트성과 기존의 텍스트를 변형시키고 수정을 가하는 하이퍼 텍스트성(hypertexturality)[23] 이 혼재한다. 바흐친은 도스토예프스키의 작품을 연구하면서 '대화는 수단이 아니며 목적이고 대화를 통해 상호 교류한다'고 결론

---

21 린다 허천, 김상구. 윤여복 역, 앞의 책, 55쪽.

22 로버트 스탬, 김병철 역, 『영화이론』, 케이북스, 2012, 245쪽.

23 쥬네뜨는 초텍스트성transtextuality이라는 개념 아래 상호텍스트성, 하이퍼 텍스트성, 메타 텍스트성 meta-texturality 등으로 세분화하였다. 필자는 바흐찐에서 크리스테바로 이어진 상호텍스트성 개념을 수용하여 쥬네뜨의 초텍스트성 대신 '확장된 상호텍스트성'이라는 용어로 사용하도록 한다.

짓는다. 작품의 주인공들의 대화에는 "어느 곳에서도 사상, 생각, 담론의 특정한 총체가 융합되지 않은 몇몇 목소리들에 의해서 나타나며 각각 다른 울림을 연주"[24]한다고 주장한다.

대화주의는 크리스테바에 의해 수용되어 "어떠한 텍스트라도 서로 다른 다양한 인용이라는 모자이크로 이루어지기 때문에 텍스트는 모름지기 한 텍스트의 다른 한 텍스트 흡수와 변형에 지나지 않는다"[25]는 상호텍스트성 개념이 도출된다. 모든 텍스트는 서로 인용되고 재생성된다. 존재하는 모든 텍스트는 기원을 갖고 있고 이의 변형과 흡수를 통한 생산물이라면 영화는 보다 적극적인 흡수의 산물이다. 영화는 기존의 텍스트뿐만 아니라 문학작품과 음악과 연기에 이르기까지 수많은 텍스트를 내포하고 있다. 영화는 다양한 문화적 텍스트가 녹아있는 거대한 용광로에서 뽑아낸 특수한 주물과 같다.

필자는 주네트의 초텍스트성과 바흐친의 다성성 그리고 크리스테바의 상호텍스트성을 토대로 의미가 확장된 상호텍스트성이라고 재명명한다. 확장된 상호텍스트성은 첫째로 텍스트 사이 관련성의 확장이다. 텍스트는 인용과 표절, 암시 등 결합 방식이 다양화된다. 두 번째는 텍스트 개념의 확장이다. 텍스트는 예술 텍스트와 작가, 그리고 영화 장르와 장면, 제목, 편집과 촬영 스타일까지 넓혀서 적용한다. 확장된 상호텍스트성은 다양한 텍스트를 수렴하고 발산한다.

우디 앨런의 영화는 '확장된 상호텍스트성'의 경향을 보인다. 〈돈을 갖고 튀어라〉와 〈젤리그〉는 다큐멘터리라는 장르를 텍스트로 흡수하고 결투 장면은 막스 브라더스의 영화 장면이 인용되며 〈사랑과 죽음〉과 〈스쿠프〉에서는 〈제7의 봉인〉(잉마르 베르히만, 1957)에 등장하는 사신의 캐릭터가 텍스트로 인용된다. 확장된 상호텍스트성에서 살펴보면 우디 앨런의 작품은 다양한 텍스트의 모자이크이자 미학적 경합의 장이다.

우디 앨런은 영화적 인용 전략으로 패러디를 채택하여 '확장된 상호텍스

---

24 M. 바흐찐, 김근식 역, 『도스또예프스끼 창작론』, 중앙대학교출판부, 2003, 336쪽.
25 줄리아 크리스테바, 서민원 역, 『세미오티케(기호분석론)』, 동문선, 2005, 109쪽.

트성'으로 귀결시킨다. 우디 앨런 영화의 확장된 상호텍스트성은 세 방향으로 수렴된다. 첫 번째는 선배 감독에 대한 경외감의 표현이며 두 번째는 패러디를 통한 흉내내기이다. 마지막으로는 미학적 형식과 독창적 메시지 전달이다. 확장된 상호텍스트성으로 귀결된 텍스트 인용과 패러디는 한편으로는 웃음과 경외감을 지향하며 다른 한편으로는 미학적 스타일의 탐구와 자기발언을 강화한 셈이다.

코미디 전략을 통한 웃음 생성과 확장된 상호텍스성을 통한 미학적 실험은 우디 앨런 초창기 영화의 두 기둥이다. 패러디는 코미디와 상호텍스트성의 이상적 교집합이다. 희극 전략이 〈돈을 갖고 튀어라〉에 집약되어 있다면 확장된 상호텍스트성의 전형은 〈사랑과 죽음〉에 농축되어 있다.

〈사랑과 죽음〉은 사랑과 죽음에 대한 성찰을 다룬 영화이다. 사랑은 우디 앨런의 핵심 테마이다. 우디 앨런은 사랑에 대한 관심이 높으며 "제가 정말 관심 갖는 유일한 사랑은 남자와 여자 사이의 사랑"[26]이라고 했다. 〈사랑과 죽음〉에서도 사촌을 평생 사랑하는 보리스와 사랑하는 것을 인생의 가장 중요한 가치로 생각하고 실천하는 사촌 소냐와 사랑과 모험이 서사의 줄기다. 보리스는 우디 앨런 영화의 전형적인 인물인 '신체적으로 허약하고 여자들을 쫓아다니는 사람이며 심성은 착하지만 무기력하고 서투른 코미디 캐릭터'를 대변한다. 하지만 보리스는 죽음의 신에게 끌려가면서 소냐와 잠깐의 해후로 '당신은 나의 유일한 사랑'이라는 사랑 고백을 받아낸다. 〈사랑과 죽음〉은 결말 부분에서 두 남녀의 사랑이 결실을 맺는다.

다른 한 주제는 죽음이다. 〈사랑과 죽음〉은 러시아를 배경으로 하지만 잉마르 베르히만의 〈제7의 봉인〉에서 제기한 죽음 문제에 대한 우디 앨런식 해답을 제시한다. 베르히만이 정공법을 사용하여 진지하게 죽음의 신과 체스를 두고 죽음으로부터 벗어날 수 없는 인간의 실존적 고뇌와 종교적 구원 가능성에 대한 질문을 던졌다면, 우디 앨런은 죽음을 자신의 방식으로 희화화하고 수용하는 태도를 보여준다. 베르히만은 "인간의 절대적 자발성 속에서

---

26 로버트 E.카프시스 · 캐시 코블렌츠 엮음. 앞의 책, 63쪽.

신이 존재한다는 확신"[27]을 보여주었다면 우디 앨런은 죽음도 즐겁게 대하고 인생도 즐겁게 살아가자는 입장을 암시한다.

〈사랑과 죽음〉은 사형 집행을 앞둔 주인공 보리스(우디 앨런 분)의 회상으로 진행된다. 내레이터가 된 보리스는 자신의 탄생에서 조부까지 거슬러 간 가족사와 성장 과정을 파노라마로 펼쳐낸다. 또한 보리스 일대기이자 보리스와 소냐(다이앤 키튼 역)의 사랑 이야기다.

이 영화는 다양한 영화들과 문학작품들이 패러디되거나 인용되어 웃음과 의미를 생성한다. 영화는 베르히만의 〈산딸기〉(1957)에서 보여준 과거와 현재를 넘나드는 스타일과 막스 브라더스의 〈카사블랑카에서 하룻밤〉(아치 마요, 1946)의 장면과 에이젠슈테인의 〈전함 포템킨〉(세르게이 에이젠슈테인, 1925)의 오데사 장면도 인용된다. 문학은 도스토옙스키의 사생활과 신과 대면하는 『카라마조프의 형제』, 『악령』 등이 간접적으로 영향을 보인다. 영화적으로 패러디된 장면을 살펴보면 다양한 텍스트의 모자이크화를 엿볼 수 있다.

패러디와 죽음의 희화화는 사자(死者)들의 춤 장면에서 돋보인다. 베르히만의 〈산딸기〉 꿈 장면에서 노교수는 낯선 거리에서 관을 목격한다. 그 관에서는 손이 밖으로 빠져나오고 심장박동 소리가 긴박감을 조성하며 관에서 나온 자신과 대면하게 된다. 〈사랑과 죽음〉은 수많은 관들이 묘지에서 묘비처럼 서 있다가 그곳에서 정장을 입은 인물들이 밖으로 나온다. 그들은 일제히 음악에 맞추어 흥거운 춤을 춘다. 베르히만의 작품에 자신의 죽음과 대면이라는 무거움이 내포되었다면 우디 앨런의 작품은 흥겹게 죽음을 맞이하는 군무가 등장한다. 춤은 삶의 무게를 가벼운 유희로 변모시킨다. 마지막 장면에서 사신과 함께 춤을 추면서 가로수 길을 걸어가는 보리스 장면에 대한 예시적 장면이다.

어린 시절 보리스는 사신을 만나다. 이는 〈제7의 봉인〉에 대한 변형이다. 보리스는 흰색 가운을 입은 죽음의 신과 만난다. 보리스는 죽음에 대해 두려워하지 않고 '신은 존재하는가와 저승에 여자애들도 있는가'를 묻는다. 베르

27 이병창, 『반가워요 베리만 감독님』, 먼빛으로, 2011, 117쪽.

히만은 "죽게 되면 나는 더 이상 존재하지 않게 되며 암흑의 문 안으로 들어가게 된다는 사실 또한 내가 통제 하거나 예측할 수 없는 그 무엇인가가 존재한다는 사실을 끊임없는 공포[28]를 불러일으켰다고 술회했다. 그 죽음의 공포를 맞서는 영화적 방법으로 체스를 두는 인물로 묘사했다고 한다. 우디 앨런은 죽음의 신과 공포 대신 일상적인 대화를 한다. 그는 공포가 제거된 유희의 대상으로 죽음을 받아들인다.

이와 같은 차이는 베르히만의 〈제7의 봉인〉에서 사신이 입은 엄숙한 검은색 가운과 〈사랑과 죽음〉의 사신이 착용한 흰색 가운처럼 극명하게 비교된다. 〈제7의 봉인〉의 기사는 신의 존재를 찾아 길을 떠나고 죽음을 담담하게 받아들인다. 기사는 죽음을 맞이하고, 보리스는 생명을 구할 수 있을 것이라는 신의 목소리를 믿으면서 죽음에서 벗어날 것으로 착각한다. 그의 착각은 사형장을 공연장으로 여기게 한다. 죽음의 신에 대한 이미지는 흑과 백의 차이만큼 거리가 있다. 무거움과 가벼움이라는 죽음에 대한 태도는 색으로 표현된다. 죽음을 어떻게 대하거나 결국 인간은 죽음의 신과 함께 죽음의 세계로 돌아가는 것은 동일하다. 차이는 무겁게 군무를 추고 끌려가는 것(〈제7의 봉인〉)과 경쾌한 음악에 맞추어 춤을 추며 저승으로 떠나는 것(〈사랑과 죽음〉)이다.

에이젠슈테인의 〈전함 포템킨〉 오데사 계단 장면은 빈번하게 인용된다. 보리스가 참전한 전쟁 장면은 병사들의 진격 컷에서 동물들이 이동하는 컷이 인서트로 들어온다. 이는 유사한 행위와 이미지로 의미를 강조하는 어트랙션 몽타주이다. 우디 앨런은 에이젠슈테인 몽타주 원리를 영화적으로 수용했다. 하지만 두 감독은 차이를 둔다. 에이젠슈테인은 변증법적 원리를 영화에 적용하여 "몽타주는 하나하나 화면의 도움으로 사상을 전개하는 수단"[29]으로 인식했다. 여기서 몽타주는 러시아 혁명 정신의 전파 수단이다. 하지만 우디 앨런은 사상의 전달 수단보다는 흉내내기를 통한 의미의 전달과

---

28   잉그마르 베르히만, 오세필 · 강정애 역, 『잉그마르 베르이만의 창작노트』, 시공사, 1998, 222쪽.

29   세르게이 M. 에이젠슈테인, 이정하 역, 『세르게이 에이젠슈테인 몽타주 이론』, 영화언어, 1996, 178쪽.

웃음의 유발을 지향한다.

동물떼와 군인 진격 장면의 몽타주는 〈파업〉(세르게이 에이젠슈테인, 1925)에서 소의 도살 장면과 민중의 학살을 배치하는 것처럼 행위의 유사성을 이용한 어트랙션 몽타주다.[30] 하지만 〈사랑과 죽음〉에서는 전쟁의 긴장감보다는 경기장을 방불케 하는 긴장 완화와 웃음의 도구로 몽타주가 활용된다. 동물떼가 어트랙션 몽타주를 활용했다면 안경 깨진 군인의 클로즈업 인서트는 〈전함 포템킨〉의 안경 깨진 여성의 클로즈업에 대한 패러디다. 안경 깨진 장면은 여성에서 남성으로 바뀌었으나 영화의 숏과 닮은 다른 영화의 숏을 연결하는 어트랙션 몽타주로 볼 수 있다. 어트랙션 몽타주는 서로 유사한 이미지의 결합으로 의미를 창조하거나 충돌되는 이미지를 통해 의미를 비약하는 포괄적인 몽타주를 지칭한다. 에이젠슈테인이 유사한 이미지를 견인하거나 충돌시킨다면 우디 앨런은 영화에서 장면과 이미지를 견인하여 패러디라는 미학적 장치를 통해 어트랙션 몽타주 기법으로 활용한다는 차이를 목격할 수 있다. 필자는 이를 패러디적 어트랙션 몽타주로 이름붙이기로 한다. 패러디적 어트랙션 몽타주는 어트랙션 몽타주를 사용하되 기존의 영화 텍스트에서 이미지를 패러디한다는 점에서 몽타주와 패러디의 결합이다. 우디 앨런은 텍스트에서 패러디적 어트랙션 몽타주를 빈번하게 사용한다.

에이젠슈테인의 오데사 계단장면은 〈바나나 공화국〉에서 반군의 대통령궁 공격 장면에서 등장한다. 궁전 싸움 장면에서 유모차가 등장한다. 이 장면은 〈전함 포템킨〉의 오데사 장면의 패러디이자 패러디적 어트랙션 몽타주이다. 〈전함 포템킨〉의 오데사 계단 장면을 하이포 텍스트로 한 패러디 장면은 사자상 인서트도 동일하다.

보리스는 소냐에게 청혼을 한다. 소냐는 보리스가 전사할 것을 예감하여

---

30 어트랙션 몽타주는 독립적인 이미지들을 결합하여 의미를 창조한다. 어트랙션은 유사한 이미지의 연상으로 의미 창조와 정서적 충격을 주기 위한 대립까지 포함한다. 유사한 이미지의 연상을 강조하는 것은 연상 몽타주로, 대립과 갈등을 통한 정서적 충격효과를 극대화하는 충돌의 몽타주로 세분화하기도 한다. 여기서는 초창기 에이젠슈테인이 주장한 연상비교와 충돌을 포함하는 포괄적 의미로 어트랙션 몽타주라는 개념을 사용한다.

수락한다. 보리스와 소냐의 첫날밤 장면은 패러디적 어트랙션 몽타주를 활용한다. 소냐는 "이승의 마지막 날 밤인데 내 방에서 섹스나 하자"고 보리스를 침실로 데리고 간다. 두 사람은 침대 위에서 이불 속으로 들어가 직접적인 정사 장면을 보여주지 않는 대신 몽타주로 암시한다. 정사 장면에서 사자상은 서 있는 사자에서 앉아 있는 사자로 넘어간 다음 기력이 쇠하여 축 늘어진 사자로 마무리된다. 이는 보리스의 성적 무능력을 암시한다. 동시에 〈전함 포템킨〉에서 등장하는 사자장면의 영화적 인용인 패러디적 어트랙션 몽타주이다. 〈전함 포템킨〉은 누워있는 사자에서 일어서는 사자로 전환되어 봉기하는 민중을 암시하지만 우디 앨런은 정반대로 방향으로 서있는 사자에서 기진맥진한 사자로 전환된다. 에이젠슈테인의 작품에 대한 '확장된 상호텍스트성'은 보리스의 성적 무능력에 대한 암시와 웃음 유발을 지향한다. 기존의 몽타주가 심리적 효과나 의미의 강조를 지향했다면 영화의 패러디적 어트랙션 몽타주는 의미에 웃음 요소를 추가한 것이다. 웃음의 추가는 우디 앨런의 일관된 희극 지향성에 기인한다.

도스토옙스키의 일화와 사상도 하이포 텍스트로 작용한다. 소냐와 보리스는 유럽 전역을 휩쓸고 있는 전쟁의 광란을 방지하기 위해 나폴레옹 암살을 작정한다. 하지만 보리스는 황제 살인죄로 감옥에 수감되고 여기서 천사의 음성을 듣는다. 천사는 '황제는 관용을 과시하기 위해 너를 살려줄 것이며 넌 새로운 교훈을 얻을 것이다'는 말을 전한다. 보리스는 신이 존재하며 자신은 사형되지 않고 방면될 것으로 믿으면서 사형장으로 간다. 보리스는 처형 직전에도 눈가리개를 하지 않겠다고 하며 사형 집행인들에게 더 가까이서 쏘라고 한다. 하지만 그는 죽음을 맞이한다. 황제의 특명으로 구명된 것은 도스토옙스키의 개인적 일화에 대한 영화적 차용이다. 도스토옙스키는 뻬뜨라세프스의 집에서 금요일마다 출판의 자유와 노예 해방의 화두로 진행되는 토론회에 참여했다. 그는 사상범으로 구속되어 사형이 구형되고 12월 19일 감형된다. 황제는 감형을 내렸지만 사형 집행의 쇼를 거행하기로 결정하였다.

역사학자 E. H. 카가 쓴 도스토옙스키의 평전에 당시의 상황이 자세하게 기록되어있다.

> 군법회의에서 내린 사형 판결은 바뀌었다. 그러나 사형 집행하는 듯한 쇼를 벌이기로 결정했다. 이 결정은 젊은이들에게 두려운 인생의 교훈을 준다는, 잔인하면서도 그러나 소박한 바람에서 나온 것만은 아니었다. 사형중지 결정을 알지 못했던 죄수들은 마차로 처형장까지 갔다. 사형 선고문이 읽히고 사제는 십자가를 들고 마지막 참회를 말하라고 했다. 죄수들은 순서대로 줄을 섰고 앞의 세 사람은 실제로 기둥에 묶여 사격대를 향했다. 이때 황제의 감형장을 가진 전령들이 들어서게 되어 있었다. 그래서 진짜 선고문이 처음으로 읽히고 죄수들은 감옥으로 되돌려 보냈다.[31]

우디 앨런은 도스토옙스키의 일화를 흉내내고 뒤집어 놓는다. 도스토옙스키는 감형 사실을 모르고 죽음의 공포 속에서 사형장에 서 있었으나 생명을 구했으며, 보리스는 감형될 것으로 오해하고 죽음의 공포 없이 사형장에서 생명을 잃었다. 우디 앨런은 오해를 통해 죽음 직전의 공포에서 해방된 보리스를 통해서 죽음을 맞이하는 인간의 태도를 제시한다. 죽음에 대한 우디 앨런의 태도는 마지막 장면에 죽음의 신과 춤을 추며 가는 장면에서 암시된다. 이는 도스토예프스키와 베르히만의 죽음에 대한 진지한 성찰과 거리를 둔다.

마지막 시퀀스에서 보리스는 사신과 함께 저승으로 향한다. 베르히만이 죽음에 대해 진지하게 대응했다면 우디 앨런은 희극적 경쾌함으로 죽음의 신과 동행한다. 〈제7의 봉인〉에서 죽음의 신에게 끌려가면서 추는 군무의 비장함은 〈사랑과 죽음〉에서 보리스와 사신의 춤 장면으로 변형된다. 죽음을 성스럽게 맞이하는 베르히만과 죽음을 흥겹게 맞이하는 우디 앨런의 세계관 차이가 개입한다.

---

31 E.H. 카, 김병익 · 권영빈 역, 『도스토예프스끼 평전』, 열린책들, 2011. 66쪽.

〈사랑과 죽음〉은 영화적 텍스트와 문화적 텍스트가 혼재하여 새로운 텍스트를 빚어내는 상호텍스트성의 진수를 보여준다. 우디 앨런은 "우리에게 즐거운 시간을 주는 것"[32]은 국적을 불문하고 '러시아 문학과 스웨덴 영화들과 프랑스 영화들과 카프카'이므로 이것을 인용하였다고 밝혔다. 하지만 어느 한 텍스트에 지배되는 것보다 우디 앨런의 독창성으로 수렴된다는 점에서 우디 앨런의 스타일로 귀결된다. 우디 앨런의 독창성은 확장된 상호텍스트성에 있기보다는 오히려 텍스트의 모자이크를 통해 자신의 독창성을 강화하거나 웃음의 장치로 재활용한다는 점에 있다. 기존의 텍스트는 날것으로 우디 앨런의 텍스트로 수용되는 것이 아니라 1차적으로는 패러디로 매개된 희극적 변형으로 이루어지고, 2차적으로는 우디 앨런의 주제와 메시지 전달을 위해 창조적으로 확장된다. 패러디를 통한 희극적 변형은 우디 앨런의 독창적인 패러디적 어트랙션 몽타주로 귀결된다. 기존의 텍스트와 작가에 대한 우디의 입장은 숭배와 웃음을 위한 도구였다. 우디 앨런에게 상호텍스트성의 전략은 관객에게 즐거움을 주기 위한 목표 지점을 겨냥하고 있으며 이는 구체적으로 패러디를 통한 웃음 유발(패러디적 어트랙션 몽타주)과 상호텍스트성을 통한 의미의 생성으로 귀결된다.

5. 텍스트와 텍스트가 만나서 빚어낸 웃음의 모자이크

한 작가의 텍스트를 분석하는 열쇠는 다양하다. 우디 앨런은 코미디와 상호텍스트성을 자신의 텍스트로 입장하기 위한 개념의 열쇠로 제시했다. 우디 앨런의 코미디 전략은 〈돈을 갖고 튀어라〉를 통해 표출되며 이는 기대의 전복과 반복성 그리고 바보형 캐릭터로 수렴된다. 앞의 전략은 〈돈을 갖고 튀어라〉뿐만 아니라 다른 작품에서도 유효하다. 기대의 전복은 관객의 기대를 해결 장면에서 불일치를 통한 웃음의 유발로 귀결된다. 웃음의 유형은 관객의 긴장을 완화하는 해학이자 해소론에 가깝다. 우디 앨런의 텍스트는 비판

---

32   스티그 비에르크만, 앞의 책, 105쪽.

적 웃음보다는 화해적 웃음을 지향한다는 특징을 지닌다. 화해지향적 코미디는 사회에 공격적인 발언 보다는 결말의 화해지향성이라는 점에서 보다 대중성에 기울어져있다.

우디 앨런의 영화는 기존의 영화를 인용하는 상호텍스트성 전략에 패러디가 접맥된다. 패러디는 기존 텍스트의 인용과 창조적 재배열로 의미 생성과 웃음을 유발한다. 우디 앨런의 영화적 인용은 상호텍스트성의 영화적 수용이면서 동시에 패러디를 통한 웃음 지향이라는 점에서 다른 작가와 차별화된다. 즉, 우디 앨런의 영화적 인용은 패러디로 전면화되고 텍스트의 수용은 '확장된 상호텍스트성'이라는 형식으로 우디 앨런의 작가적 낙인이 완성된다. 우디 앨런은 웃음의 극대화와 기존 작품에 대한 경외감으로 수렴된다. 예를 들어 〈사랑과 죽음〉은 베르히만의 〈제7의 봉인〉에 대한 우디 앨런의 각주이자 에이젠슈테인의 〈전함 포템킨〉에 대한 오마주이며 동시에 자신이 필생의 화두로 삼은 죽음과 사랑에 대한 철학을 설파한다. 〈사랑과 죽음〉은 수많은 텍스트들의 모자이크화이며 확장된 상호텍스트성의 백미이다. 우디 앨런 텍스트의 독창성은 상호텍스트성 전략 자체보다는 텍스트를 자기화하여 수용하며 또한 자신의 철학을 가미하여 메시지를 전달한다는 점이다. 결국 우디 앨런의 코미디 전략과 상호텍스트성은 웃음의 생성과 의미의 창출이라는 하나의 표적지를 겨냥한다.

히치콕, 다양한 서스펜스와
이질적 시선들

1. 히치콕에 대한 평가와 다른 해석의 가능성

영화는 탄생한 이후 지속적인 변화 발전의 궤적을 그려왔다. 영화사는 기술의 변화와 연동되어 기술사적 발전을 이끌어왔다. 영화사의 쌍두마차 한편에 기술사가 자리한다면 다른 한편에는 영화적 표현을 확장한 작가적 노력이 자리한다. 전위적 작가들은 영화사의 한 축을 이끌고 왔다. 몽타주의 편집 기법을 실험한 에이젠슈테인과 초창기 연속 편집을 정초한 그리피스가 있으며 알프레드 히치콕은 서스펜스를 영화에 접목시켰다. 그는 서스펜스의 거장이라는 칭호를 받아 왔으며 그의 필모그래피를 면밀히 검토해보면 영화 스타일의 역사와 히치콕 작품의 변화가 궤를 함께하고 있다는 사실에 동의하지 않을 수 없다. 그의 성취는 이동 매트를 통해 스키 타는 장면을 만들어내고(〈스펠바운드〉), 영사 프로세스를 통해 인물과 자연을 합성하고(〈현기증〉), 〈오명〉(1946)과 〈현기증〉(1958)에서는 약에 취한 장면과 현기증 장면 등을 영화적으로 표현해낸다. 〈스펠바운드〉(1945)에서는 특정 소도구를 크게 확대하여 클로즈업의 효과를 강화한다. 그의 이력은 영화적 표현의 확장의 역사이기도 하다.

알프레드 히치콕은 1899년 태어나서 1927년 〈프리주어 가든〉에서 1976년 〈가족 음모〉에 이르기까지 50년 동안 영화사에서 회자될 만한 수작들을 연출했다. 그의 텍스트와 감독에 대한 연구는 이미 많이 축적되었으며 국내에서도 활발하게 연구가 진행되어왔다. 대체적으로 히치콕의 연구는 감독론과 관음증에 대한 연구 그리고 개별 작품 분석 그리고 줌인 트랙아웃과 같은 기술적인 측면에서 다각적으로 진행되어 왔다.[1] 이를 토대로 한 히치콕에 대한 평가는 다음 여섯 가지로 집약된다.[2] 첫 번째는 시각적으로 영화적 표현을 확장하는데 기여했다. 무성영화 시기 발소리는 유리판을 통해 시각적으로 표현했으며 현기증과 약물에 취한 상태나 술에 취한 상태와 같은 인물의 심리도 시각화에 성공했다. 〈현기증〉에서 줌인 트랙 아웃을 통해 현기증의 어지럼증을 표현하였으며 〈오명〉에서는 약물에 중독된 잉그리드 버그만의 시점쇼트를 표현해냈다. 두 번째는 평범한 인물이 사건에 휘말리거나 누명을 쓰고 이로부터 벗어나는 서사를 특징으로 한다. 평범한 인물이 예기치 않게 사건에 휘말리는 것은 안정된 사회에 내재한 잠재적 불안을 의미하며, 감독은 이것을 관객의 불안 심리와 연관시키는 것이다. 누명으로부터 벗어나는 과정에서 인물이 연인일 경우 사랑의 결실로 이어지면서 사건의 해결과 사랑의 결실이 메인 플롯과 서브 플롯으로 이중성을 보여준다. 세 번째는 카메라의 움직임을 통해 관객에게 시각적 정보를 전달한다. 카메라의 움직임은 크레인 쇼트와 트래킹 쇼트를 결합하여 중요한 사건의 단서를 클로즈업으로 부각시키는 경우가 관습적으로 사용된다. 〈오명〉에서 넓은 홀 안에 있는 잉그리드 버그만의 손으로 카메라가 다가가면서 열쇠를 클로즈업하

---

1 국내의 대표적인 히치콕 연구는 다음과 같다. 민병록, 「알프레드 히치콕 감독의 영상적 특징에 관한 분석」, 『영화연구』 16호, 심은진, 「영화와 연극의 경계 : 알프레드 히치콕의 〈로프〉를 중심으로」, 『문학과 영상학회』 제14권, 2013. 김시무, 「앨프레드 히치콕의 관음증 삼부작」, 『영화연구』 제36호. 곽한주, 「알프레드 히치콕의 아내 살해 영화」, 『현대영화연구』 23호, 2016.

2 히치콕의 평가는 민병록과 김시무 그리고 지젝의 평가 그리고 필자의 의견을 토대로 정리했음을 밝혀둔다. 민병록, 「알프레드 히치콕 감독의 영상적 특징에 관한 분석」, 『영화연구』 16호. 김시무, 「앨프레드 히치콕의 관음증 삼부작」, 『영화연구』 제36호. 슬라보이 지젝, 김소연 역, 『항상 라캉에 대해 알고 싶었지만 감히 히치콕에게 물어보지 못한 모든 것』, 새물결, 2001.

고 〈의혹의 그림자〉(1943)에서 계단에 내려오는 조카 찰리에게 다가가 그녀의 손에 낀 반지를 클로즈업한다. 네 번째는 관객과 등장인물의 정보량의 차이를 통해 서스펜스 전략을 사용하며 이와 더불어 맥거핀을 활용한다. 대부분의 텍스트에서 서스펜스 전략을 구사히며 관객에 대한 정보의 차이로 긴장을 유지하고 지속해간다. 다섯 번째는 다층적 시선의 존재이다. 가장 대표적인 시선은 관객의 시각적 쾌락을 극대화하는 시선이다. 이는 관객의 관음증(voyeurism)을 충족시키며 여성을 대상화한다는 비판으로부터 자유롭지 못하다. 인물의 시선은 주제의 시선과 대상의 응시가 중첩되어 향락의 향유와 더불어 무기력한 시선의 대상으로 전락하기도 한다. 아울러 〈새〉(1963)에서 새의 시선과 카메라의 자율적인 시선을 통해 관객의 서사적 개입을 적극적으로 유도하기도 한다. 마지막으로 지젝의 평가에 따르면 히치콕의 전 작품은 리얼리즘에서 모더니즘을 경유하여 포스트모더니즘에 이르는 전이 과정을 보여준다.[3] 리얼리즘 시기는 영국 시절이며 '커플의 시발점이 되는 여행에 관한 오이디푸스적 이야기'이고 모더니즘 시기는 샐즈닉과 작업하던 〈레베카〉(1940)에서 〈염소좌 아래〉(1949)까지이며 '모호한 부성적 인물에 의해 트라우마를 입은 여주인공의 관점'이 중시된다. 포스트모더니즘은 1950년대에서 1960년대 초의 전성기 영화들이며 '정상적인 성관계에 대한 접근을 봉쇄하는 모성적 초자아를 가진 남자 주인공의 관점'을 중시한다.

히치콕 연구는 많이 축적되어 있으므로 새로운 방법론을 통한 연구 영역 개척과 기존의 연구를 심화시키거나 틈을 채우는 방향으로 진행되어야 한다. 히치콕의 서스펜스 장면은 가장 대표적인 연출 스타일이며 히치콕의 낙인이다. 서스펜스의 연구는 관객과 인물의 정보의 차이에 많은 부분이 집중되어있다. 히치콕의 전성기인 1950년대에서 1960년대에 걸쳐 제작된 작품은 거의 대부분의 작품이 서스펜스를 통해 스릴러 장르를 이끌고 간다. 히치콕 영화의 서스펜스 장면은 세 가지 층위로 분류해 볼 수 있다. 세 층위는 서

---

3 슬라보이 지젝 편저, 김소연 역, 『항상 라캉에 대해 알고 싶었지만 감히 히치콕에게 물어보지 못한 모든 것』, 새물결, 2001, 15–17쪽.

사적 정보량의 차이로 야기된 전통적인 서스펜스 전략이 있으며 두 번째는
오점으로 논의된 이질성을 만들어낸 돌출된 대상과 시선의 관점에서 논의할
수 있다. 세 번째는 서스펜스의 핵심 열쇠인 맥거핀의 정신분석적 의미에 대
해 심층적으로 해석해 볼 수 있다. 서스펜스의 연구는 히치콕의 영화 미학의
핵심이자 기존 연구의 빈틈을 채우는 데 일조할 수 있을 것으로 기대된다.

2.서스펜스의 층위들 : 서사적 정보량의 차이와 이질성을 야기하는 대상과 시선 그리고 맥거핀의 물신주의

1) 서사적 정보량의 차이

서스펜스는 기본적으로 이야기 정보의 차이에서 야기된다. 관객이 등장인
물보다 정보량이 우선하면 사건의 발생에 대한 기대와 우려로 긴장감이 발
생한다. 히치콕은 관객에 대한 깊은 관심과 지지를 자신의 연출에 구체적으
로 반영한 작가였다. 그는 관객의 감정을 유발하고 불러일으킨 감정을 유지
하기 위해 특별한 노력을 벌였다. 연출의 첫째 과제는 '감정을 불러일으키는
것'이며 두 번째는 일어난 감정을 지속하게 하는 것[4]을 강조하였다. 감독이
관객의 감정을 불러일으키기 위해 카메라의 움직임과 크기를 조절하는 것과
더불어서 긴장을 유발시키는 서스펜스 전략을 중시하였다. 히치콕은 서스펜
스의 거장이라는 평가를 받게 된 원인도 스스로 중시한 서스펜스를 거의 대
부분의 작품의 장면에 삽입하였기 때문이다. 히치콕은 서스펜스의 전략에
대해 구체적인 예시를 들어 언급한 바 있다.

진정한 서스펜스를 느끼게 하려면 관객들에게 정보를 주는 것이 결정적입
니다. 진부한 소재지만 '폭탄 이론'을 예로 들어봅시다. 여러분과 내가 탁자에
앉아서 야구에 대해서 이야기 하는 중이라고 가정해봅시다. 한 5분 정도 얘기
한다고 할까요. 그때 갑자기 폭탄이 폭발했다고 하면 관객들이 놀라는 것은

4 　베른하르트 엔드리케 지음, 홍준기 역, 『앨프래드 히치콕』, 한길사, 1997, 94쪽.

한 10초 정도 일 것입니다. 다시 한번 같은 가정을 해봅시다. 이번에는 처음부터 관객들이 탁자 밑에 폭탄이 장치되어 있다는 것을 알고 있다고 합시다. 그리고 실제로 화면을 통해 보고 있습니다. 그리고 그것이 5분 뒤에 폭발할 것이라고 생각해봅시다. 그러나 우리들은 하릴없이 야구에 대해서 계속 이야기하죠. 그러면 관객들의 느낌이 어떻겠습니까? 그들은 우리에게, 지금 야구에 대해서 떠들 때가 아니야. 책상 밑에 폭탄이 장치돼있어. 제발 도망가, 라고 말하고 싶겠죠. 하지만 관객들은 사실상 아무것도 할 수 없습니다. 의자에서 일어나서 화면으로 달려들어가 폭탄을 제거해 던져 버릴 수도 없는 일이고, 따라서 관객들은 그 시간 내내 긴장감에 사로잡히죠.[5]

히치콕이 설명한 서스펜스의 핵심은 관객에게 보다 많은 정보를 제공하여 등장인물이 처한 위기 상황에서 긴장을 유발하고 유지하게 하는 전략이 서스펜스다. 서스펜스 전략은 정보에서 관객이 우위에 서 있으며 등장인물은 정보의 제약을 받는다. 이와 같은 서스펜스는 관객의 시각적 정보의 우위와 등장인물의 정보 배제와 소외를 통해 야기된다. 서사학에서는 스토리 정보를 다루는 형식에 따라 시점(point of view)과 초점화(focalization)로 설명한다. 제라르 주네트는 제로 초점화(zero focalization), 내적 초점화(internal focalization), 외적 초점화(external focalization)로 분류한다. 정보량의 차이에 따라 초점화를 간명하게 분류한 장우진에 의하면 '제로 초점화는 서술자(Narrator) 〉 캐릭터(Character), 내적 초점화는 서술자=캐릭터, 외적 초점화는 서술자 〈 캐릭터'[6]로 수식화 가능하다. 영화의 경우 시각과 청각을 통해 정보가 제공되고 관객의 시선과 카메라의 시선 그리고 등장인물의 시선이 개입되면서 정보가 생산되고 유포되는 차이를 보여준다. 관객의 정보와 등장인물의 정보 차이가 서스펜스에 중요한 요인으로 작동된다. 필자는 관객과

---

5 베른하르트 엔드리케, 위의 책, 95–96쪽.

6 장우진, 「영화 내러티브의 정보 통제 –〈미행 Fallowing〉(크리스토퍼 놀란, 1998)의 초점화와 플롯」, 『영화연구』 58호, 한국영화학회, 2013, 369쪽.

등장인물의 정보 우위 여부에 따라 재명명할 수 있다고 여겨진다. 우선 관객의 인지 정보가 등장인물보다 우위에 놓인 경우 관객 초점화,[7] 등장인물의 정보가 우위에 놓인 경우에는 인물 초점화로 재명명하여 기술하고자 한다. 인물과 관객을 접두어로 사용하여 한국 독자의 가독성과 이해력을 높이기 위해 관객 초점화와 인물 초점화로 명명한 것이다. 관객의 초점화는 고드로와 조스트의 용어인 관객의 시각화와 의미가 유사하지만 영화적 입장을 고려하여 관객의 초점화로 명명하였으며 동시에 기존의 개념을 수용하여 초점화라는 용어를 유지한다. 조스트는 "〈마니〉(1964) 쇼트처럼, 관객들이 잔지 자신의 위치(더 정확하게 말해, 카메라가 관객에게 부여해주는 위치)덕에 인물보다 유리한 고지에 설 때, 우리는 이것을 관객의 시각화"[8]라고 이름 붙였다. 서스펜스는 관객의 시청각의 정보 우위를 통한 인지 정보 우위인 관객 초점화를 통해 야기되고 생성된 긴장은 지속된다. 서프라이스는 인물 초점화를 통해 관객의 지연된 정보의 인지를 통해 갑작스러운 놀람 반응을 일으킨다. 관객의 초점화는 카메라와 등장인물의 시선을 매개로 하여 정보를 수집할 수 있다.

관객의 초점화를 통한 서스펜스의 전략은 히치콕 영화의 지배적으로 나타난다. 몇 작품의 예를 통해 확인해 볼 수 있다. 첫 번째는 단서가 되는 구체적인 대상을 통해 관객의 정보량 우위를 통한 관객 초점화로 야기된 서스펜스이다.

〈북북서로 진로를 돌려라〉(1960)의 산장 장면에서 로저 손힐은 산장에서 벤담 일당으로부터 버림받을 위기에 처한 이브 캔달을 구해야한다. 관객은 벤담의 대화를 통해 그녀가 처형될 운명을 인지하고 있으며 그녀가 로저 손

---

7   서정남. 『영화 서사학』, 생각의나무, 2007. 323쪽. 쥬네트의 초점화는 죠스트에 의해 관객이 서사 정보 획득에 유리한 입장이 되도록 한다는 의미에서 무초점화를 관객 초점화라는 용어로 변경한다. 필자의 관객 초점화는 무초점화의 재명인 관객 초점화가 아닌 관객의 정보 우위를 의미하는 관객에 방점이 찍힌 개념이다. 서정남은 카메라의 편재성으로 인해 관객의 정보가 우위에 선다는 위미에서 전현적 초점화라는 개념을 제안하기도 한다. 필자는 영화에서 관객의 정보 우위라는 측면에서 관객의 정보가 서스펜스 유발에 결정적 요인이라는 측면에서 평이하고 한글의 의미에 가깝게 관객 초점화라는 용어를 사용한다.

8   앙드레 고드로·프랑수아 조스트, 송지연 역, 『영화 서술학』, 동문선, 2001. 236쪽.

힐로부터 구출되기를 바란다. 이브 캔달은 자신이 처형될 운명을 모르며 산장에 손힐이 자신을 구하기 위해 잠입한 사실도 모른다. 여기서 관객의 정보량 우위를 통한 관객 초점화가 형성된다. 손힐은 거실에 '당신의 정체가 탄로났다'는 메모를 적어 성냥갑을 던진다. 이 성냥갑이 벤담 일당에게 발견되면 손힐이 위험해지며 이브 캔달에게 발견되면 그녀의 구출에 도움을 받게 된다. 성냥갑의 존재는 관객과 등장인물의 정보량의 차이로 인해 관객은 인지하지만 특정 등장인물은 인지하지 못한 상황으로 인해 서스펜스가 형성된다. 결국 그 성냥갑은 벤담의 손에 넘어가지 않으며 손힐은 무사히 이브 캔달을 구출하게 된다.

〈로프〉(1948)에서는 두 남자가 살인을 저지르고 시체를 나무 상자에 유기하고 범행에 사용한 밧줄을 서랍에 넣는다. 나무 상자 안의 시체와 범행 도구의 밧줄은 파티에 초청된 누군가에게 발각되면 그들의 살인 행각이 드러나게 된다. 관객은 두 남자의 살인 행위를 인지하고 있으며 파티에 초대된 인물들은 이 사실을 모르고 있다. 관객의 정보량 우위로 인한 서스펜스가 형성되며 범죄 사실이 어떻게 밝혀지는가가 이 영화의 서스펜스를 지속시키는 동인이 된다. 심약한 필립은 밧줄이나 목을 조른다는 말이 등장할 때마다 발작을 일으키면서 살인에 대한 죄책감을 드러낸다. 나무 상자와 밧줄은 살인 사건의 해결의 열쇠이며 손님이 나무 상자를 열거나 밧줄의 용도를 발견하게 되면 비밀이 밝혀지게 되어 있다. 관객의 초점화는 살인 사건을 인지하는 관객의 시선으로 사건을 인지하지 못하고 파티에 참석한 초청된 손님의 행위를 바라보게 되면서 서스펜스가 형성되어 비밀폭로 직전의 긴장감이 지속된다.

〈이창〉(1954)에서 관객의 초점화를 활용한 장면은 리사(그레이스 켈리 분)의 쏜월드 아파트 잠입 장면이다. 리사는 쏜월드를 호텔로 유인한 다음 그의 아파트에 잠입한다. 리사가 쏜월드의 아파트에 진입하면서 들키지 않아야 한다는 관객의 우려로 인해 서스펜스가 형성되며 쏜월드의 도착 여부까지가 긴장의 지속 시간이다. 결국 쏜월드가 도착하면서 리사는 위기에 처하며 카메라는 클로즈업으로 허리 뒤에서 리사가 보여준 반지를 통해 임무의 성공을 알려준다. 히치콕 영화는 위험한 공간에서 위기에 처한 여성을 통한 공포감의 극대화 전략을 반복적으로 구사한다. 이 장면도 위험한 공간에서 위기에 처한 여성이라는 점에서 일치한다. 이와 같은 사례는 〈싸이코〉(1960)에서 지하실로 들어간 여성이 박제된 시체와 마주하고, 〈새〉에서 공중전화 박스에 갇힌 멜라니와 다락방에 갇힌 멜라니를 공격하는 새, 〈북북서로 진로를 돌려라〉에서 산장에서 생명의 위협에 처한 이브 등은 모두 동일한 상황의 반복이다. 연약한 여자가 위험한 곳에서 누군가의 공격을 받을 위험에 놓인 것은 서스펜스의 강도를 강화하지만 다른 한편으로는 여성을 처벌하는 위험한 남자들이라는 구도로 인해 성차별적이라는 혐의를 받게 된다.

〈새〉에서 서스펜스를 보여준 가장 구체적인 장면은 캐시의 학교 밖에서 하교를 기다리는 멜라니의 담배를 피우는 장면이다. 멜라니가 담배를 피우고 기다리는 사이 그녀의 뒤의 펜스에 한 마리 두 마리 늘어난 까마귀들이 날아와 앉는다. 멜라니는 문득 시선을 돌려 펜스에 가득 찬 새를 목격하고 공포를 느끼면서 학교 안으로 피신한다. 새가 멜라니 주변에 몰려든 사실을 인지하는 관객의 초점화를 통해 관객들은 수많은 새들의 인간에 대한 공격 가능성에 대한 긴장과 공포를 느낀다. 멜라니는 담배를 피우며 새의 증가를 인지하지 못했지만 관객은 인서트 컷을 통해 사전에 인지하면서 서스펜스가 형성된 것이다.

두 번째는 관객의 시각적 정보 우위를 통한 관객 초점화와 서스펜스를 만들어내는 사물의 클로즈업을 결합하여 편집과 카메라가 직접적으로 개입한 서스펜스 장면의 진화의 사례를 찾아 볼 수 있다.

〈열차 안의 낯선 자들〉(1951)에서 테니스 선수 가이는 열차 안에서 브루노로부터 교환 살인을 제안받으나 거절한다. 브루노는 가이의 부인을 살해하고 나서 교환 살인의 약속을 이행하도록 협박한다. 가이는 브루노의 존재에 대해 위협을 느끼며 브루노는 거리와 갤러리에 예기치 않게 등장하여 가이에게 공포감을 준다. 브루노의 등장은 그의 이니셜이 새겨진 넥타이핀의 클로즈업을 통해 환기시키면서 사물의 존재를 아는 인물에게 두려움을 야기한다. 관객은 브르노가 가이에게 교환 살인을 협박하고 있다는 사실을 인지하고 있다. 관객은 일부 인물에 비해 정보의 우위를 점유하며 가이와 브루노를 제외한 등장인물들은 브루노의 등장 이유를 인지하지 못한다. 브루노는 잠재적 위험인물이 되며 그의 행동이 표출되기 전까지 서스펜스가 지속된다. 그의 존재감은 클로즈업과 넥타이핀의 존재로 부각되어 서스펜스를 촉발한다.

〈마니〉의 절도 장면은 카메라의 클로즈업으로 서스펜스를 유발하는 대상의 환기로 긴장감이 고조된다. 마니는 화장실에 숨어서 회사원들이 퇴근할 때까지 기다린다. 회사 사무실로 들어가는 마니의 움직임은 트래킹 쇼트로 연결된다. 책상 서랍을 열면 금고 번호가 클로즈업으로 보이고 이를 확인한 마니는 금고가 있는 방으로 들어간다. 금고의 클로즈업에서 화면은 롱쇼트로 전환되면서 사무실에서 금고문을 여는 마니와 복도에서 청소를 하는 청소부가 분할 화면처럼 등장한다. 청소부의 존재를 관객에게 알려주면서 정보량이 우위에 선 관객은 정보가 없는 마니가 청소부에게 들키느냐 들키지 않느냐에 집중하면서 서스펜스가 유발된다. 관객의 초점화가 서스펜스의 동인이 된다. 마니는 금고를 털고 나오다 청소부의 존재를 시점쇼트로 확인하고 계단으로 빠져나갈 계획을 세운다. 마니는 소리를 내지 않기 위해 구두를 벗어 주머니에 넣고 걸어간다. 살금살금 걷는 마니의 모습에서 주머니에 들어 있는 구두가 클로즈업되면서 구두가 떨어지느냐 마느냐로 긴장이 조성된다. 구두의 클로즈업은 서스펜스 유발의 사물을 부각시킨다. 이때 신발이 복도에 떨어지며 마니도 놀라고 관객도 덩달아 놀란다. 다음 컷은 청소를 멈추고 마니를 바라보는 청소부가 아니라 묵묵히 청소하는 청소부를 보여주면서 안도한다. 일종의 서스펜스를 만들기 위한 속임수였다. 마니가 계단으로 내려가자 복도에 한 청년이 등장하고 청소부에게 다가가 큰 소리로 말한다. 관객에게 청소부가 난청의 상태임을 확인해 주면서 떨어뜨린 구두의 소리가 문제없이 넘어갈 수 있었던 원인을 알려준다. 관객은 청소부 등장의 인지와 마니의 구두가 떨어질 수 있다는 사실을 관객의 초점화로 인지하고 있었으며 클로즈업을 통해 긴장감을 극대화한 것이다.

세 번째는 크레인 쇼트와 클로즈업을 결합하여 서스펜스를 유발하는 사물을 제시하여 관객의 초점화를 형성하는 경우이다. 이는 카메라의 시선이 적극적으로 개입하고 히치콕의 카메라 움직임이라는 작가적 스타일과 결합하여 대표적인 히치콕적 서스펜스 장면이다.

〈의혹의 그림자〉의 가족 파티장에서 소녀 찰리는 삼촌 찰리가 연쇄살인범임을 알게 된다. 삼촌 찰리는 소녀 찰리를 질식사로 죽이기 위해 차고의 문을 닫지만 주변인의 도움으로 살아난다. 소녀 찰리는 살인자인 삼촌 찰리를 집에서 추방하기 위해 반지를 사용한다. 그 반지는 삼촌 찰리가 살해한 여인의 반지이며 소녀 찰리는 그 반지를 손에 끼고 파티장에 내려온다. 계단의 난간을 잡고 내려오는 소녀 찰리의 모습을 롱쇼트로 포착한 다음 크레인으로 움직이면서 반지를 낀 소녀 찰리의 손을 클로즈업해 들어간다. 이 반지는 삼촌 찰리의 정체를 드러낼 수 있는 반지이며 소녀가 외삼촌에게 통보하는 최후통첩이기도 하다.

〈오명〉에서 여주인공은 연인에게 전달하기 위해 남편의 와인 창고 열쇠를 훔친다. 파티 장면은 익스트림 롱쇼트로 거실 전제를 보여주고 크레인 쇼트로 내려가서 엘리시아 휴버먼(잉그리드 버그만 분)의 손에 들려있는 열쇠를 익스트림 클로즈업으로 보여준다. 열쇠는 연인에게 전달되어 두 사람을 와인 창고에 보관된 우라늄이 든 병을 확인하게 된다. 크레인 쇼트에서 익스트림 클로즈업으로 전환을 민병록은 '최대에서 최소로 화면을 이동시키는 히치콕의 시각 스타일'로 이름 붙였으며 이는 관객의 초점화와 클로즈업을 통한 단서의 부각으로 서스펜스를 만들기 위해 사용된다.

두 장면 모두 관객에게 정보를 제공하여 관객의 초점화로 유도하며 이는 크레인을 통한 카메라의 움직임과 클로즈업을 통한 극명한 정보 전달이라는 히치콕의 서스펜스 전략의 산물이다. 이와 같은 서스펜스를 만들기 위한 노력이 카메라 움직임과 크기를 결정하여 히치콕의 연출 스타일로 귀결된 것이다. 이와 같은 카메라 움직임은 〈나는 비밀을 안다〉(1934)의 앨버트 홀 장면에서도 동일하게 사용된다.

마지막은 일종의 속임수이며 관객의 정보 배제나 정보 제공의 지연을 통한 서스펜스 유발 전략이다. 이 방법에서 정보량의 우위는 관객보다는 등장인물에 있으며 정보의 열등함으로 인해 두려움과 긴장감이 사전 형성되어 서스펜스를 야기한다. 관객의 초점화보다는 등장인물과 관객의 정보량이 동일한 내적 초점화이거나 인물의 초점화 상황에 기인한다. 관객에게 정보를 나중에 전달하여 일시적인 서스펜스를 만들다가 마지막 컷과 행위를 통해 감독의 속임수였다는 사실을 확인하게 해주는 장면이다.

〈스펠바운드〉에서 에드워드는 피터슨(잉그리드 버그만 분)의 스승 집에서 흰색 공포를 느끼고 칼을 들고 거실로 내려간다. 스승은 차분하게 에드워드에게 말을 걸고 우유를 권하지만 에드워드는 칼을 손에 들고 있다. 에드워드는 우유잔을 통해 피터슨의 스승을 보다가 컷이 넘어간다. 피터슨은 잠에서 깨어 계단을 내려오고 거실의 의자에서 두 팔을 축 늘어뜨린 채 앉아 있는 스승을 발견한다. 의자에 두 팔을 늘어뜨린 장면은 시체를 연상시키며 관객은 스승의 죽음을 예견한다. 하지만 스승은 잠에서 깨어나고 지난밤 일을 소상하게 피터슨에게 전한다. 에드워드가 칼을 들고 내려가는 장면에서부터 피터슨으로부터 스승의 생존이 확인될 때까지 관객은 정보량이 등장인물의 초점화에 맞추어져 제한되어 긴장감이 유지되고 마지막 컷에서 해소된다. 즉 관객은 스승의 죽음이 아닌 자고 있는 모습을 죽음으로 오인한 것이다.

마찬가지의 장면은 〈마니〉의 자살을 시도한 마니를 발견한 장면이다. 마니와 남편은 신혼여행 도중 처음으로 강압적인 잠자리를 갖게 된다. 다음날 남편은 빈 침대를 확인하고 그녀를 찾으러 선상을 헤맨다. 몇 곳을 찾지만 실패하고 결국 수영장에 투신한 마니를 발견한다. 관객은 인물의 초점화에 맞추어 마니가 투신자살하여 세상을 떴을 것으로 예견한다. 남편은 수영장에서 마니를 밖으로 이동시키자 마니가 깨어난다. 마니의 실종은 마니의 죽음을 암시하는 바다의 인서트로 제시되고 결국 수영장에 투신하여 떠 있는 마니를 통해 죽음의 공포를 느끼게 했으나, 소생한 마니에서 마무리된다. 등장인물의 초점화는 마니의 실종으로 인한 긴장과 서스펜스를 유지하고 소생으로 마치게 한다.

관객과 등장인물의 정보량의 차이는 위험에 대한 예견과 긴장감의 지속을 통해 서스펜스를 만들어낸다. 히치콕은 다양한 방식으로 서스펜스 전략을 구사하였으며 서스펜스를 독창적으로 만들어내면서 스스로의 스타일을 견고하게 하였다. 그 중심에는 관객의 참여와 관객의 서사적 정보의 제공과 배제가 놓여있었다.

2) 이질성을 야기하는 대상과 시선

이질감과 낯설음은 대상에 대한 거리감과 긴장감을 유발한다. 낯선 두려움이라는 용어의 존재처럼 낯선 존재는 동질감을 위협하기 때문에 심리적 경계심을 불러일으킨다. 이와 같은 서스펜스의 유발 전략은 관객 초점화를 형성하는 등장인물의 정보량의 층위와 다른 지점이다. 이질적인 이미지로 야기되는 돌출되는 대상에 대해 프로이트는 두려운 낯설음을 야기한다고 심도 있게 논의하였다[9]. 지젝은 "응시를 유발하는 오점(strain)"으로 관객의 불안과 공포를 야기하는 기능을 한다고 주목하였다. 응시는 라캉에 의해 누군가 혹은 대상의 시선이 존재하는 것을 주장하면서 부각된 개념이다. 라캉은

---

9 지그문트 프로이트, 정장진 역, 『창조적인 작가와 몽상』, 열린책들, 1998, 102–133쪽. 두려운 낯설음 unhaimlich은 공포감의 변형이며 오래전부터 알고 있었던 친숙한 것이 불확실성을 통해 야기된다. 동일한 것의 반복, 죽음과 죽은자의 귀환 같은 것도 두려운 낯설음의 감정을 불러일으킨다.

여행 도중 바다 위에 뜬 정어리 깡통이 햇빛에 반짝이는 것을 통해 인간이 아닌 누군가의 시선이 인간을 바라볼 수 있다는 사실을 자각하여 응시라는 표현을 사용하였다. 응시는 일종의 바라보는 또 다른 눈 즉 시선인 것이다. 이질성과 시선의 견인으로 관객의 감정에 공포감과 긴장을 유발한다는 공통점을 지닌다. 필자는 '이질성을 야기하는 돌출하는 대상과 시선'으로 이름 짓고자 한다. 이질성으로 인해 부각된 시선은 돌출하는 대상으로 클로즈업을 통해 관객의 시선을 견인하기 위한 영화적 장치는 함몰시키는 시선으로 풀어서 명명한 것이다. 시각적 이미지는 평범성을 상실하고 이질성의 층위로 솟아오를 때 시선을 끌게 되며 이때 낯선 두려움이 야기된다. 이 두려움은 공포와 경계심 그리고 동시에 매혹적인 호기심을 촉발하면서 다양한 감정의 심연으로 확산된다.

이질성을 야기하는 돌출하는 대상을 파스칼 보니체르는 응시의 기능이 이중화된 얼룩으로 제시하였으며 그 얼룩은 "일상의 한가로운 생활을, 관습적인 질서를 산산이 부수어버린다"[10]고 한다. 이에 대해 나르보니는 "그 무엇의 기호도 아닌 기호로 부르고 들뢰즈는 표식(demarque)"[11]이라고 한다. 이는 '이질성을 야기하는 돌출하는 대상과 시선'과 의미적 유사성을 지닌다. 이질적 대상은 구체적인 사물이며 함몰하는 시선은 클로즈업을 통해 적극적으로 유도된다.

가장 빈번하게 언급된 이질성을 산출하는 대상 장면은 〈북북서로 진로를 돌려라〉의 살충제를 뿌리는 비행기의 공격이다. 손힐은 이브의 안내로 정류장에 하차한다. 정류장은 허허벌판에 있으며 버스가 지나가고 인적 없는 건너편 정류장에서 승객이 내린다. 하늘에는 경비행기가 나른다. 그 비행기는 농작물이 없는데 농약(비료)을 뿌린다. 건너편 정류장에 내린 승객은 농작물이 없는데 농약을 뿌린다고 말한다. 그 비행기는 이질적인 점이다. 이 비행기는 다음 장면에서 손힐을 공격하며 손힐은 옥수수 밭으로 도피한 다음 다가

---

10 슬라보이 지젝 편저, 앞의 책, 195쪽.

11 슬라보이 지젝 편저, 위의 책, 196쪽.

오는 트럭의 바퀴 밑으로 몸을 던져 겨우 목숨을 구한다. 경비행기는 트럭과 충돌하여 폭발한다. 농작물 없는 곳에 농약을 살포하는 비행기의 출현은 이 질성을 만들어내는 돌출되는 대상이며 이로 인한 이질적 상황은 낯선 두려움을 불러일으키는 서스펜스의 원인이다. 이와 같이 눈에 두드러진 이질적인 대상이 구체적으로 돌출되는 상황도 존재하지만 다른 한편으로 잠재된 이질적 대상의 틈입 사례도 있다.

〈현기증〉에서 이질적 대상은 인물로 출현한다. 마들렌은 종탑에 오르기 전에 스코티와 키스하면서 두려움으로 눈을 뜨고 외부로 시선을 돌린다. 사랑하는 대상과 사랑의 행위에서 눈을 감고 집중하지 않고 눈을 뜨는 것은 이질적인 시선으로 부각되며 히치콕 영화에서 반복된다. 키스하면서 외부를 바라보는 마들렌의 불안한 시선은 마지막 시퀀스의 종루 장면에서 어둠 속의 수녀를 유령으로 오해하여 투신하는 마들렌의 죽음과 투신에 대한 개연성을 부여한다. 수녀는 수도원에서 생활하므로 등장이 자연스럽지만 영화 전편에 걸쳐서 반복해서 등장하면서 수녀라는 인물은 이질성의 대상으로 은밀하게 스며들어 있다. 〈현기증〉에서 처음 수녀의 등장은 스페인 마을에 도착하는 설정 화면으로 익스트림 롱쇼트로 전경을 보여줄 때 정원을 걸어가는 한 수녀가 이질적인 점으로 등장한다. 이 인물은 이질성으로 인해 돌출되는 대상이자 시선을 이끄는 탈목점이다. 이어서 수녀는 계단에서 현기증으로 오르지 못한 스코티가 창밖으로 투신하는 마들렌을 방기하여 이로 인한 심리적 충격에 휩싸여 건물의 밖으로 나오는 장면에서 재등장한다. 이 장면은 익스트림 롱쇼트로 크게 포착되며 분할 화면처럼 오른편에서는 건물 밖으로 걸어 나오는 스코티, 왼쪽으로는 떨어진 시체를 수습하는 인물과 이를 바라보는 두 명의 수녀가 등장한다. 세 번째 등장한 수녀는 스코티의 재판에서도 방청석에 앉아있으며 결국은 마지막 장면에서 마들렌을 죄책감과 공포에 몰아넣어 투신자살을 유도한 어둠 속에서 다시 등장하는 수녀는 공포의 대상으로 스스로의 임무를 마무리한다. 수녀는 속이는 마들렌의 거짓과 상반되는 종교적 양심과 진실을 표상하는 대상으로 자리하면서 진실과 거짓이 나란히 하는 정신적 데페이즈망으로 귀결된다.

이질성으로 인해 야기된 의미와 낯선 공포는 사전적 의미에 근접하게 '이질성을 야기하는 돌출하는 대상과 시선'으로 명명하였다. 이질성으로 돌출되는 대상과 함몰시키는 시선은 다소 차이가 있다. 이질성으로 돌출되는 대상은 오점으로 보이는 '풍차'나 '비행기'와 같은 구체적인 사물이지만 시선은 작품 안으로 흡입하는 시선과 프레임 밖으로 돌출되는 시선이라는 두 가지 양상을 보인다. 첫 번째는 관객의 관심을 작품 속으로 견인하고 안내하는 '함몰시키는 시선'이다. 이는 신윤복의 〈계변가화〉에서 목욕하는 여인을 훔쳐보는 인물의 시선과 같다. 훔쳐보는 시선은 훔쳐보는 자의 시선을 통해 관람자와 관객을 작품 안으로 끌어당기고 집어넣고 함몰시키는 매개 역할을 수행한다. 이는 시선의 개입을 통해 관객들로 하여금 작품 속으로 스며들게 한다. 〈이창〉의 제프리가 바라보는 시점 쇼트와 〈현기증〉에서 스코티가 마들렌을 바라보는 시선처럼 반응 쇼트로 유도하고 안내하는 가교 역할을 하는 시선의 개입도 유사하다. 따라서 관객의 눈길이 스며드는 구멍이며 함정과 같은 함몰하는 시선이다. 이와 같은 시선의 개입은 의미 그대로 '관객을 영화 속으로 이끄는 함몰하는 시선'이며 등장인물이 매개하는 시점쇼트를 통해 작품 속으로 깊숙이 들어가서 정보를 얻고 서사의 추이에 참여한다. 관객을 영화 속으로 이끄는 함몰하는 시선은 시점쇼트를 중심으로 한다. 시점쇼트는 신윤복의 작품처럼 프레임 내의 인물을 통해 관객의 시선을 안내하고 견인하는 역할을 한다. 시점쇼트가 시각적 안내 표지판 역할이자 시각적 흡인 요소이다. 이질성으로 돌출된 대상과 함몰된 시선은 모두 두려움과 이질적인 낯설음으로 인한 공포를 야기한다.

이질적으로 돌출된 시선은 통도사의 〈반야용선도〉에서 좋은 사례를 확인할 수 있다. 〈반야용선도〉는 아미타불이 인도하여 극락으로 향하는 항해가 배경이며 배에 승선한 인물들 중에서 유일하게 뒤돌아보는 인물이 존재한다.

모두 다 앞을 향해 바라보고 있지만 이 인물만 뒤돌아보기 때문에 눈에 도드라지며 이질적으로 돌출된 시선의 대표적 사례이다. 〈반야용선도〉는 다섯

가지에서 주목을 끈다. 첫 번째는 응시를 유발하는 탈목점이다. 유일하게 다른 방향의 시선의 존재로 인해 눈길을 끄는 탈목점으로 자리한다. 두 번째는 이승에 대한 미련과 아쉬움이라는 인간적인 태도가 배어있다. 앞은 극락세계이고 뒤가 현세라면 현세에 대한 아쉬움이 담긴 눈길이다. 세 번째는 삶과 죽음의 경계를 표시한다. 모두들 죽음에 순응하고 극락의 세계로 향하지만 뒤돌아보는 시선의 인물만이 삶의 이승을 향하면서 피안과 차안의 경계선을 보여준다. 네 번째는 이 불화에 대한 의미를 되새기게 하고 해석의 문을 열어준다. 다섯 번째는 인간의 근원적인 삶에 대한 욕망이라는 무의식의 재현이다. 무의식은 실재의 응시이며 이 작품이 관람객을 바라보고 있다는 사실을 섬뜩하게 전해준다. 이 돌출된 시선은 해석의 문이면서 관람객에게 성찰의 심연을 만들어주면서 극락세계로 향하는 이들의 마음을 읽게 한다. 돌출된 시선의 다층적인 의미가 잘 스며들어 있는 것이다.

평평한 운동장에 돌연히 솟아오른 돌덩이와 같이 돌출하는 시선은 관습적 이미지와 공간을 낯설고 두려운 장소로 바꾼다. 관객들은 사건에 대한 두려운 기대감으로 서스펜스를 만들게 된다. 이 낯선 시선과 대상의 존재로 인해 그 프레임과 장면은 특별한 의미의 생성 장소가 되도 관객의 관심과 시선을 이끌고 간다. 이질성으로 야기된 돌출된 시선도 서스펜스의 중요한 원인이다.

이질성으로 야기된 돌출되는 시선은 〈열차 안의 낯선 자들〉에서 테니스장의 객석에서 경기장을 바라보는 움직이지 않는 브루노(로버트 워커 분)의 시선이다. 브루노는 편지와 전화로 가이(팔리 그레인저 분)의 일상을 위협한다. 그는 가이가 경기하는 테니스장의 관중석에서 가이를 바라본다. 모든 관객은 공의 방향에 따라 움직이지만 브루노만 움직임 없이 가이를 바라본다. 브루노의 시선은 돌출된 시선이며 오점이다. 테니스장의 모든 관람객은 기계적으로 공의 움직이는 방향에 따라 머리를 좌우로 움직이지만 브루노만 유일하게 정면을 바라본다. 브루노는 가이에게 부친 살해를 청부하면서 협박하기 위해 가이의 주변을 출몰하여 공포 분위기를 조성한다.

〈스펠바운드〉에서 인물은 백색과 선에 대한 공포를 느끼며, 〈마니〉에서 붉은색을 바라보고 마니는 공포감을 느낀다. 두 작품에서 인물의 공포감은 특정 사물을 바라보면서 자신의 트라우마로 인해 병적 발작을 일으킨다. 영화 안에서 일상적인 사물은 주인공의 시선 개입으로 이질적인 대상으로 변모하여 오점이 되며 시점 쇼트가 돌출되는 시선을 만드는 주체가 된다. 바라보는 것 자체가 주인공의 심리적 불안을 가중시키는 원인이 되어 돌출되는 시선의 주체의 자리에 서 있게 된다.

이상의 논의를 정리하자면 이질적인 대상에 대해 지젝은 응시를 유발하는 오점으로, 바르트는 푼크툼으로 표현하였으며 필자는 '이질성을 야기하는 돌출된 대상과 시선'으로 명명하였다. 지젝은 응시를 유발하는 오점으로 "〈무대 공포증〉(1950)의 드레스 위의 피, 작은 전구가 그 안에 자리 잡음으로써 '강렬해진' 〈의혹의 그림자〉의 유리잔, 〈이창〉의 창문의 검은 직사각형, 그리고 그 검은 직사각형 안에 있는 살인자가 피우는 붉은 담뱃불, 또는 〈북북서로 진로를 돌려라〉에 나오는, 처음에는 하늘에 뜬 작은 반점에 불과했던 비행기"12를 들었다. 오점은 바르트의 푼크툼처럼 시선을 끌며 의미의 심연을 만들어주지만 사건의 전조로서 자연스러움에 위반한 불가해한 상황의 도래를 예견한다. 이와 같은 점에서 관객의 시선을 이끌면서 폭력적 상황의 도래와 예측할 수 없는 공포의 전조가 야기한 두려움을 자아낸다. 표현하는 방식은 익스트림 롱쇼트와 클로즈업을 통해 크게 보여주거나 가깝게 전달하는 스타일을 선호한다. 관객은 영화의 서사가 흘러가는 방향을 바라보면서 특별한 사건에 주목하게 되고 감독은 예측 가능한 사건의 단서를 제공하여 사전 공포감을 자아내게 한다. 그 사건의 단서가 이질성으로 인해 놀라움을 유발할 수 있게 하는 대상이거나 돌출되는 시선이다. 이와 같은 장치는 관객의 시선을 서사의 진행에 집중하게 하는 맥거핀이며 동시에 공포심을 예비하게 하는 경보벨 역할을 수행한다.

3) 물신으로 작용하는 맥거핀(Macguffin)

히치콕의 영화는 쫓기는 자를 뒤따라가는 관객을 필요로 한다. 그의 영화 주인공은 예기치 않은 사건에 연루되어 누군가에게 쫓기며 결국에는 누명을 벗어나서 쫓기는 신세로부터 해방된다. 주인공이 누군가에게 추적을 당하며 관객은 서사가 진행되는 길을 따르게 된다. 이때 관객이 서사의 끝까지 동행하도록 추동하는 요인은 맥거핀 덕분이다. 맥거핀은 속임수이다. 하지만 그 속임수는 관객들이 서사의 열차를 승선하게 하고 열차가 목적지에 당도할 때까지 긴장감을 유지하게 하는 역할을 수행한다. 그 속임수는 관객의 참여를 통해 영화의 서사열차를 마지막 시퀀스까지 긴장과 다음 장면에 대한 기대감으로 끌고 간다. 히치콕 감독은 맥거핀에 대한 과도한 의미 부여를 경계한다. 그는 '영화의 등장인물들이 굉장히 중요하게 생각하고 그것을 둘러싸

---

12 슬라보이 지젝 편저, 앞의 책, 39쪽.

고 이야기가 진행되지만 관객들과는 사실상 별 이해관계가 없는 것[13]'으로 가볍게 언급한다. 맥거핀의 어원은 영국의 음악당(Music Halls) 전통에서 비롯되었다고 한다. 그곳에서 나눈 두 사람의 대화에서 유래한다.

스코틀랜드 행 기차에 앉은 두 남자가 있습니다. 한 남자가 다른 사람에게 묻습니다. '죄송합니다만 선생님 머리 위에 화물용 선반에 있는 이상한 꾸러미는 뭔가요?' 다른 사람이 묻습니다. '아하 그건 맥거핀입니다' 먼저 사람이 묻습니다. '그런데 맥거핀이 뭡니까'. 다른 사람이 대답합니다. '스코틀랜드의 산악 지방에서 사자를 잡는 장치입니다'. 먼저 사람이 묻죠. '그렇지만 스코틀랜드 산악지방에는 사자가 없지 않습니까. 그러면 다른 사람이 대답합니다. 그렇다면 저건 맥거핀이 아닙니다.[14]

맥길리건의 규정대로 맥거핀은 '줄거리 기획이 완료되기 전까지는 딱 꼬집어 선택할 필요가 없는 알려지지 않은 플롯의 목표'이다. 이것은 서사의 완결에 구체적인 기여를 하지는 않지만 사건의 진행과 주인공의 행위에 동기를 부여하면서 적극적으로 참여한다. 다른 영화와 차별화된 히치콕 영화의 특징은 맥거핀을 통한 서사의 견인과 서스펜스의 유발이다. 히치콕 영화에서 맥거핀은 가시적으로 서스펜스를 만들고 비가시적으로 서사를 추동하는 기둥이다. 그리고 히치콕의 거의 모든 작품에서 산재되어 작동하고 있다. 맥거핀이 사용된 주요 작품과 그의 맥거핀은 다음과 같다. 〈북북서로 진로를 돌려라〉에서는 용기에 든 마이크로 필름이며, 〈39계단〉(1935)은 군용 비행기 엔진 공식, 〈사라진 여인〉(1938)은 약호화된 멜로디이며 〈해외 특파원〉(1940)은 해군 조약의 비밀 조항 그리고 〈오명〉의 우라늄이 든 와인병이다. 맥거핀은 서사적 동력이면서 동시에 서스펜스 전략과 연관되어 있다. 맥거핀의 의미화와 관련성은 모호하며 '맥거핀들은 오직 그것이 의미화하는 것만 의미화'하는 제한

13 베른하르트 엔드리케, 앞의 책, 98쪽.
14 패트릭 맥길리건, 윤철희 역, 『히치콕』, 그책, 2016. 283쪽.

적 특징이 있다. 하지만 "실제 내용은 전적으로 비의미적(insignificant)"[15]이라는 모순을 안고 있다. 맥거핀은 '무', 하나의 빈터, 스토리를 작동시키는 것이 유일한 역할인 하나의 순수한 구실"[16]을 한다. 맥거핀은 이야기가 진행될 수 있게 하는 원인 제공이면서 동시에 사건의 해결과 함께 소멸되는 제한적 영향력을 행사한다. 또한 작품의 주제는 무엇이며 어떤 내용을 담고 있는가라는 질문을 관객 스스로 자문하게 한다. 하지만 결국 맥거핀의 그 의미 내용은 텅 비어있다. 맥거핀의 존재 의미가 들어날 즈음에 맥거핀의 위상은 가벼워지고 서사의 중심축에서 중요성이 희석된다. 맥거핀은 한시적인 속임수이자 결말 이전까지 서사를 견인하는 매개체임에도 불구하고 히치콕이 가장 중시한 요소였다. 서사적 기관차로서 맥거핀의 활용 가능성을 극대화시켰던 히치콕의 의도와 그의 작품에서 작가적 중핵을 이루는 맥거핀에 대한 성찰이 요구된다.

맥거핀의 서사적 기능에서 정신분석적 해석을 통해 의미를 확장할 수도 있다. 히치콕은 스스로 영화에서 정신분석 증상을 적극 활용하였다. 〈현기증〉, 〈이창〉, 〈싸이코〉, 〈스펠바운드〉, 〈마니〉 등은 대표적인 증상을 영화적 소재로 활용하여 캐릭터를 구축하고 서사를 이끌어갔다. 히치콕은 영화는 폭력과 성의 가시화로 시각적 쾌락을 제공하는 관음증의 대상으로부터 자유롭지 못하다는 사실을 간파한 감독이다. 동시에 그는 관객의 적극적인 역할을 부여하기 위해 노력하였다. 심지어 그는 '카메라를 통해 관객을 개입시켜서 포용하고 있는 등장인물과 관객을 삼각관계'로 만드는 것을 꾀하기도 하였다. 히치콕의 위대함은 "관객을 스크린 속의 등장인물로 몰입시키는 것이 아니라 오히려 주로 그 등장인물 자체를 하나의 관객으로 만드는 것"이라고 지젝이 주장할 정도로 관객에 대해 적극적으로 천착하였다. 관객의 참여라는 관점에서 맥거핀은 주요한 도구이다. 맥거핀은 관객의 적극적인 서사 참여를 위한 출입구이며 유인물이다. 이를 통해 관객은 서사의 완결에 간접적 주도권을 부여 받게 된

---

15 지젝, 앞의 책, 73쪽.
16 지젝, 위의 책, 19쪽.

다. 맥거핀은 관객의 서사 참여라는 관점에서 볼 때 시각적 물신에 가깝다. 정신분석학 입장에서 맥거핀은 물신의 특징을 지닌다. 히치콕은 서사라는 목적지에 당도하기 위해 맥거핀이라는 물신을 제시하여 관객의 서사적 참여를 유도한다. 정신분석학에서 목적 쾌락인 남녀의 합일을 향해 가는 과정에서 성적 대상이 상대와의 성적 합일 대신에 다른 행위를 지향하거나 성기를 대체하는 다른 신체 부위에 대한 선호 경향을 보이거나 성기를 대체하는 다른 신체를 선호하는 것은 도착이다. 이 도착에서 성기를 대체하는 신체 일부가 물신이다. 맥거핀은 성도착의 산물인 물신과 닮았다. 프로이트는 남녀 간의 욕망에서 최종 목적 쾌락은 성적 결합에 있다고 했다. 성의 목적은 생식기 결합을 통한 성본능의 해소를 지향한다. 성도착은 '성적 결합을 위한 최종적 성 목적 추구 과정에서 신속하게 지나가야 할 과정이 지체하는 성행위'[17]에서 발생한다. 중간의 지체는 성기 결합이라는 목적을 위반하고 성기를 대체하는 신체의 다른 부위에 대한 과대평가로 인해 야기된다. 즉 성기의 결합 대신 입술이나 항문 같은 다른 대체물을 선호하거나 신체 일부인 발이나 머리카락을 성적 대상으로 삼는다. 이와 같은 성기를 대체하는 다른 대상물은 원시인들이 신격화한 동물이나 사물처럼 물신으로 승격된다. 성기 결합이라는 목적으로 향하는 과정에서 다른 신체의 일부에 대한 과잉 집중과 쾌락추구 현상은 물신으로의 회귀라는 도착을 낳는다. 맥거핀도 유사한 경로를 거친다. 맥거핀은 사건의 발생과 전개 그리고 해결을 통한 완결이라는 서사적 완결성을 향하는 과정에서 맥거핀의 정체 규명이라는 것에 서사적 집중과 과대평가를 하는 상황을 만들어낸다. 선형적 서사의 완결성은 맥거핀으로 인해 지체되고 우회하며 맥거핀의 해결에 대한 관객의 집중 현상을 보여준다. 성기 대신 다른 신체 부위인 물신에 집중하는 것과 같이 관객은 서사적 진행과 완결보다 맥거핀의 문제 해결에 대한 과잉 집중을 보여준다. 물신과 맥거핀의 역할과 자리의 유사성은 쉽게 확인할 수 있다. 히치콕의 영화는 사건의 해결 보다 맥거핀의 해명에 관심이 집중되며 맥거핀의 사라짐은 사건의

---

17 지그문트 프로이트, 김정일 역, 『성욕에 관한 세 편의 에세이』, 2003. 열린책들, 255쪽.

해결이면서 동시에 서사적 긴장의 와해로 귀결된다. 하지만 여기서 더 나아가 맥거핀은 서사의 중층적 서사의 완결을 위한 불가피한 장치로 승격된다. 〈북북서로 진로를 돌려라〉에서 맥거핀인 마이크로필름의 존재가 서사의 중심에 서 있다가 산장 장면에서부터 여성의 구출과 두 인물의 사랑 성공 여부로 관심이 이동한다. 맥거핀은 서사적인 맥락에서 중간의 지체를 이끌고 관객의 작품에 대한 관심을 집중시키는 대상이 된다. 물신이 성기의 결합이라는 목적쾌락을 향하는 과정에서 지체되어 그 자체의 성적 과대평가 대상으로 승격된 것과 닮았다. 하지만 물신과 차별화된 맥거핀은 서사적 완결을 위한 마중물 역할과 중층적 서사의 한 축을 담당하는 서사의 기둥의 역할을 동시에 수행하여 서사적 쾌락 완성에 일조하여 물신의 제한된 개념으로부터 벗어난다. 물신이 다른 신체에 대한 선호와 부분 쾌락을 위해 쾌락의 목적을 지연시키고 희생시키는 도착에 머문다면 맥거핀은 관객의 참여를 견인하고 이를 통해 서사적 쾌락의 완성에 참여하여 극적 긴장감의 유지와 서사적 완결성 성취라는 영화적 목적에 주체로 참여한다. 이 지점이 물신과 맥거핀의 거리이다. 맥거핀은 한시적 물신이며 궁극적으로 서사적 완결성에 복무하는 영화적 장치로 편입된다. 히치콕은 정신분석학의 개념을 기계적으로 적용한 것이 아니라 영화적으로 승화하여 서스펜스 유발과 서사적 중첩성에 일조하도록 변형하였다.

히치콕은 관음증이라는 시각적 쾌락에 대한 관객의 반응을 간파한 것처럼 관객의 관심을 견인하는 물신의 위력을 맥거핀으로 변형하였다. 영화에 수용된 물신은 맥거핀이라는 속임수로 채택되어 관객의 영화 서사에 대한 참여와 주이상스를 극대화했다. 프로이트는 호기심을 생식기에서 몸 전체로 이동하면 예술의 출구가 열린다고 했다. 아울러 프로이트는 중간에서 지체하는 것이 예술의 목적으로 돌릴 수 있는 가능성과 에너지를 제공할 수 있을 것으로 진단했다. 히치콕은 성적 욕망의 지체보다는 다른 대상으로 관심 집중을 맥거핀이라는 영화적 장치로 수용하여 관객의 관심을 다른 곳으로 집중시키고 일시적으로 서사 진행을 지연하고 우회한 다음 궁극적으로 서사적 쾌락을 극대화하였다. 프로이트의 물신은 히치콕의 영화를 통해 서사보다 중요한 시각적 매혹의 대상으로 맥거핀이라는 이름으로 소환된 것이다. 관객의 시선을 돌리는 대상은 관객이 숭배하는 새로운 물신을 영화에 안겨 주었다. 물신으로 승격된 맥거핀은 서사적 견인 장치라는 소극적인 기능에서 서스펜스 유발과 서사적 매혹을 결합시키는 촉매로 승격되었다.

3. 히치콕의 서스펜스와 맥거핀의 비밀

히치콕이 설명한 서스펜스의 핵심은 관객에게 보다 많은 정보를 제공하여 등장인물이 처한 위기 상황에서 긴장을 유발하고 유지하게 하는 전략과 맥거핀을 이용한 서사적 긴장감이다. 서스펜스의 주된 전략은 서사적 정보의 차이를 이용한다. 관객의 초점화는 조스트의 용어인 관객의 시각화와 의미가 유사하지만 관객의 시각적 정보의 우위라는 입장을 강조한 용어이다. 대표적인 장면은 〈마니〉의 절도 장면과 〈북북서로 진로를 돌려라〉의 산장 장면이다. 두 번째는 관객 초점화와 사물의 클로즈업을 결합한 방식이다. 〈열차 안의 낯선 자들〉에서 브루노의 넥타이핀, 〈마니〉의 절도 장면에서 구두의 클로즈업을 들수 있다. 세 번째는 카메라 움직임을 통해 사물을 제시하는 것이다. 예를 들면 〈의혹의 그림자〉의 가족 파티장면에서 크레인 쇼트와 클로즈업을 통해 반지 낀 소녀 찰리의 손의 제시이다.

또 다른 부분은 이질성을 야기하는 대상과 관객의 시선을 견인하는 방식이다. 이는 '이질성을 야기하는 돌출하는 대상과 시선'은 익숙한 대상이 낯선 두려움을 야기하는 대상으로 전이되면서 불안과 공포를 만들어낸다. 대표적인 장면은 〈북북서로 진로를 돌려라〉의 옥수수 밭에서 살충제를 뿌리는 비행기의 등장이다. 〈현기증〉의 수녀의 반복적 등장이다. 시선은 돌출되는 시선과 함몰되는 시선으로 나눌 수 있으며 시선의 개입으로 관객의 관심을 끌어당기는 함몰된 시선은 〈이창〉의 제프리의 시점쇼트와 〈현기증〉에서 스코티의 시점쇼트가 대표적인 경우다. 이질성으로 야기된 돌출되는 시선은 〈열차

안의 낯선 자들〉의 경기장에서 움직이지 않는 브루노의 시선이다.

서스펜스가 정보량의 차이와 이질성과 시선을 통해 야기되었다면 서사적 긴장감은 맥거핀의 활용을 통해 고조된다. 맥거핀은 관객의 서사적 참여를 견인하는 속임수이면서 동시에 서사의 완결까지 극적 긴장을 지속하게 하는 동력이다. 정신분석학적 입장에서 맥거핀은 시각적 물신과 유사하며 이는 서사적 완결성을 지향하는 영화에서 맥거핀에 대한 매혹으로 관객을 집중하게 한다. 정신분석학의 쾌락 목적은 남녀의 성적 합일이며 이 과정에서 남녀 성기를 대체하기 위한 신체 부위나 대상물은 물신이 된다. 물신이 된 신체 부위와 마찬가지로 히치콕 영화에서 맥거핀은 기승전결을 통한 서사적 진행과 완결보다 맥거핀에 대한 관객의 집중을 유도하여 서스펜스의 장치로 적극 활용된다. 하지만 물신이 된 맥거핀은 맥거핀에 대한 과도한 관객 집중의 역할과 동시에 서사적 마중물로서 완결된 서사를 위한 중심역할을 수행하는 점에서 물신과 차이를 보인다. 물신은 대상의 전이를 통한 쾌락의 목적을 지연시키고 변형시키지만 맥거핀은 관객의 집중을 통해 서사적 완결성을 견인하고 서사적 쾌락의 완성에 기여하여 서사와 한 몸을 이룬다는 점에서 차별화된다. 맥거핀은 일시적인 물신으로 작용하고 궁극적으로 서사적 완결이라는 영화의 목적에 부합하여 서사의 중핵적 장치로 복무하고 편입된다.

히치콕은 관객의 정보량 차이와 이질성 그리고 물신의 영화적 변형인 맥거핀을 통해 자신의 서스펜스 전략을 확장하였다. 그는 정신분석학의 영향을 받았지만 개념적 적용의 단순성에서 벗어나 서사의 중층성을 만들어내는 맥거핀으로 변형하여 자신의 영화적 표현과 영화세계 확장을 위한 길을 열어갔다.

금정산 아래에서 영화를 바라보면서 살아온 바보는 이렇게 기록하였다.

영화는 현실을 프레임에 담는다는 것이 정설로 굳어져 갈 때 하나의 이견이 등장했다.

영화는 현실의 풍경과 인물을 포획할 수 있지만, 등장인물의 심리도 프레임의 그물 안에서 현미경처럼 관찰할 수 있다는 사실을 알프레드 히치콕은 입증하였다.

〈현기증〉에서 현기증을 줌 인 과 트랙 아웃이라는 기술의 결합으로 시각화했다.

〈39계단〉에서 죄없이 도망하는 인물은 누명쓴 자신의 신분 탄로에 대한 불안감을 식탁에 놓인 신문지 한 장으로 보여주었다.

히치콕은 영화가 인간의 감정과 마음을 보여줄 수 있다는 것을 자신의 영화로 입증했다.

그는 가장 대중적 감독이면서 대중의 심리를 프레임에 담아내고 꺼내는 일을 끓는 라면에 떡을 넣는 일처럼 쉽고 곰삭은 갈비탕에서 우러난 국물 맛처럼 구수하게 처리했다.

지그문트 프로이트가 정신분석학을 창시하고 인간의 무의식을 발견했다면

영화의 정신분석은 알프레드 히치콕과 초현실주의 작가들에 의해 확산되었으며 히치콕은 재미있는 이야기의 주물에 넣어 무의식을 상품화했다.

좋은 상품의 확대재생산은 영화 언어의 진화를 이끌었다.

히치콕 영화를 감상하는 일은 자신의 불안과 숨겨진 마음을 몰래 들여다 보는 행위에 가깝다.

부뉴엘의 산의 등정은 많은 크고 작은 산들과 수많은 길들이 존재하여 여러 차례 등정을 시도했지만 완등을 하지 못했다. 이제 새로운 등산 안내도를 통해 부뉴엘의 산으로 부뉴엘의 작품이라는 거목에 대해 살펴보도록 한다. 그 방법은 한 작품이 뿌리와 줄기와 가지를 이루고 있으며 이와 같은 형식에서 파생되어 그의 주제와 스타일과 사상이 열린다는 입장이다. 이는 기존의 원전인 하이포 텍스트(hypo text)에서 하이퍼로 파생된다는 상호텍스트성으로 이해 가능하지만 다소 차이가 있으며 주제와 형식의 반복성과 차이를 중심으로 논의하는 작가주의와도 근소한 거리가 있으므로 굳이 이름 짓기를 하자면 뿌리와 줄기/열매의 서로 연관성 이론 정도가 좋을 듯하다. 한자를 사용하자면 뿌리와 열매가 서로 원인과 결과로 연동된다는 근실인과론(根實果論)이며 이는 한글세대에는 안 어울리는 이름짓기이니 뿌리와 열매의 서로 연관성론 정도로 해두면 좋을 듯하다.

고다르의 작품과 마주하는 것은 태백산맥의 입구에서 등산 안내도를 바라보고 있는 등산객의 심정과 닮았다. 고다르라는 산은 계곡을 지나 숲을 지나 능선의 길을 걷고 싶은 등산객의 설렘과 현대영화 혹은 누벨바그라는 세계영화사라는 거봉을 지나야 하는 두려움도 엄습한다.

고다르의 작품은 금정산 속의 소나무이다. '영화가 예술이다, 영화는 삶이다, 영화는 상품이다'라는 수많은 명제는 고다르의 작품 앞에서는 긍정의 수긍도 하지만 내키지 않는 부정의 고개 저음도 가능하다. 고다르가 영화는 삶이라고 했지만 '삶은 영화다'라는 뒤집힌 명제도 가능하다.

고다르 텍스트는 과장을 허용한다면 세상의 모든 것을 영화의 주어로 삼는다. 아니 세상의 모든 사물은 고다르의 영화적 행보 속에서는 영화라는 서술어에 포섭되고 참여하고 결국에는 투항하는 모습을 보인다. 예술은 영화다. 삶은 영화다. 정치는 영화다. 주어는 무한하게 우주로 확장된다. 주어들은 고다르의 영화에 뜬 물음표이고 별선이다. 고다르의 작품이 하나의 우주나 대해를 이루고 있다. 불과 그의 몇 작품만 유심히 바라보면 금방 이 문장에 수긍할 수밖에 없다.

4부

유럽 영화

예술의 자리는 비가시적인 영역, 비가청의 영역, 가시와 비가시와 비가청과 가청이 서로 뒤섞인 카오스의 영역이자 디오니소스의 카니발이며 명료한 괄호 안이 아닌 불명료한 괄호 바깥의 영역, 이성이 아닌 감성과 감정의 영역, 비가청의 영토이다. 이 영토에서 고다르의 작품은 자신의 우주에 맞는 언어로, 방식으로 영화라는 텍스트를 창조하고 완성해가는 것인지도 모른다.

평범한 작가는 현실을 사실적으로 복사하고 모방하고 재현한다. 거장의 이름이 부여된 작가는 현실의 복사 대신 스스로 원본을 만들고 모방 대신 창작물을 창조한다. 거장은 모두 자신만의 세계 자신만의 종교를 가지고 있는 창조자에 가까우며 그들이 노니는 곳은 경계 밖도 경계 안도 아닌 모두를 넘어선 예술의 우주이다.

고다르 영화에 대한 여덟 가지 주석*[1]

1. 고다르 관광 안내도

고다르의 작품과 마주하는 것은 태백산맥의 입구에서 등산 안내도를 바라보고 있는 등산객의 심정과 닮았다. 고다르라는 산 앞에 서면 계곡을 지나 숲을 지나 능선의 길을 걷고 싶은 등산객의 설렘과 현대영화 혹은 누벨바그라는 세계영화사라는 거봉을 지나야 하는 두려움이 동시에 엄습한다.

고다르의 작품은 금정산 속의 소나무이다. '영화가 예술이다, 영화는 삶이다, 영화는 상품이다'라는 수많은 명제는 고다르의 작품 앞에서는 긍정의 수

---

1 고다르는 영화와 만남은 거의 영화란 무엇인가라는 질문과 영화라는 얼굴과 대면에 가까웠다. 〈네 멋대로 해라〉를 비디오의 낮은 화질로 감상하고 나서 필자는 고다르의 텍스트를 찾아 나서는 순례자가 되었다. 순례의 시간은 20여 년이 지났으며 이는 현장 법사가 서역에서 불경을 가져오는데 들인 시간보다 몇 년 더한 시간이다. 이 여정은 프랑스 누벨바그의 숲으로 들어가는 일이며 동시에 현대영화의 풍경을 오래 바라보는 작업이기도 했다. 고다르의 텍스트를 고다르의 눈에서 바라본다는 소박한 명제에서 이 글은 시작되었다. 독창적 글쓰기를 시도했지만 관습적 에세이에 머물고 말았다. 고다르의 작품은 한국에서 접할 수 있는 범위에서 거듭 거듭 찾고 자세히 바라보았지만 한 장면도 명쾌하게 분석하지 못하고 작품은 전편을 일관하지도 못했다. 그리고 고다르에 대한 선행 연구자들의 친절하고 깊이 있는 글을 읽으면서 도움을 받았다. 필자의 생각과 선행 연구자분들의 생각은 때로는 겹치거나 대부분은 그 영향의 우산 아래서 자유롭기 어려웠다. 특히 『장 뤽 고다르의 영화세계』(어순아 외, 성신여자대학교출판부, 2011), 메츠의 『영화의 의미작용에 관한 에세이』(이수진 역, 문학과 지성사, 2011), 리처드 라우드의 『장뤽 고다르』(한상준 역, 예니, 1991) 질 들뢰즈의 『시네마2(시간-이미지)』(질 들뢰즈, 이정하 역, 시각과언어, 2005)에서 정치하게 파헤친 고다르의 미학과 해석을 피해 가는 것은 작은 우산 하나로 소나기를 피하는 일만큼 지난했다. 이 글은 그분들의 많은 사유의 흔적과 해석의 노력에 기대고 있거나 필자의 조금 다른 시각이 혼재하고 있다는 사실을 미리 밝혀둔다. 창조적 글쓰기와 영화 해석을 지향했지만 반 발짝도 내딛지 못하는 행보에 머물고 말았다. 고다르에 의한 고다르의 이해가 이 글이 지향하는 길이다.

긍도 하지만 내키지 않는 부정의 고개 저음도 가능하다. 고다르가 영화는 삶이라고 했지만 '삶은 영화다'라는 뒤집힌 명제도 가능하다.

고다르 텍스트는 과장을 허용한다면 세상의 모든 것을 영화의 주어로 삼는다. 아니 세상의 모든 사물은 고다르의 영화적 행보 속에서는 영화라는 서술어에 포섭되고 참여하고 결국에는 투항하고 만다. 예술은 영화다. 삶은 영화다. 정치는 영화다. 주어는 무한하게 우주로 확장된다. 주어들은 고다르의 영화에 뜬 물음표이고 범선이다. 고다르의 작품이 하나의 우주나 대해를 이루고 있다. 불과 그의 몇 작품만 유심히 바라보면 금방 이 문장에 수긍할 수밖에 없다.

고다르의 첫 번째 관문은 누벨바그 정신인 현대영화의 전복성이다. 더 거칠게 다가가면 카니발리즘이다. 전복성에 대한 지칠 줄 모르는 옹호와 실천. 고다르의 영화 작업은 영화 만들기와 영화언어에 대한 거부의 몸짓이 기표이며 기의는 영화 언어에 대한 탐색이며 더 구체적인 명징함은 삶 자체에 대한 영화라는 전등을 통한 탐구이다. 전복성은 영화와 미학적 개념에 대한 전면적 거부와 전면전을 통한 새로운 영화의 탄생을 지향한다. 고다르와 누벨바그는 새로운 물결이기보다 새로운 영화의 탄생을 겨냥했다. 기존의 학자들과 연구자들은 옛것과 새로운 것과의 비교를 통해서 소박하게 아방가르드 정신과 초현실주의의 영향 그리고 반환영주의로 이름지었다. 이 이름짓기에 대한 근본적인 성찰과 반성이 필요하며 고다르의 영화를 통해 영화란 무엇인가라는 질문이 만들어내는 영화의 우주를 사유해야 하며 영화와 삶의 관계에 대한 깊은 통찰에 대한 의무를 다해야 한다.

전복의 가장 선명한 징후는 연속성을 위반하고 경계를 확장하는 점프 컷이며 환영주의의 규칙을 벗어나는 카메라 앞에서 인물이 말하기를 통해 관객을 각성시키는 것이다. 그동안 관객의 시선으로부터 감추어 왔으며 환영주의라는 이름으로 영화의 영토가 확장하였으며, 영화의 현실성을 강화하는 것은 카메라의 감춤이라는 도식에 대한 무비판적 승인행위와 등가였다.

고다르 영화로의 입문은 영화란 무엇인가에 대한 답을 고다르 영화를 통해 찾아가는 것. 고다르 영화는 고다르의 발자국이라는 작가적 인장 혹은 작가적 암호 해독표를 통해 하나씩 밝혀가거나 모호함의 함정을 지나치면서 통과하는 대담한 학문적 위험과 장애를 극복해야 도달할 수 있는 새로운 우주를 향한 모험의 출발이다.

2. 영화는 인생이다. 그러므로 삶은 영화를 인용한다. : 〈네 멋대로 해라〉(1959), 〈미치광이 피에로〉(1965)

첫 작품은 앞으로 도래할 작품의 이정표이다. 아니 앞으로 당도할 작품의 빈 의자이거나 등산 안내도이다. 대부분의 작품은 이 안내도의 길을 모범적으로 걷거나 조금 우회하거나 간혹 새로운 길을 내면서 등산 안내도를 완성한다. 또는 첫 작품은 앞으로 도래할 작품의 데칼코마니이기도 하다.

〈네 멋대로 해라〉에는 이후 작품의 흔적과 영향이 겹쳐있다. 데칼코마니의 한쪽이 〈내 멋대로 해라〉라면 다른 작품들은 모자이크처럼 운집하여 닮은 또 다른 면에 한 조각의 퍼즐로 자리한다.

고다르는 "〈네 멋대로 해라〉는 모든 것이 허용되는 영화"(『장 뤽 고다르의 영화세계』, 98쪽)라는 말을 염두에 두고 제작했다. 모든 것이 허용되는 것은 이미 제작된 영화의 문법과 주제에 아직 제작되지 않은 미래 영화의 알파벳과 이미지를 수용하겠다는 의사 표현이다. 〈네 멋대로 해라〉는 이후에 제작될 고다르의 영화와 영화의 미래가 동시에 엿보인다. 고다르의 미래영화는 작가적 인장으로 작가주의는 단순화시키고 영화의 미래는 고다르가 문을 열어버린 현대영화라는 이름으로 옮겨도 큰 무리가 없을 것이다. 작가의 인장은 맹아로 드러나고 현대영화의 징후도 막 피어난 꽃처럼 조심스럽게 드러난다. 우선 현대 영화의 징후는 마르세유에서 파리로 향하는 차 안에서 "산도 싫고 바다도 싫고 도시도 싫으면 죽어야지"라는 독백으로 카메라를 향해서 쏟아낸다. 카메라를 향해 말하기는 현대영화의 자기반영적 방법이 적극 수용된 것이며 고다르는 〈미치광이 피에로〉와 〈만사형통〉(1972) 등 헤아릴 수 없이 반복되어 굵은 인장으로 새겨졌다. 샹젤리제의 거리에서 현장을 통제하지 않고 행인들이 카메라를 바라보는 장면은 점프 컷과 함께 모든 것을 허용하려는 고다르의 실천이며 점프 컷은 시간을 정복하려는 현대영화에 직접적인 영향을 준 셈이다.

현대영화는 〈네 멋대로 해라〉에서 비롯된 고다르라는 호수에서 흘러내려 간 영화적 실천들을 자양분으로 성장한 하류의 강물과 같다. 고다르의 미래의 영화에서 〈네 멋대로 해라〉는 어떤 데칼코마니를 이루고 있는가. 주인공 미셸 푸아가르는 마르세유에서 자동차를 훔쳐서 파리로 온다. 그의 행동축은 '경찰을 죽인 도주범이 파리에서 돈을 구하고 파트리샤의 사랑을 얻은 다음 이탈리아로 무사히 도주할 수 있는가'에 맞춘다. 미셸이 파리에서 무사히 도주하는 것이 첫 번째 임무라면 두 번째 임무는 돈을 무사히 구할 수 있는가와 파트리샤의 사랑을 받을 수 있느냐이다. 첫 번째는 경찰 살해범의 도주와 체포라는 느와르이고 두 번째는 돈과 사랑을 구하는 욕망의 충족에 눈금이 맞춰진 멜로영화다. 첫 번째와 두 번째를 합하면 로드무비가 된다. 세 가지 장르는 장르의 문법을 따르지 않고 고다르의 문법으로 수렴된다. 고다르는 고다르의 방식으로 문제를 해결하면서 고다르의 장르 규칙을 창조한다. 〈네 멋대로 해라〉에서 미셸은 파트리샤의 사랑과 돈을 구하기 위해 노력하지만 실패한다. 돈은 친구 톨마초프에게 위탁했지만, 현금 대신 미래에 현금화할 수 있는 어음으로 돌려받는다. 훔친 차를 통해 마련하려던 현금도 나중에 지급하겠다고 한다. 미셸은 현금 확보에 실패한다. 사랑도 현금처럼 지연되고 유보된다. 파트리샤는 미셸의 고백에 미온적 태도를 보이며 이를 유보한다. 파트리샤의 아파트에서는 포스터를 마는 종이 망원경으로 클로즈업된 미셸의 감정을 읽고 다음 컷에서 키스를 한다. 두 번째 키스는 경찰의 미행을 따돌린 다음 미셸과 숨어든 영화관에서 영화의 대사를 들으면서 두 사람의 키스 장면이 클로즈업된다. 그리고 결국 파트리샤는 차 안에서 미셸에게 사랑한다고 고백하지만 다음 날 미셸을 경찰에 밀고하여 '자신을 사랑하는 남자를 거절'한다. 미셸은 돈도 사랑도 획득하지 못하여 이탈리아로 도주의 길이 막히게 되어 결국 몽파르나스 캉파뉴프리미어리 거리에서 마지막 숨결을 내뱉는다. 파블레스크는 '남자는 여자, 여자는 돈'을 가장 소중하게 생각한다고 했다. 미셸은 사랑을 얻지 못해서 파리를 떠나는 데 실패한다. 파트리샤는 이해관계에 지배되어 신문사 편집인과 하룻밤을 지내고 기사 청탁을 획득한다. 돈과 영향력이 없는 미셸의 사랑을 거절하고 배신한다. 파트리샤의 행동은 미셸의 대사에서 예견된다. 미셸은 "살인자는 살인하고 밀고자는 밀고하고 연인은 사랑하는 것"이 자연스럽다고 말한다. 이 세 가지가 〈네 멋대로 해라〉의 주인공의 핵심 행위다. 고다르는 사랑의 불가능성과 사랑받지 못한 자의 비극적 최후에 대해 반복한다. 〈네 멋대로 해라〉에서 성립된 첫 번째 고다르의 룰이다. 미셸의 죽음은 파트리샤의 사랑을 받지 못하고 사랑의 불가능성을 암시한다. 이와 같은 사랑의 실패로 인한 죽음은 〈미치광이 피에로〉에서 피에로의 죽음, 〈국외자들〉(1964)에서 아르튀르의 죽음, 〈경멸〉(1963)에서의 카미유의 죽음으로 이어진다. 주인공은 파리에 도착한 국외자들이며 그는 사랑의 선택을 통해 파리의 정착과 파리에서 도주를 가능하게 된다. 미셸은 마르세유에서 파리에 도착하였으며 사랑과 돈의 취득 실패로 파리를 떠나지 못한다. 〈국외자들〉의 프란츠와 오딜은 남매로 떠날 수 있으며 〈알파빌〉(1965)의 레미 코숑과 나타샤는 알파 60에서 경계 밖으로 떠난다. 하지만 〈비브르 사 비〉(1962)의 나나는 골목에서 최후를 맞이하고 〈네 멋대로 해라〉의 미셸은 거리에서, 〈미치광이 피에로〉의 페르디낭은 섬에서 최후를 맞이한다. 그 이유는 모두 사랑의 실패로 인한 죽음의 수용이다. 〈네 멋대로 해라〉의 미셸은 권투 선수 흉내를 내고, 〈미치광이 피에로〉에서 페르디낭(장폴 벨몽도 분)도 권투 선수의 흉내를 낸다. 인물의 행위가 미래의 영화와 데칼코마니 되며 〈네 멋대로 해라〉의 마지막 장면에서 클로즈업으로 정면을 보던 파트리샤가 고개를 돌리면서 암전되며 이 부분에 이어서 〈비브르 사 비〉의 나나는 뒷모습을 보이다가 옆모습과 앞모습으로 클로즈업된다. 나나는 돈을 애타게 구하지만 결국 매춘부가 되어 돈도 사랑도 모두 얻지 못하고 죽음을 맞이한다. 미셸과 나나는 쌍둥이에 가깝다. 〈미치광이 피에로〉의 페르디낭과 마리안느도 모두 미셸의 복제 인물에 가깝다. 〈네 멋대로 해라〉는 고다르의 미래의 영화와 현대영화가 데칼코마니를 이루는 한 면에 가깝다. 그러므로 이 작품은 고다르와 현대영화에서 출발점이자 기준점이며 고다르와 현대영화의 깊은 산행을 위한 안내도에 가깝다. 고다르 영화의 가장 전형적인 데칼코마니는 〈네 멋대로 해라〉와 〈미치광이 피에로〉이다.

〈네 멋대로 해라〉는 로드무비의 형식으로 마르세유에서 파리로 진입했다면 〈미치광이 피에로〉는 그가 당도한 파리에서 다시 남부인 코트다쥐르로 튕겨 나가고 결국 이에르의 포르크롤 섬에 있는 종착역에 당도한다. 〈네 멋대로 해라〉에서 경찰을 우연히 살해하고 도망자로서 파리로 잠입했다면 〈미치광이 피에로〉는 부르주아의 규격적인 생활의 권태가 등을 떠밀었다. 결정적인 사건은 마리안느에 대한 매혹과 그녀의 아파트에서 일어난 살인 사건이다. 이 살인 사건은 원인이 불분명하며 그 원인은 원작인 라이오넬 화이트의 소설 『강박관념』에 기댈 수밖에 없다. 『강박관념』의 줄거리를 간략하게 참조하면 의문이 해소된다. 주인공 콘래드는 광고회사 직원이며 실직 상태인데, 그는 17살 보모와 사랑에 빠진다. 파티가 끝난 뒤 그는 그녀를 집에 바래다준 다음 그곳에서 함께 밤을 지낸다. 콘래드는 아파트에서 깨어난 다음 낯선 인물의 시체를 발견한다. 그녀는 콘래드를 보호하기 위해 자신이 그를 죽였노라고 말한다. 그들은 갑자기 아파트에서 도망친다. 두 사람은 도피 행각을 벌이며 미국 곳곳을 돌아다닌다. 콘래드는 자신이 범죄 행위에서 벗어나는 것이 불가능함을 알게 된다. 콘래드는 보모에 대한 성적 매혹으로 그녀의 곁에 머무르지만 결국에는 그녀가 사악한 인물이며 늘 자신을 배신할 수 있을 것이라고 생각한다. 그는 그 여자를 죽인 후 경찰에 신고한다. 이와 같은 줄거리를 통해 페르디낭과 마리안느가 왜 도망하는가에 대한 직접적인 원인을 원작의 줄거리가 논거로 제시한다. 고다르의 작가적 맥락에서 〈네 멋대로 해라〉의 경찰 살인 후 도주하는 주인공의 반복된 상황도 도주의 원인이다. 하지만 더 거슬러 올라가면 카뮈의 『이방인』에서 뫼르소의 우발적인 살인 행위가 자리한다. 고다르의 영화는 독립적인 서사에서 분기하는 사건의 가지가 방사형으로 뻗어나가지만 거슬러 가면 작은 길이 큰길로 흘러들 듯이 다양한 기원 텍스트가 기다리고 있다. 페르디낭의 도주는 더 거슬러 가면 아리아드네의 실의 도움으로 미궁을 탈출한 테세우스의 신화가 막다른 골목에 있다. 테세우스는 아리아드네의 도움으로 괴물 미노타우로스를 살해하고 탈출한다. 그는 아리아드네와 탈출하다가 섬에서 그녀를 버리고 길을 떠난다. 아리아드네는 테세우스에게 미궁에서 탈출할 수 있는 지혜를 주었으며 〈미치광이 피에로〉의 마리안느는 페르디낭에게 미궁 같은 삶에서 벗어날 수 있도록 탈출 동기를 부여했다. 그리고 그 두 사람은 통과 제의를 하듯이 자동차 안에서 신호등의 색깔이 지나가고 시간이 흘러가면서 관계는 보모와 주인에서 오래전에 만났던 연인으로 변모한다. 그들은 테세우스가 되고 아리아드네가 되어 삶의 미궁에서 탈출한 것이다. 1차 탈출이 무의미한 삶의 권태, 삶의 규격화에서 탈출하기라면 그 근거는 첫 장면의 벨라스케스의 예술관에서 이미 예시적 발언이 들어있다. 벨라스케스는 "그는 더 이상 사물을 그리지 않는다. 그는 대상 주변을 맴돌며 빛과 공기, 텅 빈 공간과 그림자의 매력, 색의 두근거림들로 그의 고요한 교향곡의 보이지 않는 중심을 만들었다."라고 평가한다. 벨라스케스가 그림 그리기를 중단하고 보이지 않는 교향곡의 중심을 만들었다면 페르디낭은 직업을 중단하고 마리안느와 사랑의 도주, 마리안느의 통로를 통해 삶의 미궁에서 탈출, 무의미한 삶에서 유의미한 삶으로 이전을 선언한 것이다. 두 번째 탈출은 마리안느의 아파트에서의 탈출이다. 탈출의 원인은 살인으로 인한 도주이지만 이는 우연한 살인이며 원작의 상황을 영화에 견인한 불가치가 있다. 하지만 고다르는 그들의 탈출을 '지루한 세상과 결별(확인)'하는 것이며 동시에 자유의 여신상의 지지를 받는 자유의 획득이라 보았다. 세상과 결별하고 자유를 찾아 그들은 짧지만, 영원히 함께할 수 있는 정신의 거처를 찾는다. 그들이 도착한 곳은 이에르 포르크롤이라는 섬이다.

섬은 바다가 품은 알처럼 인류의 자궁/모태(바다)에 둥둥 떠 있는 육지라는 태아이다. 그들은 마침내 미궁 같은 도시에서 벗어나 안온한 자궁으로 회귀한 것이다. 세상의 미궁에서 호흡 곤란을 느낀 그들은 아리아드네(마리안느)의 도움으로 파리를 탈출하여 어머니의 배 속인 포르크롤이라는 섬으로 거슬러 와서 태아처럼 잠에 빠져든다. 지상에서 찾는 행복과 안락은 그들이 해변에서 태아처럼 누워있는 모습, 우로보로스, 태극의 이미지로 새겨진다. 지상에서 행복과 평온함과 자유는 바다 위의 섬처럼 태아처럼 남과 여가 한 몸이 되어 한 우주의 이미지로 표상된다. 그 이미지는 바다와 섬, 인간과 바다, 그리고 남과 여, 삶과 예술이 하나로 합해지는 우로보로스, 합일의 모습이며 1+1=1의 모습이다.

　여기서 삶과 예술에 대한 고다르의 질문이 제시되고 사운드와 이미지를 통해 직관적인 해답을 제출한다. 하지만 그들의 합일은 일시적이며 머지않아 당도할 균열의 시간을 견딜 수 없을 것이다. 결국 마리안느는 섬에서 삶의 권태라는 복병으로 인해 '나는 뭘 하고 싶은지 모르겠다'고 반복해서 읊조리다가 파도처럼 밀려드는 권태에 굴복하여 "바다도, 태양도, 산도 모두 지겨워"라고 실토하게 된다. 바다 위의 섬, 남녀의 순일한 합일인 우로보로스 상태조차도 사치스럽고 권태로 침범받게 되면 결국 다시 다른 탈출구를 찾게 된다. 아리아드네는 페르디낭을 떠나고 다시 돌아와 일상에서 범죄의 출구를 향해 탈출한다. 아리아드네를 버리고 떠난 테세우스가 이제는 아리아드네가 된다. 페르디낭은 아리아드네가 되어 섬에 유기되고 자신도 결국 다시 테세우스로 돌아와 섬도 두 사람의 합일 순간도 사랑도 모두 폐기하고 죽음이 펼쳐놓은 넓은 영원성의 바다로 투신한다.

　다시 돌아온 아리안느는 배에 승선하면서 페르디낭은 '페페 르 모코(pepe le moko)'를 두 번 읊조린다. 줄리앙 뒤비비에의 〈망향(pepe le moko)〉(1937)은 선원과 카페 여급의 사랑이며 카페 여급은 떠나고 이별한 페페는 떠나는 여성을 바라보며 자살을 한다. 또 하나의 영화 장면을 보면 밀거래를 무사히 마친 페르디낭과 마리안느가 감정이 극도로 고양되어 자동차를 몰다가 서로 다른 자동차 안에서 키스를 한다. 이 영화는 〈쥘 앤 짐〉(1961)에서 카트린느가 짐을 기다리면서 자동차를 거칠게 운전하는 장면을 연상시키고 카트린느는 짐을 태우고 다리 밑으로 추락한다. 이 두 장면은 〈미치광이 피에로〉의 마지막 장면을 미리 알려준다. 그것은 장 가뱅과 페페처럼 페르디낭이 자살할 것을, 카트린느와 짐처럼 마리안느와 페르디낭이 죽음으로 사랑을 완성할 것을 예견한다. 페르디낭은 마리안느와 그녀의 남자를 죽이고 자신도 다이너마이트를 터트려 세상을 뜬다. 그리고 랭보의 「영원」이라는 시의 한 구절을 보이스오버 다이얼로그로 들려준다. 이미지는 바다이다. 즉 그들과 우리 모두의 모태이다. 그들은 영원한 회귀, 모태로 회귀한 것이다. 영원으로 함께 한 것이다. 로드무비는 세상에 던져진 이들이 왜 던져졌는가, 우리는 어떻게 살아야 하는가를 질문하다 결국 죽음으로 영원한 안식에 당도한다. 타나토스를 통한 삶의 에로스적 완성, 영원성의 성취이다.

페르디낭과 마리안느는 바다로 갔다. 그들은 "나는 다시 찾았어, 무엇을 영원을, 그건 바다야, 태양과 함께" 영원성으로의 귀속은 랭보의 시를 통해 입증하고 그들의 방황은 "지옥에서 보낸 한철"이며 '지독한 오후 5시'를 보내고 사무엘 풀러의 예언처럼 "영화는 전쟁 같다. 사랑, 증오, 행동, 폭력, 죽음 한 마디로 감정이다"를 아름답게 입증했다. 그들은 '영화는 삶이다'라는 명제를 통해 삶은 영화를 모방한다고 설득한다. 이 명제는 고다르 영화의 주인공이 갖추고 실천한 삶의 철학이며 고다르의 철학이기도 하다.

3. 인간은 지구에 불시착한 국외자인가

하이데거는 우리가 세상에 던져진 존재라고 규정했지만 장 뤽 고다르는 영화적 방식으로 우리는 알 수 없는 공간에 당도한 국외자들이고 떠돌이로 프레임에 정박시켰다. 지구에 임무도 없이 불시착한 국외자들은 왜 살아야 하고 어떻게 죽는가. 국외자는 특정 집단에 귀속되지 못하는 아웃사이더이며 정주하지 못하는 이방인이다. 그들은 둥지를 찾지만 모든 집이 여행자의 숙소 같은 임시 거처이고 정신도 정박하지 못하는 배처럼 떠돈다. 〈국외자들〉에서 아르튀르(클로드 브라쉬르 분)는 죽음의 순간에 자신의 정체성을 인디언 이야기를 통해 자각한다. 아르튀르는 삼촌의 총에 맞아 세상을 뜨면서 허공에서 살아가는 발 없는 새의 이야기를 떠올린다. 발 없는 새는 허공에서 지내며 평생 한 번 발을 땅에 딛게 되며 그때는 바로 죽음을 수락하는 순간이다. 아르튀르는 지구에 이방인이자 국외자로 살면서 발 디딜 거처를 상실하였다. 그는 결국 죽음을 통해 처음으로 땅에 눕고 자신의 안식처로 대지를 승인한다. 발 없는 새처럼 국외자로 살아가는 아르튀르의 삶은 국외자들인 모든 등장인물의 삶의 모습이기도 하고 정체성이기도 하다. 현대인은 선험적 고향상실을 체험한다는 철학적 명제는 고다르 영화에서 주인공을 통해 정설로 입증되고 있다. 인간은 지구에 도착한 국외자라는 명제는 고다르 영화를 통해 자연스럽게 보편적 지평으로 나아간다.

오딜(안나 카리나 분)은 숙모 집에서 살지만, 임시 거처에서 국외자로 살고 집 밖의 개와 같이 한 공간에 있지만 분리되어있다. 아르튀르도 삼촌 집에 거주하지만, 삼촌은 구타하고 여자친구에게 돈을 갈취하라고 강요한다. 아르튀르의 가족은 존재하지만 친밀한 마음의 집이 부재하다. 그들이 가는 곳은 미래를 위한 정류장의 대합실 같은 영어학원이고 강가의 숲속이다. 간혹 잠시 휴식을 취하기 위해 머무는 카페가 오히려 임시거주지 중에서 가장 안온한 곳이다. 국외자에게 헤테로토피아는 카페와 강가이다. 국외자들에게 이곳의 답답함은 브라질로 도피를 꿈꾸는 프란츠의 낭만적 탈출로 출구를 마련하고 오딜의 숙모 집에 있는 돈을 탈취하여 경제적 속박에서 벗어나려는 아르튀르의 범죄행각도 도주로이고 오딜은 범죄도 도피고 사랑도 모두 모호한 마음의 정류장에 앉아있다. 다만 과학에 의존해 감정을 결정하는 의존적 상태다. 오딜은 손을 대면 액체가 흐르는 기구를 통해 사랑을 확인하는데, 아르튀르가 손을 댔을 때 흐르지 않은 액체가 프란츠의 손이 닿자 흐르는 걸 보고 사랑을 확인하며 브라질행에 승선한다. 오딜의 사랑은 기구에 의존하여 확인한다는 점에서 불완전함에 기반하고 있다. 오딜은 사랑의 소극적 수동적인 자리에 서 있으므로 그녀는 감정의 국외자이다. 아르튀르는 자본주의 사회에서 경제적 소외로 가난으로 인한 주변인이며 프란츠는 오딜을 사랑하지만 오딜의 마음이 아르튀르에게 기울고, 자신의 감정에 대해 무관심함으로 감정적 국외자로 전락한다.

결국 거금 탈취 시도의 실패와 아르튀르의 죽음은 프란츠와 오딜이 파리를 떠나게 한다. 파리의 떠남은 소외된 장소에서 벗어남이며 브라질행은 미래의 유토피아에 대한 희망을 꿈꾸게 하지만 그 희망의 근거가 오딜은 기구에 기대고, 프란츠는 상상에 의존하므로 허약하다. 그 허약함을 고다르는 코미디적 가벼움으로 살짝 덮는다.

마지막 장면에서 아르튀르의 죽음은 오딜과 프란츠가 무대의 공연을 보는 거리두기를 통해 슬픔을 희석하는 것과 흡사하다. 거리두기는 관객의 능동적 참여를 브레히트가 희망했다면 고다르는 관객의 즉물적인 반응과 과잉 동일시를 제어하고 무거움은 가벼움으로, 가벼움은 심각함으로 더하고 빼주는 역할을 하는 것이다.

마지막 장면은 미국 영화 장르의 관습을 가져와서 죽음의 비극성을 완화한다. 범죄 영화에서 범죄자는 반드시 처벌받는다는 원칙대로 현금을 탈취한 범법행위를 주도한 아르튀르는 삼촌의 총에 의해 처벌받는다. 이는 윤리적 응징이라는 범죄 영화의 도덕률이 작용한 것이다. 그리고 처음에 아르튀르에게 총을 발사한 삼촌은 결국 명사수 아르튀르의 권총에 세상을 뜬다. 이 결투는 서부영화의 결투 장면의 인용이다. 서부영화의 관습에서 먼저 총을 쏜 자는 반드시 죽게 된다는 불문율을 이 장면에서도 어김없이 적용된다. 삼촌은 아르튀르를 저격하고 유원지에서 명사수임을 이미 알려준 아르튀르도 함께 쓰러진다. 오딜과 프란츠는 그들이 꿈꾸는 이국으로 떠난다. 오딜은 프란츠에게 사랑을 입증하는 실험을 한다. 프란츠는 사랑의 실험에 통과하여 사랑의 검증을 통해 해외로 탈주에 동승하는 기회를 얻으며 동시에 고다르 영화에 보기 드문 해피 엔딩의 결말로 마무리된다. 〈국외자들〉은 서부영화와 미국 영화를 인용하여 프랑스 속의 미국 문화를 담아내면서 서사 구조까지 미국적으로 마무리하여 패러다임을 암시한다.

　고다르 영화의 주인공은 대체로 국외자이며 파리라는 대도시에 살고 있지만 부유하는 국외자들이다. 〈국외자들〉에 등장하는 세 명의 인물도 가족 구성원에 편입되지 못하고 가족 내에서도 국외자의 위상을 굳건히 하며 그들이 서 있는 세대도 청소년과 성년의 사이에 낀 소외된 젊은 세대이다. 젊은 세대는 근접한 미국 영화 〈우리에게 내일은 없다〉(아서 펜, 1967)에서 먼 홍콩 영화 〈아비정전〉(왕가위, 1990)에 이르기까지 국외자와 성장통으로 연대하여 세계 청춘 영화의 계보와 접맥되어 정서적으로 연대한다. 〈국외자들〉은 세대를 넘어서면 인간의 보편적 지점에서 '우리는 모두 국외자다'라는 질문과 명제로 관객을 추궁한다.

4. 매문과 매춘의 거리는 얼마나 가까운가

　〈경멸〉은 카미유(브리지트 바르도 분)의 시나리오 작가 폴(미셸 피콜리 분)에 대한 경멸이자 자본의 영화 예술에 대한 폭력적 상품화 요구에 대한 경멸이 공모한다. 작가 폴 자발은 미모의 전직 타이피스트 카미유와 결혼했다. 폴은 자신의 보금자리인 아파트구입에 필요한 자금 조달을 위해 〈오디세이〉를 더 상업적으로 각색하기 위해 1만 달러의 원고료로 미국인 제작자인 제레미 프로코시(잭 팰런스 분)에게 고용되있다.

　고전 영화 시대가 저물어가고 대작에 대한 열망이 강한 당시의 분위기를 제작자의 영향에 놓인 감독 프리츠 랑과 작가의 상황을 우회적으로 보여준다. 프로코시는 폴의 아내를 만나자마자 어깨를 살짝 건드리면서 붉은색 스포츠카인 알파 로메오에 동승하게 하여 자신의 집으로 초대한다. 폴은 택시 타고 가겠다는 카미유를 프로코시의 차로 이동하게 하고 한 시간 늦게 프로코시의 집에 도착한다. 자본가의 의도에 수동적으로 대처하는 폴에 대해 카미유는 실망한다.

　카미유와 폴은 아파트에서 대화를 나누지만 이미 심리적으로 균열된 상황이다. 폴은 프로코시 별장의 초대에 응할 것을 아내 카미유에게 요구하나 카미유는 난색을 보이며 폴은 카미유의 뺨을 때리며 격분한다. 그들의 심리적 상태는 몽타주 컷으로 압축해서 시간의 순서를 뒤섞는다. 폴의 심리적 상태는 카미유의 프로코시 스포츠카 동승과 아파트에서의 갈등으로 시간을 교란하면서 컷이 배열된다. 폴은 '언젠가 카미유가 자신을 떠날 것이라는 생각에 절망적이다'라고 보이스오버 내레이션으로 심정을 토로한다.

결국 카미유는 폴의 소극성과 속물성에 대해 경멸하면서 떠나게 된다. 그들은 캐스팅을 위해 극장에 가서 배우 지망생의 오디션을 참관한다. 프로코시는 폴과 카미유를 다시 카프리에 초대하지만 폴은 응하고 카미유는 난색을 표한다. 하지만 카미유는 제작자에 종속된 시나리오 작가의 상황 때문에 응하지 않을 수 없다는 사실을 절망적으로 받아들인다. 카미유는 폴에게 "강요하는 것은 현실이다"라는 대사로 카프리의 동행을 허락한다. 프리츠 랑은 카프리행에 대해 브레히트의 시로 거부 의사를 표한다. 프리츠 랑은 "나는 날마다 아침 빵을 벌기 위해 거짓의 시장으로 가네. 그리고 희망에 차서 자리를 잡네. 상인들 옆에 나란히"라는 시로 응수하면서 자본가에 종속되는 작가의 운명을 개탄한다.

프로코시는 폴에게 〈오디세이〉를 '오디세이는 페넬로페를 사랑하지만 페넬로페는 오디세이를 사랑하지 않는다'로 개작할 것을 요구한다. 폴은 제작자의 입장에 소극적으로 동의를 표한다. 오디세이가 페넬로페를 사랑하는 것은 폴이 카미유를 사랑하는 것이며 페넬로페가 오디세이를 사랑하지 않은 것은 카미유도 폴을 떠날 것이라는 것을 우회적으로 보여준다. 이는 프로코시의 욕망이며 〈경멸〉의 결말을 이끌어가는 서사의 흐름이다.

프리츠 랑은 폴에게 율리시스(오디세이)는 페넬로페를 견디기 어려워서 트로이 전쟁을 떠났는지도 모르며 율리시스가 빨리 귀향하지 않는 것은 페넬로페와의 문제 때문으로 이해했다. 율리시스는 구혼자들을 경쟁자로 생각하기보다 페넬로페가 구혼자들에게 잘해주도록 방치했다. 페넬로페는 자신을 방치한 오디세이를 경멸하였다. 오디세이는 그녀의 사랑을 잃을 것을 두려워해서 구원자들을 모두 처단했다고 프리츠 랑은 해석한다. 자신의 나약함은 그녀에게 경멸받고 그녀의 사랑을 잃을 수 있다고 판단하여 구원자들을 살해했다. 폴은 구혼자인 프로코시의 유혹으로부터 페넬로페인 카미유를 구하지 못하면 사랑을 잃게 될 것이다. 폴은 프로코시와 카미유가 창가에서 키스하는 장면을 목도하고도 방치한다. 폴은 오디세이처럼 지혜와 용기로 카미유를 구하는 것에 실패하고 무력한 자기 변명으로 극작가의 길을 가겠다고 선언할 뿐이다. 카미유는 당신을 더 이상 사랑할 수 없다고 선언하면서 바다로 떠난다. 자막으로 '아듀 카미유'가 등장하고 카미유는 프로코시와 로마로 떠난다. 그러나 그들은 불의의 교통사고로 세상을 뜨고 만다.

카미유의 폴에 대한 경멸이 시나리오 작가에게 매문을 강요한 영화 제작자를 향한 경멸보다 더 강하게 드러낸 영화가 〈경멸〉이다.

지중해의 아름다운 풍광과 브리지트 바르도의 나신과 카프리의 쿠르지오 말라파르트의 별장은 아름답지만 페넬로페를 지키지 못한 폴의 나약함과 오디세이를 떠난 카미유의 불행은 서글프다. 〈경멸〉은 〈오디세이〉를 재해석하면서 고다르 영화의 테마인 매춘과 매문을 정면으로 과녁에 올려놓았다.

5. 국외자들은 에로스보다 타나토스만 허용된다

첫 장면은 〈네 멋대로 해라〉의 파트리샤에게서 나나로 연결된다. 고다르는 "〈비브르 사 비〉는 〈네 멋대로 해라〉가 끝난 지점에서 시작한다는 아이디어를 갖고 이 영화를 시작"했다고 인터뷰에서 밝혔다. 파트리샤는 나나의 다른 이름일 수 있다. 이 말은 일부는 맞지만 전부는 맞지 않는다. 나나는 파트리샤이기도 하지만 미셸의 운명을 타고난 이란성 쌍둥이같은 삶을 살아간다. 나나는 첫 장면에서 폴에서 2000프랑을 빌리려고 한다. 그는 이 돈이 있어야 영화의 출연자나 직업의 다른 이름이다. 미셸도 옛 연인을 만나 돈을 훔치고 돈을 구하기 위해 톨마초프를 찾는다. 그는 파트리샤와 만나서 도주하기 위해 돈을 훔친다.

나나와 미셸이 돈을 구하는 것은 직업을 구하는 것과 닮았다. 미셸은 돈을 위해서 강도행각을 벌이고 나나는 생존을 위해 매춘을 선택한다. 고다르는 모든 직업이 원하지 않는 일을 위해 자신의 시간과 노동을 제공한다는 맥락에서 매춘과 등호로 그었다. 나나는 매춘을 하고 미셸은 절도를 하지만 모두 생존을 위한 진지한 성찰과 고뇌에 찬 신중한 결정이기보다는 즉흥적인 선택에 가깝다.

그리고 그들은 매춘과 절도라는 경제활동과 다른 절반은 사랑에서 찾는다. 미셸은 마르세유의 여인부터 옛 연인 그리고 지나가며 인사를 나눈 여인까지 인연의 홍수를 이룬다. 나나도 미셸에 뒤지지 않는 주변의 남성이 존재한다. 첫 시퀀스에서 나나는 폴을 지겨워하면서 그를 떠나려고 한다. 그리고 폴을 만나고 루이기에게 매혹되고 매춘부로 전락하면서 더 많은 남성을 접하게 된다. 그리고 젊은 연인을 만난다. 미셸과 나나는 만남은 허용하되 사랑의 기회는 허락받지 못한다. 그들은 사랑하는 대상에게 사랑을 고백하면 거절당하고 그에 대한 댓가는 죽음으로 이어진다. 미셸은 몽파트나스에서 파트리샤에게 애정을 거듭 고백하고 파리를 떠날 것을 원하지만 돌아온 대답은 경찰에 신고하게 죽음에 이르게 하는 것이다. 나나는 젊은이에게 뤽상부르 공원과 루브르의 외출을 제안하고 애정을 고백하지만 라울에 의해 인신매매된다. 나나는 자신이 돈을 매개로 한 상품과 같다는 사실을 망각하고 사람으로 환대받으려고 시도했다가 곧장 죽음으로 처벌된다. 미셸과 나나는 파리의 국외자이며 이들에게 허용된 것은 매춘과 절도이지만 금기시된 것은 사랑인 것이다.

고다르의 영화는 사랑의 불가능성을 인과성을 배제하고 표방한다. 죽음은 이미 전조로 다른 텍스트를 통해 편재되어 있다. 〈비브르 사 비〉에서 나나는 화형당한 잔다르크에 공감하여 눈물을 흘린다. 나나와 잔다르크는 배우와 관객에서 더 나아가 공동운명으로 묶여있는 자매에 가깝다. 마지막 시퀀스에서 젊은이는 에드거 앨런 포의 『타원형 초상화』를 읽고 있으며 나나에게 읽어준다. 포의 『타원형 초상화』의 작가가 아내의 초상화를 완성 후, 세상을 뜨는 죽음의 모티브이다. 이 장면에서 클로즈업된 나나는 젊은이가 읽는 책 속의 초상화를 대신한다. 책에서는 작가가 세상을 뜨지만 〈비브르 사 비〉에서는 나나가 총에 맞는다. 나나의 우연한 죽음은 이미 개선문을 바라보고 차를 타고 지나가는 장면에서 보다 직접적으로 암시된다. 나나는 프랑수와 트뤼포의 〈쥴 앤 짐〉을 관람하기 위해 줄을 선 관객을 보여준다. 그리고 간판에 〈하데스와 아들들〉을 지나친다. 나나의 죽음은 〈네 멋대로 해라〉의 미셸의 운명선으로 보면 마지막 몽파르나스에서 죽음처럼 거리에서 허망하게 쓰러진 이미지로 쌍둥이의 삶을 디졸브한다. 〈비브르 사 비〉에서는 이 한 편의 죽음을 위해 잔다르크의 클로즈업에서 『타원형 초상화』와 〈쥴과 짐〉 그리고 하데스가 인용되어 논거처럼 쌓여갔다. 하지만 고다르라는 작가의 시선으로 볼 때 죽음은 두 줄로 요약가능하다. 그것은 에로스를 얻지 못하는 자의 죽음, 상하는 대상과 연인에게 선택을 받지 못하면 죽음이 방문한다는 것과 영화의 마지막에 남녀 주인공 중에는 반드시 한 명은 죽는다는 불멸의 고다르 룰이다. 이 룰이 적용된 작품은 〈네 멋대로 해라〉의 미셸(벨몽도), 〈작은 병정〉(1963)의 베로니카(카리나), 〈비브르 사 비〉의 나나(카리나), 〈국외자들〉의 아르튀르이다.

고다르의 테마인 매춘이 〈비브르 사 비〉와 〈네 멋대로 해라〉, 그리고 〈경멸〉에서 정조준되었다.

매춘의 의미는 나무의 종류만큼 다양하고 상황도 나무의 가지만큼 분기된다. 나나의 경우 생계형 매춘이며 매춘의 보고서를 위해 소환되고 파트리샤는 자신의 아르바이트를 위한 선택과 결단에 의한 것이며 〈경멸〉은 작가의 아파트 구입을 위한 매문, 즉 돈을 위한 양심의 판매라는 점에서 남성의 매춘 상황이다. 〈알파빌〉의 매춘은 일종의 관습이며 감정이 삭제된 기계적 노동에 가깝다.

고다르는 원작의 내용을 재정리하여 매춘의 실태를 몽타주 시퀀스로 압축한다. 그는 스스로 보이스오버 내레이션을 하면서 개입하여 매춘에 대한 시네 에세이를 완성한다. 이는 고다르가 지향하는 픽션과 논픽션의 구분을 지우는 것에서 한 걸음 더 나아간 '픽션을 경유한 다큐멘터리적 사실성과 진실의 지향성'의 구체적 실천이다. 고다르는 영화는 플래허티식 다큐의 길을 가거나 안드레이 타르코프스키의 작품을 통하는 다른 한 가지 방법이 있다고 천명했다. 그는 매춘의 보고라는 다큐적 사실성은 안나의 매춘부 생활의 몽타주로 더욱더 진정성의 밀도를 높여간다. 타르코프스키의 말대로 "천재에게 첫째로 그리고 마지막으로 요구되는 것은 진실에 대한 사랑"일 것이다. 고다르는 다큐를 경유한 극영화 형식을 통해 진실의 계단을 올라가고 그 계단에 나나의 삶을 클로즈업으로 올려놓았다.

6. 미래 기술 문명 속에서도 빛나는 별은 예술과 사랑이다.

미래는 지옥과 천당 사이에 떠 있는 별과 같다. 공상과학영화는 과학이 만들어낸 기술적 유토피아와 정신적 디스토피아를 관습적으로 주머니에 넣는다. 고다르의 〈알파빌〉에 돋보이는 것은 지옥에서의 탈출 가능성을 예술의 문을 통해 찾았다는 것이다. 〈알파빌〉은 '알파 60'이라는 중앙통제장치가 지배하는 기술 문명의 억압으로부터 탈출할 수 있는 가능성을 예술(시)과 사랑으로 제시했다. 통제의 시대라는 흑백의 답답함은 예술과 인간에 대한 감정의 회복으로 윤기를 부여하고 희망의 탈출구를 찾은 점은 고다르의 영화라는 예술에 대한 지지와 누벨바그의 영화론이 뒷받침한다. 누벨바그는 "영화는 사랑이고 만남이며 우리 자신과 삶에 대한 사랑이고 지상의 우리 자신에 대한 사랑"(『고다르X고다르』, 이모션북스, 216쪽)이다.

예술, 영화에 대한 사랑은 나타샤의 폴 엘뤼아르의 시를 통한 감성의 회복 장면에서 표현된다. 엘뤼아르의 시 구절 "그 메아리는 시간, 절망, 애무를 넘어선다. 우리는 우리의 양심 가까이 있는가"에서 나타샤는 넘어선 것과 양심에 대한 단어를 논리가 아닌 감성적으로 이해하게 된다. 그녀는 비로소 논리와 기호가 지배하던 통제의 도시에서 감성적으로 양심을 이해하고 1964년을 기억한다. 기억의 회복과 감성의 회복은 현재만 살아야 하는 것과 논리만 인정해야 하는 알파빌에서 다른 행성으로 도주할 수 있는 비상구를 찾아낸 것이다.

〈알파빌〉은 레미 코숑이 폰 브라운 박사를 망명하거나 제거하기 위한 임무가 표면의 서사라면 레미 코숑이 논리로 포박되어 박제된 나타샤 폰 브라운의 마음을 녹여내고 그녀를 기호와 통제의 사회에서 예술과 자유의 행성으로 탈출시키는 임무를 수행한다. 이는 영화가 1965년 유용성과 기호에 지배된 당시 사회를 예술성의 회복과 감성의 통로를 만들어 인간을 해방시키려는 누벨바그와 고다르의 기획의 보이지 않는 손의 흔적과 연루된다.

히치콕 감독이 맥거핀을 동원하여 관객의 관심을 다른 곳으로 돌렸다면, 고다르는 공상과학영화라는 장르의 가면으로 관객의 관심을 대중성을 묶어놓고 정작 그가 구한 것은 나타샤를 알파빌에서 탈출시킬 때 총을 사용하는 것처럼 네거티브 필름과 알파 60의 보이스오버 내레이션의 두터운 강요와 나치의 기호로의 클로즈업과 같은 영화적 언어를 통해 예술성을 구출하고 있다.

레미 코숑의 폰 브라운 망명은 맥거핀이며 그가 방문한 수영장 처형 장면은 미래 세계와 과학과 논리가 지배하는 세계에서 예술과 감성의 거세이다. 처형된 죄수의 죄목은 '아내의 죽음에 대한 애도의 감정을 표현한 것'이며, '인간에게 필요한 것은 사람, 믿음, 그리고 용기와 부드러움과 관용과 희생이다'고 역설한 인간의 감성과 양심의 회복에 대한 호소와 폭로이다. 수영장에서 사랑과 용기 있는 고발로 처형된 양심수들은 수영장 다이빙 받침대에서 처형대에 수영장으로 떨어진다. 다이빙 받침대는 단두대의 은유로 보이며 나치 전체주의 시대에 나치의 획일적 이데올로기에 저항하는 양심적 지식인의 숙청과의 연관성을 찾을 수 있을 것이다. 기계가 지배하는 미래의 시대에 인간의 사랑과 기호화되지 않은 진실을 표명하는 행위에 대한 처형과 수장은 결국 사랑과 저항에 대한 용기 있는 행위로만 대항할 수 있을 것이다. 코숑은 나타샤를 구하기 위한 용기와 희생 그리고 나타샤의 사랑을 통해 알파 60에서 나타샤의 탈출은 이를 마지막 시퀀스를 통해 영화적으로 입증하고 설득한다. 과학과 기호의 세계가 거세시킨 인간의 고귀한 가치를 코숑은 되살리고 그 회복의 징후는 나타샤의 기억의 회복과 사랑이라는 감성의 되돌아옴으로 나타난다. 알파 60의 지배 아래에 있는 알파빌은 '현재가 모든 삶의 형태'이다. 시간이 돌아가는 원으로 형성되었을 때 과거의 내려가는 축도 미래로 가는 올라가는 곡선도 없는 현재라는 평행선 위에 놓여있다. 나타샤는 코숑과의 대화, 코숑의 사랑으로 과거의 내려가는 곡선을 회복하고 알파빌을 탈출하면서 미래로 가는 또 다른 상승 곡선을 되찾아 온전한 시간의 바뀐 원을 회복한다. 그 원으로 되살린 삶은 과거라는 시간의 회복과 양심과 사랑이라는 인간의 가치와 감성의 되찾음으로 비롯된다. 나타샤와 코숑의 알파빌 탈출은 코숑의 임무 수행이면서 동시에 고다르 영화에서 사랑받는 자는 탈출한다는 서사적 귀결이다. 〈국외자들〉에서 사랑하는 두 연인은 남미로 향하기 위한 바다를 보았고 〈미치광이 피에로〉에서 피에로와 마리안은 파리에서 탈출하고 〈알파빌〉에서 코숑과 나타샤는 알파빌에서 경계 밖으로 해방된다.

〈알파빌〉은 매춘 테마의 의미겹을 보여준다. 고다르의 영화 주제는 매춘이며, 이는 자본주의 삶의 방식에서 누구도 매춘으로부터 벗어날 수 없다는 조건을 환기시킨다. 고다르는 '매춘부는 원하지 않는 일을 하는 사람'으로 의미를 확장시키고 자본주의 노동과 매춘을 긴밀하게 연동시킨다. 〈알파빌〉은 육체를 상품화하는 특정 직업의 수행이라는 개념보다는 제 3계급 위안부가 호텔로 코숑을 안내하고 감정이 없는 짐을 들려주는 것과 같은 봉사의 개념으로 매춘을 대한다. 매춘부는 호텔에서 근무하고 호텔의 엘리베이터와 카페에서도 근무를 위해 자리한다. 매춘부의 얼굴과 목에는 고유한 번호가 부여되어 있다. 번호는 제 2계급 프로그래머인 나타샤에게도 부여되었으며 개인은 주민등록번호처럼 번호로 관리되고 있다. 알파 60의 통제 시스템이 기계로 도시의 빛을 관리하고 인간도 통제하며 심지어 감성까지도 제어한다. 매춘부는 제 3계급, 제 5계급으로 분류되어 돌아가는 원과 같은 시간의 수레바퀴에 의해 그들은 감정도 도덕도 배제된 행위를 한다. 여기서 행위는 윤리가 삭제된 단순하고 관습적인 노동에 가깝다. 매춘은 통제사회에서 노동이며 자본주의 사회에서는 돈을 매개로 한 노동이며 기계가 통제하는 사회에서는 기계의 명령을 받는 노동이다. 매춘과 노동의 등치는 도덕이 삭제되어 〈알파빌〉에서 매우 단순하고 선명하게 드러난다. 매춘은 '자아를 팔아버린 현대인의 모습의 상징으로 그 의미가 확대'(『장 뤽 고다르의 영화세계』, 354쪽)된다. 〈네 멋대로 해라〉가 기사를 위한 감정의 헌납으로 변형되고 〈비브르 사 비〉는 생계형 매춘이자 매춘 보고서 작성을 위한 사례로 호명된다면, 〈알파빌〉은 노동과 매춘의 등가로 차갑게 제시된다. 노동과 매춘이 등가가 될 때 자본을 취득하기 위해 원하지 않은 노동을 하는 자본주의 시대의 직업이 포괄적인 매춘의 부분집합으로 귀속될 수 있다. 고다르는 자신의 테제인 '원하지 않은 노동을 하는 모든 이들은 모두 매춘에 종사한다'는 주장을 영화적으로 과잉되게 입증하고 있다.

기계적인 통제와 매춘과 같은 관습적인 노동의 지배로부터 탈출하는 출구는 나타샤의 폴 엘뤼아르의 시집에서 찾는다. 『고통의 도시』에서 시인은 '메아리는 하루 종일 꿰뚫고 흐르며 그 메아리는 시간, 절망, 애무를 넘어선다'고 한다. 메아리는 이름 붙이기 어려운 사물이며 예술의 다른 이름이다. 나타샤가 양심의 의미를 모르듯이 존재하지만 유용성의 카메라로 담아내지 못한 피사체들이다. 시와 영화가 속한 예술의 그물에 메아리가 존재하고 이름을 붙일 수 없는 감성의 블랙홀이 흘러간다. 고다르는 "아마도 사물들은 특정한 이름으로 불리지 않은 채 우리들 앞에 와 있는 것이리라. 영화는 이름이 주어지기 전의 사물들의 모습을 보여주어야 한다. 그런 다음에야 사물들에게 이름이 주어질 수 있고 사물들에 이름을 주는 일을 시작할 수 있을 것"(『고다르 X고다르』, 이모션북스, 213쪽)으로 말한 그 작업을 코숑은 나타샤에게 수행한다. 코숑의 안내로 나타샤는 과거의 장소를 환기하고 '육욕으로부터 나오는 사랑'이라는 감정에 대해 사유하게 된다. 알파빌에서 경계 밖으로 탈출하는 차 안에서 나타샤는 사랑이라는 단어를 스스로 되살려낸다. 그리고 더듬 더듬 발화한다. '나는 당신을 사랑한다'는 문장을 완성한다. 이 문장은 알파빌의 기계 통제 사회에서 경계 밖 자유의 땅으로 향하는 출구를 여는 열쇠이다. 알파빌에서 폰 브라운 박사의 망명은 실패했지만 예술(시)과 감성(사랑)의 무기로 기호가 지배하는 기술 통제 사회에서 해방되는 열쇠는 찾은 셈이다. 기계적 논리와 유용성으로 경직된 통제사회는 예술과 사랑으로 해방될 수 있다는 이상적 낙관주의를 보여주는 보기 드문 영화다. 고다르는 영화중심주의자이다. 그의 영화중심주의는 누벨바그의 영향에서 설명 가능하다. 그는 "우리는 여자를 사랑하기 전에, 돈을 사랑하기 전에, 전쟁을 사랑하기 전에, 영화를 사랑했다"(『고다르X고다르』, 이모션북스, 216쪽)고 인터뷰에서 고백했다. 〈알파빌〉에서 코숑은 가장 좋아하는 것은 돈과 여자라고 답했다. 고다르는 돈(자본주의)과 여자(사랑) 보다 영화에 대한 사랑을 우위에 두었다. 〈알파빌〉의 기술의 억압과 통제을 벗어나는 메아리는 예술과 인간에 대한 사랑이며 이는 영화에 대한 감독의 사랑을 전제로 한 해결책에 가깝다. 미래 시대의 디스토피아는 영화 예술이라는 별을 따라서 길을 찾아가면 인류의 유토피아로 향한 출구를 찾을 수 있다는 것을 암시한다. 미래는 기술이 지배하기 전에, 돈이 지배하기 전에, 욕망이 지배하기 전에 영화가 지배하기를, 아, 평등하고 자유로우며 서로 화해하고 친절하게 빛나는 영화가 정신의 길을 안내하는 별이 되어 그 지도에 따라 오순도순 희망의 발걸음을 옮기는 시대가 되기를 고다르와 함께 염원하고 싶다.

7. 클레어는 베토벤 현악 사중주로 바다와 카르멘의 격정을 함께 연주한다. 그리고 고다르의 몽타주는 새로운 영화의 알파벳이다.

고다르의 〈미녀 갱 카르멘(Prenom Carmen)〉(1983)은 프로스페르 메리메의 『카르멘』(1845)을 원작으로 제목을 삼았다. 하지만 원작자는 인물의 이름과 감정을 대여하고 다른 모든 선택권을 고다르에게 양도하였다. 고다르는 직접 카르멘의 삼촌으로 출연하여 카르멘이 다큐멘터리를 제작하는 것에 참여한다. 카르멘은 다큐멘터리를 제작하기 위해 은행 강도를 강행한다는 것을 강조하지만 이는 일종의 맥거핀에 불과하다. 그녀는 삼촌의 아파트에서 조셉에게 실토한다. 다큐멘터리를 제작한다는 기획으로 그들이 노리는 것은 사업가와 그의 딸을 납치하는 것이다. 그 납치를 위해 카르멘 일당은 은행 강도를 하고 고다르에게 영화에 대한 자문을 구하고 참여를 권하는 것이다.

원작의 카르멘은 모든 남성을 감정의 노예가 되게 만들고 이로 인해 파멸에 이르게 하는 인물이다. 고다르는 카르멘을 은행의 청원 경찰 조셉과 사랑에 빠지게 하고 그를 카르멘의 기획에 참여하게 하면서 '순진하면 살기 어려운 삶'의 여러 단층을 보여준다

영화의 알파벳을 창조하고 싶은 고다르의 열망은 언어 과잉의 시대에 사라지고 희미해진 '이름이 붙여지기 이전의 사물의 모습'을 보여주고 싶은 작가적 열망과 독립영화에 대한 지지라는 정치·경제적 목적의식이 〈미녀 갱 카르멘〉에 스며들어 있다. 이름 붙이기 이전의 사물이라는 예술의 감성으로 감지되는 대상은 베토벤 현악 사중주의 음악으로 영화를 이끌고 간다. 고다르는 '음악을 통해서만 존재한 여성에 대한 신화'(『고다르 X 고다르』, 213쪽)을 써내려간다. 〈미녀 갱 카르멘〉은 카르멘과 조셉의 사랑의 도피행과 카르멘의 임무 수행이 가장 굵은 글씨로 써진 이야기의 도면이라면, 클레어가 연주하는 베토벤 사중주의 음악이 감성의 지도를 그려가면서 처음부터 마지막 장면까지 이어지고 끊어지면서 한 편의 교향곡으로 마무리된다. 어순아는 '베토벤의 현악 4중주의 선율과 리듬은 영화의 이야기와 완벽한 융합'으로 이루어졌다고 핵심을 조준했다. 어순아가 포착한 것은 음악의 서사적 역할이었지만 놓친 부분은 보다 많은 것 같다. 늘 이론의 그물 안의 고기보다 그물 밖에서 유영하는 대어와 어종이 무한하다. 이론은 예술의 감성을 결코 적확하게 그리고 예술의 맛을 남김없이 포획하지 못한다는 천형으로부터 자유롭기 어렵다. 들뢰즈는 고다르의 논의에서 그의 탁월한 그물을 던졌지만 장 뤽 고다르의 현실과 픽션의 넘나듦을 이어주는 미묘한 누빔점으로 작동하는 음악

290

의 존재 그리고 인물의 대사와 감정이 어떻게 긴밀하게 음악과 연루되고 있는가라는 질문에 깊이 있는 답에 대해서는 유보하고 있다. 〈미녀 갱 카르멘〉에서 인물의 대사라는 카르멘의 서사는 현악 사중주의 음악이 사운드트랙으로 들어오거나 편집으로 연결되면서 인물의 정서와 음악의 분위기가 대담하게 화합하거나 무모하게 충돌하면서 빚어내는 예술적 광경인 이미지와 사운드의 감성적 무늬 그리고 고다르의 이미지와 서사와 음악이 인과성을 배제하고 연속성의 유용성을 거부하면서 결합하는, 그리고 몽타주가 주는 영화의 알파벳의 창조의 진풍경으로 귀결된다.

카르멘과 조셉은 아파트에 당도한다. 카르멘은 '여자가 남자와 함께 있을 때 뭘 원하는지 보여주고 싶다'를 행위로 표현한다. 그들의 행위와 대사는 단절되고 아파트와 바다의 인서트 풍경과 더불어 베토벤 현악 사중주 연주가 어우러진다. 아파트와 바다와 음악은 서로 다른 이미지와 서사와 감성을 지니지만 영화의 흐름을 이어간다. 시간과 공간의 연속성을 통해 이야기와 인물의 감정을 흘러가게 하는 편집은 일부는 부합하되 전부는 불균질적이다. 불균질적인 것은 연속 편집의 지배로부터 야기된 감상의 수용이다. 감성의 문을 더 열어두면 카르멘과 조셉의 감정의 흐름은 대사보다 인서트로 삽입된 바닷가의 풍경과 밀물과 썰물로 다가오는 풍경과 세 개의 바위가 있는 곳에 파도가 밀려오는 이미지가 환기하는 이름 붙이기 어려운 정서로 표상된다. 시각적 이미지가 대사에 바닷가 풍경으로 연결되어 갈 때 베토벤 현악 사중주의 음악과 연주하는 클레어의 대사와 표정이 그의 연인 조셉의 애정 행각과 교차되어 선명한 서사의 흐름보다 더 감성을 파고드는 정서적 울림과 경이로움을 연주해낸다. 클레어는 베토벤 현악 사중주를 연주하면서 그녀 스스로의 감정과 관객의 체험을 함께 연주해가는 것이다. 클레어는 바이올린으로 연주하는 것에서 이미지와 베토벤의 음악 그리고 조셉과 카르멘의 대화를 통해 인간의 감정과 카르멘의 감추어진 감정의 서사를 연주하여 한 편의 영화로 풀어낸다. 영화는 한 편의 연주가 되고 이미지와 음악과 대사는 그녀가 타는 현으로 변하여 이 세상에 존재하지 않은 새로운 감성의 외침과 고조 장단을 켜내는 것이다. 이와 같은 장관은 사운드와 이미지의 교차 편집이라는 기술적인 언어로 담아내기 어려운 숭고하고 경이로움이 뒤섞인 감성의 융합이고 소용돌이이자 밀려오고 밀려가는 파도의 리듬과도 닮았다. 고다르는 이 장면을 통해 비로소 영화의 알파벳이라는 새로운 장관을 완성한 것이다. 그의 '아름다움은 견딜만한 테러의 시작'임을 이 아파트 시퀀스에서 입증한다. 베토벤과 바다라는 자연은 카르멘과 조셉의 대사와 행위의 틈을 예술적으로 메우고 영화적으로 완성한다.

조셉은 체포되지만 결국 방면되고 카르멘 일당은 고다르를 영화 작업에 참여시키고 인터콘티넨탈 호텔에 모두 모여들게 한다. 인터콘티넨탈 호텔에 투숙객들이 모여들고 카르멘 일당도 이곳에 투숙한다. 이들의 투숙은 다큐멘터리 촬영의 명분을 내걸었지만 사업가의 납치가 목적이다. 이 호텔에는 투숙객처럼 영화에서 분산되었던 인물들이 모두 모여든다. 인물이 모여든 것은 바다로 모여든 강줄기처럼 서사의 목적지에 도착한다. 카르멘의 사랑을 얻으려는 조셉과 사업가를 납치하려는 일당과 영화 작업을 도우려는 고다르와 수행원 카르멘을 쫓는 경찰, 그리고 연주를 하는 현악 사중주단들이 모두 인터콘티넨탈 호텔이라는 영화의 절정에서 만난다. 현악 사중주단은 연주를 하고 고다르는 영화의 연출을 준비하고 사업가는 식사를 하고 카르멘은 사업가를 납치하려고 시도하지만 결국 카르멘 일당과 카르멘은 총격으로 목숨을 잃고 연주는 중단된다. 고다르는 사업가에게 '우리가 당신을 영화에 담아도 될까요'라고 동의를 구한다. 그 다음 순간 레디 카메라 액션처럼 카르멘의 일행이 납치를 시도하고 경찰과 총격전을 벌이며 일당이 모두 목숨을 잃고 사랑을 쫓는 조셉은 카르멘을 향해 총을 발사하여 목숨을 빼앗는다. 고다르는 녹음기를 들고 소리를 듣고, 수행원은 기록에 여념이 없다. 이 영화는 카르멘이 다큐멘터리를 제작하려는 명분으로 사업가를 납치하기 위한 페이크 다큐멘터리에서 고다르에 의한 〈카르멘〉을 원작으로 한 카르멘을 촬영하는 것으로 반전이 일어난다. 이것은 영화 속의 카르멘과 조셉이 사랑의 도피행각을 벌이고 그곳에서 그들이 주고받는 대사와 행위의 진실을 다큐멘터리적으로 담아내는 고다르의 자기반영적 독립영화임을 마지막에 암시한다. 카메라는 샹들리에에 검은 눈으로 이들을 바라보고 고다르는 첫 장면에서부터 마지막 장면까지 시나리오를 쓰고 대사를 하고 녹음을 확인하고 슬레이트를 치고 다큐를 찍는다는 말로 현장에서 섭외를 하면서 감독의 역할을 담당한다. 고다르는 〈미녀 갱 카르멘〉에서 영화와 다큐라는 장르로 이름 붙여진 것이 아닌 본래의 영화와 다큐의 진실된 모습을 퍼포먼스로 담아냈다. 그는 자본의 제약과 시간의 부족함을 영화와 삶의 거리를 지우면서 〈카르멘〉의 원작에서 사랑으로 인한 파멸이라는 화두를 끄집어내고 다큐멘터리적 사실성을 사업가를 납치하려는 이들의 기획을 바라보고 영화로 담으려는 감독의 연출 의도로 대체하고 음악으로 전체의 감성적 흐름을 표현하는, 그리고의 몽타주라는 자신의 편집 방식을 관철하였다.

카르멘이 다큐멘터리를 제작하려는 명분으로 사업가의 납치를 기획했다면 고다르는 카르멘의 원작을 시나리오로 옮기는 명분으로 자본으로부터 방해받지 않은 다큐멘터리와 극영화를 혼합한 독립영화를 완성한 것이다. 고다르는 삶을 사유하고 예술적 실천을 감행했지만 그가 무엇보다 우선한 것은 영화라는 예술에 대한 사랑인 것이다. 이 사랑은 카르멘을 향한 조셉의 사랑도 '한편으로 유죄이고 한편으로 무죄인 것이 무엇'인지 모르는 카르멘도 현악 사중주의 연주가 빚어낸 감성적 표현도 아닌 이 모든 것을 영화라는 예술의 그물에 담아낸 것, 그것이 고다르의 영화관이다. 그것은 '무엇보다 사랑한 것은 바로 영화였다'의 명제가 표명한 영화의 그물이다. 이 그물에 사물의 이름 붙이지 않는 그 무엇도, 카르멘의 사랑도, 두 사람의 대사도 그리고 현악 사중주의 음악도 영화 속 현실과 다큐멘터리도 모두 평등하게 편집되어 담긴다. 그 이름은 고다르가 지지한, 바로 독립영화이다. 영화는 마침내 정치도, 문학도, 철학도 아닌 그 자체로 완결된 영화인 것이다. 이 테제는 누벨바그와 고다르가 함께 공유한 철학이지만 고다르에게 더욱더 예술적 실천에 대한 강박적 지배력을 보인 것이다. 이와 같은 테제의 전면적은 수용은 〈카르멘〉을 원작에서 자유롭게 하고 고다르의 작가적 유니크함을 도드라지게 하면서 결국 사물의 이름 붙이지 않은 순수한 그 대상에 가닿을 가능성의 돛을 올리고 영화의 알파벳을 하나하나 발명해가는 도정으로 나아가게 한 추동력이다. 영화가 곧 삶이고 철학인 고다르는 누벨바그의 현재진행형이며 영화는 언젠가 세상이 될 것이다는 영화주의의 강력한 선동가로 미학적 전위에서 행진할 것이다. 영화가 존재하는 한 고다르의 자리는 언제나 전위의 지도자 대열에서 이탈하지 않을 것이다. 그의 작품은 영화역사의 수레바퀴가 되어 언제나 현재의 영화를 미래의 영화로 떠밀고 간다.

8. 고다르에 대한 또 다른 주석[2]

고다르는 비틀즈가 비틀즈에게 영향을 받는 것과 자신의 경우는 다르다고 했지만, 그는 자기 자신의 장르 규칙에 충실했다. 고다르라는 하나의 나무는 크게 다섯 줄기로 나누어져있다. 첫 번째는 반환영주의를 지향하는 자기반영성의 적극 수용이다. 반환영주의(anti-illusionism)는 등장인물이 카메라를 향해서 응시하고 말하거나 지나가는 행인들이 카메라를 바라보는 장면에서 드러난다. 심지어 고다르의 영화에서는 등장인물이 인터뷰를 시도하며(〈그녀에 대해 알고 있는 두세 가지 것들〉) 고다르 감독이 출연하여 슬레이트를 친다.(〈미녀 갱 카르멘〉)

두 번째는 영화 알파벳 탐구라는 창조적 영화 실험을 시도한다. 사운드는 대사와 현장음 음악에서 또 다른 음대를 첨부하여 보이스오버 내레이션으로 제 3의 목소리를 자연스럽게 개입시킨다. 동일한 인물의 대사에 동일한 인물의 보이스오버 내레이션이 가미되어 중층적 목소리와 대사와 내면의 동시

2 이 장에서 논의한 주장은 선행 연구가인 리처드 라우드,고다르 인터뷰, 어순아 등의 연구자의 성과를 토대로 필자의 시각이 가미되었다. 기존의 주장과 유사성은 고다르를 바라보는 선행연구자의 성과를 수용한 부분이며 차별화된 논의는 필자의 주장이 피력된 부분임을 밝혀둔다.

표현을 성취한다. 편집은 시간을 압축하는 점프 컷의 과감한 사용과 시간의 선형적인 순서와 인과성에 의한 연속편집에서 벗어나 시간의 순서가 뒤바뀌는 편집(〈미치광이 피에로〉), 베토벤 현악 사중주와 인물의 서사 그리고 바다와 같은 자연의 풍경이 서로 혼재된 몽타주를 과감하게 시도한다. 이는 에이젠슈테인의 서로 연관성을 지닌 이미지와 사운드와 행위가 연결되는 어트랙션 몽타주와 상반된 컷과 컷의 충돌을 통해 파토스를 만들어내는 충돌의 몽타주와 거리가 있다. 이미지와 사운드는 인과성을 벗어나고 시공간의 연속성에서 자유로우며, 서로 병치되어 흘러가는 병치에 가깝고 드라마를 거부하고 미학적 내러티브를 강화한다. 그리고 몽타주는 반환영주의로 성취한 영화의 영역을 연속편집과 몽타주에 종속된 편집의 문법에서 새로운 장, 알파벳을 만들어내는 영화 언어의 개척에 가깝다. 영화 알파벳의 탐구는 극영화와 다큐멘터리의 구분을 지우고 현실과 영화의 울타리도 부순다.

세 번째는 고다르 영화를 소환하거나 다른 작품을 인용하고 시 구절을 보이스오버 내레이션으로 읊조리고 소설과 기존의 영화 장면과 인물을 등장시킨다. 이는 상호텍스트(인용, 표절, 언급)와 하이퍼텍스트(한 텍스트-다른 텍스트 변형)에서 무한 확장되고 교차되어 심층적인 영화적 미장아빔을 이루어낸다. 고다르의 미학은 영화적 미장아빔을 통한 영화세계의 확장으로 수렴된다. 〈여자는 여자다〉(1962)에서 카페에서 벨 몽도는 잔 모로를 만나서 쥴과 짐이 잘 있는지 안부를 묻는다. 〈쥴과 짐〉은 모두 카트린느(잔 모로)의 남자들이다. 〈네 멋대로 해라〉에서 권투 선수를 흉내 낸 미셸은 〈미치광이 피에로〉에서 같은 동작의 주먹으로 상대를 제압한다. 〈미치광이 피에로〉에서 마지막 바다 장면에서 이미 세상을 뜬 주인공이 랭보의 시를 통해 영원성에 도달한다. 그들은 "나는 다시 찾았어, 무엇을 영원을, 그건 바다야, 태양과 함께"라고 시로 대화를 주고받는다. 〈네 멋대로 해라〉에서 파트리샤는 포크너의 소설 『야생 종려나무』의 한 구절인 '슬픔과 무 중에서 나는 슬픔을 선택했다'를 인용하고, 그녀는 미셸을 밀고하고 그의 결별한 슬픔을 받아들인다.

네 번째는 이질적인 것의 공존을 통한 낯설게 하기이며 이는 초현실주의의 데페이즈망의 영화적 표현이다. 브레히트는 관객과 작품의 거리를 유지하여 관객의 능동적 참여를 유도하기 위해 의도적으로 낯설게 하는 소외효과를 만들어냈다. 고다르는 장면 속에서 삶의 아이러니를 데페이즈망 장면 연출로 부각시킨다. 〈미녀 갱 카르멘〉에서 은행을 터는 카르멘 일행의 총기난사에도 불구하고 테이블에 앉아서 책을 읽는 중년의 사내가 데페이즈망되고 휴게소의 화장실에서 남성의 변기에 소변을 보는 카르멘과 이를 바라보면서 화장실에서 요플레를 먹고 있는 인물의 배치는 배설과 섭취의 대립된 이미지를 한 프레임에 배치한 것이다. 〈미치광이 피에로〉에서 페르디낭과 마리안느가 첫날밤을 보낸 집에 놓여있는 시체 이미지도 낯선 풍경을 야기한다.

　다섯 번째는 디아스포라 인물과 사랑의 지속 불가능성으로 인한 비극적 결말이다. 인물은 파리에 도착하지만 뿌리를 내리지 못하고 떠도는 국외자에 가깝다. 그들은 모두 사랑을 갈구하며 사랑의 지속 불가능성으로 인해 더욱더 정주하지 못한다. 사랑에 실패한 이들은 연인의 배신으로 인해 비극적 죽음을 맞이한다. 〈네 멋대로 해라〉의 미셸은 파트리샤의 사랑을 얻지 못하고, 〈비브르 사 비〉의 나나는 청년의 사랑을 얻지 못하여 도로에 차가운 시체로 눕게 된다. 예외적으로 사랑을 하는 자는 집에 안주하거나 도피 여행을 떠난다. 〈여자는 여자다〉의 안젤라는 사랑을 확인하고 가정을 이루며 〈국외자〉의 오딜은 남미로 〈알파빌〉의 나타샤는 경계 밖으로 탈출한다.

　고다르의 영화는 우주와 비견할 만하다. 그는 영화는 인생이며 인생이 곧 영화라는 누벨바그의 테제를 평생 작품을 통해 입증하였다. 이와 같은 삶과 영화의 등호화는 영화 작업의 의미를 확장해간다. 그는 영화와 사회 참여와 거리를 두지 않았으며 영화는 내러티브를 싣고 항해하는 선박이기도 하며 자신의 고백을 담아내는 일기이다. 심지어 《카이에 뒤 시네마》에서 평론을 발표했던 고다르는 영화와 비평 작업을 동일시하였다. 그는 "나는 비평가이다. 단지 차이는, 그때는 비평을 글로 썼지만 지금은 영화로 쓴다는 것뿐"이라고 스스로 시네 에세이를 집필하면서 이를 옹호했다. 〈그녀에 대해 알고 있는 두 세 가지 것들〉과 〈비브르 사 비〉는 매춘에 대한 현대 사회에 대한 한편의 시네 에세이다.

고다르에 대한 연구는 고다르의 작품보다 산처럼 더 많이 쌓여있다. 대표적인 연구자가 수행한 고다르에 대한 해석을 정리하고 주석을 달면서 그의 영화적 이력서를 채워가는 것도 고다르를 이해하는 하나의 길로 여겨진다.

첫 번째 주석은 리처드 라우드이다. 리처드 라우드는 고다르에 대해 많은 명제를 제시하였다. 라우드의 주목할 만한 시각은 관객의 참여를 위한 고다르의 노력과 진실을 드러내기 위한 허구의 사용에 놓여있다.

고다르 영화는 관객의 능동적 참여를 요구하는 질문을 던진다고 한다. 고다르는 "영화는 우리에게 어떻게 영향을 미치는가"와 "영화의 정치적 가치는 무엇인가?"를 질문하고 작품으로 우회적으로 답한다. 질문이 끝나면 경계 지우는 것으로 향한다. 그것은 다큐와 극영화의 구분지우는 것이며 "르포르타쥬는 허구적 맥락 속에서 위치 지어질 때만 흥미롭지만, 허구 또한 다큐멘터리적 맥락에 의해 타당성을 인정받아야 재미있다." 고다르는 실재하는 현실과 극영화와 현실의 거리를 지우려고 했으며 심지어 허구라는 극을 경유해야 진실이 더 설득력 있게 전달된다는 관점으로까지 나아갔다. 진실의 견인은 허구라는 극영화의 길을 통과해야하며 고다르의 영화에서 허구의 영화 속에 다큐멘터리적 인터뷰의 삽입으로 실천되었다. 디큐멘터리는 허구이기도 하고 실제 배우이기도 하지만 결국 인터뷰를 통해 배우의 진정성에 도달하려고 애를 쓴 흔적이다.

두 번째 주석은 질 들뢰즈다. 질 들뢰즈는 고다르뿐만 아니라 오손 웰즈와 에이젠슈테인 그리고 파졸리니와 오즈에 이르는 현대영화의 대가들의 영화 세계를 통해 자신의 철학적 견해를 피력하고 검증하고 확장해 갔다. 들뢰즈가 간절히 소환하고 싶은 작가의 목록에 고다르가 최소한 세 손가락 안에 꼽혔을 것이다. 사유와 영화에서 들뢰즈는 고다르의 시각과 청각의 이미지가 서로 다르고 불균질적으로 사용된 것에 대한 철학적 해석을 가한다. 먼저 슬그머니 빼든 칼이 거짓 매치이다. 거짓 매치는 무리수적 절단의 다른 이름이다. '집합이 어느 한쪽에서 시작되고 다른 한쪽이 끝이 되는 것 같이 , 이 절단이 어느 한쪽에 속하게 되는 일이란 더 이상 가능하지 않게 된다'(시간-이미지)고 거짓매치와 무리수적 절단이란 개념을 설명하고 도출한다. 그리고 이 개념은 다음 문장에서 고다르를 언급하면서 그의 영화 장면을 분석하기 위한 도구로 꺼내 들었다는 말을 덧붙인다. '고다르에게 두 이미지의 상호작용은 그 어느 편에도 속하지 않는 경계를 낳는다. 혹은 경계를 긋는다'라는 문장을 끝낸다. 고다르의 이미지는 시각과 청각이 어울리기도 하고 서로 불협화음을 내기도 하며 앞 컷과 다음 컷이 인과성으로 연결되기도 하고 비인과성으로 연속되기도 한다. 이와 같은 고다르의 작품에 대해 들뢰즈는 거짓 매치, 무리수적 단절, 공약불가능성(이 말은 헤아릴 수 없음, 자로 잴 수 없는 영역이라는 표현이 더 한글 독자에게 의미가 와닿게 수용되는 말이지만)이라 이름 짓는다. 고다르의 예술 세계를 들뢰즈의 철학적 사유로 해석하려는 의지는 이름짓기를 통해 돌파되고 있으며 더 거슬러 가면 틈새라는 의미를 자의적으로 규정하면서 나아간다. 틈새는 컷과 컷의 사이를 상정하는 것이 통상적인 사용이지만 들뢰즈는 '이미지의 외부는 이미지 내의 두 프레임화 사이에 존재하는 틈새로 대체'된다고 단언하면서 '시각 이미지 내부 또는 음향 이미지 내부 혹은 시각 이미지와 음향 이미지 사이와 같이 도처에 증식'한다고 규정한다. 시각 이미지의 내부는 한 프레임 사이에 딥 포커스를 통해 전경과 후경 사이에 잠열된 것, 음향 이미지 내부는 음향의 여러 가지 층위와 음원의 차이 그리고 시각과 음향 사이는 이미지와 개별적으로 발화되거나 발원되는 음들의 교류와 대조를 함의한다. 음향의 대위법적 사용과 이미지 내부의 문제는 에이젠슈테인의 지적 몽타주에 가깝지만 들뢰즈는 자신의 조어와 범주를 만들어 틈새라는 언어와 이어서 연결되는 거짓매치로 가기 위한

다리를 놓는다. 들뢰즈의 자의적인 선택과 논리는 고다르의 점프 컷 만큼 자유분방하고 심지어 예술적이다. 들뢰즈의 이와 같은 유연성이 고다르의 전복성과 예술성을 포착하는 데 도움이 되었을 것으로 짐작된다. 거짓 매치는 '고다르의 두 이미지의 상호작용은 어느 편에도 속하지 않는 경계를 낳는다'의 설명을 위한 전가의 보도이자 요긴한 무기이다. 그리고 충분하게 설명이 가능하다. 하지만 유리수와 무리수, 이미지 내부와 외부, 시각과 청각의 구분이라는 이분법을 전제로 하여 이를 넘어선 또 다른 지점의 미학적 주소에 대해 거짓 매치라는 임의적 행정구역을 만든 것이다. 거짓 매치, 두 이미지의 상호작용은 어느 영역도 아닌 경계에 머무는 것인가. 들뢰즈가 간과한 지점은 고다르의 작품은 현실이 아니며 영화라는 예술이라는 점이다. 현실은 구역과 구역 사이에 경계가 있으며 번지수에 맞는 주소가 명료하다. 예술은 출생 자체가 구역과 구역으로 나누어지거나 경계 지워지는 과학적 산물과 거리가 있다. 고다르의 이미지와 이미지 내, 시각적 영상 위에 떠도는 수많은 시도는 예술의 장에서 모두 나름의 이름을 부여받을 수 있으며 나름의 의미망을 만들어가는 감성과 감각과 비이성의 우주이다. 이 구역은 경계이기도 하지만 거대한 우주이며 고다르의 공약불가능성으로 이름지어진 곳이며 바로 예술의 장이다. 예술의 자리는 비가시적인 영역이자 비가청의 영역이다. 가시와 비가시와 비가청과 가청이 서로 뒤섞인 카오스의 영역이자 디오니소스의 카니발이며 명료한 괄호 안이 아닌 불명료한 괄호 바깥의 영역, 이성이 아닌 감성과 감정의 영역, 비가청의 영토이다. 이 영토에서 고다르의 작품은 자신의 우주에 맞는 언어로, 방식으로 영화라는 텍스트를 창조하고 완성해 가는 것인지도 모른다.

평범한 작가는 현실을 사실적으로 복사하고 모방하고 재현한다. 거장의 이름이 부여된 작가는 현실의 복사 대신 스스로 원본을 만들고 모방 대신 창작물을 창조한다. 거장은 모두 자신만의 세계, 자신만의 종교를 가지고 있는 창조자에 가까우며 그들이 노니는 곳은 경계 밖도 경계 안도 아닌 모두를 넘어선 예술의 우주이다.

루이스 부뉴엘이라는 나무에 자라난 영화적 미장 아빔의 가지들

1. 부뉴엘의 영화의 뿌리와 줄기 모형도 : 첫 작품은 뿌리이며 모든 작품은 여기서 자라난 가지이다.

　나무는 뿌리에서 줄기로 뻗어가고 잎이 나고 열매가 맺는다. 영화 작가의 작품은 시나리오와 배우와 제작 상황에 따라 그 편차가 천차만별이다, 하지만 간혹 작가라는 칭호가 부여된 작품은 특정 작품의 형식이 반복되거나 주제가 깊어지거나 변주된다. 이와 같은 작가의 전체 작품은 하나의 거대한 나무를 이룬다. 이 나무는 하나의 뿌리에서 뻗어나간 줄기와 가지의 맹아가 특정 작품에서 발원하기도 한다. 한 작품을 평생 반복한다고 단정하는 것은 결례의 태도이며 단순화시키는 어리석음을 범하게 된다. 작가는 평생 거대한 텍스트라는 나무를 성장시키기 위해 뿌리를 깊게 하고 줄기를 두텁게 하고 가지를 뻗고 그곳에 신작이라는 잎과 열매를 맺게 한다. 초기 작품이 한 텍스트의 뿌리가 될 수 있다는 대전제로 부뉴엘의 작품이라는 나무를 한번 그려 볼 예정이다. 첫 작품인 〈안달루시아의 개(Un Chien Andalucia)〉(1929)는 초현실주의의 대표작이면서 부뉴엘의 전 작품의 일종의 안내자이며, 인덱스 역할을 한다. 필자는 처음 감상의 충격에서 새로운 영화의 세계가 존재함을 피부로 체득하고 부뉴엘의 작품을 한 작품 한 작품 찾아서 감상하는 데 근 20여 년이 걸렸다. 1998년 부뉴엘의 작품 발표를 듣던 학생의 신분에서 부뉴엘 감독에 대해 소략하게 소개하는 자리로 옮겨왔다.

부뉴엘이라는 산에는 많은 크고 작은 산들과 수많은 길들이 존재하여 여러 차례 등정을 시도했지만 완등을 하지 못했다. 이제 새로운 등산 안내도를 통해 부뉴엘의 산과 부뉴엘의 작품이라는 거목에 대해 살펴보도록 한다. 그 방법은 한 작품이 뿌리와 줄기와 가지를 이루고 있으며 이와 같은 형식에서 파생되어 그의 주제와 스타일과 사상이 열린다는 입장이다. 이는 기존의 원전인 하이포 텍스트(hypo text)에서 하이퍼로 파생된다는 상호텍스트성으로 이해 가능하지만 다소 차이가 있으며 주제와 형식의 반복성과 차이를 중심으로 논의하는 작가주의와도 근소한 거리가 있으므로 굳이 이름 짓기를 하자면 '뿌리와 줄기/열매의 서로 연관성 이론' 정도가 좋을 듯하다. 한자를 사용하자면 뿌리와 열매가 서로 원인과 결과로 연동된다는 근실인과론(根實因果論)이며 이는 한글세대에는 안 어울리는 이름짓기이니 '뿌리와 열매의 서로 연관성론' 정도로 해두면 좋을 듯 하다.

첫 작품 〈안달루시아의 개〉는 부뉴엘을 작가의 반열에 올려놓은 작품이자 대표작이다. 이 작품에 대해서는 부뉴엘의 이후 전 작품에 대한 분석 분량에 거의 버금갈 정도로 많은 논의가 이루어져 왔다. 필자는 기존의 연구 성과에 대해 충분히 존중하면서 뿌리와 줄기의 서로 연관성의 방식으로 영화적 미장아빔으로 배치된 첫 작품의 영화적 요소와 작가적 요인들이 이후 작품을 통해 어떻게 연관되며 그 형식과 주제가 성장하고 변주되어 부뉴엘이라는 한 작가의 거대한 나무로 완성되는가에 집중하도록 한다.

〈안달루시아의 개〉는 화가 달리와 공동으로 작업을 진행했다. 달리의 작가적 인장과 부뉴엘이 작가적 특징이 혼재하며 당시의 지배적인 사조인 초현실주의의 기법의 영향도 묵직하게 들어있다. 〈안달루시아의 개〉는 충격 요법을 통한 서구적 시각에 대한 성찰과 기독교와 부르주아에 대한 비판을 초현실주의적 자동기술법으로 우회하여 강타한 작품으로 규정하고 싶다.

서구적 시각과 영화 만들기에 대한 성찰과 기독교와 부르주아 비판은 부뉴엘의 작가적 주제이며 이후 작품에도 영향을 준다. 초현실주의적 영향은 가장 부뉴엘다운 장면의 연출을 가능하게 한 모체이며 다양한 기법의 수용은 연구가 이미 많이 진행된 바대로 데페이즈망과 자동기술, 꿈 장면 등으로 펼쳐지는 거대한 가지이다.

〈안달루시아의 개〉의 장면을 살펴보면서 초현실주의와 부뉴엘의 특징을 추출해 보도록 하겠다. 이 작품은 인과적 내러티브를 배제하여 컷의 순서대로 살펴보면서 특징적인 부부분에 밑줄을 그으면서 살펴보면 다음 흐름으로 볼 수 있을 것이다.

첫 장면에서 왈츠 음악이 흐르고, "옛날 옛적에"라는 자막이 나오고, 감독이 스스로 출현하여 발코니로 나와서 시선은 하늘을 향한다. 다음 컷은 하늘에 보름달이 떠 있으며 새가 날아간다. 다음 장면은 면도칼 절단 장면이다. 여성의 얼굴은 클로즈업되고 남자는 면도칼을 들고 눈을 자르려고 한다. 칼로 눈을 자르는 장면이 클로즈업으로 제시되어 시각적 충격을 준다. 이 장면은 아방가르드에게까지 충격을 주었다고 하며 서구의 시각적 중심주의에 대한 거부의 표현으로 눈을 잘랐다는 평가를 받았다. 이 장면에서 필자는 서정주의 「동천」의 한 구절, '네 마음 속 우리 님의 고운 눈썹을/ 즈믄 밤의 꿈으로 맑게 썻어서/ 하늘에다 옮기어 심어 놨더니/ 동지 섣달 나르는 매서운 새가/ 그걸 알고 시늉하며 비끼어가네"에서 매서운 새가 초승달을 피해서 날아가

는 이미지를 떠올렸다. 이 장면은 달리와 부뉴엘이 공동 작업으로 제작했다면 사실을 고려하면 달리의 〈상처받은 새(The Wounded Bird)〉(1928)의 장면과 직접적인 연관성이 더 중요하게 부각된다. 이에 대해서 김수은의 논문은 꼼꼼하게 달리의 작품을 찾아내어 달리의 작품과 부뉴엘의 장면을 비교하여 초현실주의 미학의 개념으로 탁월하게 해석하고 있다. 이 장면이 보여준 시각적 충격은 부뉴엘의 연출 의도와 스타일에 중핵으로 자리한다.

다음 장면에서는 "8년 후"라는 자막이 등장하면서 시간이 전환되고 도로에서 광대복을 입고 자전거 타는 남자의 모습이 등장한다. 그의 자전거 타고 가는 장면은 이중인화로 처리되다가 상자가 클로즈업되다 실내로 장면이 전환된다. 실내에서 여자는 창밖을 바라본다. 여자는 집에서 도로로 나가서 쓰러진 남자를 어루만진다. 여자는 상자에서 장식물과 넥타이를 꺼낸다. 그녀는 침대에 옷과 장식물을 진열한다. 다음 컷에서 남자의 손이 클로즈업되면서 손바닥에 우글거리는 개미들이 등장한다. 이중 인화된 장면에서 겨드랑이의 털이 성게로 전환되고 다시 밖의 절단된 손으로 전환된다. 개미와 성게와 같은 동물 이미지는 부뉴엘의 작품에 빈번하게 등장하는 모티프이다.

한 인물이 절단된 손을 만진다. 둥그렇게 둘러선 구경꾼들이 이를 지켜보고 있다. 두 남녀는 창문을 통해 이들을 바라본다. 경찰이 도착하여 절단된 손을 가져가고 남은 인물은 상자를 들고 거리에 서 있다. 군중이 모두 흩어지자 도로의 인물은 자동차에 치인다.

음악이 탱고 곡으로 변하자 실내에서 남자는 여자에게 접근을 하고 성적

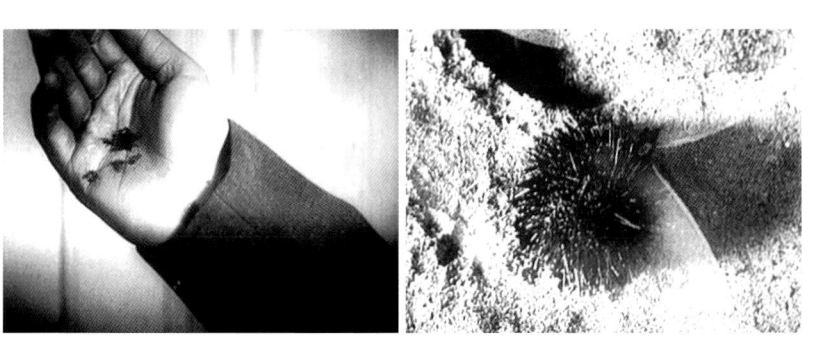

충동에 사로잡힌다. 남자는 여자의 가슴을 만지면서 가슴과 둔부를 만지는 상상을 한다. 여자는 방의 구석으로 달아나고 남자는 밧줄을 끌고 간다. 남자의 밧줄에 매달린 것은 피아노 위의 썩은 당나귀에 묶인 두 명의 신부이다. 남자는 이를 끌고 여자에게 다가간다. 피아노 위의 당나귀와 피아노 줄에 묶인 신부는 상징이자 초현실주의의 데페이즈망의 표현이다. 연구자들은 신부는 기독교, 피아노는 부르주아의 계급을 상징한다고 해석을 한다[1]. 널리 통용되고 있는 이 해석은 장면의 흐름에 속에서 큰 오독은 아니지만, 초현실주의의 데페이즈망을 직유적으로 해석한 것으로 예술의 해석 가능성을 극도로 제한한 행위이다. 그는 왜 썩은 당나귀와 피아노에 묶인 신부를 끌고 갔는가. 초현실주의 기법인 데페이즈망을 통한 시각적 충격은 그의 성적 충동을 억압하고 있는 종교적 억압과 제도적 제약에 대한 반기를 들고 퍼포먼스를 통해 이를 해체하려는 적극적인 부뉴엘의 몸짓이며 영화의 표면을 팽창하는 명장면이다.

거장은 자신의 언어로 영화라는 예술의 장을 늘 팽창시키고 새로운 영화의 영토를 개척하고 넓혀가는 작가에게 부여된 명예로운 이름이다. 부뉴엘은 이 장면을 통해 영화사에서 거장의 반열에 성큼 다가간 것이다.

개미가 우글거리는 손이 문에 끼여서 다시 등장한다. 남자가 침대에서 깨어난다. 남자는 광대옷을 입고 침대에 누워있다. 이때 새로운 인물이 문 밖에 도착하여 방으로 들어와서 침대의 남자에게 거칠게 항의한다. 방문자는 칼라, 목장식, 상자, 가죽 끈을 벗겨서 창문 밖으로 던진다. 자막은 "16년 전"으로 바뀌고 과거 회상 장면으로 넘어간다. 남자는 밖으로 나가려는 방문자를 향해 총을 발사한다. 총에 맞은 방문자는 방이 아닌 들판에 있는 전라의 여인의 등으로 떨어진다. 실험영화에서 빈번하게 등장하는 급격한 장소로의 장

---

1 "남자가 끌어당긴 줄에 딸려온 당나귀의 썩은 시체, 두 대의 그랜드 피아노, 두 명의 성모마리아회 신부는 각각 죽음 뒤의 부패(타나토스 thanatos), 부르주아 생활, 카톨릭을 상징하는 것으로 모두 '성적인 욕망을 금지하거나 그것의 실현에 방해가 되는 자연적 사회적, 도덕적 방해물들'인데" (노시훈, 「황금시대의 초현실주의적 요소들」, 『프랑스문화예술연구』 제60집, 2017. 99쪽.) 이와 같은 평가가 이 장면에 대한 전형적인 해석의 예에 속한다. 성직자는 기독교, 피아노는 부르주아로 등치시키는 해석은 부뉴엘의 전 작품의 맥락에서 데페이즈망을 통한 시각적 충격효과라는 부분에 대한 논리적 분석으로 여겨진다.

면전환이 등장한다. 지나가던 나그네들이 시체를 발견한다.

다시 음악은 처음의 왈츠 곡을 통해 실내로 전환되면 여자가 나방을 바라본다. 나방의 등에는 해골 무늬가 새겨져있다. 이때 남자의 입이 지워지고 그 위에 털이 자라난 이미지로 전환된다. 여자의 겨드랑이에도 털이 자라난다. 여자가 방문을 열고 나가면서 바람 부는 해변으로 장소가 전환된다. 그곳에서 남자가 기다리고 있다. 여자는 남자에게 애정표현을 한 후 남녀는 해변을 걷는다. 그들은 해변에 버려진 깨진 상자와 버려진 장식과 옷을 발견하고 던진다. 그리고 "봄에"라는 자막과 함께 해변에 토르소가 된 두 인물이 등장한다.

〈안달루시아의 개〉는 달리의 작품과의 연관성과 부뉴엘의 특징 그리고 초현실주의의 영향이 두드러진다. 우선 달리의 작품과 연관성은 눈을 자르는 장면과 썩은 당나귀 그리고 손에 등장한 개미가 두드러진다. 달리의〈상처받은 새〉와 눈을 자르는 장면은 직접적인 관련성이 있으며 이는 이미지의 수용이지만 부뉴엘의 기존의 가치와 결별이 가미된 부분을 간과하기 어렵다.

부뉴엘의 작가성이 함유된 장면은 몇 장면을 들 수 있다. 첫 번째는 시각적 충격 효과를 주는 눈을 자르는 장면이며 이후 부뉴엘은 시각적 충격을 중요한 영화적 전략으로 활용한다. 두 번째는 남자가 여자에게 욕망을 표현하는 것이며 이는 〈황금시대〉(1930)에서 성직자 앞에서 성적 욕망을 드러내는 아무르 푸 장면으로 반복된다. 욕망의 표현은 에로스와 타나토스의 충동에 대

〈The Wounded Bird〉(1928)

〈Study for Blood Is Sweeter Than Honey〉(1926)

한 영화적 재현으로 귀결된다. 도로에서 자동차로 인한 죽음과 분신의 죽음 그리고 당나귀의 죽음은 타나토스의 충동의 단초를 보여주며 에로스의 과잉된 모습은 남자의 여성의 신체를 향한 성적 환상 장면으로 드러난다. 에로스와 타나토스의 무의식적 충동은 부뉴엘의 이후 작품의 중요한 한 갈래이다. 세 번째는 피아노 위의 썩은 당나귀와 밧줄에 묶인 신부의 장면이다. 이 장면은 초현실주의의 데페이즈망 기법이자 기독교에 대한 비판과 부르주아 사회에 대한 우회적 비판이 스며들어 있다. 기독교에 대한 신성모독과 부르주아의 위선에 대한 폭로는 부뉴엘의 주제라는 하나의 가지로 성장하며, 데페이즈망의 기법은 초현실주의 기법의 영화적 수용이라는 큰 줄기 겸 가지로 뻗어나간다. 초현실주의 기법은 침대의 꿈에서 깨어나는 남자의 장면에서처럼 꿈의 재현과 시간의 비약과 공간의 전환에서 보여주는 비인과적 시공간의 넘나듦으로 표상되는 자동주의적 태도이다. 초현실주의는 부뉴엘의 영화에서 주된 줄기이자 가지로 여겨진다.

〈안달루시아의 개〉를 통해 부뉴엘의 뿌리와 가지를 살펴보면 뿌리는 초현실주의와 타나토스와 에로스에 대한 충동이 강고하게 결속되어 있다. 뿌리는 성장하여 초현실주의 정신의 줄기를 타고 올라가 초현실주의 기법의 가지로 뻗어간다. 에로스와 타나토스의 충동은 중심 줄기로 자리하면서 주인공의 에로스와 타나토스의 충동과 욕망의 가지로 뻗어나간다. 다른 하나의 가지는 기독교라는 종교와 자본주의의 부르주아 계급에 대한 위선의 폭로와 비판으로 성장한다. 같은 줄기에 다른 수많은 가지들이 자라나면서 부뉴엘의 거대한 작품이 완성된다. 초현실주의의 정신과 기법은 〈안달루시아의 개〉에서부터 〈황금시대〉를 거쳐 〈자유의 환영〉(1974)에 이르기까지 펼쳐져있다. 데페이즈망과 자동주의 그리고 꿈의 문제가 중심에 자리한다. 타나토스와 에로스의 충동은 〈안달루시아의 개〉, 〈황금시대〉, 〈세브린느〉(1967)와 〈부르주아의 은밀한 매력〉(1972)과 〈자유의 환영〉에서 다채롭게 빛을 발한다. 기성의 종교와 제도에 대한 비판은 모든 작품에 골고루 편재되어 있으며 금기위반을 통한 예술의 영역 확장에 적극적으로 기여한다. 세 갈래의 길을 따라 부뉴엘의 거목을 조망할 수 있을 것이다.

2. 초현실주의는 부뉴엘의 영화 장면에서 어떻게 변주되는가

부뉴엘의 예술적 토양은 초현실주의다. 초현실주의의 다양한 정신과 기법은 부뉴엘의 전 작품에 줄기와 가지로 편재되어 있다. 부뉴엘의 텍스트에 스며든 초현실주의 그림자는 무의식을 소환하려는 꿈과 서로 이질적인 것을 배치하는 데페이즈망 그리고 인과성으로부터 자유로운 자동기술이라는 세 갈래 가지이다.

〈안달루시아의 개〉에서 자전거 탄 남자의 쓰러짐과 침대에서 깨어난 장면은 꿈과 현실의 혼재가 돋보인다. 데페이즈망은 썩은 당나귀를 피아노 위에 싣고 두 신부를 묶어서 끌고 가는 장면에서 피아노와 당나귀의 병치를 통해 극명하게 드러난다. 자동기술은 남자의 손에 가득한 개미에서 겨드랑이의 털로 전환되고 털은 다시 성게로 전환되고 창밖의 잘린 손으로 이어지는 것은 인과성을 무시하고 확장한 전형적인 자동기술법의 영화적 수용의 예이다.

데페이즈망(Dépaysement)은 대상을 낯설게 하기를 통해 새롭게 바라보게 한다. 로트레아몽의 『말도로르의 노래』에서 낯선 대상이 서로 배치되어 사물과 놓인 장소가 야기하는 이질감을 통한 충격과 성찰을 촉발한다. 데페이즈망은 관습적인 공간과 환경에서 격리시켜 대상을 다시 돌아보게 하는 힘이 있다. 초현실주의 회화에서 마그리트와 달리가 이중이미지로 적극 수용하여

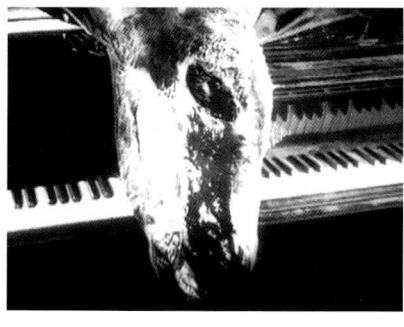

그들의 독창성을 만들어내는데 일조하였다면 영화에서는 루이스 부뉴엘이 데페이즈망 이미지를 적극 소환했다.

자동기술법은 브르통에 의해 주창되고 초현실주의 문인들이 전매특허로 활용된 미학적 기법이다. 조르주 세바에 의하면 브르통은 '이성에 의해 행해지는 모든 통제를 벗어나 모든 미학적이고 도덕적 걱정으로부터 자유로운 사고의 받아쓰기'를 위해 창안한 기법이다. 앙드레 브르통은 자동기술에 대해 개인의 체험을 토대로 소상하게 설명하였다.

> "어느날 저녁, 나는 잠이 들기 전에 한 단어도 바꿀 수 없을 정도로 정확하게 발음된, 그러나 어떤 목소리와도 구분되는 매우 이상한 문장 하나 들었다. 그 문장은 내 양심이 증언하건대 그 순간 내가 연루되었던 사건들의 흔적 없이 나에게 왔다. 집요해 보이는 문장, 내가 감히 말하건대 그 문장이 유리창을 두드렸다. 나는 재빠르게 그 개념을 파악하고 그 유기적인 특성이 나의 주의를 붙잡는다 하더라도 그것을 무시할 작정이었다. 사실 그 문장은 나를 놀라게 하였다. 나는 불행하게도 그 문장을 지금까지 기억하지 못하였다. 그것은 "창문에 의해 몸이 둘로 잘린 한 남자가 있다"같은 것이었다. 그러나 문장은 몸과 수직으로 있는 창문에 몸이 반으로 잘린 채 걷고 있는 한 남자의 희미한 영상이 동반되어져 애매함을 허용할 수 없었다. 틀림없이 문제는 단순히 창문으로 몸이 기울어진 남자를 공간 속에 똑바로 세우는 것이었다. 그러나 창문은 그 남자를 좇아서 이동하였으므로 나는 매우 희귀한 형태의 이미지를 상대하고 있음을 깨닫고, 재빨리 그것을 나의 시적 구성의 소재로 통합할 생각을 하였다."[2]

다른 작품에서 부뉴엘은 무의식의 영역에서 소환한 것은 주로 꿈 장면이 현실 장면에 반복되어 삽입된 방식을 선호한다. 꿈은 꿈과 현실의 반복된 삽입과 다른 한편으로 인물이 꾸는 꿈과 상상하는 환상으로 갈래를 나누어 무의식

---

2 조르주 세바, 최정아 역, 『초현실주의』, 동문선, 2005, 57쪽.

의 심연으로 들어가는 두 개의 출구를 마련한다. 꿈과 현실의 경계가 모호하고 꿈으로 이루어진 작품은 〈부르주아의 은밀한 매력〉이 전형적이며 꿈보다는 성적 환상으로 스스로 백일몽을 현실화하는 〈황금시대〉와 〈세브린느〉는 후자의 전형이다.

꿈은 마지막 장면을 통해 현실로 되돌아온다. 〈부르주아의 은밀한 매력〉과 〈트리스타나〉(1970)에서 반복된다. 트리스타나는 소년들과 종루에 오른다. 그녀는 종소리를 따라서 오르는 그곳의 종에 메달린 머리를 바라본다. 머리는 바로 로페이다. 종소리는 경보와 승리와 죽음을 알리기 위해 울려퍼진다는 설명을 듣고 나서 목이 잘린 머리가 메달리는 것은 로페의 죽음을 암시하거나 죽음을 욕망한다.

이 장면은 마지막 장면에서 로페의 죽음 이후 폭설이 내리고 과거가 몽타주로 처리될 때도 다시 반복되어 로페의 목이 매달린 종이 등장한다. 이 장면은 로페로부터 벗어나려는 트리스타나의 살부충동이 꿈으로 반복되어 소환되었다는 사실을 새삼 일깨워준다. 트리스타나는 의사에게 전화를 하지 않고 로페의 죽음을 방조하는 것으로 그의 죽음에 간접적으로 가담하게 된다. 로페의 집에 함께 살게된 트리스타나는 외출에서 돌아온 로페에게 덧신을 신겨준다. "그녀는 단조로움의 망에 갇혀있는데, 이것을 유쾌하지 않게 상징하는 것이 그녀의 슬리퍼"[3]이다. 트리스타나는 물신으로서 슬리퍼를 나중에 버린다. 버린 상황은 트리스타나가 로페를 떠나 다른 남자를 향할 때이다. 이는 낡은 남근을 버리고 다른 남성의 선택을 표현한 것이다.

〈세브린느〉는 기독교의 성찬식에서 유혹하는 남자가 등장하고 고립된 성에 가서 남자의 죽은 딸의 역할을 한다. 이 장면은 애도와 에로티시즘 그리고 시체애호증을 동시에 촉발한다. 부뉴엘의 영화에서 죽음(타나토스)을 반추하고 애도하면서 멜랑콜리를 통해 다른 대상과 동일시하고 삶의 에로스를 유지하는 인물들이 반복된다. 〈비리디아나〉(1961)의 돈 하이메는 죽은 아내

---

3 프레디 브아쉬, 김태원 역, 『루이스 부뉴엘의 영화세계』, 현대미학사, 1998. 198쪽.

를 닮은 조카인 비리디아나를 초대하여 그녀에게 웨딩드레스를 착복시킨 다음 결혼 의식을 치르려고 한다. 돈 하이메의 의복 도착과 강박은 죽은 아내와 닮은 조카와 동일시하여 아내의 사랑을 회복하고 반복하려는 우울증의 징후를 보여주면서 그의 무의식을 소환한다. 우울증에 빠진 돈 하이메의 행위는 멜랑콜리의 시선에서는 정당하며 영화적으로는 도착증과 강박증으로 옷에 대한 물신과 특정 대상에 대한 집착과 사랑의 반복하려는 시체애호태도와 멜랑콜리로 프로이트의 무의식과 정신적 왜곡의 징후이다. 돈 하이메는 수면제를 먹고 잠든 비리디아나의 얼굴을 만지는 행위로 시체애호증과 멜랑콜리에 빠진 남자의 대상에 대한 집착을 입증한다. 무의식과 증상의 재현과 꿈의 소환은 초현실주의 정신의 근간을 이루고 있다.

데페이즈망의 갈래를 살펴보면 〈안달루시아의 개〉에서 피아노 위의 썩은 당나귀에서 발원한다. 〈황금시대〉에서도 반복되어 등장하며 동물과 상황의 불일치 양상을 보여준다. 방의 침대 위에 앉아있던 소를 여자가 내보낸다. 이 장면은 〈자유의 환영〉에서 침실에 들어온 타조와 〈절멸의 천사〉(1962)에서 저택에 들어온 양떼와 곰으로 확장된다.

〈황금시대〉에서 파티장으로 들어오는 마차 행렬은 〈안달루시아의 개〉에서 집 안에서 끌고가는 피아노에 묶인 신부 장면의 변형이다. 이미지와 상황의 데페이즈망에서 시각적 이미지와 청각적 이미지의 불일치의 데페이즈망은 에이젠슈테인의 충돌의 몽타주의 개념과 겹친다. 〈비리디아나〉의 부랑자

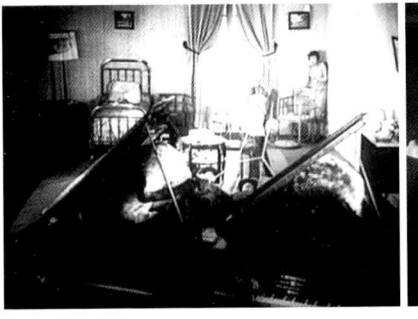

들의 카니발 장면에서 헨델의 성스러운 음악이 삽입된다. 이는 성과 속의 데 페이즈망의 전형적 사례이다. 이와 같은 장면은 〈황금시대〉에서 성스러운 음악이 연주되는 정원에서 사랑을 나누는 것과도 연관된다.

자동기술법은 〈안달루시아의 개〉에서 손과 겨드랑이 털과 성게로 연결되는 리듬이 〈황금시대〉에서 남성의 환상에서 여인의 모습에서 오물의 모습 그리고 마그마가 들끓는 지각으로 전환되다가 다시 군중 속에 있는 자신으로 돌아오는 편집을 통해 구현된다. 종교적 성스러운 의식의 공간에서 성적 충동에 지배되는 주인공의 내면을 대조적으로 드러낸다.

〈부르주아의 은밀한 매력〉에서 사고의 자유로운 받아쓰기 같은 자동기술법으로 장면 전환과 반복된 행위의 에피소드로 이야기를 끌고간다. 여기서 네 번의 재현된 꿈과 두 번의 꿈이야기가 삽입되고 열 번의 만찬 시도가 지연되거나 도중에 중단되고 세 번 벌판을 걷는 장면이 삽입된다. 여섯 명의 부르주아가 세네살의 집에서 식사를 하는 도중 군인들이 들이닥친다. 그들은 작전 중인 군인들이며 세네살의 초대보다 하루 먼저 집에 도착한 것이다. 군인들이 세네살의 집에서 모두 함께 식사를 시작하려는 순간 본부에서 전령이 도착한다. 전령의 메시지는 녹색군대가 공격한다는 정보이다. 코노넬 대령은 식사를 중단하고 출동하려고 한다. 그 순간 병사는 작전에 투입되려는 대령에게 귓속말을 속삭인다. 병사는 자신의 꿈 이야기를 들려주고 싶다고 하며 대령은 작전 투입을 잠시 유보하고 모두 꿈 이야기를 경청한다. 병사의 꿈 장면으로 전환된다. 병사는 꿈에서 세상을 떠난 자를 만나서 대화를 나누고 그 남자는 자신은 영원을 산다고 말한다. 그곳에서 병사는 사랑했던 여자를 만난다. 다음 장면은 작전 수행을 위해 출발하는 장면으로 전환된다. 대령은 자신이 다음 주 금요일 만찬에 초대하겠다고 말하면서 주소를 "파르크 가 17번지(17Rue de Parc)라고 말하자 곧장 거리와 장소 표지판으로 클로즈업되면서 대령의 집으로 전환된다. 세네살의 집에서 만찬과 군인의 등장 그리고 군인의 꿈에서 다시 작전 중인 곳으로 이동은 장면 전환의 인과성이 허약하며 서사의 비인과적인 자동기술로 전환된다.

〈자유의 환영〉도 자동기술법을 통한 에피소드 서사라는 형식에 유사하지만 변형을 보여준다. 〈자유의 환영〉은 등장인물과 인물이 주인공이 되어 에피소드를 이끌어가는 에피소드 서사로 구성된다. 첫 장면에서 스페인에서의 처형장면에서 프랑스의 공원으로 전환되고, 푸코의 집에서 병원으로 이동한 다음 병원의 간호사가 부친의 문병을 가는 로드무비로 연결된다. 그녀가 도착한 산장에서 일어난 일이 펼쳐지다가 강의를 위해 떠나는 교수로 릴레이 달리기처럼 연결되어 초현실주의의 자동기술법의 영화 형식의 가능성을 검증한다. 이는 인과성과 완결된 서사와 닫힌 구조로부터 자유로운 서사의 실험 가능성을 열어주면서 포스트모더니즘 서사의 한 형식을 창출한다. 이 모든 것은 현실의 확장을 지향하는 초현실주의의 이념에서 발원하여 이를 영화적으로 실천하고 실험하면서 영화의 언어를 확장하고 인간의 내면과 무의식을 진솔하게 재현하는 부뉴엘의 예술적 지향이 만들어낸 발자국이자 영화예술의 표현 확장의 진면목을 보여준다. 거장은 늘 인간의 내면과 세상의 진실에 대해 정면으로 직시하면서 이를 예술적 도구를 통해 표현하면서 스스로 독창성을 구축하고 예술의 우주 확장과 인간의 사유 심화를 견인한다. 그들은 늘 앞에서 인간과 세상에 대해 발언하되 자신만의 언어로 더 넓고 깊은 곳을 향한 탐사를 멈추지 않는 것이다.

3. 에로스와 타나토스의 충동은 부뉴엘의 인물의 욕망을 어떻게 채색하는가

부뉴엘은 초현실주의라는 예술적 흐름과 프로이트의 정신분석학이라는 당시의 학문적 분위기를 적극 수용하였다. 초현실주의의 무의식 소환은 인물의 내적 욕망에 대한 꾸밈없는 전시를 통해 전면화된다. 정신분석학에서 프로이트는 근친상간과 살부충동 혹은 성애 본능과 파괴 욕망으로 이름 붙여진 에로스와 타나토스를 문명의 두 기둥으로 제시하였다. 또한 에로스와 타나토스의 투쟁이 인류의 생존 투쟁의 핵심으로 파악하였다.

문명은 인류를 무대로, 에로스와 죽음, 삶의 본능과 파괴본능 사이의 투쟁
이라는 형태를 띠고 있는 게 분명하다. 이 투쟁은 모든 생명의 본질적인 요소
이며 따라서 문명 발달은 인류 생존을 위한 투쟁이라고 요약할 수 있다. 그리
고 어린이를 돌보는 유모들이 〈천국에 대한 자장가〉를 부르는 것은 거인들의
이 싸움을 진정시키려는 노력이다[4].

에로스와 타나토스는 삶에 대한 사랑과 파괴 욕망이며 부뉴엘은 이 싸움
의 시각화에 전념하였다. 그는 두 거인의 실체를 영화의 프레임과 인물의 행
위를 통해 소환하였으며 그것에 대한 공포 대신 두 충동에 대한 희화화를 통
해 관객에게 성찰의 기회와 향유의 기쁨을 동시에 제공하였다.

〈안달루시아의 개〉에는 죽음과 성적 욕망이 팽배해있다. 타나토스의 충동
은 자전거를 타고 가는 신부의 죽음과 썩은 당나귀와 마지막 장면에서 두 남
녀의 죽음으로 전시된다. 또한 남자 주인공은 여성에 대한 성적 탐닉을 억압
없이 행해지는 행위로 드러낸다. 두 남녀의 사랑과 마지막 장면의 죽음은 삶
의 에로스에 대한 충동과 타나토스의 편재가 부뉴엘의 영화의 핵심임을 적시
한다.

〈황금시대〉에서는 억압과 검열 없는 날것의 맹목적 사랑과 애욕이 마그마
처럼 분출된다. 남자 주인공의 여성에 대한 성적 도취와 탐닉이라는 에로스
가 영화와 정신의 한 축을 지배한다. 다른 축은 폭력과 죽음을 향한 타나토스
의 충동이다. 충동적인 살인과 일상적 폭력이 타나토스의 이름으로 반복해
서 소환된다.

〈황금시대〉에서 사랑과 폭력의 자유분방한 분출은 초현실주의가 지향하
는 반항과 비순응주의의 극대화 전략에 적극 호응한 영화적 실천으로 볼 수
있다. 초현실주의에서 '성은 사랑과 분리될 수 없으며 순수한 우연으로 만난
두 사람이 놀라운 사건의 발생과 욕망의 다양한 기호들'[5]을 전시하고 해석의

---

4   지그문트 프로이트, 김석희 앞의 책, 『문명 속의 불만』, 열린책들, 1997. 313쪽.

5   조르주 세바, 앞의 책, 161쪽.

지평을 열어준다. 부부관계나 밀애보다는 궁정 연애나 낭만적 정열에 더 가까운 초현실주의적 사랑은 일상이라는 수평적 차원과 경이라는 수직적 차원을 혼합한다.

남자 주인공은 군중 옆에서 여자와 정사를 나누려다 체포되어 끌려간다. 끌려가는 여정에서 그는 줄에 묶여있던 개를 걷어차고, 곤충을 발로 밟아 죽이고 지나가는 행인에게 욕설을 퍼붓고 맹인에게 다가가서 폭력을 행사한다. 파티에서 귀부인의 뺨을 때리고 건물의 정원에서는 장난을 치며 도망가다가 아이를 향해 사냥꾼은 총을 난사하여 쓰러뜨린다. 동물을 죽이고 아이를 죽이고 귀부인과 맹인을 구타하는 타나토스의 이미지는 남자 주인공의 내면을 충동적 욕망의 분출로 제시하는 초현실주의적 태도를 극단화한다.

부뉴엘은 〈황금시대〉에 대해 '맹목적인 사랑(armour fou), 결합될 수 없는 남자가 상황을 개의치 않고 서로에게 던지는 억제할 수 없는 충동에 관한 영화'[6]로 규정했다. 남자는 한편으로 폭력 충동에 사로잡혀있으며 다른 한편으로 이상적인 여성에 대한 성적 충동도 강렬하다. 폭력의 풍경은 건물이 무너지고 행인이 악기를 발로 부수면서 파괴의 이미지로 리듬을 만들어낸다. 에로스의 풍경은 파티장에서 이상적인 여자와 시선을 주고받은 다음 정원으로 가서 성적 탐닉에 빠진다. 남자 주인공과 여자는 야외 음악회의 연주 소리를 들으면서 숲속에서 밀애를 나눈다. 에로스와 타나토스의 양면성은 여자가 두통에 시달리는 지휘자에게 다가가서 애무를 하자 남자 주인공은 질투에 사로잡혀 실내로 들어온 다음 모든 집기를 건물 밖으로 내던지는 장면에서 명료하게 드러난다. 집기를 내던지는 것은 에로스가 좌절된 상황에서 격정적 타나토스로 전환되어 모든 것을 파괴하는 폭력성으로 표출한다.

에로스와 타나토스의 양가성은 피학적인 에로스를 드러내는 장면에서 극

---

6 노시훈, 「〈황금시대〉의 초현실주의적 요소들」, 『프랑스 문화예술연구』 제60집, 2017. 98쪽. 앙드레 브르통은 맹목적 사랑에 대해 "절대적으로 두 사람에게만 한정되어 나머지 세상으로부터 고립시키는 사랑이 이만큼 자유롭고 흔들림없이 대담하게 표현된 적은 결코 없었다. 어리석음, 위선, 관례는 이와 같은 작품이 출현하는 것을 막을 수 없을 것이며, 스크린에서 남녀가 그들의 뜻에 완전히 어긋나게 만들어진 세계를 향해 모범적인 사랑의 정경을 보여주는 것도 막을 수 없을 것이다."(노시훈의 같은 논문, 99쪽)

명해진다. 〈세브린느〉는 권태로운 일상에서 벗어나기 위해 자청해서 매춘업소에 취업한다. 매춘업소에 취업하기 전에도 그녀는 일상 속에서 성적 학대를 즐기는 매저키즘적 성적 환상으로 권태를 지워간다. 첫 장면은 세브린느의 내면의 욕망을 적나라하게 제시한다. 마차는 숲속으로 향하며 마차 안에 세브린느와 남편이 앉아있다. 숲속에서 그들은 세브린느를 강제로 끌어내려 입과 손을 밧줄로 묶고 웃옷을 벗겨서 등을 채찍으로 내리친다.

이와 같은 피학적 상황에서 세브린느는 성적 환상의 극치를 맛본다. 누군가로부터 처벌받고 싶은 피학적 성적 충동은 피학의 타나토스와 성적 쾌락이라는 에로스의 융합으로 귀결된다. 이와 같은 피학적 장면은 〈자유의 환영〉에서 투숙한 손님들을 자신의 방에 초대한 호븐돔과 사업가 장 베르망의 행위에서도 등장한다. 남녀는 투숙객인 간호사와 신부님들이 자신의 방에 들어오자 손님들이 바라보는 면전에서 호븐돔은 채찍으로 장 베르망의 엉덩이를 때리면서 피학적 성행위를 즐긴다. 에로스는 피학적 행위라는 타나토스를 통해 실현되면서 에로스와 타나토스가 결합하는 양가적 풍경을 제시한다. 피학적 성애자인 호븐돔은 그들의 아픔과 사랑 행위를 타인의 시선을 통해 인정받음으로써 쾌감을 극대화하려고 시도한다. 부뉴엘은 영화 주인공들의 에로스와 타나토스의 과잉 이미지를 통해 부르주아의 욕망을 관객들에게 제시하고 그들의 공감과 지지의 시선을 희망하고 있는지도 모른다.

〈세브린느〉는 주인공 세브린느의 상상의 에로스가 현실로 소환될 때 직면하는 타나토스의 공포와 불안을 담아낸다. 세브린느는 꿈과 환상을 통해 누군가가 행하는 피학적 행위에 노출되고 싶어한다. 그녀는 욕망을 현실의 장으로 내디딜 때 직면한 타나토스의 공포를 경험한다. 세브린느 스스로 상상의 에로스에서 현실의 에로스로 걸음을 내딛는 순간 범죄자 마르셀이라는 타나토스의 폭력이 부르주아 가정의 안정과 부부의 견고한 유대를 균열시킨다. 마르셀은 돈을 훔치고 총을 빼앗고 세브린느의 남편의 자리까지 차지하려는 강탈의 리듬을 타고 있는 타나토스의 현신이다. 결국 마르셀의 총탄은 피에르의 몸을 관통한다. 총소리가 나자 마자 세브린느는 창밖을 바라본다. 그녀는 피에르의 시체를 둘러싸고 군중들이 운집한 장면을 목도한다. 〈안달루시아의 개〉에서 자전거를 타고 가는 인물의 죽음과 이를 창문에서 바라보는 여인의 시선의 변형이다. 죽음의 반복과 이를 바라보는 여인 그리고 죽은 이를 되살리는 여인의 장면은 〈안달루시아의 개〉에서 〈세브린느〉로 이어진다. 재생의 모티프는 세브린느의 환상을 통해 피에르를 전신마비 상태에서 벗어나게 하는 것으로 변주된다.

잇송은 피에르에게 세브린느의 일탈의 행적을 고발하여 충격을 주기 위해 방문한다. 잇송이 피에르와 대화를 나누고 방에서 나서는 순간 세브린느의 다리와 손이 클로즈업된다. 세브린느는 이제 아름다운 에로스의 대상으로 다시 부활한다. 피에르는 세브린느를 바라보고 세브린느는 피에르를 미안함과 안타까움과 평온함이 깃든 복합적 시선으로 본다. 피에르는 전신 마비로 앉은 휠체어에서 일어난다. 피에르의 전신 마비는 부르주아 도덕률에 의해 마비된 욕망과 유사하며 세브린느의 환상 속에서만 피에르는 움직인다. 세브린느의 환상에서 그녀는 피학적 욕망을 충족하고 현실의 장에서 아나이스의 집에서 욕망을 가시화하다 마르셀에 의해 그녀의 욕망은 타나토스의 충동에 의해 사라진다. 마르셀의 죽음과 피에르의 반신마비(육체의 죽음)은 타나토스를 통해 그녀의 에로스를 잠재운다. 부르주아는 환상 속에서 욕망을 피학적으로 소환한다. 현실은 전신마비된 피에르처럼 욕망이 표백되어 있다. 폭력이라는 타나토스의 위협으로 인해 에로스는 위태롭다. 그들의 욕망은 환상 속에서 잔을 마주치고 마차가 지나가는 방울 소리를 듣는다. 불안한 평온 속에 그들의 부르주아의 삶은 이어진다. 억압된 욕망을 기반으로 한 부르주아의 평온한 일상을 암시한다.

마지막 장면의 마차는 다시 움직이며 마차의 뒷자리는 비어있다. 세브린느의 환상에서는 뒷자리에 끌려가서 피학적 욕망을 해소지만 타나토스(마르셀죽음과 피에르의 거세)를 경유한 에로스에서 자리가 비어있다. 그녀는 타나토스를 통해 텅 빈 에로스의 평온함을 찾았으며 그녀의 되찾은 현실은 환상이 비어있는 자리이다.

　남편의 육체의 상징적 죽음과 마르셀의 실체적 죽음은 세브린느의 현실에서의 에로스의 완결로 귀결되며 환상의 텅빈 자리를 만들어냈다. 타나토스를 통한 에로스의 완성은 흔히 육체적 죽음을 통한 에로스의 각인으로 표현되었지만 부뉴엘의 〈세브린느〉는 타나토스를 통한 에로스의 공백, 에로스의 상상적 충만을 가시화한다. 부르주아는 도덕률에 거세된 에로스의 상태를 유지하며 상상과 꿈을 통해서만 그들은 에로스를 팽창시킨다.

　〈세브린느〉가 피학증적 에로스와 타나토스에 대한 불안에 의존한다면 〈범죄에 관한 수필〉(1955)은 가학적 에로스와 타나토스 충동이 지배한다.

　〈범죄에 관한 수필〉의 아르치발도(에르네스토 알론소 분)는 유년시절 오르골 장난감에 기도한 것으로 인해 가정 교사가 총탄에 숨지고 나서 트라우마에 사로잡힌다. 그는 여성과 감정적 교감이 형성되면 사랑을 차단하는 방식으로 그녀를 살해하려고 상상하면 우연한 사고로 인해 여성이 죽음을 맞이한다. 아르치발도의 살해 욕망은 유년의 트라우마로 인해 자신이 좋아하는 여성이 죽음을 맞이하는 것을 방지하기 위한 가학적 방어 기제로 보인다. 아르치발도는 가학적인 살인을 꿈꾸지만 번번이 실패하고 여성에 대한 상상적 살해로 인해 윤리적 가책을 받는다. 그는 '여자를 죽이려고 할 때마다 욕정에 가득 찬 눈으로 고른 희생자가 다른 사람에 의해 살해되거나 사고로 죽으며 범죄가 그를 피해가 소드의 법칙(sod's law)'[7]에 지배된다. 아르치발도의 에로스는 유년의 트라우마로 비롯된 것이며 이는 사랑하는 대상을 죽이고 싶은 가학적 에로스에 지배되고 가학적 에로스는 타나토스와 에로스의 충동이 혼재된 것이다. 결국 아르치발도는 진정한 사랑을 통해 오르골과 유년의 억압에서 벗어나 새로운 여성을 만나서 죽이고 싶은 가학적 타나토스 대신, 함께 사랑을 나누고 삶의 희열을 공유하고 싶은 에로스에 눈을 뜬다. 이 결말은 해피엔딩을 지향하는 코미디 장르 규칙에 대한 준수와 억압된

7　프레디 브아쉬, 앞의 책.

욕망의 지층에 자리한 부르주아 감정의 정직한 표출로 타협점을 찾는다. 아르치발도와 같은 선한 부르주아들은 가학적 타나토스의 욕망을 다스리고 이를 기반으로 한 에로스의 실천으로 부르주아의 사랑과 도덕이 타협적 균형을 이루고 있다.

타나토스와 에로스의 균형에서 에로스의 죽음은 육체적 욕망의 완화와 거세에서 종교적 신앙의 상실로 확장되기도 한다. 〈비리디아나〉는 이와 같은 신앙의 상실이라는 정신적 타나토스를 우회적으로 드러낸다.

〈비리디아나〉에서 돈 하이메는 죽은 아내와 닮은 조카 비리디아나를 거짓 편지로 초대한다. 그는 죽은 아내를 되살려 첫날밤을 다시 보내고 싶은 것이다. 그는 조카에 대한 에로스를 통해 타나토스를 부인한다. 그는 첫날밤의 신부 복장을 한 비리디아나를 맞이한다. 죽음을 대신한 에로스로 그는 시체 애호증과 사랑하는 이에 대한 과거의 기억에 붙들려 있는 멜랑콜리 상태이다. 비리디아나에게 돈 하이메는 '결혼 첫날 밤에 내 품에서 너의 숙모는 죽었다. 이제 너를 내 곁에 두고 싶다'고 한다. 이는 부뉴엘의 젊은 처녀와 결혼하려는 나이든 남자의 청혼의 시도라는 〈욕망의 모호한 대상〉(1977)과 〈트리스타나〉에서의 유사한 모티프를 반복한다. 그는 컵에 수면제를 타서 비리디아나를 재운 다음 침실로 데리고 가서 얼굴과 몸을 탐닉한다. 이는 전형적인 시체애호증이자 죽음(잠, 타나토스)를 욕망하는 행위다. 그는 다음날에 비리디아나를 머물게 하기 위해 어제 '너는 나의 것이 되었으므로 이제 수녀원에 갈 수 없다'고 강조하고 애원한다. 비리디아나가 떠나자 돈 하이메는 그녀를 자신의 집과 자신 곁에 머물게 하기 위해 타나토스(자살)를 선택한다. 사랑하는 자와의 동반 자살은 죽음을 통한 사랑의 영원함을 얻기 위한 선택이지만 하이메의 자살은 떠나려는 비리디아나를 잡으려는, 즉 에로스를 잡기 위한 타나토스의 선택이다.

비리디아나는 여기서 한번 자신을 태우고 다시 태어나서 재가 수녀로 살기로 작정한다. 비리디아나는 수녀가 되기 위해 수녀원에 갔다가 하이메의 죽음으로 그의 집에 머물면서 부랑자와 거지를 전도하고 갱생시키기 위한 삶을 선택한다. 여기서 첫 번째 자신의 수녀의 삶을 죽이고 하이메의 집에서 부랑아를 양육하고 인도하는 삶을 선택한다. 여기서 과거의 자신을 죽이고 에로스는 하나님에 대한 사랑, 신의 사랑에서 이웃에 대한 사랑으로 전환된다. 비리디아나의 사랑은 거리의 부랑자를 집으로 데리고 와서 경건한 신앙 생활로 이끌며 그림을 그리면서 새로운 삶을 살 수 있도록 인도하는 일이었다. 하지만 비리디아나는 이들로부터 배신과 폭행을 당하면서 그 자신의 영성이 죽게 된다. 그녀의 영적 죽음은 가시면류관을 불에 태우는 장면을 통해 표현된다.

비리디아나는 '재는 속죄와 죽음'이라는 대사를 통해 재의 의미가 속죄임을 전한다. 그녀는 자신의 종교적 에로스를 죽이고 다시 세속으로 투항한다. 부랑자와 인간에 대한 에로스의 상실은 신성의 타나토스로 전이된다. 그녀의 신앙 상실이라는 종교적 죽음은 가시면류관을 태우는 것으로 표상된다. 신앙의 상실이라는 정신적 타나토스는 세속적 에로스의 발흥으로 귀환한다. 세속적 에로스의 출현은 비리디아나가 거울을 보면서 머리를 단장하고 성적 매력이 있는 여성으로 다시 태어나 호르헤라는 이성의 방으로 들어가는 것에서 확인된다. 가장 성스러운 여성이 부랑자들의 교화에 실패하고 결국 하향 곡선을 타고 세속적 에로스의 발흥이라는 속된 욕망의 자리로 귀속된다. 하이메의 죽음은 수녀원으로 복귀 거부의 개연성을 부여했으며 부랑자의 교화 실패는 신앙의 상실이라는 정신적 타나토스로 귀결된다. 신앙의 상실은 하이메의 멜랑콜리로 포박된 에로스와 신과 이웃에 대한 사랑을 추

구하는 비리디아나의 종교적 에로스가 에로스의 변주를 통해 세속적 사랑으로 회귀한다.

종교적 사랑의 상실과 세속적 에로스의 탄생은 비리디아나 에로스의 종착지이다. 이는 기독교와 부르주아 위선의 폭로에 전념한 영화 작가 부뉴엘이 바라보는 현대인의 정신적 풍경이자 그의 리얼리즘이 포착한 당대 성스러운 이력서를 집필하려는 이들에 대한 냉정한 초상화이다. 마지막 장면에서 카메라는 트랙 아웃되면서 포커 놀이를 하는 세 사람의 모습을 길게 잡아낸다. 비리디아나는 왜 이 자리에 착석하게 되었는가에 대한 질문을 관객에게 던진다.

4. 기독교와 부르주아는 어떻게 희화화되고 있는가

기독교에 대한 신성모독과 부르주아의 위선에 대한 조롱은 부뉴엘의 영화적 충격요법이 겨냥하는 과녁이다. 충격요법은 부뉴엘이 서구를 지배하고 있는 콘크리트같은 제도와 올가미와 같은 종교의 통제로부터 출구를 찾기 위한 예술적 방법론에 가깝다. 부뉴엘은 스스로 "내가 영화를 통해 하고자 하는 것은 사람들을 일깨우는 것과 모든 사람이 가장 좋은 세상에서 살고 있다고 생각하게 만들려는 체제 순응주의적 규율을 파괴하는 것"을 영화 제작의 기본 방침으로 삼고 있다고 천명한 바 있다.

〈안달루시아의 개〉에서 피아노 위의 썩은 당나귀와 밧줄에 끌려오는 신부의 이미지는 기독교에 대한 신성모독과 피아노에 썩은 당나귀를 얹어 놓은 것은 부패한 부르주아에 대해 필설로 가할 수 없는 신랄한 비판을 가한 것이다. 〈황금시대〉에서는 보다 더 적극적으로 기독교에 대한 신성모독을 강행했다. 1930년 파리의 스튜디어 28 극장에서 개봉되었을 당시 카톨릭계의 반발을 불러 왔다. 이와 같은 반발은 부뉴엘이 지향한 충격요법이 성공한 반증이다.

〈황금시대〉에서 기독교와 부르주아 공격은 더욱 직설적이다. 첫 시퀀스에서 성스러운 기념식을 거행하는 장소에서 욕망에 사로잡힌 남자 주인공은 여자와 야외에서 정사를 시도하다 주변 인물들에 의해 제지당한다. 성적 욕망과 폭력의 과도한 분출은 〈안달루시아의 개〉에서 비롯된 기본 주조이며 〈황금시대〉에서도 이와 같은 기조가 견고하게 유지된다. 주인공은 그의 망상으로 군중 속에서 혼자 앉아 있는 이상적인 여인의 모습을 바라보고 변기 모습과 오물과 용암 이미지가 동시에 드러난다. 군중의 모습은 욕망의 들끓은 오물이 혼재된 것을 통해 성스러운 집회를 조롱한다. 이와 같은 장면은 교계에서 신성모독으로 지탄을 받았으며 뉴욕의 상영회에서는 "종교와 도덕에 기대어 떳떳하다고 자부하는 부르주아 양심"[8]을 도발했다는 긍정적 평가를 받았다. 부뉴엘 기존 연구자와 김은아는 신성모독은 부뉴엘의 미학적 전략임을 거듭 밝혔다. 이와 같은 신성모독과 부르주아의 공격은 거의 대부분의 영화에 반복 재현되는 부뉴엘의 양 축이며 지배적인 태도이다. 김은아는 부뉴엘이 "부르주아 사회의 모든 예의범절을 조롱하고(귀부인은 따귀를 맞고, 신사는 파리 떼에 뒤덮인다) 성스러운 이들에게서 본래의 자리를 빼앗음으로써(성물함은 리무진의 발치에 놓여지고, 주교는 창문 밖으로 곤두박질친다) 종교적 규범을 전복한다"고 주장했으며 이는 대부분 동의하는 부분이다. 부르주아의 예의범절의 조롱과 종교적 규범의 전복은 신성모독과 부르주아에 대한 비판의 다른 이름이며, 마지막 장면에서 셀리니 성에 대한 자막은 네 명의 성직자가 자행한 난교와 블랑쉬 공작이 여성과 성 안으로 들어간

---

8   김성욱 외, 『루이스 부뉴엘의 은밀한 매력』, 문화학교서울, 2000. 123쪽.

다음 여성의 비명소리와 눈에 맞는 십자가 형상의 이미지의 결합은 신성모독과 기독교 비판의 징후를 드러낸다. 부뉴엘의 형식은 난교의 행위 제시보다는 자막을 통한 사건의 설명과 사운드를 통한 간접 전달로 생경함을 피하고 충격 요법은 강화하고 있다. 〈안달루시아의 개〉에서 눈을 자르는 충격 요법이 기존의 서구적 시각에 대한 반성을 촉발하였다면 주교의 내던짐과 성직자의 일탈 폭로는 서구를 지배해온 기독교의 맹신을 질타한다.

〈범죄에 관한 수필〉에서 아르치발도는 병상에서 수녀를 죽이려는 상상적 살해를 꿈꾼다. 그는 면도칼을 꺼내 죽이려고 하는데 도망가던 수녀는 엘리베이터에 떨어져서 사고사로 처리된다. 수녀를 죽이려는 아르치발도의 상상적 살해를 〈비리디아나〉에서 비리디아나를 능욕하려는 부랑자의 성폭행 장면과 내적 연관성을 갖는다. 두 장면 모두 성직자에 대한 폭력적 공격이라는 공통점을 지니며 종교에 대한 우회적 폄하로 기울고 있다. 〈부르주아의 은밀한 매력〉에서는 정원사로 취직한 주교가 죽어가는 전직 정원사의 고해성사를 받는다. 주교는 전직 정원사가 자신의 부모를 죽인 원수임을 확인하고 죽어가는 이를 향해 총을 쏘아 살해한다. 고해성사를 집전하는 주교의 살인 행위는 〈자유의 환영〉에서 투숙객과 함께 도박하는 신부들의 행위처럼 도덕적 일탈과 위법을 폭로한다. 주교와 신부는 모두 일탈 행위를 통해 비하되고 웃음거리로 전락한다.

〈비리디아나〉에서 기독교에 대한 희화화는 십자가 형상의 주머니칼과 가시면류관을 태우는 장면, 그리고 거지와 문둥병 환자들로 이루어진 부랑자

들의 집안에서 잔치에서 최후의 만찬을 연상하는 좌석의 배치를 통해 패러디된다. 부랑자들이 집안 벌이는 카니발은 노래와 춤 그리고 파괴와 폭력으로 고조된다. 호르헤와 비리디아나가 외출하는 사이 비리디아나가 새로운 삶을 살아갈 수 있도록 계도하던 부랑자들이 집에 들어가 식탁보를 깔고 부르주아 흉내를 내면서 즉흥 파티를 벌인다. 그들은 노래를 하고 술을 가져다가 맘껏 마시면서 만찬을 벌인다. 이곳에 노래와 춤 그리고 성과 폭력이 가득한 카니발이 펼쳐지는 디오니소스의 절정으로 치닫는다. 남자는 여자와 식탁 밑에서 강제로 성애를 벌이고 지팡이로 식탁의 음식을 부수는 카니발 장면이 롱쇼트로 제시된다. 음악은 헨델의 거룩한 음악이 흘러나온다. 그리스도를 찬양하는 경건한 메시아 음악과 춤과 노래와 폭력으로 얼룩진 카니발이 어트랙션 몽타주된다. 비리디아나와 호르헤가 현장에 당도하지만 그들은 비리디아나에게 성폭행을 시도하고 호르헤를 내려친다. 결국 호르헤의 지혜로 비리디아나는 위기에서 벗어나며, 하녀의 신고로 경찰들이 도착하면서 무질서는 진정된다.

메시아 음악과 부랑자들의 카니발 장면이 결합되어 데페이즈망을 통해 기독교의 최후만찬과 찬양을 조롱한다. 비리디아나의 종교적 교화는 부랑자들의 욕망과 야수성을 다스리거나 계몽할 수 없다는 냉엄한 사실을 직시하게 한다.

기독교의 희화화에 대해 김성욱은 '신성모독이기보다는 인간적 수준으로 축소'하여 영화적인 표현을 한 것으로 해석한다. 부뉴엘은 "카톨릭을 모독하는 게 아니라 카톨릭이 지닌 신성한 아우라는 인정하지 않을 뿐" 신성의 아우라에 대한 거부이지 신성모독에까지 나아가지는 않는다고 소극적으로 해석한다. 부뉴엘의 기독교 희화화는 억압과 금기로부터 벗어나려는 초현실주의 전복성의 흐름에 놓여 있으며 〈황금시대〉와 〈부르주아의 은밀한 매력〉에서 주교의 세속적 이미지와 〈안달루시아의 개〉의 밧줄에 묶인 수도사의 이미지와 유사한 계열에 묶여있다.

결국 비리디아나는 가시면류관을 태우는 행위를 통해 종교적 삶의 종료를 선언하고 호르헤를 찾아간다. 호르헤와 비리디아나와 하녀는 같은 자리에서 카드놀이를 한다. 그리고 그녀는 "밤은 모든 일을 용납한다"는 상황을 환기하면서 재가 수도사의 삶에서 세속적인 삶으로 회귀한다. 비리디아나는 성스러운 삶의 추구라는 종교적 처녀성을 상실하고 세속적 입사의식으로 호르헤의 카드놀이에 참여한다.

부르주아의 위선은 〈부르주아의 은밀한 매력〉의 만찬 장면과 꿈 장면에서 적나라하게 전시된다. 부르주아는 만찬이라는 식욕과 남녀가 육체를 탐닉하는 성욕 그리고 술과 음식과 음악에 대한 고담준론을 나누는 관습에 지배되어 자신의 지적 허영심을 채운다. 그들은 우아한 정장을 차려입고 초대받은 지인의 집에 방문하지만 약속시간이 어긋나서 만찬이 미루어진다. 만찬이라는 부르주아의 식사 문화는 그들의 단조로운 행위의 반복과 생활의 구속을 우회적으로 암시한다. 꿈 장면에서는 대령의 집에서 만찬 직전에 무대의 막이 열리면서 객석의 시선에 노출되거나 무르익은 만찬이 테러리스트의 공격으로 초토화된다. 이는 평온한 일상 속에 잠복된 불안과 억압적 장치에 의해 좌절된 부르주아의 욕망을 희화화한다. 희화화는 부뉴엘의 전매특허였다.

5. 작가 부뉴엘의 해석 풍경 : 부뉴엘은 영화감독으로 어떻게 읽을 수 있는가

부뉴엘에 관한 졸문의 안내표지판

부뉴엘의 영화와 닮은 부뉴엘 영화에 대한 해석의 길을 한 번 내보도록 하겠습니다. 에로스와 타나토스, 신성모독, 부르주아 비판, 충격 요법. 소드의 법칙, 데페이즈망, 자동기술법, 초현실주의 환상. 부르주아. 충격 요법 이와 같은 기존의 개념은(이미 유통기한이 다 되었으니 휴지통에 버려주시라는 당부는 차마 못 드리겠습니다) 부뉴엘의 세계를 옥죄는 굴레이며 〈안달루시아의 개〉의 썩은 당나귀와 신부님의 처지와 다르지 않을 것입니다. 부뉴엘의 영화라는 우주는 글의 지도로 퍼즐을 맞추는 것보다 감성의 길을 따라 여행하시면 여러 갈래의 부뉴엘 텍스트와 겹쳐지기도 하고 갈라지기도 하고 대립하기도 하면서 하나의 작품의 별자리를 목도할 수 있을 것입니다. 출입문으로 들어갑니다. 들어가는 입구는 안내 표지판이 존재하지만 나오시는 출구는 어떤 암시도 안내도 삭제되었습니다. 부뉴엘 연구자분이나 책을 통해 지적 자양분을 섭취하시려는 분, 그리고 엄격한 논리와 냉정한 이성을 신앙하시는 독자분들의 양해를 부탁드립니다. 독서가 불편하시면 여기까지 부뉴엘과 대화를 나누시는 것으로 마무리하셔도 무방합니다.

다산과 부뉴엘은 한국과 스페인만큼 먼 거리에 있는가. 두 분의 삶과 예술관은 접점을 찾을 수 있을까.

다산은 서학(기독교)을 신앙하게 되어 18년 동안 강진에 유배되었다. 부뉴엘은 기독교를 모독하여 고국인 스페인에서 자진 추방되어 멕시코에 1945년에서 1962년까지 영화를 만들었다. 문제는 기독교로 인해 두 분 모두 고향을 떠나 황금시대를 디아스포라로 살아갔다. 한 분은 지지했던 죄목으로 다른 한 분은 폄하했던 죗값으로 10년 이상 추방된 것이다. 기독교는 과연 보편적 다수 인간을 위한 종교였던가 정해진 교리와 신앙을 맹목적으로 추구한 소수 신도들만의 종교였던가. 기독교는 두 인물을 통해 예술가와 사상가를 성장하게 한 결정적 원인을 제공하여 결국 인간을 위한 종교라는 사실이 검증되었다고 주장하면 시적 표현에 머물고 말 것 같다.

다산은 마땅히 지녀야 할 사대부의 자세와 정신적 부적으로 삼아야 할 근검(勤儉)에 대해 아들에게 서간으로 전했다. 내용은 다음과 같다.

사대부의 마음가짐이란 마땅히 광풍제월(光風霽月)과 같아 털끝만큼도 가린 곳이 없어야 한다. 무릇 하늘이나 사람에게 부끄러운 짓을 아예 저지르지 않는다면 자연히 마음이 넓어지고 몸이 안정되어 호연지기(浩然之氣)가 저절로 우러나올 것이다. 만약 포목 몇 자 동전 몇 잎 정도의 사소한 것에 잠간이라도 양심을 저버린 일이 있다면 이것이 기상을 쭈그러들게 하여 정신적으로 위축을 받게 되니, 너희는 정말로 주의하여라.

거듭 당부하는 건 말조심하는 일이다. 전체적으로 완전해도 구멍 하나만 새면 깨진 항아리와 같듯이, 모든 말을 미덥게 하다가도 한마디만 거짓말을 하면 도깨비처럼 되는 것이니 너희는 정말로 조심하여라. 말을 실속없이 과장되게 하는 사람은 남이 믿어주질 않으며, 더구나 가난하고 천한 사람은 더욱 마땅히 말을 적게 해야한다[9].

〈세브린느〉는 부르주아의 권태에 대항하는 성적 일탈의 최대치를 보여주었다. 이렇게 말할 때 세브린느의 인간의 순수한 욕망은 배경으로 물러나고 윤리적 죽비로 그녀를 내리친다. 세브린느는 자신의 순수한 욕망의 운전자이자 주체이다. 세브린느의 욕망은 정신분석적 각본에서 비롯되었음에도 불구하고 도시의 거리를 걷고 있는 절반 이상의 시민들이 부인할 수 없지만, 김영조 감독의 〈그럼에도 불구하고〉 감히 드러내지도 못하는 욕망의 맨얼굴을 눈앞에 제시한다. 변죽을 울리지 않고, 직설 화법으로 직격하기에 부뉴엘의 충격 요법은 영화에서 실효를 거두고 관객들의 감성을 할퀸다. 영화는 인간이 어떻게 품위있게 살 수 있는가를 표현하기도 하지만 인간은 얼마나 복잡미묘한 감정이라는 주머니를 달고 다니는 캥거루에 가까운가라는 질문도 던진다. 부뉴엘은 후자에 대한 관심으로 인해 고상한 부르주아와 성스러운 종교인들에게 배척되고 정치적 검열의 그물에 걸리는 새가 되고 말았다.

머리에 피도 안 마른 어린 조카는 침실 안에서 술을 벌컥벌컥 마신다. 고모인지 이모인지 모를 곱게 늙은 여자는 프랑수와 날 집으로 데려다달라고 애원한다. 조카는 나에게 당신은 가장 사랑스러운 사람이라는 말을 내뱉으면서 나이든 그녀와 동침을 위해 갖은 노력을 다한다. 나이든 여성은 조카라는 가족 관계를 강조하면서 밀어내지만 결국 처음으로 했던 키스의 추억을 되새기는 그들은 추억의 영향으로 서로 키스를 하고 몸을 애무하기에 이른다.

---

9 정약용 지음, 박석무 옮김, 『유배지에서 보낸 편지』, 창비, 2016, 170–171쪽.

조카는 다시 나이든 여성의 몸을 바라본다. 그리고 이유를 불문하고 여성을 때리고 얼굴을 베개로 누르며 죽이려고 시도한다. – 〈자유의 환영〉 영화의 한 장면

　갑자기 객석의 관객은 부도덕한 조카에 대한 경멸 대신 장 자크 베넥스의 〈베티 블루〉(1986)에서 실어증에 걸린 베티를 베개로 죽이는 장면 겹치고 비디오로 빌려서 감상한 잭 니콜슨의 연기가 돋보인 〈뻐꾸기 둥지 위로 날아간 새〉(밀로스 포먼, 1975)의 베개로 죽이는 장면을 떠올리면서 비극적 상황이 벽돌처럼 쌓여가기 시작했다.

　나무와 창문은 (　)적 혈연관계로 인해 친척이 될 수가 있는가

　# 신라의 고승 월명사는 먼저 세상을 하직한 누이를 위해 슬픈 노래를 지어 봉헌했다

　　생사의 길은 이에 있으매 머뭇거리고,/ 나는 간다는 말도 못다 이르고 가
　나잇고.
　　어느 가을 이른 바람에, 이에 저에 떨어질 잎처럼,/한 가지에 나고, 가는 곳
　도 모르온저.
　　–「제망매가」 중 몇 구절 인용

　조선 중종 명종 때 살아갔던 시인이자 풍류가인 황진이는 조선시대의 율려에 맞추어 자신의 마음을 담아냈다.

　　靑山은 내뜻이요, 綠水는 님의 情이
　　綠水 흘러간들 靑山이야 變할손가
　　綠水도 靑山못니져 우러여어 가는고

\# 곽재구 시인은 광주에서 태어나 광주에서 대학을 다녔으며 광주 5월시 동인으로 활동하면서 1980년 광주에서 일어난 사건을 시에 많이 담았다.

> 너의 노오린 우산깃 아래 서 있으면 /아름다움이 세상을 덮으리라던 /늙은 러시아 문호의 눈망울이 생각난다./ 맑은 바람 결에 너는 짐짓 /네 빛나는 눈썹 두어 개를 떨구기도 하고/누군가 깊게 사랑해 온 사람들을 위해/보도 위에 아름다운 연서를 쓰기도 한다
> −곽재구의 「은행나무」 중에서

\# 앙드레 브르통은 1924년 초현실주의 선언을 장황하게 기록하고 깊이있게 고뇌하면서 결국 파리에서 시작된 초현실주의를 전 세계에 유포하는 유 인물을 완성하였다.

자유라는 낱말 하나가 아직도 나를 열광시키는 모든 것이다. 나는 이 낱말이 인간의 해묵은 광적 숭배를 누리기에 무한하게 누리기에 적절하다고 믿는다. 이 낱말은 필경 내 정당한 동경에만 오직 대답한다. 우리가 물려받은 그 많은 불운들에도 불구하고, 정신의 가장 위대한 자유가 우리에게 남겨졌음을 명심해야한다.(「초현실주의 선언」 중)

초현실주의가 정치 영역에서 거둔 진전이 어떤 것이었다 해도, 정신 해방의 제일조건인 인간 해방을 위해서는 프롤레타리아 혁명에만 기대를 걸어야한다는 지령이 우리에게 아무리 급박하게 떨어졌다해도, 우리는 우리에게 고유하며 우리가 직접사용해보고 그 유용함을 손수 확인할 수 있었던 표현 수단을 포기해야 할 어떤 유용한 이유도 발견하지 못했다고 정직하게 말할 수 있다[10].

\# "16년 전"이라는 자막이 출렁거리고 느린 슬로우 모션으로 한 인물이 등

---

10 앙드레 브르통, 황현산 역, 『초현실주의 선언』, 미메시스, 2012, 162쪽.

장하여 남자에게 거칠게 훈계한다. 무성영화는 그의 질책을 관객의 상상에 맡기고 있다. 남자 주인공은 질책과 훈계를 거부하여 권총으로 상대방을 저격한다. 남자는 방에서 총을 맞았지만 쓰러진 곳은 아름드리 나무들이 서 있는 숲이다. 그는 웃옷을 벗은 나체 여인의 등으로 떨어진다.

　－〈안달루시아의 개〉한 장면

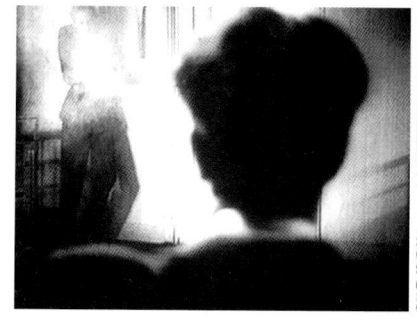

　# 1: 20: 40 피에르와 그의 연적인 잇송이 마차에서 내린다. 그들은 총을 장전하여 결투를 시작한다. 결투가 끝나자 남편 피에르는 나무에 묶인 세브린느에게 키스를 한다. 나무에 묶인 세브린느는 피를 흘린 몸으로 남편의 키스를 받는다. 나무에 묶인 여인과 그녀가 흘린 피는 인류의 구원을 위해 십자가에 못박힌 예수 그리스도를 떠올린다고 하는 순간 신성모독이라는 금기의 선을 밟고 말 것이다.

　－〈세브린느〉의 한 장면

　# 거리의 장면, 거리에 가로수가 도열해 있다. 주인공 아르치발도는 조금 전에 연못에 버린 오르골 상자에서 벗어나 발걸음이 가벼워졌다. 그는 나무 줄기를 타고 오르는 벌레를 바라본다. 지팡이로 그 벌레를 죽이려는 순간 그는 멈칫한다. 오르골이 연못 속으로 빠져들어가듯 그의 벌레를 죽이고 싶은 충동도 마음속의 연못에 가라앉고 있다. 그리고 후경에서 걸어오는 여성을 바라본다. 그녀는 상상으로 거듭 살해했던 라비아니이다. 라비아니와 아르

치밭도는 거리에서 만나 서로의 근황에 대해 주고받은 다음 같은 방향을 향해 걸어간다. 두 인물은 서로의 마음을 이미 확인했으며 같은 방향으로 걸어가는 것은 미래의 사랑 성공 가능성을 예견한다. 부뉴엘의 영화에서 해피엔딩과 닫힌 결말을 보여준 보기 드문 예외 장면이다. 거장에게도 늘 예외는 있다. 그는 거장이기 이전에 감독이며 한 인간이었기에 지극히 인간적인 상투성과 상식을 용인한다.

    – 〈범죄에 관한 수필〉마지막 장면

    부뉴엘에 대한 습관적 기억과 학문적 기억의 정원에 나 있는 갈래 길 : 자동기술법이라는 이름으로 불리는 이상한 대상

    브르통은 어떠한 이념과 종교의 지배 그리고 복종으로부터 자유로울 수 있는 작가의 표현의 자유를 위해 상상력의 엔진으로, 예술 세계를 비행하는 자동기술법에 대한 지지를 평생 동안 표명하였다. 브르통이 살았던 파리와 시대로부터 멀리 떨어진 한국의 남산 아래서 서양의 영화를 공부하는 일군의 무리들 속에 한 청년이 말석에 앉아 있었다.

    남산의 소나무보다는 청계산의 참나무 줄기처럼 투박했던 청년은 세상의 많은 분들이 피와 땀으로 저술한 통나무처럼 단단하고 질박한 문장과 우물에 둥둥 떠 있는 잘 익은 자두와 수박 같은 건강한 생각 그리고 통도사의 대웅전 뒤편 숲에서 가을 하늘만큼 맑고 무용수처럼 자유로운 자세로 하늘을 행해

줄기를 뻗어나간 소나무의 고고한 풍경을 독서노트에 정박시키면서 살아가고 있었다. 어느날 감독의 이름보다 〈안달루시아의 개〉라는 제목이 더 생각나는 영화를 무심하게 감상을 하다가 불현듯 원초적 장면을 목격한 유아처럼 충격적 이미지에 넋을 잃고 예술적 성장통을 오래 앓았다. 눈을 면도칼로 자르는 장면과 달을 비켜 가는 구름의 모습이 보다 더 선명하게 각인된 장면은 피아노 위에 실린 죽은 당나귀와 묶인 수도사 장면이었다. 피아노와 당나귀 보다 끌려가는 수도사는 기억의 지층에 새겨진 영화적 문신에 가까웠고 썩은 세상을 교화하려는 종교, 세상이 천국이 되기 위해서는 썩은 당나귀와 수도사를 끌고 지구를 순례하는 일만큼 어려운 책무임을 곱씹게 되었다. 부뉴엘의 의도와 다른 방향에서 감동을 받았던 것이다. 오독의 핵심은 영화의 주인공은 인류의 평화를 위해 자신이 소유한 모든 것을 봉헌하는 〈희생〉(안드레이 타르코프스키, 1986)의 주인공 알렉산더의 후예일 것이라는 깊은 믿음과 해피엔딩과 권선징악의 논리에 순응하고 싶었던 것 같다. 부르주아의 상징이 피아노라던가 기독교에 대한 비판적인 입장에 선 감독의 태도를 뒤늦게 알게 된 이후에도 이 이미지는 지워지지 않았으며, 지워지지 않은 이미지만큼 이 장면에 대한 감성적 해석도 역시 희석되지 않고 뿌리에 자리하고 있었다.

어느 날 남산 아래의 좁은 강의실에서 대학원 수업 시간에 저명한 영상시대의 영화감독과 이름이 동일한 후배가 부뉴엘 감독에 대해 발표했다. 그는 부뉴엘에 대해 자신이 최근에 구입한 봉천동의 작은 기와집만큼 애착을 갖고 있었다. 이와 같은 판단의 근거는 당시 구하기 힘든 부뉴엘의 비디오를 구해서 비디오 클립을 만들고 한 장면 한 장면을 설명할 때마다 웃음기가 얼굴에 가득 찼던 사실을 통해 짐작할 수 있었다. 그가 발표한 클립은 〈부르주아의 은밀한 매력〉에서 주인공들이 벌판을 걷는 장면과 〈자유의 환영〉에서 변기로 된 식탁에 앉아 대화를 나누는 장면이었다. 변기로 된 대화의 장면에서 문득 〈바베트의 만찬〉(가브리엘 엑셀, 1988)이 떠올랐다. 〈바베트의 만찬〉이 왜 떠올랐는지 이유는 알 수 없으며, 변기에 앉는 장면은 지금은 고다르의 〈미녀갱 카르멘〉에서 카르멘이 남자 화장실에서 남성의 변기에서 소변을 보려는 억지스러운 장면에서 다시 반추되어 유럽의 화장실 장면의 유머를 다시 떠올렸다. 한국의 영화 〈초록 물고기〉(이창동, 1997)에서는 화장실이 칼로 조직폭력배 보스를 난자하는 살인의 공간으로 사용되는데, 유럽의 감독은 유희의 장소로 대수롭지 않게 배치했다.

영화 작가는 시간과 공간 그리고 세상에 존재하는 삶의 모습을 무한하게 팽창하게 한다. 이와 같은 명제를 입증해주는 감독은 대체적으로 작가의 이름으로 불리고 있다. 부뉴엘도 세상에 존재하는 삶의 모습에 표현을 국한하지 않고 다양한 상황을 소환하여 삶의 무늬를 확대하고 상황의 팽창으로 영화라는 세상을 창조하고 있다.

〈부르주아의 은밀한 매력〉에서 여섯 명의 인물이 들판을 걷는 장면은 세 번 반복해서 등장한다. 마지막 걷는 장면은 영화의 엔딩 장면으로 우리는 그들의 산책에 참여하게 된다. 영화평론가 김형석은 이 장면을 '수수께끼같은 장면이자 영화사상 가장 장난스러운 장면으로 꼽힐 만하다'고 표현했다. 들판을 걷는 장면은 부뉴엘 하면 떠오르는 다섯 손가락 안에 들어오는 장면이다. 이 장면은 '인물이 걷는다'에서 '여섯 명의 인물이 들판을 걷는다'로 바꿀 수 있다. 6인의 인물은 만찬을 위해 걸어간다. 그들은 괄호를 위해 걸어간다. 그 괄호는 부뉴엘의 다른 작품에서 우회적으로 제시된다. '인물이 걷는다'는 〈안달루시아의 개〉의 마지막 장면에서 '두 남녀가 해변을 걷는다'로 등장한다. 남녀는 해변을 걷고 다음 장면에서 '죽음'이 이어진다. 남녀는 죽음을 찾아서 걸어간다. 〈안달루시아의 개〉에서 주인공이 끌고 가는 것은 죽은 당나귀와 살아있는 수도자이다. 그는 동물적 육체의 타나토스와 정신의 에로스를 끌고 죽음의 언덕으로 십자가 같은 짐을 지고 간다. 〈세브린느〉는 선그라스를 끼고 걸어간다. 세브린느는 아나이스 매춘숙을 찾아간다. 세브린느는 매춘을 위해 걸어간다.

〈나자린〉(1958)에서 신부 나자린은 순례 여행을 위해 거리를 걷고 억울한 죄수가 되어 거리를 걷는다. 종교의 순례와 죄인의 호송은 마지막 장면에서 거리에서 과일을 파는 여인이 죄수인 나자린에게 파인애플을 전하는 장면에서 호송과 순례가 겹친다. 여인은 나자린에게 "이걸 받으세요, 신께서 함께하실 겁니다"라는 말을 전한다. 나자린은 여인의 전언을 통해 신의 존재에 대한 종교적 성찰과 잠든 신앙을 일깨운다. 나자린은 순례의 길을 걸었지만 신의 기적과 신의 존재에 대해 신앙하는 말을 하지 않았다. 파인애플은 주인공의 표정과 북소리를 통해 종교적 과일로 변한다. 그는 종교적 개심을 통해 순례 자로 돌변한다. 그는 종교적 순례를 위해 걸어간다.

〈절멸의 천사〉의 마지막 장면은 성당에서 미사에 참석한 다음 출구를 향해 나오려다 출구가 닫힌 것을 바라보면서 멈춘다. 부르주아는 벌판을 우아하게 걸으면서 품위있는 식사를 하고 성스러운 미사에 참석하면서 삶과 죽음의 맛을 음미하려고 한다. 그들의 삶은 식사라는 부르주아의 의식에 갇혀 있고 신앙보다는 종교 행사에 구속되어있다. 〈절멸의 천사〉와 〈부르주아의 은밀한 매력〉의 부르주아들이 놓인 상황은 이를 강변한다. 부뉴엘은 계몽하거나 성찰을 권유하지 않고 다만 변죽을 울리고 부르주아와 종교를 가만히 바라볼 뿐이다.

'걷는다'의 주인공은 결국 식사를 하고 서로 사랑을 나누고 간혹 살인도 하지만 결국 죽음이라는 목적지에 당도한다. 그들은 기독교의 신앙과 부르주아의 관습이라는 보행법을 맞추거나 틀리면서 에로스와 타나토스의 길을 걸어간다. 이 문장은 부뉴엘의 많은 영화들이 만들어낸 모자이크화의 외곽선이다. 영화의 색과 형태를 만들어낸 것은 식사와 사랑과 살인에 대한 초현실주의적 태도다. 이것은 모두 인간의 욕망이라는 리비도의 저수지로 모여드는 감성의 계곡물이거나 예술의 바다로 향하는 물길이다. 이 물길은 본능의 결이 다르고 표현되는 색이 달라서 꿈의 세계만큼 왜곡되고 전치되고 압축되어 혼돈과 질서 속에서 항해하는 인간의 내면 풍경을 드러낸다. 부뉴엘은 초현실주의라는 프리즘으로 사실성을 예술적 진실성으로 굴절해내는 거대한 나무이다.

페드로 알모도바르의 〈그녀에게〉에 배치된 다양한 텍스트의 존재들

1. 들어가는 말 : 페드로 알모도바르의 생애와 영화적 토양

    한 작가의 작품은 그의 생애와 그가 살아온 역사적 분위기 그리고 문화적 토양에 지배된다. 스페인의 감독 페드로 알모도바르는 1951년 9월 25일 라만차 지방의 칼라트라바 칼사다에서 농부의 아들로 태어나서 10대 후반에 마드리드로 이주하였다. 그는 전화국 교환수로 돈을 벌면서 한편으로 영화 작업을 하고 다른 한편으로는 '패디티 타푸사'라는 필명으로 언더그라운드 잡지에 콩트를 게재하기도 했다. 활동영역은 여기에서 머물지 않았으며, 독립극단 '불량배들(Los goliardos)'을 통해 연극에도 적극적으로 참여하였으며 '알모도바르의 맥나라마'라는 펑크 록 그룹을 통해 언더그라운드 음악 활동까지 확장하면서 일인 다역으로 마드리드 언더그라운드 문화계에 발을 들여놓았다. 그의 영화계 입문은 지면에서 무대를 경유하여 도착한 종착지였다.

    예술가로서 전방위적 활동의 배경에는 1970년대 마드리드를 풍미한 문화운동이 자리하고 있었다. 그것은 바로 모비다(La Movida) 운동이다. 프랑코 독재가 스러지는 스페인의 정치적 격변과 연동된 모비다 운동은 알모도바르 영화에 심대한 영향을 주었다. 1970년대 한국의 청년문화가 '영상시대'를 배출했다면 스페인의 모비다 운동은 알모도바르라는 꽃을 파종하였다. 모비다 운동은 프랑코 독재 정치가 종식된 다음 전면적으로 일어난 대중적 운동이며 전통에 대한 저항과 해체를 겨냥했다. 모비다 운동은 "1970년대 말 마드리드 중심, 새롭고 발랄한 감수성을 지닌 젊은 예술가들 마드리드 밤을 휘저으며 근엄함 도시 마드리드 사회 분위기 바꾸어 놓은 청년 저항 문화"를 대변하며 "1968년 혁명 이후 서구에 불어 닥친 청년 좌파운동-히피, 펑크, 게이-레즈비언 해방 운동"[1]과 연계된다. 모비다는 스페인어로 '흥청거림'을 의미한다. 모비다는 프랑코 사후에 언더그라운드 문화 분위기에서 발흥하여 마드리드를 거점으로 보수적 문화와 권위적 분위기를 타파하고 해체하는 망치가 되었다. 그 주역은 알모도바르 영화의 등장인물인 동성애자, 마약 중독자, 창녀였다. 알모도바르 영화가 일관되게 지향하는 가부장제와 카톨릭에 대한 거부, 전통에 대한 저항과 젠더의 다양한 스펙트럼을 제시한 카니발적 태도는 모비다 운동에서 발원하였다.

또한 알모도바르의 영화는 기존의 영화 그리고 회화와 음악을 비롯한 다양한 텍스트들이 서로 화음과 불협화음으로 연주된다. 다양한 텍스트의 상호텍스트 양상은 모비다의 대중문화 운동과 그의 독서 체험 그리고 영화 애호가라는 감독의 성장과정에 기인한다.

> 나는 항상 책을 많이 읽었다. 아무도 나에게 책을 읽어야만 된다고 말해주지는 않았다. 내 스스로 모든 것을 터득한 것이다. 나에게 아름다운 사진으로 가득 찬 박물관과 같이 느껴진 '코르테 잉글레스'라는 주문용 카달로그는 내가 처음으로 접한 예술의 한 부분이었다. …(중략)… 내가 스무 살이 되었을 때 스페인 문학을 접하게 되었고, 특별히 19세기 후기 리얼리즘 작품을 좋아했다, 무엇보다도 프랑스 문학은 내게 열정을 주었다. 라틴아메리카 작가들이 이 세상에 쏟아져 나올 때이다. 나는 탐욕스럽게 그것들을 읽어댔다.[2]

---

1 임호준, 『스페인 영화』, 문학과지성사, 2014, 177쪽.

2 이승아, 「페드로 알모도바르의 영화세계 탐구 -패러디(Parodia)를 통한 젠더(Gender)와 섹슈얼리티

자신의 술회처럼 그의 영화는 탐욕스러운 독서 체험과 영화 감상 그리고 언더그라운드 문화의 수혈이라는 삼박자로 구성되었다.

또 하나의 자양분은 마드리드의 문화적 분위기다. 알모도바르는 마드리드에 대한 복합적인 감정을 갖고 있다. 그는 "마드리드에 산다는 것은 〈내 사랑 영원히〉라는 영화 속에 사는 것"[3]으로 토로하며 한편으로는 '한 도시 안에 수천 개의 도시'를 포함하고 '수천 개의 얼굴로 구성'된 다층적 면을 마드리드라는 장소에서 읽어내고 프레임에 배치한다. 그는 '마드리드, 우리는 이 세상 어떤 곳이든 가리지 않고 살아왔던 사람들처럼 여기에서 살고 있습니다. 아무도 마드리드가 무엇인지 밝히려고 하는 데 관심도 없었고 또한 아무도 자기 자신을 이 도시와 동질적이라고 생각하지도 않았습니다.'라고 술회한다. 다른 한편으로는 마드리드에 대해 특별한 기대감보다는 인간 군상이 살아가는 아주 자연스러운 공간으로 받아들인다. 마드리드는 공식적으로 스페인의 수도이지만 알모도바르에게는 다양한 정서와 기억을 발산하는 장소이며 무엇보다 예술의 기운이 가득한 영화적 장소로 소환되어 독창적인 문화 분위기와 서사의 씨앗이다. 그는 마드리드에 살아가면서 마드리드의 장소감으로 영화를 채워가면서 "내게 있어서 쾌락은 이데올로기가 아니며 호전적인 것도 아니고, 단지 영원히 채워지지 않고 불만족스럽게 남아있는 욕망"[4]의 프레임화라고 진술한다. 이와 같은 개인사와 스페인의 문화적 분위기 그리고 마드리드의 공간은 알모도바르의 작품에 직간접적인 영향관계에 놓여 있으므로 그의 영화에 대한 언급을 위해서는 간과하기 어려운 부분이다. 알모도바르 영화는 마드리드라는 심연에 살고 있는 한 마리 물고기에 가깝다. 이 물고기는 마드리드라는 바다와 모비다라는 해류를 타고 책과 영화와 다양한 예술을 먹이로 성장하고 있는 셈이다.

(Sexuality)를 중심으로」, 외국어대학교 교육대학원 석사학위논문, 2002, 14쪽.

3 알모도바르, 송병선 역, 『현실은 포르노를 모방한다』, 열음사, 1995, 157쪽.

4 알모도바르, 위의 책, 178쪽.

2. 알모도바르 연구 동향과 영화적 미장아빔으로 텍스트 해석 가능성

알모도바르 영화는 다양한 텍스트의 영화적 미장아빔을 통한 의미의 형성과 미학적 실험을 시도한다. 이와 같은 연유로 그의 텍스트에 대한 해석은 영화 텍스트와 비영화 텍스트 그리고 스페인의 역사와 마드리드의 공간에 대한 질문을 통해 길을 열어갈 수 있다. 특히 영화적 미장아빔은 알모도바르의 텍스트 해석을 펼쳐가는 핵심 열쇠이다.

영화적 미장아빔(cinematic mise-en-abyme)은 상호매체성과 미장아빔이라는 개념을 '영화'라는 고유한 텍스트에 적용하여 미학적 의미를 산출한다. 영화적 요소가 영화 텍스트 속에서 의미를 형성하고 미학적 기능을 수행하는 것을 전제로 영화적 미장아빔이라는 개념이 적용된다. 영화적 미장아빔은 영화 속에 영화적 텍스트와 비영화적 텍스트가 영화의 장에 대체적으로 가시적으로 작동되며 때로는 비가시적으로 배치되어 중층적 의미의 생성과 미학적 실천을 수행하는 것을 의미한다. 미학적 용어인 미장아빔은 '문장 속에 문장'을 내포하거나 중첩을 통해 유사한 의미가 강조된다. 미장아빔이 예술 텍스트로 확장되어 '영화 속 영화', '이야기 속 이야기' 등으로 한 매체 내에 동일한 매체가 삽입되어 유사한 의미와 주제를 암시하거나 함축적으로 표현된다. 미장아빔의 요소는 일기, 조각, 사진, 신문 포스터 등이 중복되거나 삽입되면서 주제를 강조한다.[5] 영화적 요소는 장르의 관습, 작가의 인장, 그리고 미장센으로 배치된 회화나 의복과 음악 등이며 중층적 해석 가능성을 열어간다. 영화적 미장아빔은 "텍스트의 중첩적 배치를 기반으로 하여 부가적으로 자기반영적 영화 기법이나 시네 다이어리 혹은 감독의 독창적 낙인과 같은 영화적 요소의 가미로 형성된 영화라는 거대한 텍스트를 형성된다는 점에서 상호텍스트성과 차이"[6]를 지닌다. 또한 영화적 요소가 중심이

---

5 신혜경, 미장아빔(mise-en abyme)에 관한 소고, 『미학·예술학 연구』, 16집, 2002, 120-127쪽.

6 문관규, 「한국독립영화에 반영된 영화적 미장아빔(cinematic mise-en-abyme)에 관한 연구, 『영화연구』, 제64호, 2015.6, 11쪽.

되어 주제와 의미를 견인하므로 "차이를 전제로 한 여러 가지 매체들이 혼합되어 각각의 성격을 유지 혹은 변형시킴으로서 새로운 의미를 생성"[7]하는 상호매체성과도 거리를 둔다. 영화적 미장아빔은 '영화적 요소'에 방점을 찍으며 텍스트 간의 인용과 변형이 영화적 요소와 장치로서 작동하고 의미의 팽창으로 확산된다. 이에 비해 상호텍스트성과 상호매체성은 텍스트와 텍스트 사이의 변형과 인용을 통한 의미 산출을 지향한다. 텍스트 형성에 있어서 영화적 요소의 가미 여부는 영화적 미장아빔과 상호텍스트성의 변별점이다. 영화는 한 프레임에 음악과 빛과 인물의 움직임이 공존한다. 또한 프레임과 프레임 사이는 몽타주로 결합되며 더 나아가서 텍스트와 텍스트 사이는 작가의 이전 작품과 연계되어 작가의 고유한 의미의 장에서 미학적 해석이 가능하다. 상호텍스트성과 상호매체성이 활자 매체와 조형예술에 기반한 개념이라면 영화적 미장아빔은 영화 매체의 고유성을 견지하면서 작가적 인장과 자기반영적 전략 그리고 상호텍스트성과 상호매체성의 개념까지 포괄하고 아우른다.

상호매체성은 라브예스키의 이론에 의하면 '서로 다른 매체가 공존하는 매체 조합'과 '한 매체에서 다른 매체로 전환되는 매체 전환'과 '다른 매체를 인용하고 암시하는 상호매체적 레퍼런스'[8]로 나눈다. 영화적 미장아빔은 세 가지를 아우르며 〈그녀에게〉(2002)는 매체조합과 상호매체적 레퍼런스에 가깝다[9]. 영화적 미장아빔은 영화적 요소의 미학적 작용이 무엇보다 우선한다. 특정 텍스트가 〈그녀에게〉로 수용되면 하나의 작품으로 통합되고 영화적 의미를 생성하고 주제를 강화하면서 한편의 모자이크화로 완결된다. 이 모자이크화는 수많은 영화텍스트와 비영화텍스트들이 영화적 미장아빔으로 배치되어 미학적 실천을 수행한다.

그동안 알모도바르에 대한 연구는 정신분석학과 젠더 그리고 섹슈얼리티

---

7 박병윤, 「페드로 알모도바르 영화에 나타난 상호매체성」, 한양대 석사학위논문, 2013. 91쪽.

8 박병윤, 위의 논문, 20쪽.

9 박병윤, 위의 논문, 20쪽.

에 대한 시각과 영화 속에 개입된 텍스트를 통한 의미 해석을 지향하는 상호텍스트성과 상호매체성의 논의가 이루어졌다. 젠더와 섹슈얼리티 연구는 이승아와 퀴어 이론 입장에서 접근한 임호준의 논의가 대표적이다. 정신분석학적 연구는 김철권과 정동섭이 대표적이다. 정동섭은 두 작품을 애도와 우울증이라는 개념으로 정신분석학적 입장에서 논의하였으며 김철권은 〈그녀에게〉를 애도와 멜랑콜리라는 개념으로 두 인물의 삶과 죽음의 원인을 해석하였다.[10] 김철권의 분석은 괄목할만한 영화적 해석을 보여주었다. 〈그녀에게〉의 인물의 죽음과 삶에 대한 해석은 슬픔과 멜랑콜리를 통해서 멜랑콜리에 빠진 베니그뇨의 죽음과 슬픔에서 빠져나온 마르코의 삶(생존)을 명료하게 해석했다. 인물에 대한 깊이 있는 분석으로 그동안 알모도바르의 섹슈얼리티와 젠더에 대한 논의에서 간과한 공백을 채웠다.

상호텍스트성에 대한 연구는 전기순과 정동섭의 〈산 정상의 페피, 루시, 봄 그리고 다른 사람들(Pepi, Luci, Bom And Other Girls Like Mom)〉(1980)에서 〈내 어머니의 모든 것〉(1999)까지에 포함된 영화와 연극 텍스트의 상호텍스트성과 미장아빔의 연구가 대표적이다. 정동섭은 상호텍스트성과 미장아빔의 개념으로 알모도바르의 작품을 구체적으로 분석하였으며 주로 유사성을 중심으로 논의를 전개하였다[11]. 하지만 영화와 연극 텍스트라는 제한된 논으로 인해 영화적 미장아빔의 개념으로 알모도바르를 해석할 수 있는 여지를 남겨두었다.

박병윤은 상호매체성의 개념으로 알모도바르 영화에 내재된 회화와 영화 그리고 무용극의 텍스트와 영화 텍스트의 유사성을 통한 융합 양상에 대해 논의하였다.[12] 이전의 알모도바르에 대한 논의는 상호텍스트성과 미장아빔 그리고 상호매체성의 개념을 통해 다른 텍스트와 알모도바르 텍스트 사이에

---

10 임호준, 「퀴어 이론의 관점에서 본 알모도바르 영화의 젠더와 섹슈얼리티」, 『이베로아메리카 연구』 제14권. 2003. 정동섭, 「스페인어권 문화 및 지역학 : 알모도바르 영화에 나타난 애도와 우울증 - 〈내 어머니의 모든 것〉과 〈그녀에게〉를 중심으로」, 『스페인어문학』 제72호, 2014. 김철권, 「〈그녀에게〉 -남자의 사랑과 여자의 욕망에 대하여」, 부산대 대학원 박사학위논문, 2017.

11 정종섭, 「알모도바르 영화의 상호텍스트성 - 미장아빔을 중심으로」, 한국예술종합학교 영상원 전문사, 2014.

12 박병윤, 앞의 논문, 2013.

어떤 유사성을 지니며 무슨 의미로 수렴되는가에 대한 학문적 해명에 맞추어져있다. 이는 두 텍스트 간의 인용과 유사성을 통한 해석의 도출에 근접하고 있으며 '영화적' 부분의 누락이 불가피하였다. 알모도바르 영화는 '영화'에 방점을 찍어 영화적 미장아빔의 관점에서 살펴볼 때 아직 언급하지 않은 부분과 의미들이 귀환할 여지를 많이 남겨두었다.

영화적 미장아빔된 텍스트는 영화 텍스트와 비영화 텍스트로 구분된다. 영화 텍스트는 영화 속 영화 또는 작가적 인장과 장르적 규범과 같은 영화적 요소가 대표적이며 이들은 의미 생성의 기원과 미학적 장치로 자리한다. 비영화 텍스트는 의미의 증폭과 주제의 강화를 위해 영화가 아닌 텍스트의 직간접적 인용과 변형이다. 이는 모두 영화적 장치와 미학적 요인으로 상호 중첩되면서 해석의 지평을 열어가는 영화적 미장아빔의 개념으로 포괄된다. 영화적 미장아빔은 영화적 요소라는 바늘에 다른 텍스트와 영화적 언어를 매달아 다양한 해석의 층위를 만들 것이다.

알모도바르의 〈그녀에게〉는 영화 텍스트와 비영화 텍스트가 중층적으로 결합되었으며, 유사성에 의한 연상의 몽타주 방식에서 비유사성에 의한 충돌의 몽타주이거나 이질적인 것의 동시적 결합이라는 데페이즈망 양상을 보여준다. 이는 알모도바르적인 독창성과 인물의 관계와 서사 구성과 주제를 자연스럽게 도드라지게 한다. 〈그녀에게〉에 영화적 미장아빔으로 배치된 영화 텍스트와 비영화 텍스트들은 알모도바르의 텍스트의 총체적 의미와 인물의 관계 그리고 서사 구조에 의미망을 형성하고 해석 가능성을 확장한다.

3. 〈그녀에게〉의 영화적 미장아빔으로 배치된 영화 텍스트들의 의미

1) 기원 텍스트의 두 갈래

알모도바르는 인간의 감정과 관계의 다양성을 오랫동안 천착해왔다. 〈그녀에게〉도 두 남자의 우정과 그들의 사랑 그리고 변화된 관계의 흐름에 주목한다. 이 작품의 첫 출발은 실제 일어난 일과 이미 존재한 영화적 모티프의 공조가 기원 서사의 뿌리이다. 이 작품의 기원 서사는 네 가지 사례에서 비롯되었다.

"지난 10년 간 일어났던 여러 가지 사건들이 나에게 영감을 불러일으켰으며 나는 그것들을 기록해 두었다. 첫째는 한 미국 여성이 16년 동안이나 혼수상태로 있다가 깨어난 사건으로, 의사에 따르면 그녀의 상태는 회복이 불가능하였다. 두 번째는 루마니아에서 일어나 사건으로, 몸이 뻣뻣하게 굳어지는 병인 강경증(catalepsy)을 앓고 있던 한 어린 소녀가 죽은 것으로 오인되어 시체 안치소로 옮겨졌고 밤에 그곳을 지키던 어린 남자 경비원이 그 소녀의 시체와 성관계를 한 후에 죽었던 소녀가 다시 살아난 일이다. 세 번째는 뉴욕에서 일어난 사건으로, 9년 동안 혼수상태에 있던 한 소녀가 임신하였고 병원에서 일하는 잡역부가 범인으로 밝혀진 일이다. 네 번째는 영화 〈악마의 인형〉(토드 브라우닝, 1936)과 〈놀랍도록 줄어든 사나이〉(잭 아놀드, 1957)를 본 이후로 나는 아주 작은 인간에 대한 영화, 가구 다리와 바닥이 주는 안도감이 영화의 주된 무대장치가 되는 영화를 만들어야겠다고 계속 생각해 왔다. 그래서 앞의 사건들과 어울려 〈그녀에게〉의 대본을 쓰고 영화를 만들게 되었다."[13]

위의 진술은 세 가지 일어난 사건이 〈그녀에게〉의 기본 골격임을 명시한다. 실화와 영화를 토대로 서사를 구성하면 '한 여자가 혼수상태에 빠졌으며 그녀는 회복되었지만 누군가로 인해 임신을 하였고, 임신에 연루된 남자는 처벌되었다.'로 귀결된다. 여기에 '아주 작은 인간'에 대한 영화의 에피소드가 삽입되어 〈그녀에게〉의 서사적 연관성을 갖게된다. 〈그녀에게〉는 이 기원 서사를 근간으로 두 남자의 우정과 사랑으로 확장되면서 화면에 깊은 감정적 충만함을 채운다. 여기에 덧붙여서 알모도바르의 필모그래피도 〈그녀에게〉의 텍스트에 적극 개입한다. 〈그녀에게〉의 첫 장면은 무용 공연에서 시

---

13 Pedro Almodovar, *The Pedro Almodovar Archives*, (Taschen, 2011), 287–288.
김철권, 앞의 논문, 22쪽. 재인용.

작된다.

　이는 이전 작품인 〈내 어머니의 모든 것〉의 마지막 장면과 연관된다. 〈그녀에게〉에서 베니그뇨에게 각별한 어머니와 아들의 관계는 〈내 어머니의 모든 것〉에서 주인공 마누엘라와 에스테반의 후일담과 깊이 연관된다. 주제인 욕망과 사랑은 연극 〈욕망이라는 이름의 전차〉와 내밀하게 연계된다. 〈그녀에게〉는 〈내 어머니의 모든 것〉과 주제적 유사성과 장면의 연결에서 작가의 텍스트 사이의 긴밀한 연관성을 맺는다. 창작의 측면에서는 세 가지 실화와 두 영화의 내용이 모티프로 내재되어 하나의 텍스트로 수렴되고 생성된다. 기원 서사는 첫 번째 요인으로 실화라는 비영화의 텍스트가 제기된다. 두 번째는 기존의 다른 영화 텍스트와 알모도바르의 선행영화 텍스트라는 영화적 텍스트에서 서사와 주제의 뿌리를 내린다. 영화 텍스트와 비영화 텍스트가 〈그녀에게〉에 영화적 미장아빔으로 배치되어 의미의 발원지와 미학적 장치로 작동한다. 〈그녀에게〉의 독창적 해석과 알모도바르의 작가적 위상은 영화적 미장아빔을 경유할 때 돋을새김 조각처럼 명료해질 것이다.

2) 영화적 텍스트의 영화적 미장아빔

　영화 속의 영화는 메인 텍스트와 다른 영화 텍스트가 어트랙션 몽타주된다. 텍스트와 텍스트는 서로 결합되어 의미가 만들어지고 서사적 은유를 강화한다. 〈내 어머니의 모든 것〉은 〈이브의 모든 것〉(조셉 멘키비치, 1950)을 통해 에스테반의 어머니인 마누엘라에 관한 서사적 정보로 숨겨져 있다. 〈이브의 모든 것〉이 회상 화면으로 과거에 집중했다면 〈내 어머니의 모든 것〉은 현재를 중심으로 과거를 채워간다. 〈그녀에게〉에 삽입된 영화 속 영화인 〈애인이 줄었어요〉가 영화적 미장아빔되어 베니그뇨와 알리시아의 애정 행위를 은유하고 그들의 미래도 예견한다.

　〈애인이 줄었어요〉에서 여성 과학자는 인간을 축소하는 화학약품을 발명하고 연인인 남자가 그 약을 먹게 된다. 남자는 몸이 축소되어 실험실을 떠나가지만 아내는 그를 찾는다. 여자와 남자는 동침을 한다. 이때 축소된 남자는 언덕처럼 큰 그녀의 가슴에 오르고 몸을 애무하다가 그녀의 동굴 같은 자궁 속으로 들어간다. 자궁으로 진입하는 행위는 성행위의 암시이자 동시에 남자의 자궁회귀 욕망을 가시화한다. 남자는 에로스(여성과 성행위)를 통해 스스로 타나토스(죽음, 자궁회귀)에 도달한다. 〈그녀에게〉에서도 동일하게 남자 주인공 베니그뇨는 코마 상태인 알리시아의 동의 없는 성행위를 통해 구속되고 죽음을 맞이한다. 베니그뇨는 자신의 유일한 사랑인 알리시아와 사랑의 완성을 위해 죽음을 선택한다. 그의 죽음은 에로스(사랑)를 완성하기 위한 타나토스(죽음)의 여정이다. 이와 같은 사건은 〈애인이 줄었어요〉와 의미적 유사성으로 연관된다. 아울러 〈마타도르〉(1986)에서 투우사 디에고와 변호사 마리아는 사랑의 절정에서 죽음을 맞이한다.

〈마타도르〉는 킹 비더 감독의 〈백주의 결투〉(1946)의 한 장면이 영화 속 영화로 배치되어 사랑이 매개가 된 죽음을 예시한다. 〈마타도르〉는 '타나토스를 통한 에로스의 완성'이라는 점에서 〈애인이 줄었어요〉와 〈그녀에게〉와 등가이다. 결론적으로 〈애인이 줄었어요〉의 자궁 회귀는 성행위의 은유와 사랑을 위한 죽음의 선택을 함의한다. '사랑의 완성을 위한 죽음의 선택'은 알모도바르 영화의 반복되어 고유한 작가적 주제로 정착한다. 영화적 미장아빔 입장에서 〈애인이 줄었어요〉는 에로스를 위한 죽음의 선택이라는 의미를 생성한다. 작가주의적 입장에서 알모도바르의 반복된 테마인 사랑의 완성을 위한 죽음의 선택은 작품과 작품 사이의 주제적 어트랙션 몽타주로 귀결된다.

영화적 미장아빔으로 배치된 각양각색의 텍스트는 정류장에서 다른 정류장으로 운행되지만 유사한 노선도를 운행하는 다양한 지선 버스와 간선 버스와 흡사하다. 순환 버스의 순환 노선은 서사라는 운행노선을 유지하면서 운행의 목적지는 작가적 주제라는 심연으로 다가간다. 간선과 지선 버스는 운행의 유사성에도 불구하고 다양한 텍스트라는 길을 운행하고 주제적으로 하나의 목적지를 지향하거나 유사한 경유지를 선호한다. 여기서 텍스트는 서로 교차하고 순환하면서 하나의 텍스트를 생성하고 특정 의미의 고착을 거부한다.

3) 작가주의의 시각으로 바라본 영화적 미장아빔

작가적 맥락에서 선행 텍스트와 후행 텍스트는 긴밀하게 관련된다. 관련성은 반복으로 스타일을 각인하거나 주제의 강조로 연결된다. 방식은 이전의 텍스트와 현재의 텍스트는 하나의 거대한 시퀀스처럼 톱니바퀴로 작동된다. 크리스테바는 이전 텍스트의 언술과 다른 텍스트의 영향을 수직적 상호텍스성으로 이름 붙였다. 영화적 미장아빔은 작가 스타일의 반복을 고유한 낙인의 검증과 의미의 출처로 볼 수 있다.

〈내 어머니의 모든 것〉에서 저명한 연극배우인 우마가 연극 무대로 들어가면서 마지막 크레딧이 오른다. 〈그녀에게〉에서 막이 오르면 피나 바우쉬의 〈카페 뮐러〉가 무용극으로 펼쳐진다. 이 부분에 대해서 알모도바르의 인터뷰와 전기순의 해석을 참조할 수 있다. 〈내 어머니의 모든 것〉의 마지막 장면은 〈그녀에게〉 첫 장면으로 연속편집된다.

연속편집에서 행위 일치로 무대로 들어서는 배우와 막이 열리는 무대로 연결된다. 이는 편집을 통해 두 작품이 하나의 거대한 시퀀스와 시퀀스로 이어지는 역할을 한다. 작가주의에서 반복은 작가의 작품세계를 작가적 개성으로 귀속시킨다. 작가는 평생 한 편의 영화를 완성한다는 명제가 가능하다. 감독이 평생 한 편의 영화를 만든다고 가정할 때 각 영화는 서로 다른 영화의 전후의 시퀀스나 장면과 같은 기능을 담당할 것이다. 작가의 개별 텍스트는 선행 텍스트와 관련성에서 볼 때 신과 신을 연결하거나 시퀀스와 시퀀스를 이어가는 연속적이거나 불연속적인 단위가 된다. 이들은 '한 작품을 완성해 가는 일련의 시퀀스들의 연쇄'로 이름붙일 수 있을 것이다. '한'의 의미는 크다의 의미와 하나의 의미를 동시에 함의한다. 이와 같은 맥락에서 〈내 어머니의 모든 것〉의 마지막 장면과 〈그녀에게〉의 첫 장면은 연결되며 〈그녀에게〉의 마지막 장면인 〈마주르카 포고〉는 다른 시퀀스(작품)로 연결될 인서트일 가능성이 높다. 이렇게 한 텍스트는 시퀀스와 장면처럼 편집의 묶음으로 통합되어 거대한 한 편의 텍스트를 생성해간다.

〈그녀에게〉는 〈내 어머니의 모든 것〉에서 작가의 '한 작품을 완성해가는 일련의 시퀀스들의 연쇄'의 연속성을 확인 할 수 있으며 〈내 어머니의 모든 것〉은 조셉 멘키비치의 〈이브의 모든 것〉에 근원을 두고 있다. 마누엘라의 아들인 에스테반은 〈이브의 모든 것〉을 보면서 〈내 어머니의 모든 것〉을 소설로 쓰고 싶다고 말한다. 그리고 그가 세상을 떠나자 마누엘라에 의해 아버지 찾기와 출생의 비밀이 하나하나 밝혀지면서 마누엘라의 일대기가 완성된다.

마누엘라는 자신의 개인사를 로드무비로 채워간다. 그녀는 에스테반을 교통사고로 잃었지만 남편의 아이를 임신한 수녀가 출산한 아이(에스테반)로 인해 새로운 어머니의 삶을 시작한다. 마누엘라는 현재에서 과거로 여행을 통해 새로운 삶을 시작하고, 〈이브의 모든 것〉은 이브의 침실에 침입한 피비를 통해 다시 시작될 제 2의 이브의 삶을 예견하여 서사 구조의 유사성을 보여준다. 〈이브의 모든 것〉은 피비로 인해 또 다른 이브의 삶이 시작된다는 서사가 예견되며 〈내 어머니의 모든 것〉은 아이로 인해 대안 가족의 복원과 삶의 활력을 회복한다. 이는 동일한 서사의 반복이지만 〈내 어머니의 모든 것〉이 한층 희망적이다. 〈이브의 모든 것〉은 이브 해링턴의 일대기를 시상식에 참석한 주변 인물의 회상으로 펼쳐간다. 〈내 어머니의 모든 것〉도 마누엘라의 옛 친구들과 주변 인물 그리고 〈욕망이라는 이름의 전차〉를 통해 자신의 인생을 반추하고 서사를 구축한다.

알모도바르 영화의 반복된 서사 형식은 선행 텍스트와 후행 텍스트의 '한 작품을 완성해가는 일련의 시퀀스들의 연쇄'와 수미상관적 구조로 집약된다. 〈그녀에게〉는 무용극이 첫 시퀀스와 마지막 시퀀스를 통해 수미상관되며 〈라이브 플래쉬〉(1997)에서 첫 시퀀스는 1970년 마드리드 시내버스에서 출산 장면에서 출발하여 마지막 시퀀스는 1990년대 마드리드 택시 안에서 출산 장면으로 연결되어 수미상관 구조를 보여준다. 〈귀향〉(2006)도 어머니의 묘소라는 죽음 이미지에서 시작하여 레지나와 딸 파울라가 남편 시체를 암매장하고 죽음에서 벗어난 것에서 마무리된다.

세 번째 작가적 인장 측면에서 관계의 유동성이 돋보인다. 알모도바르는 인물의 다층적 수행성과 관계의 개방성을 통한 관계의 유동성으로 기존의 작가와 차별화한다. 임호준은 알모도바르 영화에서 젠더와 섹슈얼리티의 '상이한 재현의 패러다임에 의거한 전통적 이분법의 대립항을 재구성하여 현실 패러다임을 문제 삼는 부정의 정치학 전략'14으로 규정하였다. 인물의 관계 유동성은 성 정체성의 다변화와 더불어 기존의 이분법적 대립항을 무화시키는 관계의 유동성으로 귀결된다.

〈그녀에게〉는 네 개의 자막으로 구성된다. 자막은 두 사람 관계의 친밀성으로 묶여있다. 마지막 시퀀스는 '마르코와 알리시아'이다. 마르코는 안젤라에서 리디아, 그리고 베니그뇨에서 알리사아로 친밀성이 이동한다. 관계의 개방성을 통한 관계의 유동성은 알모도바르 영화의 전편에 걸쳐 반복된다. 이와 같은 인물관계는 작가적 인장으로 영화적 미장아빔되어 작가의 개성과 독창성을 강화한다. 알모도바르의 인물 관계는 기존의 남성과 여성, 이성애와 동성애라는 이분법적 사고를 넘어서 알모도바르적 관계의 유동성과 개방성으로 흘러간다. 이는 '모든 관계는 허용가능하다'의 천명이다. 기존의 이성애와 동성애로 구획된 것에서 벗어나 사랑과 우정의 경계를 넘나든다. 관계의 유동성은 "마르코의 사랑은 안젤라에서 리디아로, 다시 알리시아로 바뀌어간다. 리디아는 엘리뇨에서 마르코로 옮겨 왔다가 다시 엘리뇨에게 돌아간다"15는 흐름으로 이어진다. 이와 같은 관계의 유동성은 이성애 중심주의를 벗어난다. 알모도바르는 관계의 개방성을 지향한다. 마르코가 안젤라를 사랑하고 리디아에 끌리고 베니그뇨와 특별한 공감과 친밀감을 형성하고 다시 알리시아에게 감정이 이동하는 감정 순환과 유동성이 자막과 함께 흘러간다. 마음의 유동과 관계의 순환은 탈이성애적이며 탈사랑중심주의를 지향

---

14 임호준, 『스페인 영화』, 문학과지성사, 2014. 225쪽.

15 심은진, 「사랑과 욕망의 환유 : 알모도바르의 〈그녀에게〉」, 『외국문화연구』 제49호, 한국외국어대 외국문화연구소, 2013. 196쪽.

하면서 관계의 유동성과 개방성으로 귀결된다. 이 모든 관계는 알모도바르적 관계의 유동성으로 수렴된다.

마르코는 여행지에서 풍경에 대해 감응한다. 모든 관계는 유동적이며 모든 사물과 감응할 수 있다는 알모도바르의 철학과 호응한다. 알모도바르의 인간 관계는 개방적이며 모든 관계 변화의 가능성을 열어두었다는 점에서 예술이 지향하는 자유와 해방 정신과 맞닿아있다. 이와 같은 개방성과 해방은 억압을 거부하고 욕망을 긍정하는 모비다의 정신이자 예술의 정신과도 결속된다. 전통의 균열과 구획화된 관계 해체는 알모도바르의 독창성의 장을 확장한다.

4. 〈그녀에게〉의 영화적 미장아빔으로 배치된 비영화적 텍스트들의 의미

영화에는 수많은 텍스트들이 명시적 혹은 암시적인 방식으로 잠겨들어 의미와 미학적 빛을 발한다. 각각 개별 텍스트들이 서로 충돌하거나 조화를 이루어 작가가 의도하는 서사적 완결성에 복무하기도 하고, 한편으로는 의미의 층위를 두텁게 한다. 유사한 텍스트들이 이어지면서 하나의 거대한 텍스트의 의미망을 펼쳐나가고 주제의 층위를 공고하게 구축한다. 수많은 텍스트의 모자이크는 여러 목소리와 의미를 채색한다. 간혹 서로 다른 이질적인 요소들이 충돌하고 불연속적으로 이어지면서 불협화음의 맛을 내기도 하지만 결국 하나의 텍스트로 귀속된다.

〈그녀에게〉에는 무용극 〈카페 뮐러〉와 〈마주르카 포고〉가 배치되고 영화 속 영화로 〈애인이 줄었어요〉가 명시적으로 드러난다. 음악은 카에타누 벨로주의 〈쿠쿠루쿠쿠 팔로마(Cucurrucucu Paloma)〉와 무용극에 삽입된 배경음악으로 구성된다. 인물은 네 사람이 각각의 개인 서사를 가지고 씨줄과 날줄로 엮인다. 주인공인 베니그뇨는 패트리샤 하이스미스의 소설『달콤한 고통』에서 차용하며 두 인물의 공통점은 '단 한 번 만난 여자를 위해 그 모든 인생을 건다'[16]는 점에 있다.

---

16 전기순,『알모도바르 영화』, 커뮤니케이션북스, 2011. 234-235쪽.

서사는 자막을 통해 '리디아와 마르코', '알리시아와 베니그뇨', '베니그뇨와 마르코', '알리시아와 마르코'로 이어지면서 중요 인물의 사건과 이야기가 영화를 이끌고 간다. 이들은 사랑의 감정이 발생하고 지속과 소멸을 반복한다. 베니그뇨는 알리시아를 사랑하고 마르코는 리디아를 사랑한다. 베니그뇨는 자살로 사랑을 완성하고, 리디아는 떠남으로 사랑의 마침표를 찍는다. 마르코가 연주회장에서 알리시아를 바라보면서 베니그뇨의 역할을 대체하려는 순간 영화는 끝이 난다. 〈그녀에게〉는 서사의 중심에 사랑을 두었지만 뻔한 멜로드라마로 귀속되는 것은 거부한다. 페드로 알모도바르의 등장인물들은 사랑을 주고받는 함수관계보다, 대화로 감정을 발산하거나 관계의 모호성에 치중한다. 마지막 장면의 대사인 "발레처럼 모든 게 복잡하다"는 서사와 인물의 관계망을 우회적으로 강변한다.

복잡성은 산재된 텍스트가 발생하는 의미와 인물 사이의 모호한 관계에 기인한다. 페드로 알모도바르라는 거대한 텍스트에 승선하기 위해서는 〈그녀에게〉라는 계단을 통과해야한다. 첫 단계는 〈그녀에게〉와 그 안에 배치된 영화 텍스트와 비영화 텍스트의 관계 속에서 의미의 지도를 찾아야한다. 두 번째 단계는 알모도바르가 제작한 작품을 통해 수직적 관계망을 통해 의미의 맥락화라는 과정을 통과해야 한다. 마지막으로 영화 텍스트와 비영화 텍스트들과 작가적 스타일이 씨줄과 날줄로 텍스트라는 고치를 지어가는 형식과 미학적 장치를 암호코드로 하여 창조적 해석을 펼쳐야 한다. 결국 〈그녀에게〉에 배치된 영화적 미장아빔을 경유하여 알모도바르 영화세계 전반에 대한 약도를 그리는 일이면서 동시에 텍스트의 핵심을 클로즈업하는 작업으로 집약된다. 기존의 텍스트는 알모도바르 영화와 그의 내면을 바라보거나 입구로 향하는 작은 창에 가깝다.

1) 피나 바우쉬의 〈카페 뮐러〉와 눈물의 리듬

첫 장면은 중요하다. 이 장면은 이후 영화의 정서와 사건을 이끌고 간다. 〈그녀에게〉 첫장면은 피나 바우쉬의 〈카페 뮐러(cafe Muller)〉의 무대이다. 이 작품은 1978년 5월 20일 초연된 자전적 작품이며, 피나 바우쉬가 전쟁의 상황에서 카페의 테이블 밑에서 바라본 인간의 군상을 표현하였다. 첫 장면 〈카페 뮐러〉와 마지막 장면 〈마주르카 포고〉가 맞물리면서 무용극으로 시작하여 무용극에서 막을 내리는 수미상관 구조이다.

수미상관 구조는 알모도바르의 〈라이브 플래쉬〉에서 출산 장면에서 출산 장면으로 마무리하는 것과, 〈귀향〉에서 죽음 이미지에서 시작하여 또 다른 죽음(재생) 이미지로 종결하는 것과도 닮았다. 〈카페 뮐러〉는 영화의 안내와 두 인물의 만남에 대한 개연성을 부여한다. 무대의 공연 장면은 다음과 같다.

> 한 여인이 하이힐을 신고 붉은 가발을 쓰고 흰 외투를 걸치고 빈 의자들이 여기 저기 흩어져있는 카페를 전경으로 한 무대 가운데 서 있다. 구두와 외투를 벗고 마치 한 발로 밧줄 위를 걷는 것처럼 바닥에서 보이지 않는 선위에서 작은 걸음으로 맞은 편에 앉아 있는 다른 사람 앞으로 걸어간다. 무대 뒷부분의 한 무용수는 입고 있던 하얀 이브닝 드레스를 벗었다 입었다 하고 머리를 정돈하며 계속적으로 반복되는 동작들을 통해 무용수의 의상이 되었다가 소품으로 전이하는 장치를 볼 수 있다. 남자와 여자 무용수가 마치 인형처럼 기진맥진한 상태로 부둥켜안고 있으며, 이들의 사랑의 자태를 확인하고 해체하는 남자 무용수의 동작을 통해 무용수의 신체가 마치 조종당하는 소품처럼 보일 수도 있다는 것이다. 피나 바우쉬가 무대 뒷부분에서 손가락으로 건드리기만 해도 쓰러질 것 같은 연약하며 창백한 모습으로 몽유병 환자와 같은 움직임을 보여주며, 이와는 대조적으로 나타나는 무대 앞부분은 거칠고 다급하게 쫓기며 사랑을 찾는 듯, 한 여인과 두 남자가 등장하게 된다. 한 남자는 등장하자 난폭하게 무대 전체에 깔려 있는 의자와 테이블을 쓰러뜨린다. [17]

무용수와 의자의 장면은 '그녀의 팔과 손이 장애물 주위로 뻗어나가는 것

---

17 김광민, 「피나바우쉬 작품에 나타난 독일 표현주의 현대 무용 특성에 따른 공연 사례 연구」, 국민대 석사학위논문, 2011, 18쪽.

은 영화 속 주인공들의 림보(limbo-천국과 지옥 사이의 경계지대)를 표현'하는 이미지로 채택했다고 한다. 이는 박병윤의 분석대로 "코마 상태에 빠져있는 알리시아와 리디아 모습과 무용극 속 두 여인의 신체 움직임을 극명하게 대비"[18]시킨다고 읽을 수 있다. 움직임과 움직이지 않음의 대비는 감독의 연출의도를 가시화하지만, 비가시적인 부분은 인물의 내면이다. 내면은 눈물 장면으로 드러난다. 여자 무용수 두 명이 벽에 부딪쳐 절망적인 표정을 보여줄 때 객석에서 마르코는 눈물을 흘린다. 베니그뇨는 울고 있는 마르코를 바라본다. 마르코의 눈물은 영화적으로 중요한 의미와 리듬을 보여준다.

육상효는 눈물의 의미에 대해 "하나는 피나의 춤을 보면서 느끼는 존재론적 슬픔에 대한 반응이다. 그리고 또 하나는 앞으로 전개될 영화의 구체적 스토리를 피나의 무용으로 만들어가는 시작"[19]으로 설명한다. 눈물은 슬픔에 대한 반응이라는 공감과 스토리의 시작을 알리는 행위인 것이다. 〈그녀에게〉에서 다섯 번의 눈물이 반복된다. 반복된 눈물은 서사적 리듬과 해석의 필요성을 촉발한다. 마르코의 눈물은 세 번 등장하고 리디아는 결혼식장에서 눈물을 보이면서 앞으로 펼쳐질 운명을 예견한다.

마르코는 세 번 눈물을 흘린다. 〈카페 뮐러〉에서 여자 무용수의 절망을 목도하고 울고, 두 번째는 리디아의 집에 들어가서 뱀을 죽이고 나서 눈물 흘린다. 마르코는 카에타누 벨로주(Caetano Veloso)의 〈쿠쿠루쿠쿠 팔로마〉를 들으면서 다시 눈물을 흘린다. 마르코는 '왜 울었느냐'는 리디아의 질문에 '옛날 생각이 나서' 울었다고 실토한다. 그는 아프리카에서 뱀에 대한 공포에 시달린 연인 안젤라에 대한 기억으로 눈물을 흘린 것이다. 마르코의 눈물은 김철권 교수의 섬세한 분석처럼 '노래에 대한 전율'이라는 예술적 체험과 '절망에 빠진 여성에 대한 공감'과 '과거의 아픈 기억에 대한 환기'로 인해 야기된 것이다. 울음의 반복은 마르코라는 캐릭터를 강화시키고 그의 감정을 가시화

---

18 박병윤, 앞의 논문, 85쪽.

19 육상효, 「춤이 영화와 만나는 세 가지 방법」, 『우리춤과 과학기술』 제27집, 우리춤연구소, 2014.11. 14쪽.

한다.

또한 눈물의 리듬은 리디아의 눈물을 통해 서사적 흐름에 합류한다. 리디아는 마르코의 옛 연인이었던 안젤라의 결혼식에서 눈물을 흘린다. 리디아는 마르코에게 '할 말이 있다'고 말하지만 마르코는 '부모의 반대로 안젤라와 헤어진 사연'을 장황하게 설명한다. 결국 마르코는 엘리뇨로부터 한 달 전에 리디아와 재결합하기로 결정했다는 사실을 통보받게 된다. 마르코는 안젤라의 결혼식을 이후 리디아가 마르코에게 하고 싶은 용건이 엘리뇨와 재결합에 대한 결단이었음을 뒤늦게 깨닫는다. 마르코는 리디아를 떠나기로 결심하고 코마에 빠진 알리시아에게 "난 다시 혼자가 되었다"고 고백한다. 마르코는 처음으로 알리시아에게 말을 건넨다. 〈그녀에게〉에서 말을 건네는 행위는 사랑의 다른 표현이다. 베니그뇨는 사랑하는 알리시아에게 매일 자신의 일상을 말로 전한다. 이는 애정의 고백과 다른 이름이다. 마르코가 알리시아에게 자신의 상황을 고백하는 것은 알리시아를 향한 우회적 감정 표현이었다. 알리시아는 코마로 인해 말을 건네지 못하면서 관계도 박제된다. 마르코의 알리시아에 대한 고백은 마지막 시퀀스에서 마르코가 알리시아를 바라보는 행위에 대한 씨뿌리기이다. 마르코의 일방적인 고백은 미래의 연인으로 발전 가능성에 대한 복선으로 읽을 수 있는 여지를 남겨준다.

눈물과 말하는 행위의 리듬은 〈그녀에게〉에 의미를 생성한다. 반복의 행위는 '차이를 분비한 행위나 인물의 대사 그리고 관계의 반복을 통한 영화의 주제와 의미를 생성하는 일'을 지향한다. 정신분석학적으로 반복은 네 가지의 유형을 지닌다. 그것은 '기억의 반복, 증상의 반복, 전이의 반복, 반복 강박'으로 요약된다[20]. 전이의 반복은 중요한 인물에 대한 감정이 다른 사람에게 전이되는 것이다. 이는 베니그뇨의 어머니에 대한 집착이 알리시아에게 전이되는 것과 동일하다. 반복 강박은 죽음에 대한 강박처럼 투우를 통해 죽음을 맞이하려는 리디아의 행위로 극명해진다. 작가의 반복은 작가의 스타일과 인물의 행위 그리고 주제 각인으로 작가적 지평 확장을 지향한다. 영

---

20 김철권. 앞의 논문. 37쪽.

화 작가의 반복은 작가의 텍스트 해석의 중요한 단서이다. 알모도바르의 반복은 눈물의 리듬과 말하기 행위로 텍스트의 서사 흐름과 의미의 층을 두텁게 한다.

베니그뇨는 알리시아에게 마르코가 눈물을 흘렸던 사실을 전하면서 사진을 보여준다. 사진은 〈그녀에게〉에서 예시적 장면이다. 피나 바우쉬의 사진에는 "고난을 딛고 어서 일어나 다시 춤출 수 있게 되기를 바랍니다"라는 글이 새겨져 있다. 이는 알리시아의 회복에 대한 염원이자 복선이다. 피나 바우쉬의 글은 알리시아의 회복에 대한 예시적 장면이다. 리디아의 투우 장면에서는 부상당한 리디아 부친의 흑백 사진이 인서트로 제시된다. 이 사진도 리디아의 부상을 예견하는 예시적 이미지다. 세 번째 사진은 마르코에게 리디아의 회복 가능성에 대해 말하는 베가 박사가 보여주는 코마에서 회복한 인물들에 대한 사진이다. 베가 박사는 코마에서 회복할 수 있는 시간은 '몇 달에서 몇 년 아니면 평생'까지 걸리며 그 가능성은 아무도 예측할 수 없다고 부정적인 답을 한다. 그다음 코마에서 회복된 환자의 사진을 보여준다. 이 사진 역시 알리시아의 회복의 개연성을 사진으로 암시한다.

〈카페 뮐러〉는 텍스트의 의미 생산과 텍스트 사이의 다리를 놓는다. 왼쪽 아래 그림에서 〈카페 뮐러〉의 두 여주인공은 눈을 감고 벽에 부딪치고 있다. 이 상황은 〈그녀에게〉에서 코마 상태에 빠진 알리시아와 리디아를 은유하는 연상의 몽타주이다. 무대에서 병원으로 이동하면 오른쪽 아래 그림의 코마 상태에 빠진 알리시아의 모습과 유사하다. 이는 눈을 감고 있는 모습의 유사성으로 연결되는 연상의 몽타주이다.

유사성으로 해석하면 연상의 몽타주이지만 리디아와 알리시아의 부동성과 무용수의 동적 움직임을 대비시키면 이미지가 서로 대립하는 충돌의 몽타주이기도 하다. 무용극과 영화의 흐름으로 살펴볼 때는 예시적 장면으로 무용극이 자리하면서 앞 장면과 뒷 장면은 인물의 상태를 설명하는 어트랙션 몽타주로 결합된다. 보통 몽타주는 컷과 컷의 결합이지만 알모도바르는 텍스트와 장면의 결합으로 차별화된다. 마지막 장면에 등장하는 무용극 〈마주르카 포고〉역시 마르코와 알리시아의 결합 가능성을 예시하는 장면으로 몽타주된다. 마르코와 알리시아가 공연장에서 서로 시선을 교환하는 것과 연인들의 춤추는 장면이 서로 몽타주된다.

무용극과 영화는 몽타주를 통해 의미를 생성하고 해석을 확장한다. 연상의 몽타주의 길을 따라가면 무용극은 예시적 서사 정보 전달로 영화의 의미를 두텁게 한다. 영화적 미장아빔으로 배치된 텍스트들은 예시적 정보 전달과 의미적 유사성을 통해 해석의 길을 확장한다. 〈카페 뮐러〉는 예시적 서사 정보 전달과 해석의 확장에 일조하는 텍스트이다.

2) 관계는 움직이고 모든 가능성이 열려있다

마르코와 알리시아의 관계 발전 가능성은 마르코의 개인적 성향과 알모도바르의 스타일의 반복을 통해 헤아려볼 수 있다. 우선 마르코의 성향은 유목적이다. 그는 강한 호기심으로 새로운 대상에 대한 관심과 관계 발전을 추구한다. 마르코는 베가 박사를 만나러 가는 도중 누워있는 알리시아를 문틈으로 보게 된다. 알리시아는 이때 눈을 뜬다. 알리시아는 외부의 시선에 대해 반응한다. 마르코는 절망에 빠진 여성에게 끌린다. 김철권은 "구원환상에 빠진 남자는 불행에 빠진 여자를 구원하기 위해 모든 노력"[21]을 다하며 마르코는 구원환상으로 인해 리디아와 사랑에 빠진다고 분석했다. 마르코는 절망에 빠진 리디아를 텔레비전에서 보고 연락하여 연인으로 발전시켰다. 현재 그의 눈앞에 절망에 빠진(코마상태) 알리시아 역시 구원의 대상이다. 그들의 관계 발전 가능성은 코마상태라는 절망에 빠진 상태의 여성에 대한 마르코의 매혹에서 비롯된다. 절망에 빠진 이는 마르코에게 구원의 대상이다. 그는 알리시아에게 '이제 또 혼자가 되었다'고 말한다. 자신의 상태를 전하는 것(말하다는 사랑의 행위와 동의)은 관심의 표명이다. 이 두 가지는 두 인물의 관계 발전의 가능성을 암시한다. 전기순은 "리디아/마르코의 관계가 알리시아/베니그뇨의 관계로 이동하고 , 마르코/베니그뇨의 관계는 알리시아/마르

---

21 김철권, 앞의 논문. 94쪽.

코의 관계로 밀려간다"[22]고 분석하면서 유동성의 리듬을 주목하였다.

알모도바르의 작가 스타일이라는 작가 시각에서 볼 때 더 확증이 강해진다. 알모도바르의 인간관계는 개방적이다. 그는 남녀의 경계를 지우고 도덕의 벽을 허물며 모든 관계는 가능하다는 개방성을 지향한다. 마르코는 베니그뇨와 친구이면서 연인 같은 친밀성을 보인다. 자신의 거짓말로 인해 베니그뇨가 자살하자 그는 베니그뇨의 대역을 수행한다. 그는 베니그뇨의 집에서 그와 동일하게 생활하며 생전에 베니그뇨가 사랑했던 알리시아를 베니그뇨와 동일한 자리에서 바라본다. 마르코는 베니그뇨의 욕망의 대상을 욕망하며 심지어 대역으로 살아갈 것을 암시한다. 이를 헤아려 보면 마르코와 알리시아는 사랑을 시작할 수 있다는 개연성이 농후해진다.

알모도바르의 서사적 특징은 마지막 시퀀스에서 재생의 삶을 보여주는 장면을 빈번하게 배치한다. 〈내 어머니의 모든 것〉에서 마누엘라는 로사가 낳은 아들에게 에스테반이라는 이름을 부여하여 그의 양육을 통해 스스로 삶을 재생하려고 한다. 마누엘라가 자신의 운명을 반복하려는 지점에서 영화의 마지막 시퀀스가 완결된다. 〈귀향〉에서도 어머니와 같은 운명을 살아온 딸이 상처를 이겨내고 다시 시작하려는 장면이 마지막 시퀀스이다. 〈귀향〉에서 어머니와 동일한 운명을 살아온 딸이 등장한다. 딸은 부친에게 당한 성폭행으로 인해 고향을 떠난다. 하지만 아버지와 근친상간으로 낳은 그녀의 딸도 역시 의붓아버지에게 성폭행을 당한다. 이는 에스테반과 같은 운명의 반복성 서사다. 〈내 어머니의 모든 것〉에서 아들을 양육하는 마누엘라의 운명은 〈그녀에게〉에서 마르코가 죽은 베니그뇨의 운명을 살아가는 것과 겹친다. 이는 〈내 어머니의 모든 것〉의 하이포 텍스트인 〈이브의 모든 것〉에서 피비가 이브의 삶을 다시 살아갈 것이라는 것을 암시하는 것과 동일하다. 알모도바르의 서사는 주인공의 반복된 운명의 암시를 통한 마지막 시퀀스의 완결이라는 반복성을 드러낸다. 이와 같은 서사적 반복성은 〈그녀에게〉에 적용하면 마르코는 베니그뇨의 분신 같은 삶을 이어갈 것이다. 즉 마르코는 베

---

22 전기순, 앞의 책, 247쪽.

니그뇨의 대역이며, 그는 베니그뇨가 사랑했던 알리시아를 사랑할 것을 예견한다.

마지막 시퀀스에 등장하는 무용극은 피나 바우쉬의 〈마주르카 포고〉이다. 이 작품은 〈그녀에게〉의 대단원 분위기에 의미와 정서적으로 어트랙션된다. 〈마주르카 포고(Masurcu Fogo)〉는 1998년 포르투갈의 세계 박람회 조직위원회에서 위촉받은 작품으로 '불타는 마주르카'라는 의미이며, 공연시간이 2시간 30분 소요되는 무용극이다. 이 작품은 '아름다운 남국에 대한 찬양과 함께 삶에 대한 타오르는 듯한 강렬한 욕구'를 담고 있으며 무대를 스크린의 영상으로 채워 "생동감 넘치는 리스본의 거리로, 포르투갈의 정서가 배어있는 브라질의 대자연으로, 포르투갈의 옛 식민지였던 서아프리카 섬 카보베르데의 뜨거운 태양과 부서지는 파도와 동물들의 영상"[23]등으로 이국적이고 스펙터클한 영상을 무대 배경으로 사용한다.

> 7쌍의 남녀가 크로스 홀드(close-hold)의 자세로 음악에 맞춰 무대로 들어온다. 남자의 손은 여자의 허리에 위치하고, 여자의 손은 남자의 어깨 위에 놓여져 이동된다. 이동되는 스텝 방식은 나가는 발의 방향을 토 토치 업(toe-touch-up)시켜 힙(hip)을 바깥쪽 방향으로 자연스럽게 틸트시킨다. 이러한 스텝이 반복되고, 각 커플들은 자연스럽게 대화하거나 서로를 끌어안는다. 그중 한 여자 무용수가 넝쿨 잎으로 채워진 무대 벽으로 다가가 무대 단상 아래로 내려간다. 넝쿨 벽 사이사이에는 물이 흘러내리는데, 무용수는 그 물 속을 거닐고, 그 모습을 본 남자 무용수 하나가 그녀에게 다가간다.[24]

무대 배경이 이국적인 것은 이국 특유의 스펙터클을 통해 열정과 분위기를 무대로 옮겨보려는 연출자의 의도가 개입된 것이며 이는 〈그녀에게〉에

---

23 백주미, 「상호문화주의적 관점에서 본 피나 바우쉬(Pina Bausch)의 안무 경향에 관한 연구」, 경희대 대학원 석사학위논문, 2012, 61쪽.

24 백주미, 위의 논문, 68쪽.

서 여행 작가인 마르코의 여행과 행적에 적극 호응한다. 마르코는 '낯선 여인과 불행에 빠진 여인'이라는 이질적인 대상과 분위기에 매혹된다. 〈마주르카 포고〉에서 보여주는 이국적인 무대 배경은 회복한 알리시아의 몸의 움직임이 주는 낯설음과 생동감 있는 몸에 대한 동경이 우회적으로 접목된다. 10쌍의 무용수들은 짝을 이루어 춤을 추며 지나간다. 이 춤추는 장면은 무용극 속의 두 인물들이 서로 춤을 추는 것처럼 마르코와 알리시아의 미래의 관계 발전 가능성을 예시한다. 아래 오른쪽 그림에서 두 인물은 동일한 프레임에서 무용극을 바라보고 있다. 이와 같이 알모도바르는 영화 속 텍스트와 영화의 장면을 서로 어트랙션 몽타주로 결합하여 유사한 의미를 강조하거나 미래의 관계 유동성을 예시한다.

마르코는 전 지구를 떠돌면서 불행에 빠진 여인과 사랑을 하거나 자신의 호기심을 촉발한 여인을 새로운 여행지와 동일시한다. 〈마주르카 포고〉는 마르코와 알리시아의 감성과 그들의 관계 발전 가능성을 열어준다. 영화적 미장아빔으로 삽입된 텍스트가 영화의 서사와 캐릭터의 관계 변화를 암시하여 텍스트 사이의 어트랙션 몽타주로 의미의 팽창을 가져온다.

5. 영화 텍스트와 비영화 텍스트의 영화적 미장아빔을 통한 의미의 모자이크화

알모도바르 영화에는 한 작품에 다양한 텍스트들이 가시적으로 돋보이거나 비가시적으로 숨겨져 있다. 이는 영화 애호가 시절을 거치고 스페인의 모비다 운동을 관통한 세대의 유산이 원인이다. 보다 거시적으로 세계영화사적 측면에서 조명하면 기술적 진보와 다른 흐름인 사조적인 징후를 읽을 수 있다. 영화사는 리얼리즘을 거쳐 모더니즘을 지나쳐서 포스트모더니즘의 호수로 접어들었다. 포스트모더니즘은 리오타르의 주장대로 다양한 언어와 다수의 이성이 하나의 언어와 하나의 이성으로 포섭하려는 '초월적 환상'을 자각하고, 예술과 사회에서 다양성을 단일성으로 정초하려는 것을 테러로 간주하고 저항하는 것에서 시작된다. 알모도바르는 다양한 영화적 인용을 통한 하나의 주제로 수렴되려는 입장의 거부와 이성애와 동성애와 같은 획일적 관계성에 저항하여 관계의 유동성으로 열어둔다. 다양성의 옹호와 단일성의 거부에 다양한 텍스트의 영화적 미장아빔을 통한 기존의 영화 만들기에 저항하고 자신의 작가적 문법을 구축해간다. 알모도바르의 포스트모더니즘 영화 제작의 실천에 있어서 핵심 미학은 바로 영화적 미장아빔을 겨냥한다.

영화적 미장아빔은 다양한 텍스트들이 영화 텍스트에 배치되어 주제의 발현과 중층적 의미 생성, 그리고 미학적 실험을 감행하는 포스트모더니즘 영화 미학의 전위다. 〈그녀에게〉에 배치된 텍스트는 영화적 텍스트와 비영화적 텍스트로 양분된다. 영화 텍스트는 〈애인이 줄었어요〉와 〈내 어머니의 모든 것〉, 〈마타도르〉, 〈라이브 플래쉬〉, 〈귀향〉 등이다. 알모도바르의 텍스트는 상호 관련성을 토대로 의미의 장을 만들어내며 작가적 낙인으로 새겨진다. 비영화 텍스트는 무용극인 〈마주르카 포고〉와 〈카페 밀러〉그리고 삽입곡인 〈쿠쿠루쿠 쿠 팔로마〉이다. 영화 텍스트는 가시적인 텍스트와 비가시적인 텍스트로 분기한다. 가시적인 텍스트는 〈애인이 줄었어요〉처럼 영화 속 영화로 서사와 주제의 직접적 연관된다. 〈애인이 줄었어요〉는 두 인물의 관계를 예시한다. 남편이 자궁 속으로 회귀는 육체적인 결합과 베니그뇨의 에로스(결합)을 통해 타나토스(자살)의 도달, 타나토스를 통한 에로스의 성취를 의미한다. 〈마타도르〉에서 디에고와 마리아가 죽음으로 도달한 사랑의 완성은 〈그녀에게〉에서 작가적 낙인으로 영화적 미장아빔된다. 가시적 영화인 〈내 어머니의 모든 것〉은 마지막 장면과 〈그녀에게〉 첫 장면은 연속편집으로 연결된다.

베니그뇨의 캐릭터는 〈마타도르〉에서 에바를 훔쳐보는 엔젤의 연장선에 있으며 〈라이브 플레시〉에서 엘레나를 바라보는 빅토르와 같은 계보다. 이들은 타인에 대한 관심을 관음증적으로 표출한다는 점에서 동일성을 보인다. 사랑에 실패한다는 점에서 베니그뇨와 엔젤은 같은 유형에 속한다. 관음증적 남성 인물은 반복되며 〈그녀에게〉의 베니그뇨로 영화적 미장아빔된다.

관계의 유동성을 대표하는 마르코는 〈그녀에게〉에서 불행에 빠진 여성에 대해 관심을 보인다. 관계의 유동성은 젠더의 다층적 수용성과 모든 관계는 가능하다는 알모도바르 철학의 영화적 실천이다. 비영화 텍스트는 미장센으로 배치되거나 〈카페 뮐러〉나 〈마주르카 포고〉처럼 가시적 텍스트로 자리한다. 〈카페 뮐러〉는 인물의 상태를 암시하며, 〈마주르카 포고〉는 마르코의 행적과 그와 알리시아의 관계 변화 가능성을 어트랙션 몽타주로 암시한다.

영화 텍스트의 영화적 미장아빔으로의 배치는 영화 속 영화, 작가적 낙인과 장르 규칙의 준수와 위반 그리고 서사적 유사성과 인물형의 반복 양상으로 확산된다. 비영화 텍스트의 영화적 미장아빔은 유사성을 매개한 견인의 몽타주로 결합되거나 서로 충돌하고 대치되어 '수술대 위의 재봉틀'과 같은 낯선 풍경으로 데페이즈망되기도 한다. 이는 어트랙션과 데페이즈망을 통해 거대한 텍스트라는 모자이크화로 수렴된다. 관계의 유동성과 수미상관 구조 그리고 욕망의 극단적인 해방은 알모도바르의 스타일로 귀착된다. 관계의 죽음과 관계의 탄생, 죽음을 통한 에로스의 완성, 영화와 비영화 텍스트들의 상호 견인과 충돌은 통속성과 예술성의 경계지역에 작품을 깃들게 한다. 그 경계의 길에는 수많은 텍스트들이 안내판으로 서 있으며 그들은 욕망의 해방과 예술의 자유라는 깃발 아래서 해석의 다양성이라는 가치를 지지한다. 알모도바르의 텍스트는 욕망의 해방과 예술의 자유를 향한 텍스트들의 모자이크화이며 전통의 해체를 향한 전복적 교향곡의 연주에 가깝다. 그 중심에서 모비다의 전복 정신과 카니발의 축제 정신이 서로 꼬리에 꼬리를 물고 있다.

5부

러시아 영화

세상이 길을 잃었을 때 성인이 등장하여 불을 밝혀 눈이 어두운 인간들이 나아가야 할 방향을 알려준다. 영화사에서 거장은 동시대에 대한 탁월한 감수성으로 시대정신과 영화적 표현을 성취한다. 그들은 영화적 발언으로 전위의 자리에 있거나 자신의 내면으로 침잠하여 텍스트를 역사에 남긴다. 거장의 반열에 든 작가의 공통점은 '예술이란 무엇인가 그리고 인간은 어떻게 살아야 하며 세상은 어디로 향해야 하는가'에 대해 질문하고 영화적 해답을 제시한다. 안드레이 타르코프스키는 예술은 인간을 계몽하고 세상을 유토피아로 건설하려는 아름다운 무기로 생각했다. 그는 '예술은 인간이 할 수 있는 최선, 그러니까 희망, 믿음, 사랑, 아름다움, 기도 또는 인간이 꿈꾸고 바라는 것'으로 인식하고 실천했다. 그에게 영화는 세상을 유토피아로 만드는 매개이거나 인간에게 사랑과 희망이라는 지고한 가치를 고양시켜주는 매체였다.

타르코프스키 영화에 나타난 세상의 구원과 고향상실 그리고 1+1=1의 동시주의

〈노스탈지아(Nostalgia)〉(1983)와 〈희생(Offret:Sacrificatio)〉(1986)을 중심으로

1. 거장의 징표

세상이 길을 잃었을 때 성인이 등장하여 불을 밝혀 눈이 어두운 인간들이 나아가야 할 방향을 알려준다. 영화사에서 거장은 동시대에 대한 탁월한 감수성으로 시대정신과 영화적 표현을 성취한다. 그들은 영화적 발언으로 전위의 자리에 있거나 자신의 내면으로 침잠하여 텍스트를 역사에 남긴다. 거장의 반열에 든 작가의 공통점은 '예술이란 무엇인가 그리고 인간은 어떻게 살아야 하며 세상은 어디로 향해야 하는가'에 대해 질문하고 영화적 해답을 제시한다.

안드레이 타르코프스키는 예술은 인간을 계몽하고 세상을 유토피아로 건설하려는 아름다운 무기로 생각했다. 그는 '예술은 인간이 할 수 있는 최선, 그러니까 희망, 믿음, 사랑, 아름다움, 기도 또는 인간이 꿈꾸고 바라는 것'[1]으로 인식하고 실천했다. 그에게 영화는 세상을 유토피아로 만드는 매개이거나 인간에게 사랑과 희망이라는 지고한 가치를 고양시켜주는 매체였다. 타

---

1 안드레이 타르코프스키, 김창우 옮김, 『봉인된 시간』, 분도출판사, 2005, 69쪽.

르코프스키는 인간은 어떻게 살아야 하는가에 대해 성스러운 바보의 숭고한 행위(〈희생〉)로 선험적 고향상실과 신성의 복원 가능성(〈노스탈지아〉와 〈스토커〉)을 모색했다. 아울러 세상은 어디로 향해야 하는가라는 거시적인 질문에 대해 '성스러운 바보의 아름다운 희생'을 통해 세상을 구원해야 한다(〈희생〉, 〈노스탈지아〉)는 명제를 영화적으로 제시했다. 거장의 징표는 예술이란 무엇인가와 인간은 어떻게 살아야하는가 그리고 세상은 어디로 가야 하는가에 대한 영화적 실천에 새겨진다. 타르코프스키는 정신의 가시화에 대해 사유하고 영화적 실천 행보를 감행했다. 그는 영화가 성취한 위대한 것은 바로 시간의 현현(봉인된 시간)임을 입증하였으며 편집과 장면의 미장센을 통해 현실과 꿈 그리고 현재와 과거 그리고 미래의 동시적 현현이라는 동시주의의 영화적 재현을 가시화하였다. 이와 같은 사실은 타르코프스키에게 거장의 징표를 부여하기에 부족함이 없는 조건으로 여겨진다.

안드레이 타르코프스키는 1932년 4월 4일 볼가 강 유역의 자브로지에서 출생하여 1956년 소련국립영화학교(VGIK)에서 공부하였으며 1960년 졸업 작품인 〈증기기관차와 바이올린(Katok i skripka)〉을 연출하였다. 그 후 〈이반의 어린 시절(Ivanovo detstvo)〉(1962)에서부터 〈안드레이 루블료프(Andrei Roublev)〉(1966), 〈솔라리스(Solaris)〉(1971), 〈거울(Zerkalo)〉(1975), 〈잠입자(Stalker)〉(1979), 〈노스탈지아(Nostalaghia)〉(1980) 그리고 마지막 작품 〈희생(Offret)〉(1986)까지 문제작으로 필모그래피를 채워갔다.

그동안 타르코프스키의 연구는 바슐라르의 4 원소론, 물과 불의 상징, 타르코프스키의 종교관과 철학 등으로 이루어졌다. 이는 거장의 행보에 걸맞은 주제에 대한 고찰과 평가에 기인한다. 강성률은 타르코프스키 전작에 등장하는 물과 불의 상징적 의미를 바슐라르와 정신분석 그리고 작가주의 입장에서 규명하였다.[2] 〈향수〉와 〈희생〉에서 등장하는 불의 이미지를 정신분석적 의미와 종교적 맥락에서 논의하면서 타르코프스키의 세계를 상징의 시각에서 정치하게 분석하였다. 김용규의 저서는 타르코프스키의 전 작품

---

2 강성률, 「안드레이 타르코프스키 영화의 상징 고찰 -물과 불을 중심으로」, 동국대학교 석사학위논문, 1999.

을 대상으로 구원의 문제와 신학적 해석 그리고 서구의 철학의 개념으로 해석을 시도한 역작이다.[3] 철학과 신학 그리고 작가의 작가일기를 토대로 타르코프스키 텍스트의 깊이 읽기와 작품의 심층으로 내려가는 계단같은 지침서를 완결하였다. 나리만 스카코브는 전 작품을 토대로 들뢰즈의 크리스탈 이미지와 번역의 문제를 적용하여 깊이 있는 해석을 보여주었다.[4] 서양의 학자가 서양의 개념으로 타르코프스키의 한 작품 한 작품에 대해 정밀하게 분석을 시도한 것이다. 타르코프스키의 기존의 수많은 연구가 존재한다. 거장의 징표는 세상의 구원에 대한 물음과 예술적 실천의 응답에 놓여 있다. 그럼에도 불구하고 선행 연구에서 타르코프스키가 제시한 성스러운 바보형 인물을 통한 세상의 구원의 문제와 고향상실 그리고 '1+1=1'이라는 동시주의적 맥락의 연구는 부족하다. 이 부분은 거장의 징표를 검증하는 시험대이면서 동시에 타르코프스키의 세계관과 미학의 중핵이다.

〈희생〉과 〈노스탈지아〉는 타르코프스키 영화에서 계속 등장하는 '세상은 어디로 가야 하며 구원을 위해 인간은 어떻게 살아야 하는가'라는 물음과 '인간의 존재의 풍경인 선험적 고향 상실의 문제의 본질은 무엇이고 그 영화적 해답은 무엇인가'라는 물음에 대해 영화예술로 응답한 작품이다.

2. 구원의 가능성 찾기 : 성스러운 바보들에 의한 세상의 구원

타르코프스키 영화의 주인공들은 세속적 가치 기준에 의거해서 바라보면 바보형에 가깝다. 이 성스러운 바보들은 세속적 가치를 거부하고 세상과 화해를 위한 타협 대신 저항하거나 행동으로 변화를 견인한다. 그들의 행위가 세상의 가치와 거리를 둘 때 기인과 기행으로 평가절하된다. 타르코프스키는 물질주의가 지배하는 인류의 미래를 구원하기 위해 스스로 희생양이되는 인물을 소환하여 그들의 행위를 지지한다. 그 대표적인 인물이 〈노스탈지아〉의 도

---

3 김용규, 『타르코프스키는 이렇게 말했다: 영화관 옆 철학카페 – 타르코프스키 편』, 이론과실천, 2004.

4 나리만 스카코브, 이시온 역, 『타르코프스키의 영화:시간과 공간의 미로』, B612, 2012.

미니코이고 〈희생〉의 알렉산더이며 더 거슬러 올라가면 〈안드레이 루블료프〉의 루블료프이다. 감독은 "사회로부터 추방당한 이 인간은 자신에게서 커다란 힘과 정신적인 수준을 발견하여 인간을 파멸시키는 현실과 대항할 수 있다"[5]고 명시했다. 그들의 공통점은 현실과 불화하고 영적인 세계를 지향한다. 물질주의는 거부하고 정신주의를 지지한다. 철학자 김용규는 "스스로 자신이 속한 시대와 사회를 위해 희생시킬 자유를 가진 인간"[6]으로 이름 붙였다. 타르코프스키는 "성스러운 바보들은 그들의 순례자 모습과 누더기를 걸친 거지의 모습을 한 외모를 통해서 질서가 잡힌 사회관계 속에서 보통 사람의 눈길을 모든 합리적 합법칙성의 건너편에 있는 예언과 희생과 기적으로 가득 찬 세계로 돌려주던 자"[7]로 규정하였다. 〈노스탈지아〉에서 도미니코는 마르쿠스 아우렐리우스 기마상에 올라가서 '모두 함께 어울려서 본래의 모습을 회복'하자고 외치며 〈희생〉의 알렉산더는 '핵전쟁을 방지하기 위해 마리아와 동침이라는 신성한 명령에 응하고 자신이 가진 모든 재산인 집을 봉헌'한다.

이와 같은 인물은 자신의 희생을 통해 타인과 세계를 이롭게 한다는 점에서 신화의 아틀라스와 정신적으로 연대한다. 그는 『순교일기』에서 아틀라스의 사명감에 큰 공감을 보낸다.

> 지구를 어깨에 떠받치고 있는 아틀라스처럼. 아틀라스는 피곤에 지쳐버렸을 때 그것을 던져버릴 수도 있었을 것이다. 그러나 그는 그렇게 하지 않았다. 어떤 이유에선가 그는 그것을 계속 떠받치고 있었다. 그것이야말로 이 신화의 가장 주목할 만한 대목이다. 그가 그토록 오래 지구를 떠받치고 있었다는 사실이 아니라 그가 환멸에 빠지지 않고 그것을 던져버리지 않았다는 사실이다.[8]

---

5 안드레이 타르코프스키, 앞의 책, 261쪽.

6 김용규, 앞의 책, 277쪽.

7 안드레이 타르코프스키, 앞의 책, 307쪽.

8 안드레이 타르코프스키, 김창우 역, 『순교일기』, 두레, 1997, 190쪽.

타르코프스키의 성스러운 바보형 인물은 위와 같은 사명감을 아틀라스와 공유한다. 모두 지구를 떠받친다는, 즉 인류를 지탱하고 있는 희생자라는 공통점을 보인다. 성스러운 바보의 희생을 통한 세계의 구원 가능성에 대한 기대는 타르코프스키의 예술론에 부합된다. 〈노스탈지아〉에서 도미니코(얼랜드 조셉슨 분)의 분신(焚身)과 고르차코프(올레그 얀코브스키 분)의 촛불의 봉헌은 인류의 구원을 위한 사명감의 발로이다. 도미니코는 '촛불을 켜고 연못을 건너야 한다'는 임무를 고르차코프에게 전하고 〈희생〉에서 우편배달부 오토는 알렉산더에게 '마리아와 동침해야 세상을 구원할 수 있다'는 사실을 전한다. 오토와 도미니코는 신성한 임무의 전달자이며 이들은 모두 자전거를 타고 있다. 이들의 행위는 모두 인류의 구원을 위한 개인의 희생이라는 점에서 지구를 어깨에 떠받치고 있는 아틀라스와 동일하다. 타르코프스키는 "삶의 여정 속에서 최소한 정신적으로 조금이나마 고상한 차원으로 상승하는 인간"[9]에 대한 지속적인 관심을 기울여왔다. 그의 인물에 대한 관심은 '희생하는 성스러운 바보'로 타르코프스키의 전형적 인물로 귀결된다. 그들은 세상의 구원을 위해 희생하는 성스러운 바보의 전형이다. 나리만 스카코브는 '폭력적 행위로 세상을 구하고, 대단히 소중한 것(자신의 목숨이나 가장 아끼는 재산)을 불태워 없애는 것'[10]이 두 인물의 공통점이며 종말론적 모티프의 영화적 표현으로 규정하였다.

이들 인물의 행적은 결국 타르코프스키의 주제를 도드라지게 하며 자기 희생을 통한 인류의 구원으로 귀결된다. 인간은 어떻게 살아야 하며 세상의 나아갈 방향은 어디인가에 대해 타르코프스키는 영화적 응답으로 성스러운 바보들의 희생을 통한 세상의 정화를 제시한다. 이는 그의 주제인 '인간은 물질적 풍요나 세속적 행복 추구보다 정신의 회복과 세상 모든 사람의 행복을 염원한다'를 대변한다.

두 작품에서 등장하는 성스러운 바보들의 행적과 그들의 의미를 되새겨볼

---

9 안드레이 타르코프스키(2005), 앞의 책, 266쪽.

10 나리만 스카코브, 앞의 책, 297쪽.

필요가 있다. 〈희생〉에서 알렉산더(얼랜드 조셉슨 분)는 아들 고센에게 수도 승의 이야기를 들려주면서 희망을 가지고 노력을 하면 '말라죽은 나무에 순 명의 결실'을 얻게 된다고 전한다. 이 이야기의 출전은 『교부들의 생애』이지 만 이에 공감한 타르코프스키의 신념이기도 하다. 〈희생〉의 마지막 장면에서 고센은 양동이로 마른 나무에 물 주는 행위를 실천한다. 고센은 내면 독백으 로 태초의 말씀에 대해 질문한다. 〈희생〉에서 인류에게 희망을 주기 위해 마 른 나무에 물 주기라는 성스러운 노력을 하는 것이 미래 세대의 몫이라면, 알 렉산더의 소명은 또 다른 것이다. 그의 소명은 오토라는 우편배달부의 전령 에 의해 '마리아와 동침'을 통해 전쟁의 위협으로부터 인류를 구원하려는 것 이다. 그는 자신이 가진 모든 것의 표상인 집을 불태운다. 마리아와의 동침과 재산의 소각은 알렉산더에게 마른나무에 물 주기와 같은 노력이며 인류의 구원을 위한 성스러운 바보들의 행위로 수렴된다. 결국 알렉산더는 마리아 와의 집에 도착하여 동침을 갈구한다. 아래 이미지에서처럼 그들의 동침은 공중부양으로 세상의 재생과 부활의 가능성을 암시한다.

다음날 알렉산더는 자신의 집을 희생제물로 바친다. 촬영감독 스벤 닉비 스트의 롱테이크는 불타는 집과 응급차를 타고 정신병원으로 떠나는 알렉산 더를 응시한다. 알렉산더와 고센은 성스러운 바보들의 역할인 인류의 구원 을 위한 자기희생을 행한 것이다. 근원적인 희망은 눈에 보이는 물질적 성취 와 성과보다는 이기주의와 물질주의의 폐해를 일소한 영성의 회복과 순진한 바보들의 때 묻지 않은 노력에 있음을 넌지시 암시한다.

〈노스탈지아〉에서도 두 명의 성스러운 바보가 각자 다른 장소와 방식으 로 인류의 구원을 위해 노력한다. 도미니코는 캄피돌리오 언덕(Campidoglio hill) 위의 캄피돌리오 광장의 마르쿠스 아우렐리우스의 기마상에 올라가서 대중을 향해 혼신의 힘을 다해 연설을 한다. 그는 '세상의 파멸을 막기 위해 서는 서로 연대하여 문명의 위기를 타개해야 한다'고 역설한다. 도미니코는 연설을 마치고 나서 분신을 시도한다. 분신은 자신을 태워서 세상을 밝히는 희생 행위의 정점이다. 또 다른 곳에서 고르차코프는 촛불을 들고 바뇨 비뇨니(Bagno Vignoni)의 온천에 봉헌한다. 온천(연못)을 건너는 행위는 "연못을 공간적으로 횡단하면 인류에게 미래(시간)가 주어지는 것"[11]과 같은 기대감을 갖게 한다. 온천에서 촛불을 들고 횡단하는 고르차코프는 거듭된 실패에도 불구하고 결국 횡단에 성공하여 촛불을 봉헌하고 쓰러진다. 이 장면은 로그린(Loughlin)의 분석대로 롱테이크로 포착하여 '한 인간의 전 생애를 처음부터 끝까지 제시하는 의식'에 가깝다.[12]

두 인물은 하나의 촛불에 하나의 촛불을 더해서 영성과 희망 회복의 불로 통합된다. 그들은 인류를 밝히는 불이 되기 위해 희생한다. 〈희생〉과 〈노스탈지아〉에서 희생은 성스러운 바보들이 세상의 구원을 위한 노력이며 이를 통해 물질주의와 세속화된 세상이 영성을 회복하여 인류의 재생과 구원 가능성의 출구를 마련한다. 두 작품은 성스러운 바보들의 희생과 노력을 통한 세상의 구원 가능성이라는 공통점으로 귀결되며 이는 안드레이 타르코프스키가 영화를 통해 역설했던 주제에 부합한다.

3. 고향상실 넘어서기 : 예술을 통한 귀향

고르차코프는 러시아 음악가 소스노프스키의 행적을 찾아가지만 이들은 예술적 쌍생아이다. 고르차코프는 현재의 시간에 극심한 러시아에 대한 그리움을 겪고 있으며, 소스노프스키는 과거에 고향에 대한 그리움으로 귀국을 결행하고 이내 자살을 한다.[13] 타르코프스키는 〈노스탈지아〉를 이탈리아 체류기에 작업하면서 고향과 가족에 대한 향수로 고통스러워했다. 자신의

---

11 나리만 스카코브. 앞의 책, 284쪽.

12 나리만 스카코브. 위의 책, 284쪽.

13 소스노프스키의 모델이 된 작곡가는 막심 사손토비치 베르요소프스키이다. 그는 1745년 10월 16일 글루초프 출생이며 1765년 이탈리아 볼로냐 뮤직 아카데미로 유학을 간다. 그곳에서 타르티니에게 사사를 받고 1774년 포촘킨의 권유로 귀국을 하며 그때 라스모프스키 백작의 노예인 여배우와 사랑에 빠진다. 이를 알게 된 백작은 여배우를 추방하고 베르요소프스키는 실의에 빠져 술로 세월을 보내다가 1777년 세상을 뜬다. 안드레이 타르코프스키(1997), 앞의 책, 222쪽.

자전적 내면은 고르차코프와 소스노프스키를 통해 드러난다.

> 가족들이 몹시 그립다. 러시아 인이 이탈리아에서 사는 것은 불가능하다.
> 러시아에 대한 향수 때문이다. 가족과의 이별은 인간을 파멸시킨다. 그리움
> 은 육체를 파괴한다.[14]

그는 가족과의 이별로 이국의 토양에 착근하지 못하는 나무로 살아가는
것을 아파한다. 고르차고프는 이와 같은 감독의 내면을 고스란히 물려받았
기에 카메라와 함께 지속적으로 떠돈다. 그리고 상상 장면은 고향을 호명한
다. 첫 장면에서 아들이 들판에 서 있고 딸과 아내와 어머니가 고향의 집과
함께 풍경이 된다. 이는 그리운 가족과 고향의 풍경이며 향수의 기원이다. 이
풍경은 타르코프스키의 자전적 풍경과 닮았다. 그가 일기를 통해 가족에 대
한 그리움을 또박또박 기록했다면, 〈노스탤지아〉는 그것을 시각화한 것이라
고 할 수 있다.

〈노스탤지아〉는 인물의 회상과 상상이 중첩된 장면이 반복해서 등장하지
만 결국 귀향의 드라마이며 선험적 고향상실을 회복하려는 두 인물의 희생
을 통해 본원적 고향으로 귀소하는 드라마다. 주인공이 떠도는 이유는 첫 번
째는 고향인 러시아에서 이탈리아로 여행 온 까닭이다. 두 번째는 러시아의
음악가 소스노프스키를 취재하면서 향수에 대한 특별한 정서의 환기이다.
향수의 정서는 주인공의 방황의 원인으로 작용한다. 세 번째는 삶의 존재 의
의를 상실한 선험적 고향상실감이다. 선험적 고향상실은 타르코프스키 영화
의 주인공들의 내면풍경을 지배하고 있다. 선험적 고향상실은 물질문명으로
인한 본원적 세계의 훼손에서부터 구체적인 장소로서의 고향으로 떠남까지
그 영역이 넓게 펼쳐져 있다. 고르차코프는 '자신이 죽음을 꿈꾸어왔다는 사
실의 망각' 상태이다. 그는 죽음으로의 귀소 본능을 망각하다가 서서히 회복
한다. 그의 향수에는 죽음(본향)에 대한 귀소 본능과 러시아에 대한 그리움

---

14 안드레이 타르코프스키(1997), 같은 책, 226쪽.

이 중첩된다.

〈잠입자〉에서 주인공은 영적 훼손으로 인한 정신적 고향상실로 방황을 한다. 결국 그는 특별한 구역으로의 입사를 통해 영성을 회복하여 영적 귀환을 하게 된다. 〈이반의 어린 시절〉의 이반은 전쟁으로 고향을 떠나고 부모와 이별하게 된다. 이반은 고향의 상실과 모성의 부재라는 이중적 단절 상황에 처하게 된다. 이반의 내면은 모성으로의 회귀를 지향하며 꿈의 환상 장면은 고향상실감을 극명하게 부각한다. 모성으로 귀소본능은 이반의 실향감의 우회적 표현이며 무의식의 꿈 장면으로 표상된다. 타르코프스키의 고향상실감은 영적인 본향 상실과 혈육과의 헤어짐 그리고 구체적인 장소로서 고향상실에 기인하지만 결국은 선험적 고향상실로 인한 주인공의 디아스포라적 정서로 귀결된다.

루카치는 대중적 주체는 '자신에게 삶의 의미와 방향을 제시해 줄 수 있는 모든 '보편적 가치와 이념'을 잃어버린 상태'[15]인 선험적 고향상실(Die transzendentale Heimatlosigkeit)에 처해있으며 이로 인해 주체는 정신적으로 불안정하고 지속적으로 떠돈다고 했다. 이와 같은 인물의 정서에 대해 '내적 망명' 상태에 있는 멜랑콜리한 주체로 이름을 부여한다. 루카치의 선험적 고향상실자는 가치와 이념의 부재로 인한 방황을 하는 것에 가깝다면 타르코프스키의 인물의 내면은 보다 폭넓은 스펙트럼을 보여준다. 타르코프스키의 주인공은 구체적 고향으로부터의 유리, 세상을 살아가는 삶의 방향과 가치관의 상실, 그리고 영성의 훼손으로 인한 본원적인 고향의 부재와 두려움의 정서로 확산된다. 루카치의 선험적 고향상실과 유사성을 보여주지만 감독의 예술적 감수성으로 더 확장되어 다양한 정신의 결을 형성한다. 다양한 정서는 〈노스탤지아〉의 고르차코프의 방황과 근원적 귀향 과정을 통해 시각화된다.

---

15 하선규, 『지그문트 크라카우어』, 커뮤니케이션북스, 2017, 37쪽. 고향상실(Heimatlosigkeit)은 하이데거의 철학적 개념이다. 하이데거는 인간은 보호없이 낯설고 위협적인 세계에 던져진 고향을 상실한 상태에서 살고 있는 존재로 규정하였다. 루카치는 소설론에서 이 개념을 선험적 고향상실로 규정하였으며 크라카우어도 중요한 개념으로 수용하여 영화와 문화에 적용하였다.

〈노스탈지아〉의 고르차코프는 고향 러시아를 떠났다는 엄연한 사실과 러시아의 음악가에 대한 동일시로 고향상실감에 예민하게 반응한다. 고향상실감은 삶의 방향 상실로 표출되거나 꿈의 세계로 도피하여 과거의 유토피아 같은 순간과 장소로 회귀하려는 귀향의 환상을 반복하고 강화한다. 그는 현재보다는 과거로의 회귀에 더 기울어져 있다. 그의 고향상실은 근원적 디아스포라적 징후라는 점에서 선험적이며, 희망의 부재와 정신적 실향의 징후를 보이기도 하며 구체적인 장소 상실까지 중첩되어 현실에서 귀향의 길이 더 요원해진다. 〈노스탈지아〉는 향수라는 중심 감정을 매개로 하여 주인공의 내면으로의 귀향과 특정 장소로의 귀향 서사가 병행된다. 더 나아가 도미니코에 의해 물질문명으로 훼손된 세상에 대한 구원의 서사가 개입되면서 물질문명으로 훼손된 순수한 세계에 대한 귀향 노력이 가미된다. 전자는 귀향의 서사로 향하며 후자는 구원의 서사를 지향한다. 귀향의 서사와 구원의 서사는 하나의 소실점을 향한다. 귀향의 서사는 꿈의 길을 통해 러시아의 집으로 귀향으로 가시화되고 구원의 서사는 선험적 고향상실이라는 우리 시대에 대한 성찰과 영적 회복으로 나아간다. 구원의 서사는 도미니코에 의해 인류의 본원적 영혼의 귀향에 대한 부르짖음으로 웅변되고, 훼손되지 않는 정신세계의 회복을 통한 인류의 영적 귀환에 대한 갈망의 메시지를 담아낸다. 영적 회복을 통한 귀향은 도미니코와 고르차코프의 희생을 통해 가능성의 길을 열어간다는 점에서 〈희생〉의 알렉산더와 겹친다. 이들의 희생은 영적 귀향을 위한 인간의 노력이라는 점에서 귀향의 서사와 희생의 조건이 서로 연동됨을 암시한다. 타르코프스키의 특징은 귀향의 의지와 자기희생을 통한 세상의 구원 서사를 접목하여 진행한다. 종말론 모티브는 구원의 서사와 귀향의 서사를 이끄는 근원적인 힘이며 고향상실과 영혼의 구원이 서로 유기적으로 연관성을 갖는다. 그의 귀향은 귀소의 본능에서 세상의 구원과 본원적 귀향을 지향하여 영화와 종교가 봉우리에서 만나게 된다.

고향의 상실 이미지는 디아스포라적 방황으로 가시화되거나 완전한 안식처가 아닌 불완전한 폐허 이미지로 나타난다. 전자의 경우는 고향상실의 원인이 고국에서 추방이나 떠남이라는 구체적 원인이 존재한다. 후자의 경우는 다소 상징적이며 타르코프스키의 폐허 이미지의 반복을 통해 자신만의 이미지를 구축한다. 타르코프스키의 전 작품에 폐허의 이미지가 반복해서 등장한다. 〈이반의 어린 시절〉부터 마지막 작품인 〈희생〉까지 일관된 폐허 이미지가 등장한다. 〈이반의 어린 시절〉은 전쟁으로 인한 폐허가 설득력 있게 등장하지만 〈희생〉에서는 꿈 장면을 통해 인류의 종말 이미지로 더욱 선명하게 가시화된다. 〈잠입자〉와 〈거울〉에서도 폐허의 집 이미지가 반복된다. 〈노스탈지아〉에서 도미니코의 주거지와 수도원 등이 폐허 이미지를 보여준다. 폐허의 이미지는 나리만 스카코브의 분석대로 "불완전한 건물이라는 반복되는 모티프는 정신적으로나 물질적으로나 가정을 되찾고 싶다는 인물들의 염원을 반영"[16]하고 있는 듯하다. 가정 되찾기는 상실한 집의 복원 의지이며 고향상실로 인한 귀향의 염원과 연관된다. 타르코프스키는 동시대 인간이 처한 상황을 정신적 디아스포라의 정서, 크라카우어의 표현에 의하면 선험적 고향상실로 규정한다. 타르코프스키는 선험적 고향상실을 고향으로부터 떠남이라는 장소의 이탈보다는 우리가 살고 있는 거주 공간 자체의 불완전함과 정서적 뿌리 뽑힘으로 인한 선험적 고향상실을 천착한다. 따라서 인물들은 선험적 고향상실이라는 실존적 문제 해결이라는 과제를 안고 있다. 고향을 상실한 자는 귀향을 꿈꾼다. 귀향은 다음 세 가지의 길을 통해 가능할 것이다, 첫 번째는 장소를 통한 귀향이다. 이는 고국과 고향을 떠나 이국과 타향에 살고 있는 인물이 귀향을 통해 해결 가능한 것이다. 고르차코프는 러시아로 돌아가면 해결의 실마리를 찾을 수 있다. 두 번째는 본원적인 고향으로 회귀이다. 삶이 미지의 곳에서 당도한 것이라면 죽음은 본원적인 본향으로 되돌아가는 것으로 볼 수 있다. 본원은 장자의 자연이며 침묵의 심연이다. 삶에서 죽음으로 이행은 본향으로 회귀와 귀향으로 볼 수 있다. 세 번째는 속된 삶에서 성스러운 삶으로 돌아감이다. 이는 영적 귀향으로 볼 수 있다. 그는 마지막 장면에서 이와 같은 귀향의 다양한 갈림길과 가능성의 해법을 영

---

16 나리만 스카코브, 앞의 책, 287쪽.

화적으로 제시한다. 근원적 고향상실의 극복은 이와 같은 세 가지의 조건을 모두 부합할 때 가능할 것이다.

마지막 장면은 예술을 통한 선험적 고향상실의 극복을 보여준다. 고르차코프는 촛불을 켜는 임무 완수 후에 쓰러진다. 타오르는 촛불은 그의 아내 마리아가 바라본다. 이어서 그가 귀향하고 싶은 고향의 풍경이 미니어처로 등장하고 줌아웃되면 고향의 성당이 등장한다. 그는 선험적 고향상실과 고향상실감을 촛불을 켜는 노력으로 극복한다. 그는 자기희생을 통해 피안의 세계로 이주하고 시공간이 하나로 통합된 영화적 장소, 영적 고향에 당도한다. 마지막 프레임은 타르코프스키의 예술적 상상력으로 구축한 정신적 귀향이자 예술적 이상향의 현현이다. 그 방식은 두 사람이 힘을 합하여 하나의 목표를 이루는 1+1=1 방식이다. 이는 도미니코의 노력과 고르차코프의 노력이 더해져서 하나의 꿈인 근원적 고향으로의 귀향 이미지로 완성된 것이다.

이 장면은 시간과 공간의 경계와 구별이 무화되고 상상과 현실의 구분이 없어져서 개와 인물이 함께하고 삶과 죽음도 공존하여 죽음의 촛불로 삶의 빛을 만들어 낸 역설처럼 죽음과 희생으로 당도한 영화적 귀향의 성취이자 인류의 자궁 회귀 장면이다.

철학자 김용규는 본향으로의 귀환이라는 개념으로 설명하였다. 적합한 표현이며, 마지막 장면 이미지는 주인공의 정신적 귀환이라는 점에서 귀환과 구원의 서사의 종착점이며 모든 것의 수렴으로 여겨진다.

이곳은 러시아 고향도 아니며 이탈리아 토스카나 지방도 아니고 그 어느 곳도 아닌 아주 낯선 곳, 전혀 새로운 곳이다-그가 항상 그리던 곳 바로 본향이다, 하늘로부터 내리는 것은 더 이상 비가 아니라 순백의 눈이다[17]

영혼의 고향인 본향으로의 귀향은 건축물과 순백의 눈이라는 이미지를 통

---

17 김용규, 앞의 책, 279쪽.

해 설명한다. 영화적으로 이 장면은 서로 다른 시간과 이질적 공간이 합체되어 있으며 비가시적인 죽음 이미지와 삶의 이미지가 중첩되고 자신의 내면을 성찰할 거울 이미지의 함축을 통해 선험적 고향상실을 넘어서는 영원한 안식과 감독과 주인공과 러시아 시인이 중첩되는 동시주의 이미지로 수렴된다.

선험적 고향상실을 벗어나는 것은 인물의 실제 고향집으로 귀향과 정신의 고향인 성당으로의 귀소로 시각화된다. 또한 삶에서 죽음으로의 회귀이자 계절은 겨울이 아니지만 눈이 내리고, 이탈리아와 러시아 고향 집이라는 장소의 물리적 거리를 지우면서 상호 공존한다. 시간과 장소 그리고 인물의 중첩이 동시주의를 이룬다. 고르차코프는 빛이 들어오는 우물가에 개와 나란히 자리하고 있다. 상상의 장면에서 움직이던 개가 그와 함께하면서 귀소와 귀향을 인증해준다.

『순교일기』에서 타르코프스키는 죽음 이후의 존재가능성에 대해 성찰하고 자신의 죽음관을 피력한 바 있다.[18] 그의 죽음관은 "영혼불멸성"으로 집약된다. 영혼 불멸성은 톨스토이와 세네카의 글에 대한 타르코프스키의 공감을 통해 검증된다. 〈희생〉의 알렉산더는 세네카의 편지에서 철학을 정립하고 행하는 인물을 구상하였다는 사실을 일기에 기록하였다.

감독은 1981년 9월 3일 일기에서 "세네카의 루실리우스에게 보낸 편지를 읽었다. 이 편지는 〈희생〉의 시나리오 도입부에 나오는 철학자의 성격을 만들기 위한 뼈대로 사용 할 수 있을 것"[19]같다고 피력하였다.

그의 영혼 불멸성은 인간의 희생과 그 영혼의 지속적인 존재 가능성을 보여준다. 이와 같은 입장은 주인공이 세상의 구원을 위한 희생이라는 행위에 대해 결단을 할 수 있는 개연성을 부여한다. 그들은 모두 죽음 이후에 영속적으로 존재 가능성과 새로운 세계에서 다시 태어날 가능성에 대한 신념을 지닌다. 이와 같은 감독의 죽음에 대한 태도와 철학은 〈노스탈지아〉에서 고르차코프가 촛불을 켜고 온천을 건너는 행위와 죽음 이후 러시아 농가와 성당

---

18 안드레이 타르코프스키(1997), 앞의 책, 38쪽.
19 안드레이 타르코프스키, 위의 책, 244쪽.

이 중첩된 장면에 개연성을 부여한다. 타르코프스키는 고르차코프의 죽음 처리 방식으로 거리에서 살해와 심장마비 중에서 갈등했다. 하지만 고르차 코프는 '자신이 죽음을 꿈꾸어왔다는 사실을 망각'한 것과 희생을 통한 세상 의 구원 가능성 제시 그리고 죽음 이후의 영혼성에 대한 영화적 재현을 담아 내기 위해 촛불 봉헌에서 영화적 귀향 장면으로 전환한 것이다.

고르차코프의 죽음은 삶의 소멸이 아닌 다른 세계로 태어남이다. 불교에 서의 윤회와 차이가 있는데, 죽음은 이승에서의 삶의 중단이지만 동시에 다 른 차원으로의 이동으로 존재의 영속성을 유지한다. 감독의 영혼 불멸성에 대한 철학이 영화로 가시화된다. 고르차코프는 스스로 염원한 고향의 농가 로 귀향과 성당의 공간이 에워쌈을 통해 선험적 고향상실의 상태를 넘어서 는 영적 고향으로의 귀속과 합일을 성취했으며 이를 마지막 장면에서 영화 적 이미지로 완결시켰다. 귀가의 서사와 구원의 서사가 고향의 농가와 우물 과 성당을 결합한 이미지로 합일점을 이룬다. 여기서 타르코프스키의 영화 관의 정점을 명백하게 드러내며 그의 위상이 여타의 감독과 어떻게 거리를 만들어내는지 입증한다. 예술의 시작과 끝은 독창성이며 예술과 종교는 아 름다움과 성스러움이 서로 손을 잡을 때 하나가 된다는 사실을 마지막 장면 으로 입증해낸다. 거장의 영화세계는 세상을 바라보는 성찰의 깊이와 정신 적 무늬로 빚어낸 영화적 가시화의 다른 이름이다. 〈솔라리스〉에서 정신과 영혼의 현현이 가시화되었다면 〈노스탈지아〉에서는 인간의 근원적 실향을 극복하고 영적 구원과 정신적 귀향의 본질을 시각적으로 포획하였다. 타르코 프스키는 영화를 통해 정신적 귀향의 항해를 시작하였으며 〈노스탈지아〉의 고르차코프를 통해 이타케에 당도한 예술적 오디세우스의 성취를 획득한 셈 이다.

4. 1+1=1이라는 동시주의와 만물제동주의

예술은 경계가 없는 해방의 우주다. 그의 영화적 세계가 몽타주로 설명되거나 동시주의의 개념으로 귀속되거나 만물제동주의 정신의 구현으로 귀결 가능하다. 타르코프스키는 예술적 독창성과 표현의 자유분방성의 길을 통해 어디에도 구속되지 않는 경계 없는 존재, 예술 자체의 봉우리를 지향하고 그 곳에서 예술과 종교가 하나가 된다. 그 정상에 도달하기 위해 1+1=1이라는 동시주의와 만물제동주의와 크리스탈 이미지를 통해 등정을 시작한다.

〈노스탈지아〉에서 시인 고르차코프는 극 속에서 러시아 작곡가 사스노프 스키의 유적과 자료를 찾고 있다. 두 사람은 예술가이며 실향의 조건에서 작 업을 수행하는 공통점이 놓여있다. 시인과 작곡가는 영화감독 타르코프스키 와 닮았다. 고르차코프(시인)+사스노프스키(음악가)=타르코프스키(감독) 이다. 이를 다시 풀면 예술(시인)+예술(작곡가)=예술(감독)이다. 타르코프 스키는 예술가의 시선과 실존적 상황 그리고 사명감으로 세상을 바라보는 눈을 획득한다. 이 눈은, 세상에는 아름다운 초원이 있고 성스러운 성당이 있 고 육신의 쾌감을 위해 온천에서 온천욕을 즐기는 일상이 놓여 있지만, 그럼 에도 불구하고 돌아갈 고향을 상실한 곳이자 돌아갈 곳을 그리워하면서 삶 의 시간을 보내는 이방인의 감정과 정신적 디아스포라의 정체성으로부터 자 유롭기 어렵다. 주인공의 내면은 인간 모두가 눈감고 있거나 눈뜨고 자각하 는 근원적 노스탈지아에 대한 보편적인 지평으로 견인해간다. 이를 한 인물 이 두 인물을 통합해서 동시적으로 재현한다.

〈희생〉은 첫 장면에 바흐의 〈마태수난곡〉의 아리아가 울려 퍼지면서 카메 라는 레오나르도 다빈치의 〈동방박사의 경배(Adoration of Magi)〉를 클로즈 업한다. 이 성화는 〈희생〉에서 여섯 번 반복해서 등장하고 많은 장면에서 현 실과 성화가 디졸브된다. 현실의 주인공의 내면과 성화의 이미지가 동시주 의적으로 통합되어 예수의 수난과 주인공의 희생을 주제적으로 접목시켜준 다. 알렉산더의 고뇌와 예수의 십자가 고난이 주제적 유사성을 보여준다. 〈동 방박사의 경배〉는 태어난 예수에 대한 경배와 이후 십자가의 수난이 탄생과 죽음으로 동시적으로 통합된다. 또한 레오나르도 다빈치는 동시성의 미학을 그의 회화론의 중심에 둔 화가이다. 그의 동시성은 "시간의 흐름 속에서 잡아

챈 실존의 한 순간"이 아니라 그 "이전"과 그 "이후"를 상정한다. 시간이란 살아서 흘러가는 인생을 이해하는 한 형태로 보는 것"[20]이다. 이 성화는 현재의 탄생과 이후의 순교를 동시에 함축한다. 성화는 알렉산더와 예수의 유사성과 탄생과 죽음의 동시주의를 집약한다.

이와 같은 동시주의를 통해 타르코프스키가 꿈꾸는 것과 표현하는 것은 무엇인가. 그것은 예술(영화)을 통한 미의 획득과 동시에 성(聖)의 가치의 획득이다. 다시 말하면 예술과 종교가 어우러지는 것이다. 감독은 1980년 일기에서 '전면적 파멸에 저항하는 무기는 사랑과 예술'이라고 했다.[21] '윤리적 의미의 신은 사랑'이라고 1970년 일기에서 이미 언급하였다.[22] 그에게 사랑은 종교의 다른 말이며 아름다움은 예술의 다른 이름이다. 미학자 백기수에 의하면 "성은 모든 가치 위에 군림하는 지상의 절대적 가치"[23]이다. 가치는 적극적 가치와 소극적 가치로 나눈다. "적극적 가치는 가치 주체에 의해 긍정적으로 채택되는 가치. 인간 생활의 복리향상을 위해 추구되는 부, 쾌, 건강, 복, 힘, 이, 애, 진, 선, 미, 성이며 소극적 가치는 부정적으로 거부되는 빈, 불쾌, 병약, 화, 허, 손(損), 위(僞), 악(惡), 속(俗)"[24]등이다. 성은 정신적 문화적 가치인 학문(진), 도덕(선), 예술(미), 종교(성)에서 종교에 속하며 보편적 가치에 속한다. 보편적 가치는 '개인의 부(富), 쾌(快), 건강(健康)보다 사회집단 내지 인류에 공통된 부와 건강', '소수자의 애정과 행복 그리고 명예보다도 다수자'를 지향하는 다수와 만인 지향성을 지닌다. 타르코프스키의 인물이 지향하는 것은 개인의 행복보다 개인을 희생하여 인류의 평화와 행복과 안녕을 염원하는 보편적 가치를 지향하고, 성스러운 정신적 문화적 가치를 지향한다. 이와 같은 정신적 가치와 보편적 가치와 같은 고차원의 정신세계를 지

---

20 나리만 스카코브, 앞의 책, 304쪽.
21 안드레이 타르코프스키(1997), 앞의 책, 226쪽.
22 같은 책, 36쪽.
23 백기수, 『미학』, 서울: 서울대 출판부, 2000, 126쪽.
24 같은 책, 124쪽.

향하는 것은 성으로 향한다. 성 가치는 "절대적인 신의 법칙이 지배하는 최고 실재로서의 이상적 가치이며, 이에 상대적인 여하한 존재도 예상할 수 없는 절대적 가치"[25]이다. 타르코프스키는 영화라는 예술을 통해 인류의 구원과 인류의 교육과 계몽을 지향하였으므로 그가 지향하는 가치는 소극적 가치가 아닌 보다 지고하고 고차원적인 성스러움을 지향했다. 성스러움의 가치는 인류를 위한 개인의 희생과 삶과 죽음의 경계를 지우며 영속적인 정신적 귀향 가능성에 대한 예술적 성찰과 응답으로 표현되었다. 그 장면은 〈희생〉의 나무에 물주는 행위와 〈마태수난곡〉의 비디제시스적 음악 속에서 마른 나무를 타고 수직 상승하는 카메라의 시선에서 현현하며 〈노스탈지아〉의 성당과 러시아 고향의 공동 배치로 귀결된다.

두 공간의 동시주의는 꿈과 현실의 동시주의와도 유사하다. 장자는 우리의 인생이 나비가 인간이 되는 꿈과 인간이 나비가 되는 꿈을 구분할 수 없다고 설파했다. 장자에서 나비와 인간의 구분을 지우는 것은 동양의 동시주의인 만물제동주의로 귀결된다. 모리 미키사부로에 의하면 '모든 것이 평등하다고 보는 입장에서 보면 자기와 타자의 구별이 없기 때문에 나비는 그대로 장주'이고 '만물제동의 이치에서 보면 꿈과 현실의 구별이 없기 때문'에 인생과 꿈은 등치된다.[26] 만물제동주의는 구별을 지우고 절대 긍정의 세계를 지향한다. 나비는 나비대로, 인간은 인간대로 긍정하고 꿈은 꿈대로 현실은 현실대로 긍정하며 살아갈 때는 삶으로 받아들이고 죽을 때는 죽음을 편안히 여기는 것이 만물제동주의의 요체이다.[27] 만물제동주의는 동시적 공존과 서로 다른 존재 형식에 대한 긍정이므로 동시주의인 1+1=1과 깊이 연관된다. 두 인물(도미니코+고르차코프)이 하나의 지향점(세상의 평화와 구원)을 가지고 행동하는 것과 마지막 장면에서 성당(1)과 고향(1)이 하나의 공간으로 수렴되는 것은 동시적 공존과 새로운 존재에 대한 긍정이라는 점에서 동시주

---

25 같은 책, 126쪽.
26 나카지마 다카히로, 조영렬 역, 『장자, 닭이 되어 때를 알려라』, 글항아리, 2010, 200–206쪽.
27 같은 책, 200–206쪽.

의와 만물제동주의가 하나로 합한다.

인간인 도미니코가 거주하는 공간의 벽에 1+1=1이라고 새겨져 있다. 이는 연설을 하고 분신을 시도하는 로마의 도미니코 1인과 온천에서 촛불에 불을 점화하고 옮기려는 고르차코프 1인의 행위는 하나를 지향한다는 것을 암시한다. 이들은 한 사람은 분신으로 불을 밝히고 다른 한 사람은 촛불을 통해 온천에 불을 밝히면서 인류의 어둠을 몰아내는 하나의 빛이 된다는 상징의 수식으로 볼 수 있다. 그들은 각자 1이면서 동시에 인류를 위한 하나의 희생이라는 점에서 1로 수렴된다. 도미니코는 자신의 거처를 방문한 고르차코프에게 '기름 한 방울에 다른 한 방울을 합하면 두 방울이 아니라 더 큰 한 방울이 된다'고 말한다. 그의 벽에도 1+1=1 이라는 글씨가 부착되어 있다.

1+1=1은 수식에서는 오류이지만 영화와 예술의 장에서는 앞의 장면처럼 허용된다. 선과 악, 생과 사, 여름과 겨울의 공존과 같은 대립되고 대조적인 사물에 대해 공존의식을 근간으로 하는 시각은 동시주의이다. 동시주의는 1913년 아폴리네르의 『입체파 화가들, 미적 명상』에서 사용되었으며 "동시주의적 화가의 작품은, 자명한 구조의 순수한 미적 쾌락과 숭고한 의미"[28]를 부여해야 한다는 것에서 비롯되었다. 동시주의는 '양극의 동시적 공존'과 '다양한 시각의 공존'을 대전제로 하며 '모든 생명과 자유가 존중된 세상'에 대한 염원을 지니고 있다. 이와 같은 미학적 실천과 사회 운동을 접맥했던 집단은 1916년 스위스에서 활동한 다다이스트 그룹이었다. 그들은 예술을 통해 '전쟁 반대', '제국주의 반대'와 같은 구호를 외치며 압제적 정치에 대해 저항을 하였으며, 그 수단이 동시주의의 실천이었다. 이후 동시주의는 피카소와 달리 등 작가들의 작품세계에 영향을 주었으며 문학에서도 일정한 영향을 보여주었다.

타르코프스키는 〈노스탈지아〉에서 1+1=1의 수식과 소설 속의 인물이 현재의 공간에 등장하는 것(작품과 현실의 공존), 성당과 고향이 공존하는 것(서로 다른 공간의 공존)을 통해 동시주의의 영화적 실천과 적용 그리고 고차원

---

28   정상균, 『다다혁명운동과 문학의 동시주의』, 학고방, 2012, 19쪽.

적 발전을 성취한다. 그리고 그가 지향하는 것도 실향의식에서 벗어난 예술을 통한 귀향 가능성의 모색과 〈희생〉에서 마른 나무에 물주는 장면(죽음과 삶의 공존)에서 전쟁 반대와 인류의 평화에 대한 희망을 역설한다. 다다이스트들이 동시주의라는 예술적 전략으로 전쟁 반대와 세계의 폭력에 저항했던 것과 유사하게 영화의 장에서 타르코프스키는 동시주의를 통해 인류의 구원과 세계의 평화에 대한 지향 그리고 근원적 고향상실의 극복이라는 예술적 해답을 제시했다.

또 하나의 해석 가능성은 고향상실과 귀향 가능성의 통합이다. 〈노스탈지아〉에서 시인 고르차코프는 이탈리아에서 러시아로 귀향을 갈망한다. 고르차코프와 알렉산더는 장소로서의 고향상실과 정신적 귀향을 갈망한다. 이들은 종국적으로 죽음과 떠남(정신병원 수감)을 통한 영생과 귀향의 길을 모색한다. 고르차코프에게 고향의 상실은 영원한 귀향을 지향하게 하고 알렉산더에게 선험적 고향상실은 현실의 세계에서 상상의 세계로 이동을 택하게 한다. 그는 현실에서 선험적 고향상실감을 영적인 세계로 입사(마리아와 동침)를 통해 극복한다. 현실에서 벗어남은 이생에서 상투적 삶의 죽음과 의미론적으로 일치하며 그의 떠남은 또 다른 세계로 이주이거나 본원적 세계로 귀향을 암시한다. 고르차코프와 알렉산더로 표상된 성스러운 바보들은 영화라는 예술적 매개를 통해 근원적 귀향을 꿈꾸는 예술적 오디세우스의 여정을 수행한 것이다. 그들의 귀향은 현실적 죽음을 희생하여 성스러운 세계로 이주를 성공한 것이다. 이는 곧 영화라는 예술적 매개를 통한 선험적 고향상실의 해소 가능성에 대한 실마리를 제공한다. 그들의 귀향은 '삶+죽음=영생'의 수식으로 귀결된다.

귀향의 이미지는 크리스탈 이미지를 통한 정신적 귀향으로 이미지화된다. 크리스탈 이미지는 하나의 시간 평면에 다양한 시간들이 현현하는 것이다. 〈희생〉에서는 나무라는 세계의 중심축을 세우고 물주기라는 노력을 통해 부활 가능성을 보여준다. 〈노스탈지아〉에서는 삶과 죽음은 향수와 고향상실로 연동된다. 고향의 우물과 성당의 공존 그리고 삶과 죽음이 모두 하늘에서 내리는 눈을 맞이하는 장면에서 결정체 이미지라는 소실점을 만든다. 〈노스탈지아〉와 〈희생〉의 마지막 장면에서 예술적 귀향과 인류의 구원 가능성에 대한 희망적 전언이 한 프레임으로 응결된다.

5. 종교와 예술이 만나는 풍경

타르코프스키는 영화란 무엇이며 세계는 어디로 가야하는가라는 질문에 대한 답을 예술을 통해 추구했다. 그는 '영화로 예술의 근본을 질문하였으며, 영화가 동시대와 현현하는 시간을 어떻게 봉인할 수 있으며, 영화는 전쟁의 위협과 물질문명으로 인한 인류의 정신적 피폐화에 대항하여 인류에게 어떻게 평화로운 세상을 지켜내고 정신적 자양분을 제공할 수 있으며, 더 나아가 영화는 어떻게 인류를 구원할 수 있는가라는 문제에 대해 깊이 성찰하고 실천하고 설득한 작가'임을 검증하였다. 그는 물질화되고 황폐화된 세상의 변화를 제동 걸고 희망의 방향으로 이끌어 갈 수 있는 성스러운 바보를 소환하였다. 〈희생〉의 알렉산더와 〈노스탈지아〉의 도미니크와 고르차코프는 성스러운 바보형 인물을 대표한다.

타르코프스키의 〈노스탈지아〉가 귀향과 구원의 서사로 이루어졌다면 〈희생〉은 구원과 희망의 서사를 지향한다. 〈노스탈지아〉는 소스노프스키의 귀향을 암시한 고향의 집과 선험적 고향상실자인 고르차코프에게 영적인 안식처인 성당과 자신의 내면을 표상하는 우물로 귀향과 구원 가능성을 열어준다.

타르코프스키는 예술과 종교의 합일이라는 정점에 도달하기 위해 동시주의와 만물제동주의 그리고 선험적 고향상실의 극복에 대한 화두를 제시하였다. 그는 예술에서 독창성의 중요성을 실천하였으며 예술의 아름다움과 종교의 성스러움을 하나로 통합하는 풍경을 영화로 빚어냈다. 이는 거장이라는 이름으로 행할 수 있는 세상에 대한 깊은 성찰과 영화적 시각화의 완성으로 가능한 것이다. 그의 질문과 영화적 대응은 인류 정신의 내면적 항해와 접맥되며 영화의 예술적 지위 획득과 예술과 종교의 합일 가능성을 입증하였다. 그의 영화사적 위상은 영화의 예술적 지위 확보와 영화예술을 통한 인류의 구원 가능성 그리고 영화의 종교적 영향력 확대 가능성을 열었다는 사실에 놓여있다.

거장의 나무

2021년 9월 3일 1판 1쇄 인쇄
2021년 9월 15일 1판 1쇄 발행

지은이 | 문학산
펴낸이 | 孫貞順
펴낸곳 | 도서출판 작가
　　　　03756 서울시 서대문구 북아현로6길 50
　　　　전화 | 02)365-8111~2　팩스 | 02)365-8110
　　　　이메일 | morebook@naver.com
　　　　홈페이지 | www.morebook.co.kr
　　　　등록번호 | 제13-630호(2000. 2. 9.)
편　　집 | 손희, 양진호, 설재원
디 자 인 | 오경은, 박근영
마 케 팅 | 박영민
관　　리 | 이용승

ISBN 979-11-90566-27-8　03680

값 18,000원